MARC-ANDRÉ NADEAU

D1309562

L'ÉVALUATION de PROGRAMME

Théorie et Pratique

LES PRESSES DE L'UNIVERSITÉ LAVAL
Québec, 1988

Conception et réalisation graphiques: Norman Dupuis

©Les Presses de l'Université Laval 1988, 1981
Tous droits réservés. Imprimé au Canada
Dépôt légal (Québec et Ottawa), 3ᵉ trimestre 1988
ISBN 2-7637-7141-6

L'ÉVALUATION de PROGRAMME

Affectueusement
à Joan, Ghislain et Julie

TABLE DES MATIÈRES

◆

Prologue   1

Introduction   3

Première partie   **L'ASPECT MÉTHODOLOGIQUE**   5

Chapitre 1   **Historique**   9

Avant le 19ᵉ siècle   11
Le 19ᵉ siècle   12
Le 20ᵉ siècle   14
   L'ère du *testing* (1900-1930)   14
   L'ère de Tyler (1930-1945)   16
   L'ère de l'innocence (1946-1957)   17
   L'ère de l'expansion (1958-1972)   20
   L'ère de la professionnalisation (1973-)   23
Références   27

Chapitre 2   **L'évaluation vue dans la perspective des programmes**   31

Évaluation informelle et évaluation formelle   34
Recherche versus évaluation   36
   Les motifs de l'investigation   38
   Les objectifs de l'investigation   38
   Les lois versus les descriptions   39
   Le rôle de l'explication   39
   L'autonomie de l'investigation   39

Les propriétés des phénomènes étudiés 39
L'universalité des phénomènes étudiés 40
La question de « valeur » 40
Les techniques d'investigation 41
Les critères pour juger l'activité 41
La base disciplinaire 42
Définition de l'évaluation 44
Évaluation et mesure 44
Évaluation et jugement professionnel 44
Évaluation et atteinte des objectifs 45
Évaluation et utilité sociale et (ou) jugement 45
Évaluation et décision 46
Le processus d'évaluation 47
Les modèles 47
Le bénéficiaire de services 48
L'évaluateur 49
Les critères d'évaluation 50
La qualité de l'évaluation 50
L'évaluation vue dans un contexte organisationnel 51
Les problèmes que pose l'évaluation dans un contexte organisationnel 53
Stratégies pour établir et maintenir le rôle de l'évaluation dans un contexte organisationnel 54
Références 58

Chapitre 3   **Les paradigmes naturaliste et formaliste** 63

Évaluation formaliste et évaluation naturaliste 66
L'évaluation formaliste 66
L'évaluation naturaliste 67
Les distinctions de base 67
La dimension temps 70
Références 73

Chapitre 4   **Les modèles formalistes** 75

L'évaluation formaliste 77
Les caractéristiques 77
Les modèles 78
La comparaison des modèles 105
Certaines caractéristiques 108
Les préoccupations majeures 108
Les étapes 110
Références 112

Chapitre 5   **Les modèles naturalistes** 113

L'évaluation naturaliste 115
Les caractéristiques 116

Les modèles   118
Références   136

Chapitre 6   **Les standards de l'évaluation**   139

Les standards du Joint Committee   141
    Les standards d'utilité   145
    Les standards de faisabilité   148
    Les standards de propriété   149
    Les standards de précision   151
Les standards de l'Evaluation Research Society   156
    Formulation et négociation   156
    Structure et schéma   158
    Cueillette et préparation des données   158
    Analyse et interprétation des données   159
    Communication et divulgation   160
    Utilisation des résultats   161
La comparaison des standards   162
Références   166

Deuxième partie   **L'ASPECT PRATIQUE**   169

Chapitre 7   **L'analyse de besoins**   173

La notion de besoin   176
    Définition   176
    Les catégories de besoins   180
    Les besoins et les moyens   180
Considération théoriques   181
    Définition   182
    Les postulats   183
    Les avantages   184
Considérations pratiques   184
    La problématique   185
    La stratégie   186
    L'application du modèle   190
    Le rapport au responsable   200
Références   202

Chapitre 8   **La planification du programme**   207

Le programme : définitions   210
La planification   211
    La clarification des objectifs   212
    La comparaison des stratégies   213
    L'élaboration d'un schéma d'évaluation   213
    Le rapport au responsable   215
Références   217

Chapitre 9   **L'implantation du programme**   219

Considérations théoriques   221
Considérations pratiques   223
    L'identification des dimensions critiques   223
    La collecte des informations   223
    Le rapport au responsable   226
Références   228

Chapitre 10   **L'amélioration du programme**   229

Considérations théoriques   231
Considérations pratiques   232
    La performance des étudiants   232
    Le traitement et l'interprétation des données   233
    Le rapport au responsable   234
Références   235

Chapitre 11   **La certification du programme**   237

Considérations théoriques   239
Considérations pratiques   240
    L'analyse et la description du ou des programmes   240
    L'élaboration et l'application d'un schéma d'évaluation
    sommative   240
    Traitement et interprétation   241
Références   243

Troisième partie   **L'ASPECT TECHNIQUE**   247

Chapitre 12   **Les objectifs pédagogiques**   251

Les origines   254
Les niveaux d'objectifs   256
    Les orientations du système   257
    Les orientations et les objectifs du programme   258
Les taxonomies   260
    Le domaine cognitif : la taxonomie de Bloom   261
    Le domaine affectif : la taxonomie de Krathwohl   263
    Le domaine psychomoteur : la taxonomie de Harrow   265
Le problème de la formulation   267
    Formulation de la finalité d'un programme   269
    Formulation des buts d'un programme   270
    Formulation des objectifs généraux d'un programme   272
    Formulation des objectifs spécifiques d'un programme   273
Les verbe d'action   275
    Le domaine cognitif   276
    Le domaine affectif   280
    Le domaine psychomoteur   282
Références   284

Chapitre 13   **Les instruments de mesure**   285

           La classification des tests   289
              Définition   289
              Test standardisé et test non standardisé   290
              Test de performance maximale et test d'inventaire
              spécifique   291
              Test objectif et test subjectif   292
              Test normatif et test critérié   293
           Les caractéristiques d'un bon instrument de mesure   294
              La validité   295
              La fidélité   297
              La commodité   298
              L'efficacité   300
              La portée   301
              La présentation   301
              Le réalisme   302
           Les instruments de mesure   303
              Les tests de rendement scolaire   303
              Les tests de personnalité   306
              Les techniques sociométriques   308
              Les techniques projectives   309
              Les mesures non réactives   309
           Références   311

Chapitre 14   **Les méthodes de mise en priorité**   313

           Les méthodes à un seul facteur   315
              Les échelles à catégories prédéterminées   316
              L'approche des comparaisons par paires   317
              L'estimation de l'amplitude   318
           Les méthodes à plus d'un facteur   320
              La mise en rang d'écarts   320
              Les méthodes graphiques   321
              Les indices de priorité   327
           Références   330

Chapitre 15   **Les techniques particulières**   335

           Les techniques d'enquête   338
              L'observation   338
              L'observation participante   340
              L'entrevue   342
              Le questionnaire   343
              L'échelle d'opinions   343
              Les récits de vie   345
              L'analyse de contenu   346
           Les techniques de communication   349
              Le groupe de discussion   349

La technique DELPHI 349
La technique du groupe nominal 352
La technique de l'incident critique 354
La *fault-tree analysis* 354
Le dossier anecdotique 355
Les archives scolaires 355
Les techniques de planification 355
Le consultant 355
La liste de contrôle 356
La matrice décisionnelle 357
L'approche PERT 357
La technique DELPHI 359
Le comité de planification 359
Les approches systémiques 359
Références 360

Chapitre 16   **Les techniques statistiques** 363

La classification des variables 365
Les échelles de mesure 366
L'échelle nominale 366
L'échelle ordinale 367
L'échelle d'intervalles 368
L'échelle de rapport 368
La distribution des résultats 370
Le choix d'une technique statistique 371
L'approche synthétique 372
L'approche analytique 376
Les trousses statistiques 394
Références 396

Conclusion 401

Quelques besoins à combler 403
Sur le plan de la méthodologie 403
Sur le plan de la pratique 404
Sur le plan de la formation des évaluateurs 404
Le futur de l'évaluation de programme 405
Réduire les craintes 406
Favoriser l'utilité sociale 407
Freiner la folie des méthodes 408
Favoriser le partage des responsabilités 409
Favoriser une formation plus étendue 410
Combattre le dogmatisme 410
Références 412

Épilogue 415

Lexique 417

Index 423

PROLOGUE

◆

La plupart des gens pensants ont toujours considéré l'évaluation, du moins en théorie, comme une activité intellectuelle ayant sa raison d'être. Il semblerait que seul le charlatan ou l'incompétent a des raisons de craindre les effets de l'évaluation. À travers les âges, nos maîtres à penser ont recommandé à leurs semblables de s'engager dans des opérations de type évaluation: l'évaluation de leurs actions propres, l'évaluation des actes posés par leurs semblables, l'évaluation de tous les aspects de leur environnement. Historiquement, l'évaluation a été considérée, et à juste titre, comme une partie intégrante d'une approche de vie rationnelle. (W.J. Popham, 1975.)

INTRODUCTION

◆

L'ÉVALUATION CONSISTE À DÉTERMINER
LA VALEUR D'UNE CHOSE.
(B.R. Worthen et J.R. Sanders)

Ce volume se veut un outil d'information et de formation pour celui qui de près ou de loin s'intéresse à l'évaluation de programme. Nous n'avons pas la prétention de croire qu'il fournit les réponses à toutes et chacune des questions que le lecteur se pose ou pourrait se poser, mais nous croyons cependant qu'il contient une foule d'informations fort utiles et pertinentes, autant pour celui qui s'intéresse à la théorie que pour celui qui s'intéresse à la pratique. Notre désir est de sensibiliser le lecteur au phénomène de l'évaluation de programme, sur le plan des bases méthodologiques sur lesquelles il repose, sur le plan des problèmes que posent son utilisation et son maintien, et sur le plan des réponses et des solutions que la littérature suggère d'envisager. Nous souhaitons d'autre part aider le lecteur à se familiariser davantage avec les divers modèles existants, au niveau tant de leurs différences que de leurs similitudes; nous voulons de plus l'aider à saisir la nature et la portée de certaines des interventions de l'évaluateur, à chacune des étapes du processus d'évaluation d'un programme; enfin, nous voulons l'aider à mieux connaître et comprendre la notion d'objectifs pédagogiques, les techniques d'enquête, de communication et de planification, les instruments de mesure, les méthodes de mise en priorité et les techniques statistiques disponibles.

Cette deuxième édition reflète l'évolution du domaine de l'évaluation de programme en ce qu'elle fait état de stratégies, de développements et de modèles nouveaux. Par exemple, le chapitre 3, qui traite des paradigmes naturaliste et formaliste, de leurs ressemblances et de leurs différences, est une innovation.

Le chapitre 5, qui est également nouveau, porte sur l'approche naturaliste dont il présente les caractéristiques et la démarche générale. Ce chapitre présente en outre les modèles les plus connus en insistant particulièrement sur le modèle conjoncturel.

Le chapitre 6 représente une autre importante addition à ce livre ; en effet, nous y présentons le résultat des efforts du Joint Committee on Standards for Educational Evaluation et de l'Evaluation Research Society pour développer un ensemble de standards propres à rendre l'évaluation plus valable, crédible et digne de confiance.

Le chapitre 14 constitue un ajout important en ce qu'il se présente comme un complément du chapitre 7 qui traite de l'analyse de besoins. Ce nouveau chapitre porte sur un ensemble de techniques de mise en priorité de besoins et discute des avantages et des faiblesses de chacune.

En outre, le chapitre 1 portant sur l'historique a été revu et complété afin de rendre compte des développements les plus récents ; le chapitre 2 a été augmenté afin de fournir au lecteur une vision plus étendue et plus complète de la méthodologie de l'évaluation et de l'évaluation vue dans la perspective des programmes. Le chapitre 4 a été légèrement revu et corrigé afin de situer les modèles présentés dans le paradigme formaliste. Le chapitre 7 a été augmenté pour mieux cerner et couvrir l'analyse de besoins. On a finalement revu, corrigé et augmenté le chapitre 15 ; certaines des techniques déjà présentes ont été complétées alors que d'autres ont été ajoutées. C'est ainsi par exemple qu'on y retrouve maintenant l'étude de cas, l'observation participante et les récits de vie. Afin de respecter l'idée selon laquelle l'évaluation est différente de la recherche, le chapitre portant sur les schémas d'évaluation a été tout simplement éliminé de la deuxième édition. Enfin, la conclusion générale a été complétée par un ensemble de considérations portant sur l'avenir de l'évaluation de programme et sur les conditions de sa survie.

Nous croyons que les chapitres ajoutés à ce livre et les révisions parfois importantes apportées aux chapitres existants fournissent une image plus complète de l'approche « évaluation de programme ». Nous espérons que cet ouvrage saura au moins satisfaire la curiosité du lecteur ou encore combler certains de ses besoins ou, mieux, lui offrir la possibilité d'entrevoir des façons de répondre aux questions et aux problèmes qui se posent dans son domaine.

PREMIÈRE
PARTIE

L'ASPECT
MÉTHODOLOGIQUE

L'évaluation de programme, comme approche méthodologique, représente un phénomène relativement récent mais, par sa vigueur et sa croissance accélérée, gagne rapidement en popularité. Bien que les origines remontent plus loin dans le temps, ce n'est que depuis le début des années 60 que les éducateurs manifestent un intérêt et une préoccupation pour cette discipline. L'évaluation de programme s'est développée lorsque les éducateurs ont réalisé que les approches classiques, telles la mesure, l'accréditation et la recherche expérimentale, ne produisaient pas les résultats attendus dans l'évaluation des innovations pédagogiques. Le lecteur sera à même de se rendre compte que l'évaluation de programme, tout en se distinguant de ces approches classiques, en est largement tributaire.

Dans cette première section, nous entendons faire porter l'attention sur la méthodologie de l'évaluation de programme. Pour ce faire, nous consacrons le premier chapitre à l'historique de cette approche; nous nous attardons à faire ressortir l'apport des divers mouvements et disciplines qui ont influencé son développement et marqué son évolution. Dans le deuxième chapitre nous cherchons d'abord à distinguer l'évaluation de programme des approches mesure, accréditation et recherche expérimentale, puis à présenter un certain nombre de considérations concernant l'évaluation comme approche méthodologique et enfin à considérer les problèmes que pose l'évaluation dans un contexte organisationnel ainsi que les stratégies envisagées pour établir et maintenir le rôle de l'évaluation dans ce contexte. Au chapitre 3, nous présentons sous une forme synthétique les éléments méthodologiques qui distinguent les approches formaliste et naturaliste d'évaluation de programme; nous présentons de plus certaines considérations d'ordre temporel. Dans le quatrième chapitre nous présentons, dans un premier temps, différents modèles d'évaluation de programme que nous regroupons sous l'appellation « approche formaliste » et dans un deuxième temps, une analyse comparative de ceux-ci. Au chapitre 5, nous présentons d'autres modèles que nous regroupons sous l'appellation « approche naturaliste », avec une insistance toute particulière sur le modèle conjoncturel. Au chapitre suivant, on trouve d'abord les résultats des travaux du Joint Committee on Standards for Educational Evaluation et de l'Evaluation Research Society, puis on en fait la comparaison.

CHAPITRE 1

◆

◆ HISTORIQUE

SEUL LE CHARLATAN OU L'INCOMPÉTENT A DES RAISONS
DE CRAINDRE LES EFFETS DE L'ÉVALUATION.
(W.J. Popham)

Il nous semble opportun, avant de traiter de l'évaluation de programme proprement dite, de considérer le concept d'évaluation dans une perspective historique. Cette incursion dans le temps, qui va d'un passé lointain à une date plus récente, devrait permettre au lecteur : de connaître et comprendre les facteurs pédagogiques, psychologiques et sociologiques qui ont contribué, de près ou de loin, à l'émergence du concept d'évaluation ; de mieux saisir l'influence des divers courants de pensée scientifique qui ont marqué son développement et enfin de voir comment cette discipline est largement tributaire d'autres disciplines. Comme le souligne Boulding (1980), un des facteurs qui distingue une profession établie d'une profession qui ne l'est pas, c'est que la première enregistre et analyse systématiquement les faits de son histoire.

AVANT LE 19ᵉ SIÈCLE

De l'Antiquité jusqu'au 19ᵉ siècle, nous assistons à la lente émergence et évolution de l'approche mesure. Ses premiers pas sont marqués par des efforts disparates, timides et puérils. Il faut attendre le 18ᵉ siècle et la mise en place d'institutions de haut-savoir pour voir apparaître un contrôle scolaire plus systématique et organisé. À la fin de ce siècle, l'examen oral constituait la forme de contrôle privilégiée.

Contrairement à ce qu'on serait porté à croire, l'histoire de l'évaluation, comme approche formelle, remonte à une époque aussi lointaine que l'Antiquité. Ainsi on rapporte, dans le livre des Juges de l'*Ancien Testament* (chapitre 12, versets 5 à 7), les premières indications relatives à l'utilisation d'épreuves orales dans l'épisode de Galaad et des Éphraïmites (Levasseur, 1956). Chez les peuples anciens, il existait tout un ensemble d'épreuves formelles (d'endurance, de bravoure, de pêche, de chasse) dont on faisait usage lors de cérémonies d'initiation marquant le passage de l'état d'enfant à celui d'adulte. Dans la Grèce antique, l'approche de Socrate pourrait être considérée comme l'origine des examens oraux, bien que la maïeutique fût beaucoup plus une méthode d'enseignement qu'une forme d'examen. À Sparte et à Athènes, on retrouvait des examens en lecture, en écriture et en chant.

Au Moyen Âge, les universités de Bologne (1219) et de Paris (1300) exigeaient de leurs candidats à un diplôme un exposé oral de leur thèse (notons que cette pratique existe toujours). Au 16e siècle, l'Ordonnance saxonne (1530) recommanda l'usage d'épreuves périodiques pour stimuler les enfants d'école primaire. En 1642, Ernest de Gotha introduisit, par un édit, un système de notation scolaire pour assurer les passages de classe. Au 18e siècle, l'ordonnance de Frédéric le Grand (1765) fit apparaître l'idée d'un profil de niveaux atteints en lecture. L'université de Cambridge en Angleterre introduisit les examens écrits en 1702. Au début du 19e siècle, l'université française, créée par Napoléon, comportait tout un système d'examens et de concours placé sous l'autorité de l'État.

De l'Antiquité à la fin du 18e siècle, on assiste donc à la lente émergence de l'évaluation aussi bien qu'à son intégration en milieu scolaire. L'évaluation se limite alors presque exclusivement au rendement scolaire et fait abondamment usage d'épreuves orales.

LE 19e SIÈCLE

C'est l'époque de la révolution industrielle avec ses changements économiques et technologiques qui transformèrent les structures mêmes de la société. C'est une période de changements sociaux majeurs, de révisionnisme et de réforme (Pinker, 1971).

Le 19e siècle fut marqué par l'apparition d'un mouvement de contestation et de critique à l'égard des examens traditionnels et par l'émergence plutôt timide de nouveaux procédés de mesure et d'évaluation. L'utilisation des tests en psychologie et en pédagogie est liée au phénomène de la fréquentation scolaire obligatoire. En Angleterre, le 19e siècle est marqué par des efforts de réforme du système d'éducation, des lois, des hôpitaux, des orphelinats et de la santé publique. L'évaluation des agences et organismes à vocation sociale présentait un caractère informel et impressionniste. Un système d'inspectorat fut mis sur pied; les inspecteurs scolaires avaient pour mandat de visiter chaque école annuellement et de faire rapport sur les conditions qui y prévalaient ainsi que sur la fréquentation scolaire (Kallaghan et Madaus, 1982).

Dans la seconde moitié du 19e siècle, deux événements majeurs prirent place. Premièrement, un certain nombre d'associations orientées vers l'investigation sociale virent le jour et influencèrent les discussions sur les problèmes sociaux. Deuxièmement, sur la base de rapports privés provenant de ces associations, le système bureaucratique mit quelquefois en place des comités d'investigation officiels. Ce fut là, aux dires de Madaus *et al.* (1984), le début d'une approche empirique d'évaluation de programme.

L'*Educational Act* de 1876 étendit l'enseignement à tous les enfants et rendit la fréquentation scolaire obligatoire. Se posa alors le problème des enfants qui ne pouvaient suivre l'enseignement traditionnel. La médecine était alors impuissante à déceler les lacunes intellectuelles et, sous l'influence de Cattell et Galton, on se tourna alors vers les tests mentaux lesquels, à leurs débuts, se résumaient à des épreuves de discrimination sensorielle. Cette approche ne donna pas les résultats escomptés ; ces tests avaient peu de valeur et étaient jugés peu utiles. Grâce aux efforts de Binet et Simon, les tests psychologiques virent le jour et en vinrent à occuper une place prépondérante en milieu scolaire.

Aux États-Unis, les premières tentatives formelles d'évaluation de la performance des écoles eurent lieu à Boston en 1845. Cet événement est particulièrement important puisqu'il constitue le point de départ d'une longue tradition d'utilisation des résultats des élèves pour évaluer l'efficacité des écoles ou des programmes.

En 1845 à Boston, Mann présenta une première critique sérieuse des examens oraux traditionnels et introduisit les examens écrits. En 1864, Fisher publie ses *Scales Books* qui portaient en germes la plupart des idées modernes sur les examens : écriture, orthographe, arithmétique, grammaire, composition. En 1869, Galton attira l'attention sur les différences individuelles en publiant le *Hereditary Genius*, mais son apport se situa surtout sur le plan statistique. En 1887, Chaille élabora des épreuves pour déterminer le niveau mental de jeunes enfants. En 1870, Cattell créait le concept de test mental et tentait de juger de l'intelligence par l'intermédiaire de la mesure de traits physiologiques, de tests d'acuité sensorielle et d'habiletés motrices. Cattell a rapporté en Amérique le matériel, les méthodes et les aspects de recherches issus de la psychologie expérimentale et utilisés dans les laboratoires allemands.

Rice, que l'on considère comme l'initiateur de la méthode des tests en Amérique, publia en 1897-1898 une étude comparative de la performance de 33 000 étudiants en épellation, étude dans laquelle il fit une critique très sévère des procédés jusqu'alors utilisés. Cet événement constituerait, semble-t-il, la première évidence de l'évaluation de programmes d'études. Les résultats obtenus amenèrent les éducateurs à réexaminer et à réviser leur façon d'enseigner l'orthographe. D'une façon plus particulière, son apport principal est relié, d'une part, au fait que selon lui les éducateurs devaient devenir des expérimentalistes et des penseurs quantitatifs et, d'autre part, à son utilisation d'un schéma comparatif pour l'étude de la performance d'étudiants. Des auteurs comme Lindquist (1953), Campbell (1969) et Campbell et Stanley (1963) adoptèrent cette façon de concevoir l'évaluation. En 1894, la ville de Chicago instituait un comité chargé d'enquêter sur le rendement scolaire.

Un événement important marqua la fin du 19e siècle, soit la fondation de l'approche de l'accréditation ou du jugement professionnel avec la mise sur pied de la North Central Association of Colleges and Secondary Schools. Le mouvement n'atteignit cependant pas son apogée avant 1930.

Cette période fut caractérisée par une remise en cause des procédés traditionnels de mesure et d'évaluation en milieu scolaire et par l'apparition d'un mouvement de mesure plus objective. Les efforts faits en psychologie pour développer des mesures objectives s'étendent au domaine pédagogique. Les examens, comme procédés de sélection et comme facteurs de discipline, présentaient alors une valeur absolue.

LE 20ᵉ SIÈCLE

Le début du 20ᵉ siècle fut marqué par l'apparition de deux mouvements importants qui allaient fortement influencer l'éducation. Le premier, que Eisner (1975) appelle le mouvement de l'efficacité ou du rendement, consista à transposer des méthodes et des procédures de *management*, empruntées à l'industrie, pour rendre le processus éducatif plus fonctionnel et plus efficace. On parlait alors de standards qualitatifs et quantitatifs pour juger le produit éducatif, d'études contrôlées pour reconnaître les moyens les plus efficaces, de division des tâches d'apprentissage en unités se prêtant plus facilement à l'enseignement et à l'évaluation, et de responsabilité de la société dans l'évaluation du produit fini. Le deuxième mouvement, *behavioriste*, avait pour but de rendre scientifiques l'éducation et la psychologie. Grâce aux efforts de Thorndike, Watson, Judd et Bobbitt, on élaborait et on utilisait des méthodes scientifiques pour étudier, prédire et influencer le comportement humain. L'époque de la psychologie romantique laissait la place à la psychologie cognitive; l'éducation vue comme un art cédait le pas à la science de l'éducation.

L'ère du *testing* (1900-1930)

Selon Madaus *et al.* (1984), nous sommes, de 1900 à 1930, à l'âge de l'efficacité et du *testing*. En effet, jusqu'à la première guerre mondiale, on assista au développement de tests de rendement standardisés. Les enquêtes menées en milieu scolaire mettaient l'accent sur l'efficacité de l'école et de l'enseignement et faisaient usage de différents critères tels que: dépenses, taux de décrocheurs, taux de promotions, etc. Avec la guerre de 1914-1918 apparut le besoin de classement et d'orientation des recrues de l'armée et le problème de la sélection des individus devant occuper des postes de commande.

Les années qui suivirent la première guerre mondiale furent celles des tests et de la mesure, des différences individuelles, de la sélection et de la classification, du développement des tests de performance standardisés, des tests d'intelligence collectifs, de la mesure des intérêts, du groupement des étudiants par habiletés et de la psychométrie. Des tests standardisés furent développés pour toutes les habiletés scolaires et pour le contenu des programmes d'études. Les districts scolaires utilisaient les tests concernant l'efficacité des programmes. À Boston, le Department of Educational Investigation and Measurement développa une série de tests qui, selon Madaus *et al.* (1984), seraient considérés aujourd'hui comme reliés à la mesure d'objectifs. Les batteries de performance développées par des auteurs reconnus comme Curtis ou Thorndike firent leur apparition. Ces tests présentaient des normes rendant possible la comparaison entre les districts scolaires (Tyack et Hansot, 1982). Les tests d'intelligence et de rendement étaient largement utilisés mais bien souvent d'une façon inadéquate. Les données « objectives » servaient souvent à des fins de propagande. On assista à un engouement démesuré sinon excessif pour les tests collectifs. On accordait aux tests, sans discernement, des valeurs que ceux-ci n'avaient pas et on se souciait très peu d'en établir la validité et la fidélité. Cette insistance sur l'efficacité est mise en évidence lorsque nous considérons deux publications de la National Society for the Study of Education (NSSE): *Methods for Measuring Teachers' Efficiency* et *Standards and Tests for the Measurement of the Efficiency of Schools and School Systems.*

Le début du 20ᵉ siècle fut aussi marqué par une série d'attaques virulentes à l'endroit des examens traditionnels (Meyer, 1908; Johnson, 1911; Starch et Elliot, 1913; Falk, 1928). Les discussions et les querelles causées par ces attaques incitèrent la Carnegie Corporation, la Carnegie Foundation et le Teachers College de New York à instituer une conférence internationale d'enquête sur les examens. La première eut lieu à Eastbourne en 1931 et permit d'entreprendre des recherches objectives sur les procédés de mesure. Deux autres rencontres eurent lieu, à Folkestone en 1935 et à Dinard en 1938. On assista alors au développement de mesures plus objectives. Partant du principe émis par Thorndike selon lequel la mesure des changements humains était valable, on vit se développer la technologie de la mesure. En 1904, Thorndike, père de la mesure en éducation, publia *An Introduction to the Theory of Mental and Social Measurement*. Il mit au point une première échelle d'écriture en 1909 (*Thorndike Handwriting Scale*), suivie de tests en arithmétique, d'échelles de mesure en composition, en orthographe, en dessin et en écriture. En 1905, Binet et Simon publièrent le premier test d'intelligence: *L'échelle métrique d'intelligence*. En Grande-Bretagne, Burt mit au point des tests d'intelligence en 1906 et développa des épreuves objectives de rendement dès 1913. La synthèse de ses recherches fut publiée sous le titre *Mental and Scholastic Tests*. Stone, élève de Thorndike, publia en 1908 le premier test objectif de raisonnement en arithmétique (*Stone Arithmetic Test*). En 1917, l'armée américaine publia le premier test collectif d'intelligence générale: *The Army Alpha Test*, suivi de: *The Army Beta Test*.

Cette époque est caractérisée par le développement rapide et l'utilisation sur une grande échelle des tests pédagogiques et psychologiques en milieu scolaire. Le mouvement de la mesure objective prit rapidement de l'ampleur; les recherches laissaient entendre que les procédés traditionnels manquaient d'objectivité. Les commissions scolaires importantes commencèrent à utiliser des mesures plus objectives pour l'évaluation des professeurs et des étudiants; les chercheurs utilisèrent davantage ces procédés dans leurs études; l'industrie utilisa ces instruments pour la sélection et la classification de son personnel. Les tests standardisés étaient utilisés par les commissions scolaires pour déterminer l'efficacité des programmes. En même temps, se développèrent des procédés de mesure de la personnalité, de l'intérêt et de l'aptitude, et les techniques statistiques devinrent plus sophistiquées. Des instituts spécialisés dans les études sur le terrain furent formés et menèrent des enquêtes pour les districts locaux. Selon Madaus *et al.* (1984), ces instituts furent les précurseurs des centres universitaires voués à l'évaluation qui firent leur apparition durant les années 60. Des études et enquêtes sont mises sur pied par les districts scolaires et les résultats ne concernent que ceux-ci. L'évaluation se limitait alors à des problèmes locaux.

L'ère de Tyler (1930-1945)

Durant les années 30, le concept *évaluation* fit son apparition. Selon Pace (1968), le changement semble avoir été symbolisé par un article d'Irving Lorge: *Evaluation: The New Stress on Measurement*, dans lequel l'auteur mit en évidence le fait que l'évaluation révèle l'inadéquation de la mesure. L'évaluation était vue comme étant plus que la mesure: elle acceptait différents moyens de cueillette d'information tels l'observation, l'interview, la liste de contrôle et d'inventaire, le questionnaire, le témoignage, etc.; elle incluait la psychométrie tout en indiquant le fait que la théorie psychométrique n'était pas adéquate pour toutes les activités d'évaluation. Il est important de signaler que l'évaluation se détachait des restrictions imposées par les sciences expérimentales. Elle était alors considérée comme un instrument de réforme et fut associée aux mouvements intéressés au processus de changement et d'amélioration comme la dynamique de groupe, la recherche-action, l'auto-amélioration, etc.

On devint plus critique eu égard aux tests, on développa de nouvelles techniques et on se fit plus prudent et circonspect dans l'interprétation des résultats. On s'intéressa à l'évaluation de l'ensemble des objectifs éducatifs plutôt qu'à la mesure d'un nombre limité d'habiletés scolaires.

Les années 30 furent marquées par deux événements majeurs qui allaient influencer les pratiques d'évaluation pour plusieurs décennies à venir. D'une part, Smith et Tyler (1942) entreprirent l'évaluation de l'*Eight Year Study* institué par la Carnegie Foundation. Les auteurs de cette étude firent usage de toute une variété de tests, d'échelles, d'inventaires, de questionnaires et autres mesures dans 30 écoles de niveau secondaire afin de recueillir des informations concernant l'atteinte d'objectifs de programme et dans le but de déterminer l'efficacité des écoles. L'approche d'évaluation mise au point par Tyler allait avoir une influence considérable sur le développement de programmes d'études ainsi que sur les manières de les évaluer. Cette étude permit d'initier les éducateurs à une vision nouvelle et élargie de l'évaluation en éducation, éloignée de celle en vogue à l'âge de l'efficacité et du *testing*. Conçues par Tyler comme une comparaison entre des résultats prévus et des résultats obtenus, l'évaluation éliminait la nécessité de comparer des groupes, expérimental et témoin, présente dans l'approche de Rice. De plus, comme l'approche de Tyler insiste sur les résultats plutôt que sur les intrants, elle s'éloigne ainsi de la subjectivité du jugement professionnel ou de l'approche d'accréditation et, comme les mesures utilisées ont trait à des objectifs, il n'est plus nécessaire de s'inquiéter de la stabilité des gains.

D'autre part l'approche d'accréditation, qui remonte aux années 1800, devint plus importante et gagna la faveur du monde de l'éducation en général. On assista alors à la formation d'agences d'accréditation des écoles et des collèges.

Cette époque se caractérise donc par l'apparition d'approches formelles d'évaluation de programme.

L'ère de l'innocence (1946-1957)

Selon Madaus *et al.* (1984), la période 1946-1957 pourrait tout aussi bien s'appeler l'âge de l'ignorance. C'est l'époque des préjugés sociaux et de la ségrégation, de la consommation et du gaspillage des ressources, du développement industriel et militaire, sans protection pour l'environnement et sans considérations pour les générations futures. Ces années sont marquées par une prolifération de services et de programmes offerts. C'est l'époque de l'après-guerre, donc une période d'oubli, de croissance économique, d'acquisition de ressources. C'est également une époque marquée par une croissance en éducation, où les dépenses publiques sont de plus en plus importantes et où on ne tient pas les éducateurs pour responsables de leurs actes, à qui on ne demande pas de démontrer l'efficacité et l'efficience de leurs innovations. Même si on parlait beaucoup d'évaluation et qu'on utilisait de nombreux tests, on doute que les données aient pu servir à juger et à améliorer la qualité des programmes. Les besoins à combler étaient immenses et le développement fut à ce point rapide qu'on en oublia de demander des comptes aux responsables des services ; c'était l'âge d'or de l'expansion et du bien-être.

Après la deuxième guerre mondiale, l'accent fut mis sur l'identification des finalités, sur la clarification des buts et des objectifs éducatifs à atteindre afin de découvrir de nouvelles directions, de nouveaux défis. À cette époque, le concept évaluation était mal vu dans certains cercles éducatifs. Ce fut une période d'administration et d'utilisation de tests ; le *testing* standardisé caractérisait l'Amérique. C'était également l'époque où John Dewey et autres tentèrent de renouveler l'éducation ; le mouvement, qui prit le nom de Mouvement de l'éducation progressiste, reflétait une philosophie pragmatique et utilisait des techniques de la psychologie behavioriste.

Les années 40 furent marquantes sur le plan du développement d'approches formelles d'évaluation. En 1947, sous l'influence de Lindquist et de Tyler, on assiste à la fusion de l'Educational Entrance Examination Board, de l'American Council on Education et de la Carnegie Corporation en une seule entité : l'Educational Testing Service (ETS). Cet organisme a marqué et marque encore de façon significative le milieu éducatif américain tant pour l'évaluation des projets éducatifs et le développement de tests de tous ordres que pour la mise au point de procédés d'évaluation.

En 1948, un groupe de chercheurs et praticiens (Bloom, Krathwohl, Masia) intéressés aux programmes et aux examens décidèrent d'élaborer un système permettant de classifier tous les objectifs susceptibles d'être rencontrés dans les programmes. Ces efforts ont donné lieu à deux systèmes de classification : l'un relatif au domaine cognitif et l'autre à l'affectif (alors qu'à l'origine il devait y en avoir trois, à cause de certains problèmes, la taxonomie du domaine psychomoteur fut laissée de côté). La *Taxonomie des objectifs pédagogiques : domaine cognitif* fut publiée en 1956 et suivie en 1964 par la *Taxonomie des objectifs pédagogiques : domaine affectif*. La parution de ces taxonomies a eu pour effet : de stimuler l'intérêt des pédagogues à l'égard des objectifs pédagogiques ; d'entraîner les professeurs à reconnaître des comportements mentaux et affectifs plus complexes que ceux qui sont considérés dans les programmes ; d'apporter des changements dans l'enseignement (plutôt que de se limiter à parler de contenu, on parle d'opérations mentales et de comportements affectifs que l'élève doit manifester) ; de stimuler les études en évaluation éducationnelle. Cette époque marqua l'avènement de la planification de l'enseignement et de l'évaluation par objectifs (mouvement qu'avait déjà amorcé Tyler dans les années 30 mais sans que les effets se fassent sentir de façon immédiate).

À partir des années 50, nous assistons à un renouveau de l'évaluation sous l'influence de deux facteurs majeurs : l'apparition d'une préoccupation au sujet de problèmes sociaux et le développement et l'intégration rapide de la technologie dans le domaine de l'éducation. Sur le plan social, il était devenu impérieux d'évaluer les effets de programmes mis en place pour venir en aide aux économiquement faibles, pour encourager l'intégration scolaire, pour réduire les disparités et les problèmes raciaux, pour favoriser l'égalité des chances, etc. Sur le plan de la technologie, il était important d'évaluer les effets des innovations pédagogiques telles que l'enseignement assisté par ordinateur, l'enseignement télévisé, les nouveaux produits éducationnels et les nouveaux programmes d'études. Les efforts de Tyler (1950) et de Bloom (1956) s'inscrivent directement dans cette ligne de pensée.

Ces années sont importantes car elles sont marquées, d'une part, par des recherches majeures qui devaient fournir des bases méthodologiques pour les études à grande échelle et, d'autre part, par la parution d'un ouvrage, devenu classique, sur la planification de programme : *Basic Principles of Curriculum and Instruction* (Tyler, 1950). On considère Tyler, probablement à juste titre, comme le père de l'évaluation en éducation. Cet auteur s'est distingué par sa conceptualisation du curriculum et de l'évaluation. Tyler inventa l'expression « évaluation en éducation », laquelle consistait à déterminer jusqu'à quel point des objectifs jugés importants sont atteints par l'intermédiaire d'un programme. Depuis la parution de cet ouvrage, l'approche de développement et d'évaluation des programmes d'études, aux États-Unis, n'est plus la même. Tyler proposait, en tant que spécialiste de programmes, un modèle (*rationale*) théorique qui précise l'orientation d'un programme d'études ainsi que la place que doivent y occuper les objectifs. On assista au développement de techniques propres à favoriser la formulation d'objectifs explicites de même qu'à la formation des enseignants à l'élaboration de tests.

En 1954, un comité de l'American Psychological Association prépara les *Technical Recommendations for Psychological Tests and Diagnostic Techniques*, alors qu'en 1955 le Committee of the American Educational Research Association et le National Council on Measurements Used in Education préparèrent les *Technical Recommendations for Achievement Tests*. Ces deux rapports furent à l'origine de la publication des *Standards for Educational and Psychological Tests and Manuals* et du texte révisé *Standards for Educational and Psychological Tests* (1974).

L'enquête *Equality of Educational Opportunity Survey*, sous la responsabilité de Coleman (1966), portant sur les possibilités offertes aux groupes minoritaires en milieu américain, le *Project Talent* (Flanagan, 1964) mené par l'American Institute for Research et s'intéressant à la carrière de 440 000 étudiants américains et plus particulièrement aux habiletés associées au succès ou à l'échec dans leur carrière, et le *National Assessment Program* conduit par Tyler en 1964 ont fourni des informations importantes sur les méthodologies propres à l'évaluation de vastes programmes.

Ces années virent également apparaître un mouvement de protestation à l'égard des programmes existants ; on demandait de les réformer afin qu'ils répondent plus aux besoins de la société et qu'ils soient davantage axés sur le développement de la technologie et de l'ingénierie. D'importants projets de réforme des programmes virent le jour (SMGM, PSSC, CHEM Study, BSCS) et avec eux la nécessité de développer de nouvelles approches d'évaluation car les procédures classiques propres à la méthode expérimentale s'avérèrent, dans la majorité des cas, inadéquates.

L'ère de l'expansion (1958-1972)

Les années 60 furent cruciales pour le développement de méthodologies en évaluation de programme, laquelle, grâce aux efforts des années précédentes, incita les spécialistes à faire de l'évaluation de programme. Le début des années 60 vit poindre certaines tentatives d'évaluation de programmes, d'études qui, bien qu'elles fussent profitables aux éducateurs sur le plan de l'expérience acquise dans l'application des concepts, techniques et méthodologies d'évaluation, eurent peu ou pas d'effets sur les pratiques évaluatives.

En réaction au lancement du premier satellite russe, le gouvernement américain mit en application le *National Defense Education Act* de 1958, lequel prévoyait le développement de programmes de mathématiques, de science et de langues étrangères, et l'extension des services de counseling et d'orientation, et de *testing* dans les commissions scolaires. On débloqua des fonds pour l'évaluation de ces efforts.

À cette fin, différentes approches furent utilisées. On se servit de celle de Tyler pour définir les objectifs de nouveaux programmes et pour déterminer éventuellement leur degré d'atteinte. Des tests standardisés reflétant mieux les objectifs et le contenu des nouveaux programmes furent développés. L'approche jugement professionnel fut utilisée pour évaluer les projets d'évaluation et pour vérifier la qualité des efforts. Finalement, plusieurs évaluations furent conduites sur le terrain.

En 1963, Cronbach tint des propos très acerbes au sujet des pratiques évaluatives. Il souligna le fait que les données recueillies n'étaient pas souvent utiles et ne répondaient pas aux besoins d'information. Il insista pour que les évaluateurs s'éloignent des schèmes classiques de recherche et tentent plutôt de recueillir de l'information utile. Il critiqua la pertinence et l'utilité des conceptualisations de l'évaluation et incita les évaluateurs à délaisser le champ des évaluations *a posteriori*, des groupes expérimental et témoin, des tests normatifs. Cronbach recommanda aux évaluateurs de considérer l'évaluation comme une approche permettant de recueillir de l'information propre à guider le développement d'un programme.

Sous la présidence de Kennedy fut lancée la « Guerre à la pauvreté », ce qui amena des millions de dollars pour le développement de programmes dans les secteurs de la santé, des services sociaux et de l'éducation. L'évaluation de programme ne se faisait alors que par un nombre restreint de spécialistes et ne touchait qu'une infime proportion des programmes existants. Malgré tout, les critiques soulignant la faiblesse du système éducatif furent telles qu'elles incitèrent le Congrès américain à déposer un projet de loi, l'*Elementary and Secondary Education Act*, visant à mettre à la disposition des districts scolaires et des universités des subventions pour le développement de projets éducatifs. C'est en

1965 que le sénateur Kennedy, guidé par un souci d'imputabilité, proposa un amendement à la loi afin que celle-ci requière des organismes subventionnés, sous deux titres particuliers, une évaluation des effets de chacun des projets. Pour la première fois, on demandait aux éducateurs de consacrer une partie de leur temps à évaluer leurs efforts, et ce, d'une façon systématique.

La réponse à ces exigences amena les autorités scolaires à prendre conscience que les outils et les stratégies disponibles étaient inadéquats. De plus, la piètre préparation des éducateurs sur le plan de l'évaluation, le faible nombre d'évaluateurs qualifiés, l'absence de directives claires et précises de la part de l'organisme subventionnaire (United States Office of Education) sur la façon de conduire une évaluation ainsi que sur ce qu'elle devrait inclure, résultèrent en la présentation de projets techniquement faibles. Des problèmes reliés à l'utilisation de la recherche et de tests standardisés révélèrent l'inadéquation de ces approches compte tenu de l'impossibilité de satisfaire aux postulats de base. D'autre part le recours à des équipes d'experts ne pouvait être envisagé étant donné de graves lacunes sur les plans de l'objectivité et de la rigueur.

Par un amendement à la loi, on créa en 1966 le Center for the Study of Evaluation de l'université de Californie à Los Angeles (un des huit centres de recherche et de développement en éducation). Ce centre poursuivait trois objectifs principaux: élaborer une théorie de l'évaluation, mettre au point des instruments et des méthodes pour évaluer l'efficacité d'un programme et jeter des bases scientifiques pour les décisions affectant les programmes et les politiques éducationnelles.

Parallèlement le Phi Delta Kappa, constatant le mécontentement du milieu éducatif, mit sur pied le National Study Committee on Evaluation qui, après une étude de la situation, conclut en la nécessité de développer de nouvelles théories et méthodes d'évaluation, et des programmes de formation d'évaluateurs. Ses remarques et suggestions eurent pour effet d'inciter des théoriciens (Scriven, 1967; Provus, 1969; Hammond, 1967; Eisner, 1967; Metfessel et Michael, 1967; Cronbach, 1963; Atkin, 1968; Popham, 1969; Bloom, 1968) à penser et à suggérer de nouvelles approches et stratégies pour l'évaluation des programmes d'études. À cette époque, des auteurs comme Scriven (1967), Provus (1971), Stake (1967), Stufflebeam (1968) et Alkin (1969) ont développé et mis en pratique différents modèles. Ces approches n'ont pas emporté l'adhésion de tous les éducateurs mais elles ont contribué certes à la modification de leurs attitudes face aux programmes d'études et à l'amélioration de ces derniers ainsi que de la qualité des évaluations produites.

En même temps, plusieurs projets d'envergure furent entrepris afin de favoriser l'intégration des objectifs dans les programmes d'enseignement. Le plus important nous apparaît être le projet *Instructional Objectives Exchange* (*IOX*) amorcé en 1968 par Popham. Ce projet consistait à mettre sur pied une banque d'objectifs et de questions d'examen pour la majorité des matières enseignées dans les écoles publiques. Cette banque fut informatisée et publiée sous forme de fascicules.

L'enseignement par objectifs remit en lumière le problème de l'évaluation de l'apprentissage. On remit en cause l'approche classique de la mesure ; on mit en doute la valeur des tests standardisés pour des fins d'évaluation tant de l'apprentissage que des programmes.

Le mouvement de la mesure critériée prit son essor et gagna rapidement de l'importance sous l'influence de Glaser (1963), Tyler (1967), Popham et Husek (1969). Cette approche posait le problème de la détermination de la qualité des instruments de mesure, l'approche classique se révélant inappropriée. Les spécialistes en mesure et évaluation s'ingénièrent à développer de nouvelles techniques métriques. Les travaux d'ordre théorique (Glaser, 1963 ; Popham et Husek, 1969 ; Ebel, 1970 ; Bloom, Hasting et Madaus, 1971 ; Popham, 1978), les travaux empiriques (Cox et Vargas, 1966 ; Ozenne, 1971 ; Dahl, 1971 ; Livingston, 1971 ; Kosecoff et Klein, 1973 ; Roudabush, 1973 ; Hively, 1970 ; Hively *et al.*, 1973 ; Milman, 1973) remirent en cause les procédures classiques de l'évaluation de l'apprentissage scolaire.

À la même époque, un effort de sensibilisation fut entrepris afin d'encourager les professionnels de l'éducation à s'engager dans un processus d'évaluation de leurs activités éducatives. L'American Educational Research Association (AERA) publia une série de monographies sur l'évaluation de programme (Tyler *et al.*, 1967 ; Grobman, 1968 ; Popham *et al.*, 1969 ; DuBois et Mayo, 1970). L'Association for Supervision and Curriculum Development (ASCD) enjoignit les responsables de développement de programmes d'utiliser de meilleures techniques d'évaluation pour déterminer la qualité de leurs produits (Combs, 1967).

Le Center for the Study of Education de l'université de Californie à Los Angeles publia à partir de 1968 une série de rapports portant sur les problèmes autant théoriques que pratiques que pose l'évaluation de programme et fournit une tribune aux professionnels intéressés au problème de l'évaluation de programme par l'intermédiaire d'une publication périodique : *Evaluation Comment*.

On peut affirmer qu'à la fin des années 60 les professionnels de l'éducation étaient convaincus du bien-fondé de l'évaluation de programme. Malgré la disponibilité d'un vaste ensemble de techniques et de stratégies d'évaluation, de taxonomies d'objectifs dans les domaines cognitif et affectif, de théories de la mesure et d'instruments de mesure, l'évaluation de programme, comme méthodologie, demeurait floue dans l'esprit de la majorité des évaluateurs. Selon Worthen et Sanders (1973) la raison principale de cet état de choses réside dans le fait que les informations utiles quant aux stratégie d'évaluation étaient publiées de façon éparse et sous des formes qui, pour plusieurs d'entre elles, rendaient leur conservation et leur circulation difficiles.

Cette période se termina sur une note pessimiste car d'importantes études révélèrent des résultats négatifs. Le rapport Coleman (1966) attira l'attention en concluant : « *... schools bring little influence to bear on a child's achievement that is independant of his background and general social context* ». D'autre part, l'investigation du programme *Head Start* (Cicirelli *et al.*, 1969) produisit des résultats décourageants. De même, la critique de l'évaluation du programme *Sesame Street* s'avéra décevante. De sérieuses questions furent alors adressées à l'évaluation en général et à certaines méthodologies en particulier.

L'ère de la professionnalisation (1973-   )

De 1970 à nos jours, des efforts évidents et soutenus ont été consacrés à l'organisation systématique des informations relatives à l'évaluation de programme, c'est-à-dire aux méthodologies et aux techniques, à la production de matériel de formation, au développement et à l'évaluation de programmes. Le champ de l'évaluation s'orienta vers la formation d'une profession distincte mais reliée au secteur de la mesure et de la recherche. Le domaine de l'évaluation se précisa de plus en plus et devint une spécialité. Selon Patton (1984), l'évaluation comme profession est apparue un legs de la « Grande société » et de la guerre contre la pauvreté.

La publication en 1971 par le Phi Delta Kappa de l'ouvrage *Educational Evaluation and Decision Making*, sous la direction de Stufflebeam, représenta le premier effort d'organisation systématique des informations relatives à l'évaluation de programme. Les auteurs, par cet ouvrage, ont voulu sensibiliser les théoriciens de cette discipline aux besoins conceptuels et méthodologiques du domaine, et fournir aux praticiens des informations relatives aux procédures et aux techniques qui peuvent être utilisées dans l'évaluation de programme.

La même année, Provus publia un ouvrage intitulé *Discrepancy Evaluation* (1971) dans lequel on retrouve la description détaillée de son modèle d'évaluation de programme ainsi que des exemples d'application pratique et réelle pour l'évaluation de programme dans la ville de Pittsburgh.

D'autres publications importantes se présentèrent comme des ouvrages de synthèse sur le domaine de l'évaluation de programme. Pour n'en citer que quelques-uns : *Educational Evaluation : Theory and Practice* (Worthen et Sanders, 1973), *Evaluation in Education : Current Applications* (Popham, 1974), *Educational Evaluation* (Popham, 1975), *Handbook of Evaluative Research I and II* (Guttentag et Struening, 1975). À cette liste s'ajoutent : *Toward Reform of Program Evaluation* (Cronbach *et al.*, 1980), *Qualitative Evaluation Methods* (Patton, 1980), *Effective Evaluation* (Guba et Lincoln, 1981), *Evaluation Models : Viewpoint on Educational and Human Services Evaluation* (Stufflebeam *et al.*, 1984), *Naturalistic Inquiry* (Lincoln et Guba, 1985), *Programs and Systems : An Evaluation Perspective* (Borich et Jemelka, 1982). Dans la majorité de ces écrits, on retrouve une synthèse des différents modèles existants de même que des considérations théoriques et pratiques sur l'évaluation de programme.

Apparurent également un certain nombre de revues : *Educational Evaluation and Policy Analysis, Studies in Evaluation, CEDR Quarterly, Evaluation Review, New Directions for Program Evaluation, Evaluation and Program Planning, Evaluation News.*

Des outils pratiques furent développés et firent l'objet d'études intensives et approfondies dans le milieu, et furent mis à la disposition des praticiens. Le Center for the Study of Evaluation de l'université de Californie à Los Angeles publia l'*Elementary School Evaluation Kit* (Hoepfner *et al.*, 1970). Cette trousse consiste en une série de cahiers qui décrivent la façon de conduire une analyse de besoins au niveau primaire. Les *CSE-ECRC Preschool-Kindergarten Test Evaluations* (1971) et les *CSE-RBS Test Evaluations : Tests of Higher-Order Cognitive, Affective and Interpersonal Skills* (1972) mettent à la disposition des praticiens et des évaluateurs une analyse sérieuse de milliers de tests commercialisés aux États-Unis. Ces instruments ont été développés en vue d'aider les éducateurs à sélectionner d'une façon plus judicieuse les instruments de mesure nécessaires pour conduire soit une analyse de besoins soit une évaluation formative ou une évaluation sommative d'un programme. Diverses publications ont centré leurs efforts sur un aspect particulier et fondamental de l'évaluation de programme : l'analyse de besoins. Kaufman et English (1979), Suarez (1980), Scriven et Roth (1978), Stufflebeam (1977) et autres contribuèrent énormément à la conceptualisation de l'analyse de besoins de même qu'à son opérationnalisation. Les ouvrages suivants fournissent des informations théoriques sur la manière de réaliser une analyse de besoins : *Educational System Planning* (Kaufman, 1972), *Needs Assessment : A Focus for Curriculum Development* (Kaufman et English, 1975), *Needs Assessment in Education* (Kaplan, 1974), *State Educational Assessment Programs* (ETS, 1973), *Needs Assessment Guidelines* (Ohio State Department of Education), *A Comprehensive Needs Assessment Module* (Witkin, 1979), *Identifying and Solving Problems : A System Approach* (Kaufman, 1982), *Assessing Needs in Educational and Social Programs* (Witkin, 1984). Les ouvrages suivants offrent une description pratique de l'analyse de besoins : *Alameda County Needs Assessment Model* (1975-1977), *CSE/ Elementary School Evaluation Kit : Needs Assessment* (Hoepfner *et al.*, 1968), *Northern California Program Development Center : Pupil-Perceived Needs Assessment Package* (1974).

Parmi les documents de formation, nous retrouvons *Evaluation Workshop 1 : An Orientation* (Klein *et al.*, 1971) qui s'adressait principalement aux administrateurs scolaires et aux directeurs de projet. Le Center for the Study of Evaluation a publié, depuis, le *Program Evaluation Kit* (Fitz-Gibbon et Morris, 1978) qui comprend huit volumes. Chacun traite d'un aspect de l'évaluation de programme auquel l'évaluateur est ou peut être confronté dans ses études évaluatives. L'ensemble se présente comme un guide sur le quoi, le pourquoi et le comment de l'évaluation de programme.

Au chapitre des réalisations, il est important de mentionner que la Louisiane a établi une politique et un programme de certification des évaluateurs (Peck, 1981) alors que le Massachusetts travaille sur un projet similaire.

Une commission (Joint Committee, 1981) formée par une douzaine d'organisations professionnelles, a développé une série de 30 standards regroupés sous quatre caractéristiques pour juger les études évaluatives (*Standards for Evaluations of Educational Programs, Projects, and Material*). Différents autres ensembles de standards ont été développés (Rossi, 1982 ; Evaluation News, 1981 ; Evaluation Research Society, 1980 ; Stufflebeam *et al.*, 1971 ; Tallmadge, 1977 ; U.S. General Accounting Office, 1978).

En réaction à l'approche formaliste que l'on juge inadéquate sur les plans philosophique, politique, méthodologique et technique, apparut le mouvement naturaliste (Guba, 1969 ; Stake, 1976 ; Guba et Lincoln, 1981 et 1985 ; Borich et Jemelka, 1982 ; Weiss, 1983). De nouvelles approches d'évaluation virent le jour : le modèle « transactionnel » (Rippey, 1973), le modèle éclairant (Parlett et Hamilton, 1976), l'étude de cas (Stake, 1978), la critique d'art ou le modèle du « connaisseur » (Eisner, 1977 et 1979), la méthode journalistique (Guba, 1978), la méthode du *modus operandi* (Scriven, 1974), l'approche judiciaire (Wolf, 1979), le modèle conjoncturel (Guba et Lincoln, 1981). Ce dernier modèle, qui suggère une approche « au ras du sol », avec l'humain comme instrument privilégié, occupe présentement une place de plus en plus importante et représente le modèle sur lequel porte le discours des évaluateurs.

Ce retour historique nous permet de constater que l'évaluation de programme, telle que nous la connaissons aujourd'hui, s'est développée sous l'influence de plusieurs mouvements. L'approche de mesure, dont les origines remontent très loin dans le temps, a eu une influence particulièrement sentie à partir du 20e siècle ; on lui doit la production d'un ensemble de techniques et de procédures de mesure très sophistiquées qui se sont révélées et se révèlent encore très utiles. À partir de là, se sont développées les approches de mesure du rendement scolaire, des aptitudes, des intérêts, de la personnalité ; on doit également à cette approche les procédures de standardisation des instruments de mesure, l'émergence de la mesure critériée et des mesures non réactives.

L'approche d'accréditation, dont les origines remontent au 18e siècle, s'est imposée dans les années 30. Elle a eu le mérite, entre autres, d'aborder des questions aussi pertinentes que la disponibilité et la qualité des objectifs et des ressources humaines et physiques des institutions. Elle a contribué au développement des outils et des instruments d'auto-évaluation.

L'approche expérimentale, avec sa panoplie de modèles et de techniques, a eu pour effet non seulement de rendre possible la recherche en éducation mais aussi de fournir des matériaux de premier ordre pour l'évaluation de programme.

Bien que ces approches se soient révélées inadéquates pour déterminer l'efficacité des programmes d'études, il n'en demeure pas moins qu'elles ont contribué à l'émergence de l'évaluation de programme, en incitant les théoriciens et les spécialistes à explorer et à développer d'autres avenues, d'une part, et au développement d'outils et d'instruments fort utiles, d'autre part.

◆ RÉFÉRENCES

American Educational Research Association (AERA) and National Council on Measurements Used in Education (NCME) (1955). *Technical Recommendations for Achievement Tests.* Washington, D.C. AERA, NCME.

American Psychological Association (APA) (1954). *Technical Recommendations for Psychological Tests and Diagnostic Techniques.* Washington, D.C. APA.

American Psychological Association (APA) (1966). *Standards for Educational and Psychological Tests and Manuals.* Washington, D.C. APA.

Alkin, M.C. (1969). *Evaluation Theory Development. Evaluation Comment.* 2 (1). 2-7.

Atkin, J.M. (1968). *Behavioral Objectives in Curriculum Design: A Cautionary Note. The Science Teacher.* 35. 27-30.

Ball, S., Bogatz, G.A. (1970). *The First Year of Sesame Street: An Evaluation.* Princeton, N.J. Educational Testing Service.

Bloom, B.S. (1968). *Learning for Mastery. Evaluation Comment.* 1 (2). 1-12.

Bloom, B.S., Hastings, J.T., Madaus, G.F. (1971). *Handbook on Formative and Summative Evaluation of Student Learning.* New York, N.Y. McGraw-Hill.

Bloom, B.S., Madaus, G.F., Hastings, J.T. (1981). *Evaluation to Improve Learning.* New York, N.Y. McGraw-Hill.

Bogatz, G.A., Ball, S. (1971). *The Second Year of Sesame Street: A Continuing Evaluation.* Princeton, N.J. Educational Testing Service.

Borich, G.D., Jernelka, R.P. (1982). *Programs and Systems: An Evaluation Perspective.* New York, N.Y. Academic Press.

Boulding, K.E. (1980). *Science, Our Common Heritage. Science.* No 4433. 207. 831-836.

Campbell, D.T. (1969). *Reforms as Experiments. American Psychologist.* No 4, 24. 409-429.

Campbell, D.T., Stanley, J.C. (1963). *Experimental and Quasi-experimental Designs for Research on Teaching.* Dans N.L. Gage (éd.) *Handbook of Research on Teaching.* Chicago, Ill. Rand McNally.

Cicirelli, V.G. *et al.* (1969). *The Impact of Head Start: An Evaluation of the Effects of Head Start on Children's Cognitive and Affective Development.* Study by the Westinghouse Learning Corporation and the Ohio University. Washington, D.C. Office of Economic Opportunity.

Coleman, J.S., Campbell, E.Q., Hobson, C.J. (1966). *Equality of Educational Opportunity.* Washington, D.C. Office of Education, U.S. Department of Health, Education and Welfare.

Combs, A.W. (1967). *Forward.* Dans F.F. Wilhens (éd.) *Evaluation as Feedback and Guide.* Washington, D.C. National Educational Association, Association for Supervision and Curriculum Development.

Cox, R.C., Vargas, J.S. (1966). *A Comparison of Item Selection Techniques for Norm-Referenced and Criterion-Referenced Tests.* Communication présentée à la réunion annuelle du National Council on Measurement in Education. Chicago, Ill.

Cronbach, L.J. (1963). *Course Improvement through Evaluation. Teachers College Record.* 64. 672-683.

Cronbach, L.J. *et al.* (1980). *Toward Reform of Program Evaluation.* San Francisco, Calif. Jossey-Bass.

Dahl, T. (1971). *Toward an Evaluative Methodology for Criterion-Referenced Measures: Objective-Item Congruence.* Communication présentée à la réunion annuelle de la California Educational Research Association. San Diego, Calif.

DuBois, P.H. (1970). *A History of Psychological Testing.* Boston, Mass. Allyn and Bacon.

DuBois, P.H., Mayo, D.D. (1970). *Research Strategies for Evaluating Training.* AERA Monograph Series on Curriculum Evaluation. Chicago, Ill. Rand McNally & Co.

Ebel, R.L. (1970). *Some Limitations of Criterion-Referenced Measurement.* Communication présentée à la réunion annuelle de l'American Educational Research Association. Minneapolis, Min.

Eisner, E.W. (1967). *Educational Objectives: Help or Hindrance? The School Review.* 75. 250-260.

Eisner, E.W. (1969). *Instructional and Expressive Educational Objectives: Their Formulation and Use in Curriculum.* AERA Monograph Series on Curriculum Evaluation.

No 3: Instructional Objectives. Chicago. Ill. Rand McNally.

Eisner, E.W. (1975). *The Perceptive Eye Toward the Reformation of Educational Evaluation*. Stanford, Calif. Stanford Evaluation Consortium.

Eisner, E.W. (1977). *On the Uses of Educational Connaisseurship and Educational Criticism for Evaluating Classroom Life*. **Teachers College Records**. 78. 345-358.

Eisner, E.W. (1979). *The Educational Imagination*. New York, N.Y. MacMillan.

English, F.W., Kaufman, R.A. (1975). *Needs Assessment Focus for Curriculum Development*. Washington, D.C. Association for Supervision and Curriculum Development.

Flanagan, J.C., Davis, F.B., Dailey, J.F., Shaycroft, M.F., Orr, D.B., Goldberg, I., Neyman, C.A. Jr. (1964). *Project TALENT. The Identification, Development and Utilization of Human Talents: The American High School Student*. Pittsburgh, Pa. University of Pittsburgh Press.

Glaser, R. (1963). *Instructional Technology and the Measurement of Learning Outcomes: Some Questions*. **American Psychologist**. 18. 519-521.

Grobman, H. (1968). *Evaluation Activities of Curriculum Projects: A Starting Point*. Chicago, Ill. Rand McNally.

Guba, E.G. (1969). *The Failure of Educational Evaluation*. **Educational Technology**. 9. 29-38.

Guba, E.G. (1978). *Metaphor Adaptation Report Investigation Journalism*. Research on Evaluation Project. Portland, Ore. Northwest Regional Educational Laboratory.

Guba, E.G., Lincoln, Y.S. (1981). *Effective Evaluation*. San Francisco, Calif. Jossey-Bass.

Hammond, R.L. (1967). *Evaluation at the Local Level*. Address to the Miller Committee for the National Study of ESEA Title III.

Hively, W. (1970). *Introduction to Domain Referenced Achievement Testing*. Communication présentée à la réunion annuelle de l'American Educational Research Association. Minneapolis, Min.

Hively, W. *et al.* (1973). *Domain-Referenced Curriculum Evaluation: A Technical Handbook and a Case Study from the Minnemast Project*. AERA Monograph Series on Evaluation. No. 1. Chicago, Ill. Rand McNally.

Hoepfner, R. *et al.* (1970). *CES/Elementary School Evaluation Kit Needs Assessment*. Los Angeles, Calif. Center for the Study of Evaluation, University of California in Los Angeles (UCLA).

Hotyat, F. (1962). *Les examens: Les moyens d'évaluation de l'enseignement*. Paris. Éditions Bourrelier.

Joint Committee on Standards for Educational Evaluation (1981). *Standards for Evaluations of Educational Programs, Projects, and Materials*. New York, N.Y. McGraw-Hill.

Kallaghan, T., Madaus, G.F. (1982). *Trends in Educational Standards in Great Britain and Ireland*. Dans G.R. Austin, H. Garber (éd.) *The Rise and Fall of National Test Scores*. New York, N.Y. Academic Press.

Kaplan, A. (1964). *The Conduct of Inquiry*. San Francisco, Calif. Chandler.

Kaufman, R. (1972). *Educational System Planning*. Englewood Cliffs, N.J. Prentice-Hall.

Kaufman, R., English, F.W. (1979). *Needs Assessment: Concept and Application*. Englewood Cliffs, N.J. Educational Technology Publications.

Kaufman, R.A. (1982). *Identifying and Solving Problems: A System Approach*. San Diego, Calif. University Associates.

Klein, S.P., Burry, J., Churchman, D., Nadeau, M.A. (1971). *Evaluation Workshop 1: An Orientation*. Monterey, Calif. CTB/McGraw-Hill.

Kosecoff, J.B., Klein, S.P. (1973). *Issues and Procedures in the Development of Criterion Referenced Tests*. ERIC/TM Report 26. Princeton, N.J. Eric Clearinghouse on Tests, Measurement and Evaluation.

L'Archevêque, P. (1968). *Docimologie*. Québec, Qc. Les Presses de l'Université Laval.

Levasseur, R. (1956). *Mesure en éducation et méthode des tests*. Montréal, Qc. Centre de psychologie et de pédagogie.

Lincoln, Y.S., Guba, E.G. (1985). *Naturalistic Inquiry*. Beverly Hills, Calif. Sage.

Lindquist, E.F. (1953). *Design and Analysis of Experiments in Psychology and Education*. Boston, Mass. Houghton-Mifflin.

Livingston, S.A. (1972). *Criterion-Referenced Applications of Classical Test Theory*. **Journal of Educational Measurement**. Vol. 9, No. 1. 13-25.

Madaus, G.F., McDonagh, J.T. (1982). *As I Roved Out: Folksong Collecting as a Metaphor for Evaluation*. Dans N.L. Smith (éd.) *Communicating in Evaluation: Alternative*

Forms of Representation. Beverly Hills, Calif. Sage.

Madaus, G.F., Scriven, M., Stufflebeam, D.L. (1984). *Evaluation Models: Viewpoints on Educational and Human Services Evaluation*. Boston, Mass. Kluwer-Nijhoff.

Metfessel, N.S., Michael, W.B. (1967). *A Paradigm Involving Multiple Criterion Measures for the Evaluation of the Effectiveness of School Programs. Educational and Psychological Measurement*. 27. 931-943.

Millman, J. (1973). *Passing Scores and Test Lengths for Domain-Referenced Measures. Review of Educational Research*. 43. 205-216.

Nadeau, M.A. (1975). *Mesure et évaluation des objectifs pédagogiques*. Québec, Qc. Les Éditions St-Yves.

Nadeau, M.A. (1975). *L'évaluation vue dans la perspective des programmes*. Université Laval, Service de pédagogie universitaire. Série *Documents*. No. 9.

Nadeau, M.A. (1981). *L'évaluation des programmes d'études: Théorie et pratique*. Québec, Qc. Les Presses de l'Université Laval.

Pace, R.C. (1968). *Evaluation Perspectives*. CSE Report no 8. Los Angeles, Calif. UCLA. Center for the Study of Evaluation.

Parlett, M., Hamilton, D. (1976). *Evaluation as Illumination: A New Approach to the Study of Innovatory Programs*. Dans G.V. Glass (éd.) *Evaluation Studies, Review Manual*. Vol. 1. Beverly Hills, Calif. Sage.

Patton, M.Q. (1980). *Qualitative Evaluation Methods*. Beverly Hills, Calif. Sage.

Peck, H. (1981). *Report on the Certification of Evaluators in Louisiana*. Communication présentée à la réunion de la Southern Educational Research Association. Lexington, Ky.

Pinker, R. (1971). *Social Theory and Social Policy*. London. Heinemann Educational Books.

Popham, W.J. (1974). *Evaluation in Education Current Applications*. Berkeley, Calif. McCutchan.

Popham, W.J. (1975). *Educational Evaluation*. Englewood Cliffs, N.J. Prentice-Hall.

Popham, W.J. (1978). *Criterion-Referenced Measurement*. Englewood Cliffs, N.J. Prentice-Hall.

Popham, W.J., Husek, T. (1969). *Implication of Criterion-Referenced Measurement. Journal of Educational Measurement*. Vol. 6, no 1.

Popham, W.J. et al.. (1969). *Instructional Objectives*. AERA Monograph Series on Curriculum Evaluation, No 3. Chicago, Ill. Rand McNally.

Provus, M.C. (1969). *Discrepancy Evaluation Model*. Pittsburgh, Pa. Pittsburgh Public Schools.

Provus, M.C. (1971). *Discrepancy Evaluation*. Berkeley, Calif. McCutchan.

Rippey, M.R. (1973). *Studies in Transactional Evaluation*. Berkeley, Calif. McCutchan.

Rossi, P.H. (éd.) (1982). *Standards for Evaluation Practice: New Directions for Program Evaluation*. San Francisco, Calif. Jossey-Bass.

Roudabush, G.E. (1973). *Item Selection of Criterion-Referenced Tests*. Communication présentée à la réunion annuelle de l'American Educational Research Association. New York, N.Y.

Scriven, M.S. (1967). *The Methodology of Evaluation. Perspectives of Curriculum Evaluation*. AERA Monograph Series on Curriculum Evaluation, No 1. Chicago, Ill. Rand McNally.

Scriven, M. (1974). *Maximizing the Power of Causal Investigation: The Modus Operandi Method*. Dans W.J. Popham (éd.) *Evaluation in Education*. Berkeley, Calif. McCutchan.

Scriven, M., Roth, J.E. (1978). *Needs Assessment: Concept and Practice. New Directions for Program Evaluation*. 1. 1-11.

Smith, E.R., Tyler, R.W. (1942). *Appraising and Recording Student Progress*. New York, N.Y. Harper.

Stake, R.E. (1967). *The Countenance of Educational Evaluation. Teachers College Record*. 68. 523-540.

Stake, R.E. (1976). *A Theoretical Statement of Responsive Evaluation. Studies in Educational Evaluation*. 2 (1). 19-22.

Stake, R.E. (1978). *The Case-Study Method in Social Inquiry. Educational Researcher*. 7. 5-8.

Stake, R.E. (1981). *Setting Standards for Educational Evaluators. Evaluator News*. No 2. 2. 148-152.

Stufflebeam, D.L. (1968). *Evaluation as Enlightment for Decision-Making*. Columbus, Ohio. Evaluation Center, Ohio State University.

Stufflebeam, D.L. (1977). *Needs Assessment in Evaluation*. Ruban magnétophonique présenté à la réunion annuelle de l'AERA. San Francisco, Calif.

Stufflebeam, D.L., Foley, W.J., Gephart, W.J., Guba, E.G., Hammond, R.L., Merriman, H.O., Provus, M.C. (1971). *Educational Evaluation and Decision-Making*. Itasca, Ill. F.E. Peacock.

Suarez, T. (1980). *Needs Assessments for Technical Assistance: A Conceptual Overview and Comparison of Three Strategies*. Thèse de doctorat non publiée. Western Michigan University.

Tallmadge, G.K. (1977). *Joint Dissemination Review Panel Ideabook*. Washington, D.C. U.S. Government Printing Office.

Tyack, D., Hansot, E. (1982). *Managers of Virtue*. New York, N.Y. Basic Books.

Tyler, R.W. (1967). *Changing Concepts of Educational Evaluation*. Dans R.E. Stake (éd.) *Perspective of Curriculum Evaluation*. Vol. 1. New York, N.Y. Rand NcNally.

U.S. General Accounting Office (1978). *Assessing Social Program Impact Evaluation: A Checklist Approach*. Washington, D.C. U.S. General Accounting Office.

Weiss, C.H. (1983). *The Stakeholder Approach to Evaluation: Origins and Promise*. Dans A.S. Bryk (éd.) *Stakeholder Based Evaluation. New Directions for Program Evaluation*. San Francisco, Calif. Jossey-Bass.

Witkin, B.R. (1979). *A Comprehensive Needs Assessment Module. Manual, Survey Questionnaires, Statistical and Data Forms Booklet, and Guide to Analysis*. Hayward, Calif. Office of the Alameda County Superintendant of Schools.

Witkin, B.R. (1984). *Assessing Needs in Educational and Social Programs*. San Francisco, Calif. Jossey-Bass.

Wolf, R.L. (1979). *The Use of Judicial Evaluation Methods in the Formation of Educational Policy. Educational Evaluation and Policy Analysis*. 1. 19-28.

Worthen, B.R., Sanders, J.R. (1973). *Educational Evaluation: Theory and Practice*. Worthington, Ohio. Charles A. Jones.

CHAPITRE 2

◆ L'ÉVALUATION VUE
◆ DANS LA PERSPECTIVE
◆ DES PROGRAMMES

L'ÉVALUATION NE CONSTITUE PAS UN ACCESSOIRE MAIS
BIEN UNE PARTIE ESSENTIELLE DU PROCESSUS DE
DÉVELOPPEMENT D'UN PROGRAMME.
(L.J. Cronbach)

Jusqu'au milieu des années 60, la littérature sur la mesure et l'évaluation en éducation portait sur l'apprentissage ; les étudiants furent longtemps les seuls objets d'évaluation. Il était difficile alors, sinon impossible, de trouver un guide relatif à l'évaluation de projets éducatifs, de programmes ou encore d'établissements éducatifs. En fait, il a fallu attendre une loi du gouvernement américain (*Elementary and Secondary Act*, 1965) pour permettre à l'évaluation de s'ouvrir sur de nouveaux horizons. Dès lors, on s'orienta vers l'évaluation de projets, de matériels éducatifs, de programmes, d'interventions pédagogiques, d'innovations, etc. Cette discipline occupe maintenant une place très importante dans la littérature scientifique contemporaine (Alkin, 1969 ; Provus, 1971 ; Stake, 1967 ; Stufflebeam, 1969 ; Stufflebeam *et al.*, 1971). En effet, la littérature portant sur ce sujet nous apprend, d'une part, que tout, ou presque tout, peut être objet d'évaluation et que, d'autre part, l'identification de cet objet représente une partie importante de toute activité d'évaluation. En effet, cette étape devrait aider à déterminer le type d'information à recueillir et la manière de l'analyser. Elle devrait en outre permettre de régler les problèmes, les conflits, les menaces qui peuvent peser sur l'évaluation ou encore affecter les personnes impliquées (Guba et Lincoln, 1981).

Comme nous le mentionnions au tout début de cet ouvrage, le concept « évaluation » n'est certes pas nouveau pour qui s'intéresse à l'éducation. Ainsi, un professeur du secondaire utilise le terme « évaluation » lorsqu'il compare la performance d'un étudiant à une moyenne de groupe et décide de lui accorder la note « A » ; le doyen d'une faculté utilise le même terme lorsqu'il examine le dossier académique d'un professeur en fonction d'un ensemble de critères de promotion, dont la qualité de son enseignement, et décide de ne pas lui accorder la permanence ; le responsable d'un comité de programme du ministère de l'Éducation fait appel au même concept lorsqu'il compare un nouveau programme de biologie à l'ancien et décide d'utiliser le nouveau.

Ces situations d'évaluation, bien qu'elles s'inscrivent toutes dans une perspective de prise de décision, sont totalement différentes. Elles sont différentes au niveau des objectifs d'évaluation, au niveau des décisions prises ainsi qu'au niveau des moyens utilisés pour recueillir l'information nécessaire à la prise de décision. Ce qui veut dire que l'objectif de l'évaluation de même que l'information recueillie et les moyens utilisés à cette fin ne peuvent être indépendants du caractère même de la décision à prendre.

Les situations d'évaluation décrites plus haut illustrent les trois secteurs particuliers du domaine de l'éducation auxquels s'applique le concept d'évaluation : l'apprentissage, l'enseignement et les programmes.

Dans le premier exemple, c'est la performance de l'étudiant qui est évaluée, la préoccupation majeure étant de déterminer la qualité des apprentissages réalisés par un étudiant sur les plans cognitif, affectif et psychomoteur.

Dans le deuxième exemple, c'est la performance du professeur comme enseignant qui devient l'objet de l'évaluation. Il s'agit de déterminer la qualité du contexte dans lequel l'enseignement prend place.

Le troisième exemple s'applique au programme dont on cherche à évaluer le développement et la réalisation. Il s'agit de développer un programme et de mettre en place les meilleures stratégies, dans le but de s'assurer que les objectifs qui constituent la base du programme seront pleinement atteints. Il est important de signaler que l'évaluation de l'apprentissage et de l'enseignement font partie de l'évaluation de programme.

C'est l'évaluation vue dans la perspective des programmes qui fait l'objet de ce chapitre. À partir d'une définition sommaire de l'évaluation et d'exemples nous introduisons une distinction entre l'évaluation formelle et l'évaluation informelle. Nous comparons ensuite les approches recherche et évaluation sur un certain nombre de dimensions. Quelques définitions de l'évaluation sont ensuite introduites avec une insistance toute particulière sur celles qui, à l'heure actuelle, retiennent l'attention. Suivent quelques réflexions sur le processus d'évaluation de programme et sur les personnes qu'elle doit servir. À cela s'ajoute une énumération de certains problèmes reliés à l'évaluation considérée dans une perspective organisationnelle. Des stratégies suggérées pour faciliter la confrontation avec les problèmes, qui peuvent survenir en établissant et en maintenant le rôle de l'évaluation, sont présentées et commentées.

ÉVALUATION INFORMELLE ET ÉVALUATION FORMELLE

Lorsque nous nous reportons à la définition de l'évaluation fournie par le *Petit Robert* : « Porter un jugement sur la valeur, le prix », nous pouvons arguer que nous sommes tous des évaluateurs et que d'une certaine façon nous l'avons toujours été. Une revue de nos actes quotidiens semble appuyer cet énoncé en ce qu'elle nous révèle que, de fait, nous évaluons des centaines de choses chaque jour; nous portons fréquemment un jugement sur notre nuit de sommeil, le petit déjeuner qui nous est présenté, le service offert par un garagiste, le contenu d'un ouvrage scientifique, ou encore les dimensions sociales du programme d'un parti politique. Cependant, plus souvent qu'autrement, ces évaluations journalières sont informelles, ce qui ne veut pas dire qu'elles soient inexactes, en ce sens qu'elles sont le plus souvent basées sur des impressions vagues et diffuses et sur des normes intuitives. Elles sont de qualité variable, parfois pénétrantes, parfois superficielles et déformées.

Ces évaluations sont certes informelles mais elles n'en consistent pas moins à déterminer, dans chacun des cas, la qualité d'une chose. Il est sûr que certaines situations peuvent tolérer une évaluation informelle car les conséquences d'une évaluation fautive sont peu importantes, c'est-à-dire que celles-ci ne présentent pas un caractère de gravité: ainsi, par exemple, une évaluation négative d'une partie de hockey, de la part d'un spectateur, aura pour conséquence de le rendre de mauvaise humeur pour quelques heures, ce qui a peu d'importance en soi. Cependant, d'autres situations exigent une évaluation plus formelle à cause de l'importance des conséquences d'une évaluation fautive. Dans le cas, par exemple, de la performance des mécaniciens au service d'une compagnie aérienne commerciale ou encore du travail des ingénieurs chargés de la surveillance des barrages hydro-électriques, nous ne pouvons nous contenter d'une évaluation informelle; il faut nous assurer que ces gens possèdent les connaissances nécessaires et qu'ils effectuent bien leur travail car, entre autres choses, des vies humaines en dépendent.

Les législateurs, les administrateurs, les praticiens, les bénéficiaires de services, etc., basent souvent leurs décisions sur l'évaluation informelle ou sur l'impression. Stake (1967) écrit que l'évaluation informelle est dépendante de l'observation factuelle, d'objectifs implicites, de normes intuitives et de jugements subjectifs. Il la caractérise comme étant de qualité variable, parfois pénétrante, parfois superficielle et déformée.

À moins que ces évaluations ne soient faites à partir de critères bien définis et sur la base d'informations pertinentes et valides, elles ne rencontrent pas alors le véritable sens du concept « évaluation formelle ».

Comme nous le verrons plus loin, il existe plusieurs écoles de pensée quant à la définition de l'évaluation appliquée à l'éducation. Pour l'instant, la définition suivante s'avère utile:

L'ÉVALUATION SYSTÉMATIQUE, EN ÉDUCATION, CONSISTE EN LA DÉTERMINATION DE LA VALEUR D'UN PHÉNOMÈNE ÉDUCATIF DE FAÇON FORMELLE.

Cette définition insiste sur le fait que l'évaluation ne peut être informelle. L'éducation est un domaine où l'on ne peut tolérer, ni se contenter d'une évaluation informelle à cause des conséquences, quant à l'avenir des étudiants, que pourraient avoir des jugements de valeurs hâtifs, intuitifs et non basés sur des données les plus objectives et les plus valides possibles. De plus, la définition cerne l'essence même de l'évaluation, à savoir: *la détermination de la valeur d'un phénomène*. Les phénomènes éducatifs dont il est question peuvent être de divers ordres: un enseignement particulier, un programme quelconque, du matériel didactique, des moyens audio-visuels, les objectifs du programme, etc.

Parmi les approches d'évaluation que l'on pourrait qualifier de formelles, on peut distinguer celles qui insistent sur l'intrant (*input*), celles qui insistent sur l'extrant (*output*) et celles qui insistent sur l'intrant, le processus et l'extrant.

Prenons comme exemples les agences d'accréditation, les inspecteurs d'édifices municipaux et les courtiers d'assurance-incendie. Ils basent leur jugement sur les intrants (*input*), en utilisant des listes repères et des formules explicites. Les programmes en éducation sont évalués à partir de facteurs précis telles la qualification des professeurs, l'adéquation des locaux et la proportion des livres en bibliothèque par rapport au nombre d'étudiants; un édifice est évalué en fonction du système de plomberie, de l'agencement des pièces ou locaux et de la situation géographique; le coût des primes d'assurance-incendie est fonction de la nature des matériaux de l'édifice, de la proximité des bornes-fontaines et de l'équipement disponible pour combattre le feu.

C'est l'insistance sur les extrants (*output*) ou effets (Tyler, 1950) et la préoccupation d'utiliser la méthode scientifique qui caractérisent l'évaluation (Popham, 1975; Worthen et Sanders, 1973). En ce sens, l'évaluation peut être vue comme « l'utilisation de la méthode scientifique pour colliger les données concernant le degré d'atteinte d'un effet désiré par une activité spécifique » (Suchman, 1969). L'accent mis sur les extrants ne signifie cependant pas l'absence de préoccupation pour les variables de l'intrant. C'est Scriven (1967) qui a proposé une évaluation « médiate » comme moyen de combiner les variables de l'intrant et de l'extrant, afin de permettre l'étude des processus servant à atteindre les objectifs.

RECHERCHE VERSUS ÉVALUATION

L'évaluation de programme s'est longtemps inscrite dans une perspective de recherche; la recherche évaluative a été considérée comme une application des procédures propres à la recherche scientifique dans le but de recueillir des données fidèles et valides (Campbell, 1965; Isaac et Michael, 1971; Rossi et Wright, 1977) sur les effets que produisent les activités spécifiques d'un programme, de mesurer l'atteinte des buts et de porter un jugement sur la performance globale de ce programme (Suchman, 1967; Franklin et Thrasher, 1976; Rossi et Wright, 1977). Afin d'assurer une rigueur à la démarche, on utilise un groupe contrôle dans le but d'attribuer tout changement à la variable programme ; on administre également un prétest, afin de déterminer la performance initiale des participants, et enfin un post-test, afin d'évaluer leur performance une fois l'intervention complétée (Bordeleau *et al.*, 1982). Cette approche est supposée fournir des données exemptes d'ambiguïtés, ce qui rendrait alors possible la comparaison des résultats obtenus pour un programme à ceux d'un ou de plusieurs autres programmes (Briecken et Borich, 1974 ; Briecken, 1977). Cependant, l'évaluation de programme ne se limite pas, ne se préoccupe pas uniquement des résultats observés. Pour remplir adéquatement son rôle, elle veut aussi des données sur les besoins de la clientèle, sur les activités et les stratégies susceptibles de les combler, et sur le déroulement du programme. La recherche évaluative n'est pas en mesure de fournir ce type d'information. Étant donné les objectifs et l'orientation méthodologique de la recherche, les évaluateurs en sont venus à la considérer comme une approche méthodologique différente de l'évaluation.

Dire, comme nous l'avons fait plus haut, que l'évaluation consiste en l'utilisation de la méthode scientifique pour colliger les données concernant le degré d'atteinte d'un effet désiré par une activité spécifique, peut amener le lecteur à croire que les termes « recherche » et « évaluation » ne désignent en fait qu'une seule et même chose et par conséquent les tentatives de définition de l'évaluation ne peuvent que provoquer de la confusion. Nous croyons cependant que l'évaluation représente une application de la méthode scientifique très différente de celle de la recherche expérimentale, et ce, malgré que les activités d'un chercheur et celles d'un évaluateur présentent beaucoup de similitude. En effet, les deux s'engagent dans un processus scientifique, utilisent des procédés de mesure pour la cueillette de données, analysent ces données d'une façon systématique, utilisent souvent les mêmes techniques statistiques et décrivent leurs efforts dans des rapports formels.

Qu'est-ce qui distingue alors la recherche de l'évaluation ?

Il semble que, pour certains auteurs et praticiens, la distinction entre recherche et évaluation soit évidente (Worthen et Sanders, 1976 ; Guba et Lincoln, 1981 ; Borich et Jemelka, 1982), alors que pour d'autres elle demeure ambiguë (Rossi, Wright et Freeman, 1979 ; Suchman, 1969). Certains établissent une distinction nette entre les deux, tandis que d'autres considèrent l'évaluation comme une forme de recherche.

La recherche se définit comme une investigation ou une démarche systématique, contrôlée, empirique et critique d'une proposition hypothétique, dans le but de faire progresser les connaissances sur un sujet particulier et de généraliser les résultats obtenus. Celle-ci se diviserait, selon Travers (1964), en « recherche de base » et « recherche appliquée ».

Selon cet auteur, « la recherche de base a pour but d'accroître l'ensemble de la connaissance scientifique et ne produit pas nécessairement des résultats ayant une application pratique immédiate. La recherche appliquée est entreprise pour résoudre un problème pratique immédiat, l'accroissement du niveau de connaissance scientifique étant secondaire. » La recherche de base conduit à une plus grande compréhension d'un phénomène, alors que la recherche appliquée aboutit habituellement à la production de plans, de projets ou de directives guidant par exemple le développement de nouveaux modes d'intervention péda-. gogique.

Worthen et Sanders (1973) considèrent deux variantes de la recherche appliquée : la recherche institutionnelle et la recherche opérationnelle. Ces deux approches ont pour but de fournir des informations relatives aux opérations qui prennent place dans un système ou dans une institution. Lorsque les données recueillies amènent des conclusions qui sont généralisables dans le temps, l'approche peut alors être qualifiée de recherche. Par contre, lorsque les données ne sont pertinentes que par rapport au programme ou au processus en cause, donc non généralisables, l'approche devrait alors être qualifiée d'évaluation.

L'excellent parallèle que présentent Glass et Worthen (1971) met en évidence les différences fondamentales qui existent entre l'évaluation et la recherche. Ce parallèle qui porte sur onze caractéristiques particulières est succinctement présenté dans les paragraphes qui suivent.

Les motifs de l'investigation

L'évaluation et la recherche sont entreprises pour des raisons différentes. La curiosité scientifique serait l'élément motivant du chercheur alors que la contribution à la solution d'un problème particulier constituerait la motivation de l'évaluateur.

LE CHERCHEUR EST INTRIGUÉ, ALORS QUE L'ÉVALUATEUR EST CONCERNÉ.

Les objectifs de l'investigation

L'évaluation et la recherche s'orientent vers des fins différentes. Cronbach et Suppes (1969) distinguent l'investigation orientée vers la conclusion et l'investigation orientée vers la décision.

Dans une étude orientée vers la décision (évaluation), on demande à l'investigateur de fournir l'information demandée à celui qui prend les décisions : celui-ci peut être une administrateur, un législateur ou encore le responsable d'un projet de développement d'un nouveau manuel scolaire. L'étude orientée vers la décision (évaluation) est donc une étude commandée.

L'étude orientée vers la conclusion (recherche) est pour sa part teintée des engagements et des intuitions de l'investigateur. Celui-ci formule sa propre question, laquelle se présente habituellement sous une forme générale. Le but ultime consiste à conceptualiser et à comprendre un phénomène donné. Par conséquent, le chercheur se concentre sur les personnes et les situations qu'il espère ou suppose révélatrices du phénomène étudié.

LE CHERCHEUR VISE DES CONCLUSIONS, ALORS QUE L'ÉVALUATEUR ALIMENTE DES DÉCISIONS.

Les lois versus les descriptions

La recherche est en quête de lois, c'est-à-dire d'énoncés qui décrivent les relations existant entre deux variables et plus. L'évaluation cherche à décrire un phénomène particulier eu égard à une ou plusieurs échelles de valeurs.

LE CHERCHEUR EST À LA RECHERCHE DE LOIS, ALORS QUE L'ÉVALUATEUR DÉCRIT UNE CHOSE.

Le rôle de l'explication

Les explications scientifiques doivent reposer sur des lois scientifiques, ce qui ne semble pas être le cas en sciences humaines. Jusqu'à quel point les évaluateurs doivent-ils expliquer (comprendre) les phénomènes à l'étude? Selon Glass et Worthen, une évaluation convenable et utile peut être conduite sans que pour autant il soit nécessaire de donner le pourquoi et le comment d'un programme qui donne de bons résultats.

LE CHERCHEUR EXPLIQUE UN PHÉNOMÈNE, ALORS QUE L'ÉVALUATEUR LE DÉCRIT.

L'autonomie de l'investigation

Ce principe a été émis par Kaplan (1964), qui affirme que les sciences sont libres et indépendantes et que, par conséquent, elles ne peuvent être sous la gouverne de la logique, de la méthodologie, de la philosophie des sciences, ou de toute autre discipline. La recherche de la vérité n'a de compte à rendre qu'aux seules choses et personnes qui font partie de cette recherche. L'autonomie de l'investigateur caractérise la recherche, ce qui n'est pas le cas pour l'évaluation.

LE CHERCHEUR DÉTERMINE UN PROBLÈME DE SON CHOIX, ALORS QUE L'ÉVALUATEUR EST SOLLICITÉ POUR UN PROBLÈME PARTICULIER.

Les propriétés des phénomènes étudiés

L'évaluation est directement concernée par l'utilité sociale, alors que la recherche, par ses découvertes, ne l'est qu'indirectement. Toute investigation serait préoccupée par l'évaluation de trois propriétés relatives à un phénomène: sa vérification empirique à partir de méthodes reconnues, sa cohérence logique quant aux faits connus et acceptés, et son utilité sociale. La plupart des méthodes d'investigation s'intéressent, à des degrés divers, à ces propriétés critiques.

LE CHERCHEUR VISE INDIRECTEMENT L'UTILITÉ SOCIALE DE SES DÉCOUVERTES,
ALORS QUE L'ÉVALUATEUR EST DIRECTEMENT CONCERNÉ PAR L'UTILITÉ SOCIALE
DE SON ACTION.

L'universalité des phénomènes étudiés

Les construits sur lesquels les chercheurs travaillent ont une occurrence et une étendue d'application telles que, par comparaison, les phénomènes soumis apparaissent limités. Par exemple, un psychologue scolaire conduit des expériences sur le renforcement ou encore sur le besoin de réussite et il les considère indépendamment du milieu géographique et du facteur temps. Il n'en va pas de même de l'évaluation. Un manuel quelconque, un guide de laboratoire ou encore un document audio-visuel peuvent avoir une durée de vie limitée et rejoindre un auditoire restreint.

On peut reconnaître trois dimensions à l'universalité d'un phénomène ; sa généralité dans le temps (le phénomène présentera-t-il le même intérêt dans 30, 40 ou 50 ans ?) ; sa généralité dans l'espace (le phénomène présentera-t-il un intérêt pour les gens de la commission scolaire voisine, d'une commission scolaire d'une autre province ?) ; sa généralité de situation (existe-t-il d'autres études de ce même phénomène ou est-il unique ?).

L'évaluation de programme, l'évaluation de matériel et la recherche sont trois types d'investigation. L'évaluation de programme s'intéresse à un phénomène limité dans le temps et dans l'espace, et le plus souvent unique. L'évaluation d'un matériel s'intéresse à un phénomène qui présente une certaine généralité dans l'espace, mais peu de généralité dans le temps et peu de généralité de situation. Par contre, les construits auxquels s'intéresse la recherche sont censés avoir une permanence dans le temps et une application qui dépasse les frontières géographiques.

LES CONCEPTS SUR LESQUELS S'APPUIE LA RECHERCHE N'ONT PAS DE LIMITE
DANS LE TEMPS ET L'ESPACE, ALORS QUE LES PHÉNOMÈNES ÉTUDIÉS
PAR UNE APPROCHE D'ÉVALUATION SONT DIFFICILEMENT GÉNÉRALISABLES
DANS LE TEMPS ET L'ESPACE.

La question de « valeur »

Toute investigation se veut une recherche de quelque chose de valable et d'utile. Théoriquement, on peut porter un jugement de valeur sur les résultats obtenus. Lorsque nous considérons l'évaluation comme une approche méthodologique, il est clair qu'il est question de déterminer la valeur d'une chose. C'est là une caractéristique essentielle de l'évaluation, ce qui n'est pas le cas de la recherche. Cela ne veut pas dire que la dimension valeur n'intervient pas au niveau de la recherche, mais elle y est moins évidente. L'acquisition de la connaissance et l'amélioration du concept de soi, par exemple, sont clairement chargées de valeur. Par contre, la question de valeur est moins évidente lorsqu'il s'agit, par exemple, du développement, en analyse factorielle, d'une nouvelle technique de rotation oblique.

LE CHERCHEUR EST PRÉOCCUPÉ PAR LA RECHERCHE DE LA VÉRITÉ ALORS QUE L'ÉVALUATEUR EST PRÉOCCUPÉ PAR LA DÉTERMINATION DE LA VALEUR D'UNE CHOSE.

Les techniques d'investigation

Certains auteurs laissent entendre que l'évaluation devrait utiliser des techniques de cueillette et de traitement de données différentes de celles qu'utilise la recherche (Cronbach, 1963 ; Carroll, 1965 ; Stufflebeam, 1968 ; Guba et Stufflebeam, 1968). Bien que l'évaluation se distingue de la recherche sous de nombreux aspects, il existe beaucoup de similitude entre les deux, quant aux techniques à partir desquelles on recueille et juge l'évidence empirique.

Certains auteurs de l'évaluation considèrent celle-ci comme de la recherche négligée du fait que le contrôle expérimental semble en être absent. Une première façon d'établir un tel contrôle consiste à assigner au hasard les groupes aux différents traitements afin de contrôler les influences possibles des facteurs extérieurs et étrangers à l'étude. Cette forme de contrôle n'est cependant pas l'apanage exclusif de la recherche ; en effet, on peut tout aussi bien l'utiliser dans le cas d'une étude comparative.

L'autre forme de contrôle réside dans l'habileté du chercheur à isoler, parmi les facteurs qui pourraient intervenir dans son étude, la variable indépendante et à déterminer l'élément clé qui relie d'une façon causale les variables dépendante et indépendante. Ce contrôle présente peu d'intérêt pour l'évaluateur. Il suffit à ce dernier de savoir qu'un ou plusieurs aspects connus du programme sont responsables des résultats obtenus, sans plus.

LE CONTRÔLE EXPÉRIMENTAL EST FONDAMENTAL DANS LA RECHERCHE, ALORS QU'IL NE L'EST PAS DANS L'ÉVALUATION.

Les critères pour juger l'activité

Campbell et Stanley (1963) ont proposé deux critères pour juger une recherche : la validité interne (jusqu'à quel point les résultats de l'étude sont-ils univoques et non confondus sous l'effet de variables externes ?) et la validité externe (jusqu'à quel point les résultats peuvent-ils être généralisés à d'autres groupes ayant des caractéristiques semblables à celles des groupes qui sont utilisés dans l'étude ?).

Parmi les critères que l'on pourrait utiliser pour juger une évaluation, il en est deux très importants : l'isomorphisme (jusqu'à quel point l'information recueillie est-elle conforme à la réalité que l'on voulait atteindre ?) et la crédibilité (jusqu'à quel point peut-on accorder foi à l'information recueillie ?).

UNE RECHERCHE EST JUGÉE PAR SA VALIDITÉ INTERNE ET SA VALIDITÉ EXTERNE,
ALORS QUE L'ÉVALUATION EST JUGÉE PAR LE CARACTÈRE DE CRÉDIBILITÉ
ET D'ISOMORPHISME DE SES DONNÉES.

La base disciplinaire

On suggère, à bon escient, que la recherche dans son ensemble devienne multidisciplinaire ; il serait cependant utopique pour un chercheur de vouloir aborder son champ d'intérêt sur la base de différentes disciplines, compte tenu du fait qu'il est déjà difficile de composer avec les problèmes d'une seule discipline. L'évaluateur ne peut se permettre de se pencher sur un problème en se basant sur une discipline unique. Le chercheur est libre de définir son propre problème, ce qui l'amène rarement à l'extérieur de sa discipline. L'évaluateur n'a pas souvent le choix des questions pour lesquelles il doit trouver des réponses. Par conséquent, il ne peut faire appel à une méthodologie unique ; il lui faut avoir à sa disposition et connaître un grand nombre de méthodes et de techniques d'investigation.

LE CHERCHEUR SE LIMITE LE PLUS SOUVENT À UNE APPROCHE UNIDISCIPLINAIRE,
ALORS QUE L'ÉVALUATEUR DOIT UTILISER UNE APPROCHE MULTIDISCIPLINAIRE.

Le tableau 1 synthétise les éléments distinctifs de la recherche et de l'évaluation.

Tableau 1
DIFFÉRENCES FONDAMENTALES ENTRE LA RECHERCHE ET L'ÉVALUATION

Éléments	Recherche	Évaluation
Motivation de l'investigateur	Curiosité scientifique	Solution d'un problème
Objectifs de l'investigation	Conclusions	Décisions
Rôle de l'explication	Explications, lois, vérité	Description Détermination de la valeur
Autonomie de l'investigateur	Grande	Faible
Utilité sociale des découvertes	Indirecte	Directe
Généralisation des résultats	Grande	Faible
Contrôle expérimental	Essentiel	Possible
Critères pour juger l'activité	Validité interne, validité externe	Isomorphisme, crédibilité
Base disciplinaire	Unidisciplinaire	Multidisciplinaire

Hurteau et Nadeau (1987) insistent sur le fait que l'utilisation des méthodes et des techniques propres à la recherche, dans l'évaluation d'un programme, peut poser de sérieux problèmes. En effet, un cadre de recherche suppose, dans sa forme idéale, l'utilisation d'un schéma expérimental, ce qui signifie : la nécessité d'assurer l'équivalence des groupes ainsi que la stabilité de leur composition ; des données qui sont indépendantes du contexte, c'est-à-dire qui ne sont pas influencées par celui-ci ; une non-intervention au niveau des variables, c'est-à-dire une fois que le modèle est mis en application.

La littérature révèle que ces conditions ne peuvent être respectées dans une étude évaluative. En effet, premièrement, les groupes utilisés dans une étude évaluative sont rarement sinon jamais formés au hasard ; l'évaluateur doit le plus souvent composer avec des groupes intacts. D'autre part, selon Guttentag (1973), les individus assignés à un programme peuvent facilement l'abandonner sans que l'évaluateur y puisse quoi que ce soit.

Deuxièmement, la structure d'une recherche permet un contrôle des variables soumises à l'expérimentation, alors que l'objet d'évaluation est observé dans des conditions naturelles où les variables ne sont pas contrôlées et où, par conséquent, les données ne sont pas indépendantes du contexte. Selon Franklin et Thrasher (1976), et Guba et Lincoln (1981), l'évaluation suppose une description bien étoffée d'un programme, ce qui signifie qu'elle peut même sacrifier la justesse et la précision d'une information au profit de son isomorphisme et de sa crédibilité.

Troisièmement, les modifications constituent la raison d'être de tout processus d'évaluation. Une étude évaluative favorise les modifications et les améliorations en cours de développement ce qui, selon Mushkin (1973), Nunnally (1975), et Weiss et Rein (1985) ne permet ni de mesurer, ni de comparer les résultats obtenus par des groupes soumis à des programmes d'études différents.

L'utilisation de statistiques inférentielles, dans le cadre d'une évaluation, entraîne également certaines difficultés à cause du caractère limitatif des analyses et du non-respect des postulats sous-jacents. Même si certaines statistiques sont suffisamment robustes pour que les postulats les sous-tendant puissent être transgressés, ceux-ci ne peuvent être enfreints systématiquement sans que les résultats en soient affectés.

L'hypothèse nulle ne cadre pas avec la complexité du processus de prise de décision (Stufflebeam et Webster, 1980) et l'évaluation d'un programme ne peut se limiter à la simple question de savoir si celui-ci a atteint ou non ses objectifs. Il serait en outre simpliste de considérer un programme comme une simple variable indépendante (Cronbach, 1963 ; Campbell, 1965 ; 1971) car l'évaluation peut remettre en question tout autant les conditions antérieures à la mise sur pied d'un programme, que son déroulement ou encore ses résultats.

Hurteau et Nadeau (1987) partagent l'opinion de Guba (1969) et de Stufflebeam et Webster (1980), et affirment que la principale source de malaise, face à l'évaluation de programme, et la cause de ses nombreux échecs trouvent leur origine dans l'application d'un paradigme de recherche dans un contexte évaluatif.

DÉFINITION DE L'ÉVALUATION

Les tentatives de définition de l'évaluation reflètent des préoccupations diverses sur les plans : de la mesure, du jugement professionnel, de l'atteinte des objectifs, de l'utilité et (ou) de la valeur des programmes, du caractère décisionnel impliqué dans l'évaluation.

Évaluation et mesure

L'importance de cette approche fut telle, à une certaine époque, que le concept d'évaluation fut considéré comme synonyme de mesure en éducation. Thorndike et Hagen (1961) définissent l'évaluation en ces termes :

> Le terme évaluation comme nous l'utilisons est fortement relié à la mesure. Il est sous certains rapports plus englobant, incluant des jugements informels et intuitifs, [...] et [...] l'aspect de la détermination de la valeur, disons de ce qui est désirable et bon. De bonnes techniques de mesure fournissent une solide base pour une évaluation saine.

Pour sa part, Ebel (1965) définit l'évaluation de la façon suivante :

> Un jugement de mérite quelquefois basé uniquement sur des mesures comme les résultats à des tests, mais plus fréquemment impliquant la synthèse de plusieurs mesures, incidents critiques, impressions subjectives et autres évidences.

Considérer l'évaluation comme la quantification d'une performance réduit celle-ci à la simple détermination d'un statut, alors que l'évaluation, par définition, consiste fondamentalement à déterminer la valeur d'une chose. La simple assignation de nombres à une performance est un acte neutre qui ne dit pas si celle-ci est bonne ou mauvaise.

Évaluation et jugement professionnel

Il est une autre approche qui a occupé une place prépondérante en éducation : l'approche accréditation. L'utilisation de procédures propres à l'accréditation (auto-évaluation, questionnaires et listes d'inventaires, équipes de visiteurs) par les universités et les écoles à amené l'idée de définir l'évaluation comme synonyme de jugement professionnel. Gingras (1973) définit l'accréditation comme la reconnaissance officielle par un organisme compétent, après évaluation, de la valeur des objectifs d'une institution et des moyens qu'elle prend pour les atteindre.

Le fait que cette approche repose sur l'opinion d'experts et que leurs jugements sont basés sur des données plus ou moins fiables rend cette approche de moins en moins intéressante aux yeux des spécialistes.

Évaluation et atteinte des objectifs

Des auteurs tels Tyler (1950), Greenberg (1968), Brooks (1965), Metfessel et Michael (1967), et Hammond (1973) insistent sur la dimension collecte de l'information dans l'évaluation.

Le travail de Tyler sur le projet *Eight Year Study* l'amena à considérer l'évaluation comme un processus de comparaison de la performance observée et des objectifs préalablement spécifiés. Il définit le processus de l'évaluation comme devant essentiellement déterminer jusqu'à quel point le programme et l'enseignement permettent l'atteinte des objectifs éducationnels. Greenberg (1968) définit l'évaluation comme « la procédure par laquelle les programmes sont étudiés en vue de vérifier leur efficacité dans l'atteinte des objectifs ». Pour Brooks (1965), les objectifs de l'évaluation concernent la détermination de l'efficacité d'un programme dans la poursuite de ses objectifs, de l'impact des variables clés d'un programme et du rôle du programme par rapport aux variables externes. Suchman (1967) définit l'évaluation comme « la détermination [...] des résultats [...] obtenus par une activité prévue [...] pour atteindre un but important ».

Ces définitions présentent l'avantage de considérer·les objectifs pédagogiques comme étant la base d'un programme d'études. Cependant, juger de la valeur d'un programme uniquement par l'atteinte ou la non-atteinte des objectifs visés apparaît limitatif.

Évaluation et utilité sociale et (ou) jugement

Certains auteurs insistent sur la dimension jugement de valeur et utilité sociale dans la définition de l'évaluation (Scriven, 1967 ; Stake, 1967 ; Glass, 1971 ; Popham, 1975 ; Worthen et Sanders, 1973 ; Guba et Lincoln, 1981 ; Lincoln, 1986).

Scriven (1967) a surtout développé la dimension jugement dans l'évaluation qu'il définit comme « une activité méthodologique qui consiste à combiner les données ou les résultats d'une action avec une échelle d'objectifs ». Stake (1967) insiste sur le fait que l'évaluation consiste à décrire et à juger le processus d'enseignement ainsi que les relations existant entre celui-ci et la performance des étudiants. Glass (1971), Worthen et Sanders (1973) et Popham (1975) insistent sur le fait que l'évaluation est une tentative de détermination de la valeur ou de l'utilité sociale d'une chose, que ce soit un programme, un produit, une procédure ou un ensemble d'objectifs.

Lincoln (1986) propose la définition suivante de l'évaluation : c'est une forme d'investigation contrôlée, menée afin de déterminer la valeur (le mérite) d'une certaine entité (l'objet de l'évaluation), tels un traitement, un lieu physique, un programme d'études, une performance, etc., dans le but de l'améliorer ou de la perfectionner (évaluation formative) ou dans le but d'analyser son impact (évaluation sommative).

Ces dernières définitions de l'évaluation atteignent une caractéristique essentielle de celle-ci à savoir la dimension jugement de valeur. De plus, contrairement aux définitions précédentes, on ne limite pas l'évaluation à la simple mesure ou à un jugement professionnel ou encore à l'atteinte des objectifs ; l'évaluation inclut toutes ces activités et bien d'autres encore.

Évaluation et décision

Plusieurs auteurs insistent sur la dimension décision (Cronbach, 1963 ; Stufflebeam et al., 1971 ; Alkin, 1969 ; Provus, 1971) sans oublier pour autant la dimension jugement de valeur.

Cronbach (1963) définit l'évaluation comme « la cueillette et l'utilisation d'information en vue de prendre des décisions relatives à un programme éducatif ». Alkin (1969) met l'accent sur la prise de décision lorsqu'il définit l'évaluation comme le procédé par lequel : 1) on vérifie les domaines où il s'agira de prendre des décisions ; 2) on détermine, recueille et analyse l'information jugée nécessaire pour prendre les décisions ; 3) on présente cette information à celui qui prend des décisions afin qu'il puisse choisir entre plusieurs solutions. Stufflebeam et al. (1971) rejoignent Alkin en disant que l'évaluation est un processus qui consiste à déterminer, à obtenir et à fournir l'information utile pour juger entre diverses décisions possibles.

Stufflebeam et al. (1971), Alkin (1969) et Provus (1971) semblent d'accord pour affirmer que l'évaluation est un procédé par lequel on sélectionne et recueille des données appropriées aux domaines où il s'agit de prendre des décisions. Ainsi, s'il s'agit d'identifier les besoins d'une population donnée, les informations seront différentes de celles nécessaires à l'évaluation du succès plus ou moins complet de deux programmes alternatifs. Aussi, les instruments utilisés pour recueillir ces informations peuvent également varier.

Par conséquent, toutes les données sont utilisées pour, avant tout, prendre des décisions concernant des lignes de conduite possibles. La méthode de collecte des données aussi bien que les procédures d'analyse doivent être subordonnées aux impératifs de celui qui doit décider. Les données sont présentées au responsable de telle façon qu'elles puissent être traitées efficacement. Cette représentation est faite dans le but de faciliter les choses et non d'apporter la confusion ou d'induire en erreur. Enfin diverses décisions peuvent demander différentes sortes de procédés d'évaluation.

Comme nous pouvons le constater, la littérature offre une pléiade de définitions de l'évaluation. Certains auteurs insistent sur la dimension atteinte des objectifs (Tyler, 1950 ; Hammond, 1973 ; Metfessel et Michael, 1967), d'autres auteurs proposent des définitions qui soulignent la nécessité de fournir de l'information pour des fins de décision (Cronbach, 1963 ; Stufflebeam et al., 1971 ;

Provus, 1971; Alkin, 1969). Certains auteurs plus récents insistent sur la dimension description. Cependant, ces dernières années, un large consensus s'est dégagé autour de l'idée que l'évaluation consiste à *déterminer le mérite ou la valeur* (Eisner, 1979; Glass, 1969; House, 1980; Scriven, 1967; Stufflebeam, 1974), ou encore qu'elle est une *activité comprenant à la fois la description et le jugement* (Guba et Lincoln, 1981; Stake, 1967).

LE PROCESSUS D'ÉVALUATION

Les modèles

Depuis les années 70, de nombreux modèles, méthodes, techniques et critères propres à l'évaluation de programme ont été développés et sont à la disposition de ceux qui veulent bien s'en servir.

En effet, en plus des traditionnels schémas expérimentaux et quasi expérimentaux (Campbell, 1969; Stanley, 1972; Cook et Campbell, 1976), l'approche formaliste (Tyler, 1950; Hammond, 1973; Metfessel et Michael, 1967; Alkin, 1969; Provus, 1971; Stake, 1967; Stufflebeam *et al.*, 1971), l'approche naturaliste (Guba et Lincoln, 1981; Patton, 1980), l'approche judiciaire (Wolf, 1979), l'étude de cas (Stake, 1978), la critique d'art (Eisner, 1977 et 1979), la méthode journalistique (Guba, 1978) et la méthode du *modus operandi* (Scriven, 1974) sont considérées comme de légitimes méthodes d'évaluation.

Le processus d'évaluation peut varier selon le paradigme privilégié. Une approche perçoit l'évaluation comme une activité qui consiste à déterminer si les buts visés sont atteints ou pas (Tyler, 1950; Hammond, 1973; Metfessel et Michael, 1967). De façon générale, ces auteurs suggèrent les étapes suivantes: 1) énoncer les buts en termes comportementaux; 2) développer des instruments de mesure (buts); 3) recueillir des données; 4) interpréter les résultats; 5) faire des recommandations.

Selon Stake (1967), un programme ne peut être évalué que s'il est entièrement décrit et jugé. Son modèle d'évaluation inclut: 1) la description d'un programme; 2) le rapport qui en est fait aux auditoires concernés; 3) l'obtention et l'analyse de leurs jugements; 4) le rapport des analyses des auditoires. Dans son modèle ultérieur, Stake (1975) suggère l'idée d'une « conversation continue » entre l'évaluateur et les différentes parties. Ce modèle se traduit par une série de douze étapes.

Provus (1971) propose une approche en cinq étapes: 1) déterminer la nature de l'objet; 2) évaluer l'adéquation de l'implantation; 3) vérifier l'atteinte des objectifs intermédiaires du programme; 4) vérifier l'atteinte des objectifs terminaux; 5) établir le rapport coût/bénéfices.

Stufflebeam *et al.* (1971), pour leur part, suggèrent une approche en quatre étapes: 1) l'évaluation du contexte; 2) l'évaluation de l'intrant; 3) l'évaluation du processus ; 4) l'évaluation du produit. Chacune de ces étapes exige la délinéation de l'information et son obtention par l'utilisation de procédures formelles de collecte de données.

Scriven (1972a) fait une distinction nette entre l'évaluation formative et l'évaluation sommative, et propose une approche en neuf étapes (*Pathway Comparison Model*). Il favorise ce qu'il appelle le *goal-free evaluation*, c'est-à-dire une évaluation qui s'intéresse aux objectifs et aux buts non définis, aux effets non attendus, etc.

Guba et Lincoln (1981) suggèrent une approche naturaliste en quatre étapes : 1) la mise en marche et l'organisation de l'évaluation ; 2) l'identification des problèmes et des inquiétudes ; 3) la cueillette de l'information utile ; 4) la production du rapport des résultats et des recommandations.

Quoique les modèles d'évaluation varient parfois considérablement d'un auteur à l'autre et qu'on observe une absence de consensus quant aux étapes à franchir ou encore quant à la pertinence de celles-ci, les experts s'entendent quand même pour affirmer qu'une certaine relation doit s'établir entre l'évaluateur et les auditoires cibles ; au point de départ, pour identifier les besoins que doit servir le processus d'évaluation et, à la fin de l'étude, pour déterminer la façon de communiquer les résultats. Pour Guba et Lincoln (1981), cette communication doit être présente tout au long de l'étude ; en fait, l'évaluateur doit être perçu comme un participant au même titre que tous les autres participants. Les auteurs s'entendent également sur le fait que l'évaluation ne peut se limiter à la simple collecte et analyse de données.

S'il est vrai que certains méthodologistes revendiquent la supériorité de certaines méthodes, comme l'approche expérimentale (Boruch et Cordray, 1980 ; Rossi, Freeman et Wright, 1979), d'autres à l'opposé préconisent les méthodes naturalistes (Guba et Lincoln, 1981 ; House, 1980 ; Patton, 1980).

Stone (1984) affirme de son côté que l'excellence, en évaluation de programme, réside dans le choix et l'utilisation de méthodes appropriées aux contextes. Il insiste également sur le fait qu'il n'y a pas seulement une bonne façon de faire de l'évaluation ; il existe une panoplie de méthodes qui, selon le contexte et le problème à l'étude, peuvent être plus ou moins appropriées. Le choix de la méthode doit se faire en fonction de la problématique, des buts de l'investigation, du type et de la quantité d'information à recueillir, des auditoires devant être servis, des contraintes et des caractéristiques du milieu.

Le bénéficiaire de services

Les auteurs de modèles axés sur la notion de prise de décision (Alkin, 1969 ; Cronbach, 1963 ; Provus, 1971 ; Stufflebeam *et al.*, 1971) croient que l'évaluation doit servir le preneur de décision. Par contre, des auteurs comme

Cronbach *et al.* (1980) et House (1980) s'objectent à l'idée que l'évaluateur puisse être au service du preneur de décision, par crainte soit du phénomène de cooptation ou de privilège, soit d'une simplification des processus sociaux et organisationnels. Plusieurs auteurs croient que la clientèle ou les auditoires visés sont ceux à qui l'évaluation doit bénéficier; Guba et Lincoln (1981) suggèrent l'utilisation du terme « auditoires » ou « auditoires cibles » pour représenter l'ensemble des individus qui ont quelques enjeux et à qui devrait servir l'évaluation. Ces auditoires cibles peuvent être les agents (concepteurs, bailleurs de fonds), les bénéficiaires, les clients d'un programme. La littérature ne précise cependant pas quel est le client le plus approprié ou qu'il faut privilégier; elle indique par contre que l'évaluation peut s'adresser à plus d'un auditoire ou clientèle, que ces divers auditoires peuvent manifester des besoins différents et qu'ils doivent être clairement identifiés lors des premières étapes de la planification de l'évaluation.

L'évaluateur

Les évaluateurs sont de plus en plus reconnus comme des professionnels, et beaucoup de temps a été consacré à l'identification des caractéristiques et des qualités d'un bon évaluateur et des moyens à mettre en œuvre pour assurer une formation efficace (Boruch et Cordray, 1980; Cronbach *et al.*, 1980; Guba et Lincoln, 1981; Stufflebeam *et al.*, 1971; Worthen, 1975). Parmi les caractéristiques et les qualités que l'on attribue à un évaluateur compétent et fiable, nous retrouvons une combinaison des traits suivants: compétences techniques dans le domaine de la mesure, des méthodes de recherche et d'évaluation; compréhension du contexte social et politique, et compréhension de l'objet de l'évaluation; habiletés en relations humaines; intégrité personnelle, tolérance, capacité d'adaptation et objectivité. En plus, on parle des caractéristiques reliées à l'exercice de l'autorité et à la responsabilité, et à l'imputabilité organisationnelle. Selon Lincoln (1986), en plus d'être un technicien, un descripteur et un juge, l'évaluateur doit devenir collaborateur, apprenant/professeur, créateur de la réalité, négociateur et agent de changement. Comme il est rare qu'on trouve une personne possédant à la fois toutes ces qualifications, il devient dès lors nécessaire, comme le suggèrent Guba et Lincoln (1981), d'avoir recours à une équipe ou à des équipes d'évaluation. À la limite, il y a lieu d'avoir recours à une personne possédant les caractéristiques les plus appropriées pour une tâche d'évaluation donnée.

La littérature suggère de distinguer l'évaluateur interne de l'évaluateur externe (Caro, 1971; Scriven, 1967 et 1975; Stake et Gjerde, 1974; Stufflebeam *et al.*, 1971), et l'évaluateur professionnel de l'évaluateur amateur (Scriven, 1967). L'évaluateur interne est une personne travaillant à l'intérieur de l'organisme ou de l'institution où se fait l'évaluation et qui n'a pas de formation en évaluation. L'évaluateur externe est un spécialiste en évaluation et fait partie d'un organisme qui a le mandat d'évaluer. Il est suggéré que l'évaluateur interne intervienne à la phase de développement d'un programme (évaluation formative) et l'évaluateur externe, à la phase finale de validation d'un programme (évaluation sommative). Il n'est cependant pas exclu que les deux puissent travailler de concert.

D'autre part, l'évaluateur amateur est une personne qui a une formation professionnelle étrangère à l'évaluation mais qui, de par ses fonctions, conduit ou participe à une évaluation. L'évaluateur professionnel est une personne qui a une formation spécialisée en évaluation et dont les fonctions consistent à conduire des études évaluatives. L'évaluateur amateur, de par sa connaissance du milieu, peut probablement mieux comprendre les besoins particuliers et uniques d'évaluation qu'exige un projet et, par conséquent, établir de meilleurs contacts et échanges avec les personnes reliées au projet.

Les critères d'évaluation

L'identification des critères d'évaluation représente une des tâches les plus difficiles à accomplir. Les auteurs s'entendent cependant pour dire que les critères doivent être déterminés en fonction du contexte particulier dans lequel se situe l'objet ainsi que de la fonction de son évaluation. Certains (Provus, 1971 ; Hammond, 1973 ; Metfessel et Michael, 1967 ; Tyler, 1950) suggèrent que l'atteinte des objectifs soit le critère pour juger de la valeur de l'objet. D'autres concepteurs (Alkin, 1969 ; Cronbach, 1963 ; Stufflebeam, 1969) contournent le problème du choix des critères en l'ignorant ou encore en insistant sur le fait que l'évaluateur n'est là que pour fournir de l'information au preneur de décision. Le problème du choix est alors laissé au décideur. La littérature nous suggère d'autres façons d'entrevoir les critères d'évaluation telles que la considération des besoins actuels et potentiels des clients (Joint Committee, 1981 ; Patton, 1978 ; Scriven, 1972b), la prise en compte des valeurs idéales ou sociales (Guba et Lincoln, 1981 ; House, 1980), l'utilisation de standards connus et développés par des experts ou des groupes pertinents (Eisner, 1979 ; Guba et Lincoln, 1981 ; Stake, 1967), ou encore la qualité d'objets comparables (House, 1980 ; Scriven, 1967). L'évaluateur peut ne pas avoir la responsabilité de développer ni même de choisir des critères ; il doit cependant voir à ce qu'un choix soit fait et à ce qu'une solide justification puisse le soutenir.

La qualité de l'évaluation

Plusieurs auteurs et organismes ont tenté de développer des standards propres à guider la pratique de l'évaluation de projets, d'innovations, de matériel, de programmes éducatifs et sociaux (Evaluation Research Society, 1982 ; Joint Committee, 1981 ; Stufflebeam *et al.*, 1971 ; Tallmadge, 1977 ; U.S. General Accounting Office, 1978).

Les efforts du Joint Committee, dirigé par Stufflebeam, se sont traduits par le développement de 30 standards regroupés sous quatre catégories : standards d'utilité (pour assurer une information qui rejoigne les besoins des auditoires concernés) ; standards de faisabilité (pour assurer une évaluation réaliste, prudente, diplomate et simple) ; standards de propriété (pour assurer une évaluation légale, éthique et bénéfique) ; standards de précision (pour assurer une information techniquement adéquate).

Les efforts de l'Evaluation Research Society se sont traduits par le développement de 55 standards regroupés sous six catégories : formulation et négociation ; structure et schéma ; collecte et préparation des données ; analyse et interprétation des données ; communication et divulgation ; utilisation des résultats.

Quoique certains auteurs (Cronbach *et al.*, 1980 ; Stake, 1981) jugent ces efforts prématurés, il semble y avoir un commun accord quant à leur contenu et à leur étendue. Boruch et Cordray (1980) ont analysé six ensembles de standards et ont conclu à leur grande communalité et similarité. Selon Brown et Newman (1985), ces deux ensembles de standards, que nous venons de mentionner, représentent une étape importante dans le processus de professionnalisation de l'évaluation et suscitent un intérêt et une préoccupation accrus quant aux enjeux déontologiques que pose cette discipline.

Nous empruntons les propos du Joint Committee en affirmant que la considération de ces standards devrait assurer aux évaluateurs un langage commun propre à faciliter la communication et la collaboration, un ensemble de principes généraux capables de guider leurs pratiques évaluatives et de résoudre des problèmes, un canevas conceptuel pour étudier le processus d'évaluation, un ensemble de définitions pour orienter le développement de ce processus, une description du niveau de développement de l'évaluation et une base pour établir leur niveau de responsabilité et assurer une plus grande crédibilité à leurs efforts.

L'ÉVALUATION VUE DANS UN CONTEXTE ORGANISATIONNEL

Les considérations précédentes amènent sûrement le lecteur à voir l'évaluation d'un programme comme un processus complexe. En effet, il faut être conscient que celle-ci ne consiste pas simplement en une formulation des objectifs pédagogiques ou en la construction d'instruments de mesure, ou encore en la collecte, l'analyse et l'interprétation de données empiriques, ou même en l'estimation de coûts à court et à long terme, bien qu'une évaluation puisse inclure tous ces types d'activités, plus certaines autres. Cependant, le nombre et la qualité des activités considérées, dans un processus d'évaluation de programme, sont fonction de certains facteurs tels que : les ressources monétaires, le temps disponible, l'expertise, le bon vouloir des responsables, etc.

L'évaluation peut être considérée comme une phase dans le développement et la réalisation d'un programme et ainsi fournir une base pour une planification ultérieure et pour un raffinement du programme. Même si l'évaluation peut se situer à la phase de réalisation, il nous apparaît souhaitable que les activités d'évaluation débutent à la phase de développement d'un programme. Le cycle planification-évaluation, action-évaluation, peut être répété indéfiniment jusqu'à ce que les objectifs soient réalisés ou les problèmes et objectifs redéfinis.

L'évaluation s'intéresse aux programmes stables et bien établis aussi bien qu'aux nouveaux programmes pour lesquels on cherche des prototypes administrativement viables. Scriven (1967) a introduit les termes d'évaluation *formative* et d'évaluation *sommative* pour rendre compte de ces deux aspects. L'évaluation formative vise à améliorer un programme quand il est encore en voie de réalisation ; l'évaluation sommative a pour but de certifier un produit fini. En faisant référence aux mêmes fonctions, Stufflebeam (1972) a suggéré de distinguer l'évaluation *proactive*, devant servir le processus de décision, et l'évaluation *rétroactive* devant servir l'imputabilité ou la responsabilité. Il ajoute que, dans sa fonction formative, l'évaluation est utilisée pour le développement et l'amélioration d'un programme, d'un produit, alors que, dans sa fonction sommative, l'évaluation est utilisée pour l'imputabilité, la certification ou encore la sélection. Pour leur part, Guba et Lincoln (1981) parlent de la détermination du mérite (évaluation formative) et de la détermination de l'impact (évaluation sommative).

Quoiqu'elle soit moins présente dans la littérature, il est possible d'attribuer à l'évaluation une fonction psychologique ou socio-politique (Cronbach *et al.*, 1980 ; House, 1974 ; Patton, 1978). En effet, dans certaines situations ou contextes, il apparaît évident que l'évaluation ne sert ni une fonction formative ni une fonction sommative. Elle est alors utilisée soit pour accroître le niveau de conscience des gens, soit comme facteur de motivation eu égard à certains comportements, ou encore comme exercice de relations publiques. Enfin, une autre pratique, quoique impopulaire, est celle qui consiste à utiliser l'évaluation pour des fins d'exercice de l'autorité (Dornbusch et Scott, 1975).

Selon l'approche formaliste, l'évaluation doit être envisagée comme un processus de changement planifié. Selon l'approche naturaliste, le processus d'évaluation ne saurait être planifié à l'avance ; il doit émerger de la situation. Les tenants des deux approches sont cependant d'accord sur le fait que l'évaluation suppose une prédisposition pour le changement graduel et modéré. Celui qui désire un changement immédiat ne saurait s'accommoder de l'évaluation, car il existe de fortes chances que celle-ci ne puisse répondre assez rapidement aux besoins d'information.

L'évaluation doit être considérée comme un intrant susceptible d'être évalué comme tous les autres intrants. En termes de coût et de profit, il faut voir si les données et les jugements qu'on en retire, pour plus d'efficacité dans la programmation, valent le coût de l'évaluation.

Même si, en théorie, on accorde un rôle central à l'évaluation formelle, dans le développement et la réalisation d'un programme, la participation des évaluateurs s'avère plutôt inusitée dans ce domaine.

LES PROBLÈMES QUE POSE L'ÉVALUATION DANS UN CONTEXTE ORGANISATIONNEL

Quand on examine l'évaluation selon une perspective organisationnelle, certains problèmes surgissent : des problèmes pratiques dans l'établissement et le maintien du rôle de l'évaluation ; des problèmes rattachés à l'administration de l'évaluation ; des problèmes dans l'utilisation des résultats de l'évaluation.

Parmi les raisons qui peuvent expliquer une certaine résistance dans l'établissement et le maintien du rôle de l'évaluation, nous pouvons mentionner les suivantes :

— Par tradition, on a accordé et on accorde encore peu de place à l'évaluation. L'évaluation objective des effets des programmes fut rarement sinon jamais demandée comme base de modification des programmes. On se satisfait souvent d'une évaluation informelle. L'importance accordée à l'évaluation en éducation en milieu américain fut à l'origine reliée à une loi, l'*Elementary and Secondary Education Act*, votée en 1965, et qui dit que tout projet subventionné doit d'abord être évalué de façon formelle ;

— Comme l'évaluation est un processus complexe, on essaie de l'éviter à moins qu'elle ne soit absolument nécessaire ;

— Le praticien et l'évaluateur professionnel manifestent de l'anxiété : le premier à cause de la dimension « jugement de valeur » et le second à cause des erreurs qui peuvent résulter de l'application du processus d'évaluation ;

— L'évaluation peut aussi être considérée comme continue et de peu de valeur pratique. Les exigences de l'évaluateur (statut privilégié, traitement de faveur, accès direct aux autorités) peuvent provoquer des réactions négatives ;

— L'évaluation est généralement décevante pour les promoteurs de programmes qui habituellement surestiment les avantages attendus ;

— Il est également difficile de recruter et de garder des évaluateurs qualifiés. Bien souvent les consultants sont des spécialistes en méthodologie de la recherche mais non en évaluation de programme. C'est là un problème qualitatif et quantitatif.

Certains problèmes peuvent être cernés au niveau de l'administration de l'évaluation. Il peut exister, entre évaluateurs et administrateurs, des problèmes de collaboration, de responsabilité, d'ingérence, de statut privilégié. Parmi ces difficultés souvent rencontrées, notons :

— L'évaluateur qui insiste pour avoir le contrôle absolu sur le développement et l'exécution du plan d'action peut indisposer les administrateurs et les praticiens ;

– L'évaluateur qui accorde plus d'importance aux considérations théoriques qu'aux considérations pratiques risque d'être qualifié d'incompétent et ainsi voir se réduire la collaboration du milieu, d'une part, et susciter le doute quant à la crédibilité de son étude, d'autre part;

– L'absence de clarification des buts de l'évaluation cause souvent la crainte d'être évalué. Étant en relation avec les autorités, l'évaluateur peut être perçu comme un espion par la base;

– Une trop forte demande auprès du personnel enseignant, pour la collecte des données, a pour effet d'augmenter la charge de l'enseignant et de restreindre sa collaboration;

– Le temps consacré à la réflexion par l'évaluateur est peut-être moins bien vu que le temps consacré à l'action;

– Quant aux résultats de l'évaluation, des contrôles sur la publication de données pertinentes peuvent être imposés, parce qu'un rapport négatif peut menacer non seulement l'image de l'agence auprès du public, mais aussi son accès à des subventions;

– Souvent le budget est restreint. Le coût de la cueillette complète des données peut représenter une proportion importante du budget total du projet. Étant donné la contribution souvent intangible et incertaine de l'évaluation, les demandes de fonds pour l'évaluation peuvent être parmi les premières à subir les contretemps des périodes d'austérité budgétaire.

Certains problèmes sont reliés à l'utilisation des résultats d'évaluation:

– La variable temps (*timing*): les résultats qui viennent trop tard et qui risquent de n'être d'aucune utilité pour les décisions à court terme;

– Le statut de l'évaluateur: celui-ci est vu comme un conseiller..., donc on peut ne pas tenir compte de ses opinions;

– Le problème relié à la législation aux États-Unis ou aux règles établies par un bailleur de fonds: il se peut que l'on instaure un processus d'évaluation parce qu'on y est obligé;

– Le choix des critères d'évaluation: ceux de l'administrateur et ceux de l'évaluateur peuvent être très différents.

STRATÉGIES POUR ÉTABLIR ET MAINTENIR LE RÔLE DE L'ÉVALUATION DANS UN CONTEXTE ORGANISATIONNEL

Un certain nombre de stratégies ont été suggérées pour faciliter la confrontation avec les problèmes qui peuvent survenir en établissant et en maintenant le rôle de l'évaluation. La littérature suggère deux distinctions importantes, l'une entre l'évaluateur interne et l'évaluateur externe (Caro, 1971; Scriven, 1967, 1975; Stake et Gjerde, 1974; Stufflebeam *et al.*, 1971), l'autre entre l'évaluateur professionnel et l'évaluateur amateur (Scriven, 1967). On a par exemple suggéré aux administrateurs de comparer les avantages et les désavantages des évaluateurs interne et externe, le premier étant un membre du personnel de l'organisation, alors que le second est un consultant.

Parmi les arguments présentés en faveur de l'évaluateur externe, nous retrouvons : une plus grande objectivité ; l'aptitude à inclure des critères évaluatifs qui concernent les prémisses organisationnelles de base ; la possibilité d'agir comme agent médiateur s'il existe des conflits internes ; un statut mieux protégé ; une plus grande facilité à éviter des tâches indésirables et qui ne font pas partie de l'évaluation.

Parmi les arguments qui ont été formulés en faveur de l'évaluateur interne, nous retrouvons: plus d'aptitudes à développer une connaissance détaillée de l'organisation et de ses programmes ; une meilleure position pour faire de l'évaluation continue. Fraser (1985) attribue à l'évaluateur interne la conception des tests diagnostiques et des guides pédagogiques ; la sélection des experts devant évaluer le matériel du programme ; la conception des instruments d'évaluation nécessaires à la collecte des informations ; la collecte des informations en un temps et d'une façon qui les rendent accessibles à ceux qui doivent s'en servir ; l'évaluation du processus de révision ; la détermination et le choix de procédures évaluatives efficaces et peu coûteuses.

Selon Scriven (1967), l'évaluateur amateur est un individu dont la formation professionnelle est étrangère au domaine de l'évaluation mais dont les fonctions l'amènent à conduire ou à participer à une évaluation. L'évaluateur professionnel est celui qui est spécialisé dans ce domaine et dont les fonctions consistent à conduire des évaluations. Quoique l'évaluateur amateur puisse ne pas posséder les habiletés techniques du spécialiste professionnel, il peut cependant avoir une meilleure compréhension des besoins particuliers et uniques d'un projet et, par conséquent, développer et entretenir un meilleur contact avec les principaux intéressés.

On a aussi suggéré, comme premier stade dans les relations administrateurs/évaluateurs, que soient clarifiées les attentes mutuelles. Ainsi, on pourrait déterminer ce qui peut être fait, juger du niveau de tolérance des personnes engagées dans le processus (administrateurs, évaluateurs et autres) et prévoir et planifier un échéancier.

On suggère également une collaboration étroite entre les administrateurs et les évaluateurs dans l'identification des critères d'évaluation, de telle sorte que, d'une part, les administrateurs deviennent plus familiers avec le processus d'évaluation, et que, d'autre part, les évaluateurs soient mieux avertis de ce qui concerne l'administration. On suggère enfin d'obtenir la collaboration du personnel en dissipant les craintes au sujet de l'évaluation.

D'une façon plus radicale, Guba et Lincoln (1981) suggèrent de s'éloigner des approches classiques d'évaluation en orientant celle-ci sur les activités d'un programme plutôt que sur ses objectifs, en adoptant un modèle d'évaluation dont les étapes ne sont pas prédéterminées, en faisant usage de techniques subjectives pour la collecte d'informations, en faisant ressortir et en confrontant les différents systèmes de valeurs.

À ce stade-ci, le lecteur doit avoir une meilleure connaissance de l'évaluation comme approche formelle de développement et d'amélioration d'un programme d'études. Les approches mesure, accréditation, atteinte des objectifs et recherche ne peuvent être considérées comme synonymes de l'approche évaluation de programme :

— Considérer la mesure comme l'équivalent de l'évaluation de programme consiste à réduire celle-ci à la détermination d'un statut alors que l'évaluation, par définition, suppose la notion de jugement de valeur ;

— Associer le jugement professionnel posé par une équipe d'accréditation à l'évaluation de programme limite cette dernière à la simple considération des intrants d'un programme ;

— Considérer l'atteinte des buts ou des objectifs d'un programme comme synonyme de l'évaluation de programme cloisonne celle-ci dans la considération des extrants ou des effets d'un programme ;

— Contrairement à la recherche, qui vise l'établissement des lois qui régissent la réalité pour mieux la comprendre, l'évaluation vise la description de cette réalité dans le but de l'améliorer.

L'évaluation de programme se caractérise par un effort systématique pour, d'une part, déterminer la valeur de phénomènes éducatifs, que ceux-ci se situent au niveau des programmes, des interventions pédagogiques, des produits ou des effets, ou des buts, et, d'autre part, en améliorer la qualité, s'il y a lieu. L'évaluation formelle des programmes vise à alimenter et éclairer qualitativement et quantitativement les prises de décision qui affectent en tout ou en partie ces phénomènes éducatifs.

D'autre part, le lecteur doit être conscient des problèmes que suscite l'évaluation de programme et qui affectent sa mise en place, son maintien et son administration.

Lorsqu'elle est mal comprise ou mal interprétée, l'évaluation de programme provoque, comme toute forme d'évaluation, diverses réactions négatives.

Certaines de ces réactions sont associées à la valeur pratique de l'évaluation, aux résultats qu'elle apporte et à leur signification, à l'impact qu'elle produit auprès des responsables et des utilisateurs de programmes, au temps qu'elle requiert et à l'investissement financier qu'elle exige. Certaines autres réactions sont reliées à la dimension « jugement de valeur » que l'évaluation véhicule et donc à l'anxiété qu'elle suscite, au statut de l'évaluateur et à l'image qu'il projette, aux relations qu'il entretient avec les professionnels impliqués au niveau du programme, au degré d'implication du personnel. Certaines autres réactions sont associées au processus d'évaluation, à ses exigences, à sa rigueur, aux problèmes de la collecte et de l'utilisation des résultats.

La présence de l'une ou l'autre ou de plusieurs de ces réactions négatives a pour effet de gêner le processus de mise en place, du maintien et de l'administration de l'évaluation. Pour pallier ces problèmes, il est suggéré de réduire les craintes des responsables et des utilisateurs du programme en clarifiant et en exposant les buts ou les objectifs de l'évaluation en précisant le rôle et le statut de l'évaluateur; on suggère également une collaboration étroite entre l'administrateur et l'évaluateur.

Les problèmes soulevés dans ce chapitre peuvent provoquer un certain scepticisme et peut-être même un certain pessimisme chez le lecteur, en ce qui concerne la mise en place et la réalisation d'un processus d'évaluation de programme. Certains diront que, sur le plan théorique, une telle approche est logique et valable mais qu'elle est irréalisable sur le plan pratique. D'autres diront qu'une telle démarche peut être rentable sur le plan pédagogique mais certainement pas sur le plan économique.

En ce qui concerne la première objection, il nous semble qu'une approche de changement planifiée, quelque idéale qu'elle soit, doit nécessairement s'adapter, s'ajuster aux caractéristiques d'une situation donnée. Il nous semble que l'instauration d'un processus d'évaluation, même incomplet, dans le développement et la réalisation d'un programme, ne peut que lui être bénéfique et lui assurer une meilleure qualité.

En ce qui concerne la deuxième objection, à voir les sommes astronomiques qui sont consacrées au développement de programmes à tous les niveaux scolaires et à juger de la qualité des produits finis, il nous semble qu'une certaine allocation de ces ressources à une évaluation formelle de ces programmes assurerait une meilleure rentabilité des investissements.

◆ RÉFÉRENCES

Alkin, M.C. (1969). *Evaluation Theory Development. Evaluation comment.* 2 (1) 2-7.

Alkin, M.C., Daillak, R., White, P. (1979). *Using Evaluations: Does Evaluation Make a Difference?* Beverly Hills, Calif. Sage.

Bordeleau, Y. *et al.* (1982). *Comprendre l'organisation. Approches de recherche.* Montréal, Qc. Agence d'Arc.

Borich, G.D., Jemelka, R.P. (1982). *Programs and Systems: An Evaluation Perspective.* New York, N.Y. Academic Press.

Boruch, F.R., Cordray, D.S. (1980). *An Appraisal of Education Program Evaluations: Federal, State, and Local Agencies.* Evanston, Ill. Northwestern University.

Brooks, M. (1965). *The Community Program as a Setting for Applied Research. Journal of Social Issues.* 21. 29-40.

Brown, R.D., Newman, D.L. (1985). *Ethical Principles and Evaluator Roles.* Communication présentée à l'Evaluation Network Meeting. Toronto, Ont.

Campbell, D.T. (1969). *Reform as Experiments. American Psychologist.* 24. 409-429.

Campbell, D.T. (1971). *Methods for an Experimenting Society.* Communication présentée à l'Eastern Psychological Association (avril) et à l'American Psychological Association (septembre).

Campbell, D.T., Stanley, J. (1963). *Experimental and Quasi-experimental Designs for Research on Teaching.* Dans N.L. Gage (éd.) *Handbook of Research on Teaching.* Chicago, Ill. Rand McNally.

Campbell, D.T., Stanley, J. (1966). *Experimental and Quasi-experimental Designs for Research on Teaching.* Chicago, Ill. Rand McNally.

Caro, F.G. (1971). *Issues in the Evaluation of Social Programs. Review of Educational Research.* 41 (2).

Carroll, J.B. (1965). *School Learning Over Long Haul.* Dans J.D. Krumboltz (éd.) *Learning and the Educational Process.* Chicago, Ill. Rand McNally.

Cook, T.D., Campbell, D.T. (1976). *The Design and Conduct of Quasi-experiments and True Experiments in Field Settings.* Dans M.D. Dunette (éd.) *Handbook of Industrial and*

Organizational Psychology. Chicago, Ill. Rand McNally.

Cronbach, L.J. (1963). *Course Improvement through Evaluation. Teachers College Record.* 64. 672-683.

Cronbach, L.J., Suppes, P. (1969). *Research for Tomorrow's Schools: Disciplined Inquiry for Education.* New York, N.Y. MacMillan.

Cronbach, L.J., Ambron, S.R., Dornbusch, S.M., Hess, R.D., Hornik, R.C., Phillips, D.C., Walker, D.E., Weiner, S.S. (1980). *Toward Reform of Program Evaluation.* San Francisco, Calif. Jossey-Bass.

Dornbusch, S.M., Scott, W.R. (1975). *Evaluation and the Exercise of Authority.* San Francisco, Calif. Jossey-Bass.

Ebel, R.L. (1965). *Measuring Educational Achievement.* Englewood Cliffs, N.J. Prentice-Hall.

Eisner, E.W. (1977). *On the Uses of Educational Connoisseurship and Educational Criticism for Evaluating Classroom Life. Teachers College Record.* 78. 345-358.

Eisner, E.W. (1979). *The Educational Imagination.* New York, N.Y. MacMillan.

Evaluation Research Society (1982). P. Rossi (éd.) *Standards for Evaluation Practice.* San Francisco, Calif. Jossey-Bass.

Franklin, J.L., Thrasher, J.H. (1979). *An Introduction to Program Evaluation.* New York, N.Y. Wiley.

Gingras, P.E. (1973). *Rapport d'une étude confiée au CADRE par la DIGEC sur l'évaluation des collèges.* Montréal. CADRE, Juillet.

Glass, G.V., Worthen, B.R. (1971). *Educational Evaluation and Research: Similarities and Differences. Curriculum Theory Network.*

Glass, G.V. (1971). *The Growth of Evaluation Methodology. AERA Monograph Series on Curriculum Evaluation.* No 7. Chicago, Ill. Rand McNally.

Greenberg, B.G. (1968). *Evaluation of Social Programs. Review of International Statistical Institute,* 36. 260-277.

Guba, E.G. (1969). *The Failure of Educational Evaluation. Educational Technology.* 9. 29-38.

Guba, E.G. (1978). *Metaphor Adaptation Report: Investigation Journalism.*

Research on Evaluation Project. Portland, Ore. Northwest Regional Educational Laboratory.

Guba, E.G. Stufflebeam, D.L. (1968). *Evaluation: The Process of Stimulating, Aiding and Abetting Insightful Action.* Communication présentée au 2e symposium national du Phi Delta Kappa pour les professeurs de recherche en éducation. Boulder, Colo.

Guba, E.G., Lincoln, Y.S. (1981). *Effective Evaluation.* San Francisco, Calif. Jossey-Bass.

Guttentag, M. (1973). *Subjectivity and its Uses in Evaluation Research. Evaluation.* 1 (1). 54-59.

Hammond, R.L. (1973). *Evaluation at the Local Level.* Dans B.R. Worthen et J.R. Sanders (éd.) *Educational Evaluation: Theory and Practice.* Worthington, Ohio. C.A. Jones.

House, E.R. (1974). *The Politics of Educational Innovation.* Beverly Hills, Calif. MacCutchan.

House, E.R. (1980). *Evaluating with Validity.* Beverly Hills, Calif. Sage.

House, E.R. (1984). *The Politics of Educational Innovation.* Beverly Hills, Calif. MacCutchan.

House, E.R. (1984). *Reflexions on Evaluation. Evaluation News Quarterly Bulletin.* (Août).

Hurteau, M. (1984). *Une approche naturaliste: l'évaluation du certificat de relations industrielles à la faculté de l'éducation permanente (Université de Montréal) au moyen du modèle conjoncturel.* Thèse de doctorat en mesure et évaluation. Québec, Qc. Université Laval.

Hurteau, M., Nadeau, M.A. (1987). *Distinctions de base: évaluation de programme, recherche évaluative et recherche. Revue canadienne de psycho-éducation.* 16 (2).

Isaac, S., Michael, W. (1971). *Handbook in Research and Evaluation.* Calif. Knapp.

Joint Committee on Standards for Educational Evaluation (1981). *Standards for Evaluations of Educational Programs, Projects, and Materials.* New York, N.Y. McGraw-Hill.

Kaplan, A. (1964). *The Conduct of Inquiry.* San Francisco, Calif. Chandler.

Lincoln, Y.S. (1986). *Program Evaluation in the Year 2000: Problems and Solutions.* Conférence présentée au congrès « L'évaluation: défis des années 80 » dans le cadre de l'ACFAS. Montréal, Qc.

Lincoln, Y.S. (1987). *L'évaluation de programme en l'an 2000: Problèmes et solutions.* Dans M. Hurteau, M.A. Nadeau (éd.) *L'évaluation: défis des années 80.* Monographie en mesure et évaluation.

Québec, Qc. Département de mesure et évaluation, Université Laval.

Metfessel, N.S., Michael, W.B. (1967). *A Paradigm Involving Multiple Criterion Measures for the Evaluation of the Effectiveness of School Programs. Educational and Psychological Measurement.* 27. 931-943.

Mushkin, S.J. (1973). *Evaluations: Use with Caution. Evaluation.* 1 (2). 30-35.

Nadeau, M.A. (1975). *L'évaluation vue dans la perspective des programmes.* Université Laval, Service de pédagogie universitaire. *Série documents.* No 9.

Nadeau, M.A. (1978). *L'évaluation de l'apprentissage en milieu scolaire: un modèle d'évaluation continue. Revue des sciences de l'éducation.* IV (2). 205-222.

Nadeau, M.A. (1981). *L'évaluation des programmes d'études: Théorie et pratique.* Québec, Qc. Les Presses de l'Université Laval.

Nadeau, M.A. (1987). *L'évaluation des programmes: Bilan et perspectives.* Communication présentée dans le cadre des « Sessions/carrefours », Orléans, France. (7-8-9 avril).

Nevo, D. (1981). *The Evaluation of a Multi-Dimensional Project.* Dans A. Lewy, S. Kugelmass, G. Ben-Shakar, N. Blass, R.F. Boruch, D.J. Davis, B. Nevo, D. Nevo, P. Tamir, I. Zak (éd.) *Decision Oriented Evaluation in Education: The Case of Israel.* Phidadelphia, Pa. International Science Services.

Nunnally, J.C. (1975). *The Study of Change in Evaluation Research: Principles Concerning Measurement, Experimental Design and Analyses.* Dans L. Struening, M. Guttentag (éd.) *Handbook of Evaluation Research.* Vol. 7. 101-137. Beverly Hills, Calif. Sage.

Patton, M.Q. (1978). *Utilization Focused Evaluation.* Beverly Hills, Calif. Sage.

Patton, M.Q. (1980). *Qualitative Evaluation Methods.* Beverly Hills, Calif. Sage.

Patton, M.Q. (1984). *Sneeches, Zax and Empty Pants: Alternative Approaches to Evaluation.* ERIC.

Popham, J.W. (1975). *Educational Evaluation.* Englewood Cliffs, N.J. Prentice-Hall.

Provus, M.C. (1971). *Discrepancy Evaluation.* Berkeley, Calif. McCutchan.

Rossi, P.H., Wright, S.R. (1977). *Evaluation Research: An Assessment of Theory, Practice, and Politics. Evaluation Quarterly* 1. 5-52.

Rossi. P.H., Freeman, H.E., Wright, S.R. (1979). *Evaluation: A Systematic Approach.* Beverly Hills, Calif. Sage.

Scriven, M.C., (1967). *The Methodology of Evaluation. AERA Monograph Series on Curriculum Evaluation. No 1. Perspectives on Curriculum Evaluation.* Chicago, Ill. Rand McNally. 39-83.

Scriven, M. (1972a). *The Pathway Comparison Model of Evaluation.* (Ronéo) Berkeley, Calif. University of California.

Scriven, M. (1972b). *Pros and Cons about Goal-Free Evaluation. Evaluation Comment.* 3 (4).

Scriven, M. (1974). *Maximizing the Power of Causal Investigations: The Modus Operandi Method.* Dans W.J. Popham (éd.) *Evaluation in Education.* Berkeley, Calif. McCutchan.

Scriven, M. (1975). *Evaluation Bias and its Control.* (Occasional Paper No. 4) Kalamazoo, Mich. Werstern Michigan University.

Scriven, M. (1980). *Evaluation Thesaurus.* (2ᵉ éd.) Inverness, Calif. Edgepress.

Stake, R.E. (1967). *The Countenance of Educational Evaluation. Teachers College Record.* 68. 523-540.

Stake, R.E. (éd.) (1975). *Evaluating the Arts in Education: A Responsiveness Approach.* Columbus, Ohio. Merrill.

Stake, R.E. (1976). *Evaluating Educational Programs: The Need and the Response.* Washington, D.C. OECD Publications Center.

Stake, R.E. (1978). *The Case Study Method in Social Inquiry. Educational Researcher.* 7. 5-8.

Stake, R.E., (1981). *Setting Standards for Educational Evaluators. Evaluation News.* 2 (2). 148-152.

Stake, R.E., Gjerde, C. (1974). *An Evaluation of TCITY, the Twin City Institute for Talented Youth.* Dans F.N. Kerlinger (éd.) *AERA Monograph Series in Curriculum Evaluation. No. 7.* Chicago, Ill. Rand McNally.

Stanley, J.C. (1972). *Controlled Field Experiments as a Model for Evaluation.* Dans P.H. Rossi, W. Williams (éd.) *Evaluating Social Programs.* New York, N.Y. Seminar Press.

Stone, L. (1984). *An Evaluation Conception: Making Sense of Qualitative Methods.* Conférence donnée dans le cadre de « Évaluation 1984 ». San Francisco, Calif.

Stufflebeam, D.L. (1968). *Evaluation as Enlightment for Decision-Making.* Colombus, Ohio. Evaluation Center, Ohio State University.

Stufflebeam, D.L. (1969). *Evaluation as Enlightment for Decision Making.* Dans W.H. Beatty (éd.) *Improving Educational Assessment and an Inventory for Measures of Effective Behavior.* Washington, D.C. National Education Association.

Stufflebeam, D.L., Foley, W.J., Gephart, W.J., Guba, E.G., Hammond, R.L., Merriam, H.O., Provus, M.C. (1971). *Educational Evaluation and Decision Making.* Itasca, Ill. F.E. Peacok.

Stufflebeam, D.L. (1972). *The Relevance of the CIPP Evaluation Model for Educational Accountability. SRIS Quarterly.* 5. 3-6.

Stufflebeam, D.L. (1974). *Meta-Evaluation* (Occasional Paper No. 3) Kalamazoo, Mich. Western Michigan University.

Stufflebeam, D.L., Webster, W.J. (1980). *An Analysis of Alternative Approaches to Evaluation. Educational Evaluation and Policy Analysis.* 2 (3). 5-20.

Suchman, E. (1967). *Evaluative Research.* New York, N.Y. Russel Sage Foundation.

Suchman, E. (1969). *Evaluating Educational Programs: A Symposium. The Urban Review.* 3 (4). 15-17.

Tallmadge, G.K. (1977). *Joint Dissemination Review Panel Ideabook.* Washington, D.C. U.S. Government Printing Office.

Thorndike, R.L., Hagen, E. (1961). *Measurement and Evaluation in Psychology and Education.* New York, N.Y. John Wiley and Sons.

Travers, R.M.W. (1964). *An Introduction to Educational Research.* London, England. MacMillan.

Tyler, R.W. (1950). *Basic Principles of Curriculum and Instruction.* Chicago, Ill. University of Chicago Press.

U.S. General Accounting Office. *Assessing Social Program Impact Evaluations: A Checklist Approach.* Washington, D.C. U.S. General Accounting Office.

Weiss, R.S., Rein, M. (1985). *The Evaluation of Broad-Aim Programs: Experimental Design. Its Difficulties and an Alternative.* Dans G.F. Madaus *et al. Evaluation Models, Viewpoints on Educational and Human Services Evaluation.* Boston, Mass. Kluwer-Nijhoff.

Wolf, R.L. (1979). *The Use of Judicial Evaluation Methods in the Formation of Educational Policy. Educational Evaluation and Policy Analysis.* 1. 19-28.

Worthen, B.R., Sanders, J.R. (1973). *Educational Evaluation: Theory and Practice.* Worthington, Ohio, C.A. Jones.

Worthen, B.R. (1975). *Competencies for Educational Research and Evaluation. Educational Researcher.* 4 (1). 13-16.

CHAPITRE 3

◆ LES PARADIGMES
◆ NATURALISTE
◆ ET FORMALISTE

TROIS BARRIÈRES FREINENT L'UTILISATION DE
L'ÉVALUATION: LA CRAINTE, LA FOLIE DES MÉTHODES
ET LE DOGMATISME.
(M.Q. Patton)

Un professeur utilise un nouveau manuel de base pour l'enseignement de la biologie; une commission scolaire adopte une approche pédagogique nouvelle pour l'enseignement de l'histoire; un service des programmes d'un ministère de l'Éducation désire faire le bilan d'un programme de français de secondaire IV. Comment ce professeur, cette commission scolaire, ce service des programmes doivent-ils procéder pour déterminer la valeur de leurs efforts et pour évaluer leur programme? Doivent-ils procéder de la même façon, selon les mêmes procédures? Y a-t-il une seule façon de faire? Disposent-ils de guides pour planifier leur évaluation? Ceux-ci décrivent-ils le détail des opérations? Ce sont là autant de questions susceptibles d'être posées par quiconque s'intéresse à l'évaluation systématique et formelle de ses efforts. Il faut être conscient cependant que les réponses à ces questions sont à ce point complexes qu'elles peuvent décourager les plus enthousiastes et mettre en péril, avant même qu'il ne débute, le processus d'évaluation. Il est important de connaître les questions pour lesquelles on désire obtenir des réponses et tout aussi important de bien planifier le processus à mettre en place pour les recueillir. La planification de l'évaluation d'un programme, même partielle, est tout aussi importante que la planification du programme lui-même.

Nous avons vu dans le chapitre traitant de l'historique que depuis la fin des années 60 des auteurs ont proposé différentes façons de conceptualiser l'évaluation des programmes d'études. Nous avons vu également que depuis une dizaine d'années le domaine de l'évaluation en éducation a évolué d'une façon marquée. Les plus récents modèles, axés sur une approche naturaliste de l'évaluation et ajoutés, d'une part, à ceux qui mettent en évidence la notion de prise de décision et, d'autre part, à des conceptions antérieures de l'évaluation de programme, font que, plus que jamais, l'évaluateur et l'éducateur peuvent choisir, parmi un éventail considérable, varié et intéressant, le modèle qui convient le mieux à une situation particulière ou à leur perception des choses. L'objectif majeur qui a orienté les concepteurs de ces modèles fut de fournir aux évaluateurs un guide qui puisse les aider à entreprendre et à réaliser leurs activités d'évaluation de façon plus éclairée et plus systématique.

Certains esprits critiques diront que ces modèles, pour la plupart (pour ne pas dire la totalité), sont éloignés des problèmes quotidiens auxquels est confronté le responsable d'un programme et que, par conséquent, ils présentent peu de valeur pratique. Bien que l'on ne puisse nier que ces modèles soient théoriques dans leur présentation, on ne peut également nier le fait qu'ils ont été développés pour combler un manque évident à ce niveau et que nombre d'entre eux ont été élaborés à partir d'expériences vécues par des spécialistes aux prises avec des problèmes d'évaluation.

Ces modèles n'ont pas tous la même valeur et ils ne sont pas tous utiles au même titre. Certains de ces modèles eurent plus d'influence que d'autres; certains font appel à un langage plus hermétique; d'autres sont plus confus; certains renvoient à un paradigme naturaliste, alors que d'autres se rapprochent davantage du paradigme positiviste.

Nous nous proposons, dans le présent chapitre, d'établir certaines distinctions de base entre l'évaluation « formaliste » et l'évaluation « naturaliste ». Ces distinctions devraient aider le lecteur à mieux saisir les éléments philosophiques et paradigmatiques qui caractérisent et distinguent les deux approches. Nous invitons le lecteur à considérer le fait que les frontières séparant théoriquement les deux approches ne sont cependant pas toujours aussi claires et précises dans la pratique.

ÉVALUATION FORMALISTE ET ÉVALUATION NATURALISTE

L'évaluation formaliste

Théoriquement, le but premier de l'approche formaliste consiste à fournir au preneur de décisions de l'information quant à l'efficacité d'un programme, d'un produit ou d'une procédure. Dans cette perspective, l'évaluation est vue comme un processus par lequel les données sont obtenues, analysées et synthétisées de façon telle qu'elles soient utiles au décideur.

L'évaluation formaliste possède les caractéristiques suivantes:

— Elle utilise une approche structurale, laquelle envisage un programme d'études comme un système cybernétique composé de trois éléments: intrant, processus et extrant;

— Elle détermine dès le point de départ: l'orientation de l'évaluation; l'information à recueillir; les techniques de collecte de données;

— Elle fait surtout appel à des méthodes quantitatives et utilise des instruments standardisés;

- Elle véhicule l'information recueillie sous la forme d'un rapport écrit;
- Elle se situe à l'intérieur du paradigme inspiré de la psychologie expérimentale;
- Les jugements qui doivent être posés par l'évaluateur, ainsi que la décision qui doit être envisagée sont explicites, publiques et connus.

L'évaluation naturaliste

Théoriquement, l'approche naturaliste consiste essentiellement en une série d'observations dirigées alternativement vers la découverte et la vérification. Ce processus favorise les réorientations successives et les découvertes additionnelles par rapport au phénomène étudié. Contrairement à l'approche formaliste, l'investigation naturaliste procède à la collecte de données avec un minimum de catégories ou de notions préconçues, comme si le phénomène était observé pour la première fois. Dans cette perspective, tout effort de manipulation d'un programme ou de l'une de ses composantes, ou encore toute contrainte imposée au comportement des participants a pour effet de réduire le « naturalisme » de la méthode.

L'évaluateur est libre de choisir la manière dont les données seront classifiées et analysées dans une étude naturaliste, bien qu'elle inclue invariablement certaines formes d'observations suivies d'un assemblage de relations, de modèles ou d'organisations des données. Ces relations, modèles ou organisations sont alors utilisés pour davantage canaliser et mettre au point les observations subséquentes. Les méthodes de collecte des données peuvent inclure autant les observations subjectives et les récits ethnologiques du phénomène observé que celles provenant de l'utilisation d'instruments d'observation structurés.

L'observation naturaliste est devenue une composante importante, sinon majeure, de plusieurs modèles actuels d'évaluation de programmes (Guba et Lincoln, 1981; Murphy, 1980; Parlett et Hamilton, 1976; Patton, 1980; Reichardt et Cook, 1979; Rist, 1980).

LES DISTINCTIONS DE BASE

Stake (1985) a comparé l'évaluation formaliste à l'évaluation naturaliste et identifié onze dimensions en lesquelles ces approches diffèrent (tableau 2).

La première et principale distinction concerne le *but de l'étude*. L'évaluation formaliste cherche à savoir jusqu'à quel point les objectifs d'un programme, définis au point de départ, sont atteints ou pas. Par contre, l'évaluation naturaliste vise à avoir la perception la plus complète et la plus fidèle d'un programme, à en connaître les problèmes ainsi que les forces et les faiblesses.

Une autre distinction concerne l'*étendue des services de l'évaluation*. L'évaluateur œuvrant selon l'approche formaliste recueille, analyse et rapporte les

Tableau 2

LES DIFFÉRENCES ENTRE L'ÉVALUATION FORMALISTE ET L'ÉVALUATION NATURALISTE

Critères	Évaluation formaliste	Évaluation naturaliste
1. **But**	Déterminer à quel degré les objectifs sont atteints	Cerner les forces et les faiblesses d'un programme
2. **Services**	Satisfaire aux exigences d'information à partir d'un plan prédéterminé	Répondre aux exigences d'information des auditoires concernés durant l'étude
3. **Contrat**	Les obligations sont négociées, déterminées et consignées dans un contrat	Le but et les procédures sont généraux, flexibles et évoluent durant l'étude
4. **Orientation**	L'évaluateur est préoccupé par les intentions du programme	L'évaluateur se laisse guider par les effets, les événements
5. **Schéma d'évaluation**	Prédéterminé et constitué d'étapes formelles	Flexible et émergeant en fonction de la situation
6. **Méthode**	Modèle de recherche : intervenir et observer	Modèle naturaliste : observer et interpréter, particulariser
7. **Techniques**	Schéma expérimental, objectifs comportementaux, hypothèses, échantillonnage aléatoire, tests objectifs, statistiques, rapports formels	Étude de cas, objectifs exprimés, échantillonage intentionnel, observation, rapports subjectifs, auditions
8. **Communication**	Formelle et irrégulière	Informelle et continue
9. **Jugement de valeur**	Référence aux objectifs prédéterminés, à un groupe normatif ou à un autre programme	Référence aux différents systèmes de valeurs des personnes concernées
10. **Compromis**	Sacrifice de l'utilité sociale au profit de la précision et de l'objectivité	Sacrifice de la précision et de l'objectivité au profit de l'utilité sociale
11. **Distorsion**	Utilisation de procédures objectives et de perspectives indépendantes	Utilisation d'informations subjectives. Vérification interne et externe, et triangulation

résultats sur la base d'un plan déterminé à l'avance, le plus souvent avant même que ne débute l'étude. Par contre, l'évaluateur utilisant une approche naturaliste est à la recherche des problèmes importants qui affectent un programme, à partir des informations qu'il recueille auprès d'auditoires concernés, et ce, sans que les étapes et les procédures soient déterminées à l'avance. En général, l'étendue des services offerts est plus restreinte dans le cadre d'une évaluation formaliste que dans le cadre d'une évaluation naturaliste.

La formalité et la spécificité des ententes écrites représentent une autre distinction. L'évaluateur utilisant une approche formaliste exigera, la plupart du temps, un contrat formel, spécifique, alors que le contrat de l'évaluateur faisant usage d'une approche naturaliste revêtira plus souvent un caractère général, flexible et ouvert.

Une quatrième distinction a trait à l'*orientation* de l'étude. L'évaluateur responsable d'une évaluation formaliste se préoccupe d'abord et avant tout des intentions du programme, c'est-à-dire des objectifs, des procédures, des détails, de façon à pouvoir cerner non seulement l'information devant être recueillie mais également la façon de la recueillir. Dans l'approche naturaliste, l'évaluateur se laisse plutôt guider par ce qui lui apparaît important; il reconnaît et évalue avec l'aide des différents auditoires concernés les activités du programme et les problèmes qui l'assaillent.

Les deux approches diffèrent également sur le plan du *schéma* d'évaluation. En approche formaliste, le schéma d'évaluation est prédéterminé et constitué d'une série d'étapes formelles appliquées d'une façon rigoureuse; l'évaluateur s'intéresse aux objectifs, aux contrôles et aux interventions fixés au point de départ. L'évaluateur s'éloigne rarement du schéma déterminé au point de départ. Dans une approche naturaliste, le schéma d'évaluation est flexible et émerge de la situation; il évolue et se modifie en fonction des circonstances et de l'information recueillie. Les contrôles et les interventions sont rarement planifiés, l'évaluateur tente de découvrir les questions importantes et d'y répondre.

Une autre différence importante se manifeste au niveau de la *méthodologie*. D'une façon générale, les modèles classés dans l'approche formaliste se basent sur le « modèle de recherche », c'est-à-dire selon la séquence stimulus-réponse. Par contre, l'évaluation naturaliste s'intéresse à la séquence « réponse-stimulus » et, donc, privilégie l'observation du déroulement d'un programme et de ce que fait le client.

Au chapitre des *techniques* les deux approches diffèrent considérablement. C'est ainsi par exemple que certains modèles formalistes privilégient l'utilisation de groupes de comparaison, quelquefois d'un schéma expérimental, d'objectifs comportementaux, d'hypothèses, de l'échantillonnage aléatoire, de tests normatifs et objectifs et de statistiques d'inférences. L'évaluation naturaliste, quant à elle, s'éloigne des approches classiques et privilégie les données qualitatives, l'étude de cas, l'échantillonnage intentionnel, l'entrevue en profondeur, l'observation participante, le retour aux auditoires.

La *communication* entre l'évaluateur et le client représente une autre distinction. Dans le cadre de l'évaluation formaliste, la communication consiste essentiellement à déterminer un point d'entente sur le déroulement de l'étude, sur les modes d'intervention et sur la détermination des personnes auprès de qui on intervient, à obtenir l'assurance que les responsabilités imparties sont respectées, et à consigner et communiquer les résultats de l'étude dans un rapport formel et final. L'évaluateur consacre la majorité de son temps à la collecte, à l'analyse et à l'interprétation des résultats, et les interactions avec le ou les clients sont réduites à l'essentiel et au strict nécessaire. Dans le cadre d'une évaluation naturaliste, au contraire, l'évaluateur est à l'écoute des clients, afin de connaître leurs préoccupations et leurs problèmes. Les communications sont informelles et fréquentes.

L'évaluation formaliste et l'évaluation naturaliste diffèrent quant à la considération du *jugement de valeur*. Dans une approche formaliste, l'évaluateur utilise les objectifs énoncés ou la performance obtenue par un groupe normatif, ou encore les résultats d'un autre programme, comme critères pour juger de la valeur du programme. Sans nier l'importance de ces critères, l'évaluateur faisant usage d'une approche naturaliste prend en considération les différents points de vue et perspectives des personnes engagées dans le programme, avant de porter un jugement.

Les *compromis* représentent une autre dimension qui distingue les deux approches. L'évaluation formaliste s'intéresse moins à l'utilité des résultats qu'à leur validité, leur fidélité et leur objectivité ; elle s'intéresse moins aux échanges informels et subjectifs qu'aux rapports formels, rigoureux et objectifs. L'évaluation naturaliste, de son côté, se préoccupe moins de la précision, de la justesse et de l'objectivité de la mesure que de l'utilité sociale des résultats et des rapports.

Une dernière distinction concerne la façon dont les approches naturaliste et formaliste traitent la question de la *distorsion* des informations. L'évaluation formaliste favorise la collecte d'information objective et consacre beaucoup de temps à la préparation de procédures objectives, valides et fidèles ; elle s'intéresse également à la considération de perspectives indépendantes pour éviter une distorsion de l'information. L'évaluation naturaliste, par ailleurs, met l'accent sur une information subjective, même si celle-ci est susceptible d'être plus biaisée. Elle favorise l'utilisation de techniques comme la vérification interne, la vérification externe et la triangulation, celles-ci devant permettre le contrôle de la distorsion.

LA DIMENSION TEMPS

Selon Stake, l'évaluateur formaliste se perçoit comme un stimulus, rarement sinon jamais comme une réponse ; ses efforts sont orientés vers la production d'énoncés d'objectifs comportementaux, d'items de tests ou de questionnaires, et les réponses qu'il obtient constituent la substance de son rapport d'évaluation. L'évaluateur naturaliste s'intéresse aux stimuli qui se manifestent naturellement dans un programme ; ses efforts sont orientés vers la collecte de ceux-ci et il joue un rôle très actif, stimulant la réflexion et ajoutant à l'expérience de ses clients par la production de rapports.

Stake (1984) a estimé le pourcentage de temps qu'exigent diverses activités d'évaluation dans les cadres de l'évaluation formaliste et de l'évaluation naturaliste (tableau 3).

Selon Stake, les approches naturaliste et formaliste d'évaluation allouent 10 % de leur temps à l'identification et à la définition des buts de l'évaluation.

Tableau 3
**ESTIMATIONS DE STAKE POUR LE TEMPS CONSACRÉ À LA RÉALISATION
DES ACTIVITÉS D'ÉVALUATION**

Activités	Évaluation formaliste	Évaluation naturaliste
Définition, identification des buts, des problèmes	10 %	10 %
Préparation des instruments	30 %	15 %
Observation du programme	5 %	30 %
Administration des tests, mesures, etc.	10 %	–
Collecte des jugements	–	15 %
Prise de connaissance des besoins du client, etc.	–	5 %
Collecte des données formelles	25 %	5 %
Préparation de rapports informels	–	10 %
Préparation de rapports formels	20 %	10 %
	100 %	100 %

L'évaluateur formaliste consacre ses efforts et énergies aux objectifs formels poursuivis par un programme, alors que l'évaluateur naturaliste s'occupe des préoccupations, des questions en litige et des problèmes.

D'autre part, l'évaluateur formaliste utilise environ 30 % de son temps à la construction et à la sélection des instruments de mesure et d'évaluation, contre 15 % environ, pour l'évaluateur naturaliste.

C'est au chapitre du temps consacré à l'observation des activités du programme que se manifeste l'écart le plus important entre les deux approches ; l'évaluateur formaliste y consacrerait 5 % de son temps, alors que l'évaluateur naturaliste pourrait y mettre jusqu'à 30 %. Selon Stake, cette différence notable s'explique par le fait que l'évaluateur naturaliste cherche à dresser un portrait le plus fidèle possible du programme en observant ses activités.

Selon Stake, l'évaluateur formaliste consacre environ 10 % de son temps à l'administration de tests et instruments de mesure, alors que ce ne serait pas là une activité de l'évaluateur naturaliste. Celui-ci, par contre, passe 15 % de son temps à la collecte des jugements émis par ses clients et 5 % de son temps à reconnaître leurs besoins d'information.

En outre, l'évaluateur formaliste consacre 25 % de son temps à l'analyse et à l'interprétation des données et des informations recueillies, comparativement à 5 % pour l'évaluateur naturaliste ; celui-ci passe 10 % de son temps à la préparation et à la soumission de rapports informels aux clients.

Enfin, l'évaluateur formaliste consacre environ 20 % de son temps à la préparation de rapports formels, comparativement à 10 % pour l'évaluateur naturaliste.

Stake met ainsi l'emphase sur la différence d'orientation des approches formaliste et naturaliste, sur le type de communication que privilégient l'une et l'autre de ces approches, sur les différences qui caractérisent les activités mises en branle ainsi que le temps alloué à chacune. Selon lui, on peut critiquer l'évaluation naturaliste pour le peu de cas qu'elle fait de l'erreur d'échantillonnage, mais il ajoute que celle-ci est largement compensée par le fait que cette approche permet une meilleure communication avec les auditoires concernés. Il reconnaît cependant que l'évaluation formaliste est parfois nécessaire et s'avère plus pertinente à un contexte particulier.

Selon Madaus *et al.* (1983), quoique la communication se soit accrue entre les tenants de l'approche naturaliste et ceux de l'approche formaliste, il existe un danger de polarisation dont les racines sont principalement d'ordre non pas méthodologique mais bien idéologique. Eu égard à ce phénomène de polarisation, un danger guette l'évaluation, selon Madaus et McDonagh (1982) : « Dans les deux cas, l'évaluateur, s'il n'est pas prudent, pourrait devenir une sorte de prêtre qui met en garde et donne des avis mais qui n'en accepte pas, un prêtre qui prêche d'une main au nom de la science et de l'autre par l'intermédiaire d'une personnalité charismatique. » Selon Patton *et al.* (1984), il y aurait trois barrières qui freinent l'utilisation de l'évaluation : la crainte, la folie des méthodes et le dogmatisme.

◆ RÉFÉRENCES

Guba, E., Lincoln, Y.S. (1981). *Effective Evaluation*. San Francisco, Calif. Jossey-Bass.

Hurteau, M., Nadeau, M.A. (1987). *Distinctions de base: évaluation de programme, recherche évaluative et recherche*. Revue canadienne de psycho-éducation. 16 (2).

Lincoln, Y.S. (1986). *Program Evaluation in the Year 2000: Problems and Solutions*. Conférence présentée au congrès « L'évaluation: défis des années 80 » dans le cadre de l'ACFAS. Montréal, Qc.

Lincoln, Y.S. (1987). *L'évaluation en l'an 2000: Problèmes et solutions*. Dans M.A. Nadeau, M. Hurteau (éd.) *L'évaluation: Défis des années 80*. Québec, Qc. Département de mesure et évaluation, Université Laval.

Madaus, G.F., McDonagh, J.T. (1982). *As I Roved Out: Folksong Collecting as a Metaphor for Evaluation*. Dans N.L. Smith (éd.) *Communicating in Evaluation: Alternative Forms of Representation*. Beverly Hills, Calif. Sage.

Madaus, G.F., Scriven, M.S., Stufflebeam, D.C. (éd.) (1983). *Evaluation Models: Viewpoints on Educational and Human Services Evaluation*. Boston, Mass. Kluwer-Nijhoff.

Murphy, J. (1980). *Getting the Facts: A Fieldwork guide for Evaluators and Policy Analysts*. Santa Monica, Calif. Goodyear.

Nadeau, M.A. (1981). *L'évaluation des programmes d'études: Théorie et pratique*. Québec, Qc. Les Presses de l'Université Laval.

Nadeau, M.A., Hurteau, M. (1985). *The Pros and Cons of Naturalistic Inquiry*. Communication présentée dans le cadre d'« Évaluation 85 ». Toronto, Ont.

Nadeau, M.A., Hurteau, M. (1987). *The Pros and Cons of Naturalistic Inquiry*. Article soumis pour publication à la revue *Canadian Journal of Program Evaluation*.

Nadeau, M.A., Hurteau, M. (éd.) (1987). *L'évaluation: Défis des années 80*. *Monographie en mesure et évaluation*. Québec, Qc. Département de mesure et évaluation, Université Laval.

Parlett, M., Hamilton, D. (1976). *Evaluation as Illumination: A New Approach to the Study of Innovatory Programs*. Dans G.V. Glass (éd.) *Evaluation Studies Review Manual (vol. 1)*. Beverly Hills, Calif. Sage.

Patton, M.Q. (1975). *Alternative Evaluation Research Paradigm*. North Dakota Study Group on Evaluation. Dakota. University of North Dakota.

Patton, M.Q. (1978). *Utilization-Focused Evaluation*. Beverly Hills, Calif. Sage.

Patton, M.Q. (1980). *Qualitative Evaluation Method*. Beverly Hills, Calif. Sage.

Reichardt, C., Cook, T. (1979). *Beyond Qualitative Versus Quantitative Methods*. Dans T.D. Cook, C. Reichardt (éd.) *Qualitative and Quantitative Methods in Evaluation Research*. Beverly Hills, Calif. Sage.

Rist, R.C. (1980). *Blitzkrieg Ethnography: On the Transformation of a Method into a Movement. Educational Researcher*. 9 (2). 8-10.

Stake, R.E. (1984). *Program Evaluation, Particularly Responsive Evaluation*. Dans G.F. Madaus, M. Scriven, D.L. Stufflebeam (éd.) *Evaluation Models: Viewpoints on Educational and Human Services Evaluation*. Boston, Mass. Kluwer-Nijhoff.

CHAPITRE 4

◆ LES MODÈLES
◆ FORMALISTES

UN BON MODÈLE D'ÉVALUATION EST CELUI QUI PERMET
DE FOURNIR AU PRENEUR DE DÉCISIONS UNE
INFORMATION VALIDE ET EN TEMPS OPPORTUN.
(M.G. Alkin et S.P. Klein)

Nous nous proposons, dans le présent chapitre, de décrire et de comparer sommairement certains modèles d'évaluation que l'on pourrait classifier sous l'étiquette formaliste. Parmi les modèles décrits et comparés ici, nous avons retenu ceux de l'accréditation, de Tyler, de Hammond, de Metfessel et Michael, de Stake, de Stufflebeam, d'Alkin et de Provus. Nous avons opté pour ces modèles car ce sont ceux qui, à notre avis, ont le plus fortement influencé les évaluateurs et contribué le plus à changer les pratiques d'évaluation de programme.

La pléthore de modèles peut cependant créer une certaine confusion sinon provoquer de l'incertitude chez qui veut entreprendre une étude évaluative. Nous pensons que la description et la comparaison de ces conceptions contemporaines de l'évaluation des programmes d'études seront utiles au lecteur désireux de saisir la portée de ces différents modèles et de se familiariser davantage avec ceux-ci. Nous croyons aussi que ces descriptions des forces et des faiblesses des modèles considérés seront utiles à l'évaluateur qui doit choisir un plan, un modèle lui permettant de conduire une évaluation. Nous pensons également que les descriptions et les comparaisons faites dans le présent chapitre sont suffisantes pour qui ne désire qu'une vue globale de ces différents modèles. D'autre part, nous croyons que le texte peut servir d'introduction pour le lecteur qui sent le besoin de poursuivre son étude d'une façon plus intensive. Enfin, nous croyons que ces comparaisons peuvent aider à la conceptualisation et au développement de nouvelles approches.

L'ÉVALUATION FORMALISTE

Les caractéristiques

Les modèles regroupés sous l'appellation *formaliste* s'inspirent tous de l'ensemble des caractéristiques suivantes qu'ils respectent à des degrés divers:

—   Le projet débute par un énoncé du problème; celui-ci sert souvent de critère pour juger de la qualité et de l'utilité du schéma en plus d'aider à son développement; il est nécessaire de présenter une justification de son importance de même qu'un énoncé des objectifs poursuivis;

—   Un cadre, ou une référence théorique, doit être présenté afin que l'approche puisse être considérée comme scientifique et orthodoxe;

—   Les procédures choisies pour réaliser l'étude doivent être décrites et mises en relation avec le problème et la base théorique; l'échantillon doit être fait au hasard et représentatif; les instruments de mesure doivent être définis opérationnellement et être fidèles, valides et objectifs;

—   Les techniques d'analyse des données doivent satisfaire aux postulats qui les sous-tendent, de même qu'à ceux des données auxquelles ils s'appliquent, et avoir une puissance statistique suffisante pour rendre les résultats concluants;

—   Un échéancier doit être prévu, incluant des informations quant aux données à recueillir, quant au moment où doit s'effectuer cette collecte et quant aux personnes auprès de qui elle doit être faite;

—   Il faut préciser qui est l'évaluateur et les responsabilités de chacun;

—   Il faut préciser un budget et une estimation des ressources humaines et physiques nécessaires à l'étude;

—   Enfin, les buts visés et les objectifs doivent être définis.

Les modèles

Le modèle de Tyler

Le modèle d'évaluation le plus connu est celui proposé par Tyler (1950). Celui-ci est considéré comme le « père » de l'évaluation qu'il définit comme *un processus qui consiste essentiellement à déterminer jusqu'à quel point un programme et un enseignement donné permettent l'atteinte des objectifs pédagogiques*.

Objectifs pédagogiques ◄────► Performance obtenue

Congruence?

Pour Tyler, cette conception véhicule deux aspects importants: l'évaluation doit s'intéresser aux comportements des étudiants puisque ce sont ceux-ci que l'on veut modifier; l'évaluation doit se faire en deux points dans le temps puisque nous sommes intéressés à savoir s'il y a eu changement ou pas.

L'approche de Tyler suppose la formulation de buts éducatifs et d'objectifs généraux à partir de l'analyse de trois sources (les étudiants, la société, les spécialistes de matière) et de l'application de deux filtres (philosophie de l'éducation et psychologie de l'apprentissage). Après quoi, il s'agit de transformer les buts et les objectifs généraux retenus en objectifs comportementaux. Avant l'implantation du processus d'enseignement, puis une fois celui-ci terminé, les étudiants sont soumis à des mesures afin de déterminer le degré d'atteinte des buts et objectifs préalablement formulés. L'analyse des résultats permet de déterminer l'efficacité du programme. Selon Tyler, si les buts ne sont pas atteints, c'est qu'il y a certaines inadéquations dans le programme ; par contre, si les buts sont atteints, le programme d'études est jugé efficace.

La procédure

Dans son modèle, Tyler a établi la procédure suivante :

— Formuler les buts et les objectifs généraux du programme ;

— Classer les buts et les objectifs généraux à l'aide d'une taxonomie ;

— Formuler les objectifs comportementaux à partir des buts et objectifs généraux ;

— Reconnaître les situations et les conditions pédagogiques qui permettent de voir si les objectifs sont atteints ;

— Développer ou sélectionner les instruments de mesure ;

— Recueillir les données sur la performance des étudiants par l'administration des instruments de mesure ;

— Comparer les données obtenues aux objectifs.

Selon Tyler, ce processus est récurrent ; les informations obtenues de l'évaluation peuvent être utilisées pour reformuler ou pour redéfinir les objectifs et pour modifier le programme. Ces modifications peuvent également servir à apporter des correctifs au niveau même du processus d'évaluation.

Avant que Tyler ne propose cette démarche, l'évaluation se limitait à la seule considération de la performance des étudiants. L'approche de Tyler a eu pour effet de déplacer la démarche évaluative, d'attirer l'attention sur d'autres aspects d'un programme : intentions, buts, objectifs, procédures d'implantation, etc. Selon Tyler, cette information devrait non seulement aider les intervenants à reformuler ou à redéfinir les objectifs (évaluation formative) mais également à repenser le processus. Cette approche présente aussi l'avantage d'être accessible aux praticiens.

Le modèle de Tyler, qui se voulait une approche formative d'évaluation, s'est révélé dans les faits une approche sommative. En effet, dans ce modèle, l'évaluation est vue comme un processus terminal. Certes elle fournit une information rétroactive, mais elle est utilisée d'abord et avant tout pour juger du succès ou de l'échec du programme. Cette démarche place donc l'évaluateur dans un rôle technique car l'attention est centrée sur les objectifs et les comportements observés demeurent le seul indicateur de succès. De plus, le processus suggéré ne tient pas compte de certaines contraintes techniques : tous les objectifs ne pouvant être considérés dans une évaluation, comment procède-t-on au choix ? Les objectifs ne peuvent pas tous être traduits sous la forme de comportements mesurables et échappent ainsi à l'évaluation. Une trop grande attention est accordée aux comportements au détriment d'autres dimensions du programme tout aussi importantes. L'évaluation risque de ne considérer que les objectifs facilement mesurables au détriment d'objectifs plus « importants ».

Le modèle de Metfessel et Michael

Le modèle de Metfessel et Michael (1967) se situe dans la même ligne de pensée que celui de Tyler. En effet, tout comme ce dernier ils croient que la mesure des effets d'un programme devrait permettre de l'améliorer, mais ils vont plus loin en proposant des critères pour mesurer ces effets.

Les étapes

L'approche d'évaluation proposée par ces deux auteurs comprend huit étapes :

— Impliquer (directement ou indirectement) les membres du milieu scolaire : individus, groupes sociaux, personnel professionnel de l'école, étudiants et associations d'étudiants ;

— Construire un ensemble hiérarchique cohérent d'objectifs généraux et spécifiques. Pour ce faire, les étapes suivantes sont importantes :

  • énoncer des objectifs généraux qui rejoignent les attentes philosophiques, sociales et institutionnelles du milieu,

  • énoncer des objectifs spécifiques qui permettent, là où c'est possible, de développer des mesures objectives,

  • développer un ensemble de critères qui permettront : de déterminer les résultats attendus (résultats significatifs et pertinents) ; d'établir des priorités réalistes (en tenant compte des besoins de la société, du niveau de préparation des étudiants, de la possibilité pour les maîtres de fournir des rétroactions propres à diriger l'apprentissage et à motiver les étudiants, et de la disponibilité du personnel) ;

— Transposer les objectifs spécifiques en des formes qui soient communicables et qui en facilitent l'apprentissage ;

— Développer les instruments de mesure qui serviront à déterminer si les objectifs sont atteints et, par conséquent, à juger de l'efficacité du programme ;

— Administrer périodiquement les instruments de mesure (tests, échelles, etc.) ;

– Analyser statistiquement les données obtenues par l'intermédiaire des instruments de mesure ;

– Interpréter les données en tenant compte des niveaux de performance spécifiés dans les objectifs et tirer des conclusions quant aux progrès des étudiants et à l'efficacité du programme ;

– Formuler des recommandations qui fourniront les bases nécessaires à la modification des objectifs généraux et spécifiques.

Les indicateurs

Selon les auteurs, cinq catégories d'indicateurs peuvent être utilisées pour porter un jugement sur la performance des étudiants :

– Les indicateurs portant sur les changements de comportement d'ordre cognitif, affectif et psychomoteur (tests standardisés de rendement, psychomoteurs et d'attitudes, échelles standardisées et listes d'inventaire, etc.) ;

– Les indicateurs portant sur les changements cognitif, affectif et psychomoteur obtenus par l'utilisation d'instruments informels (entrevues, questionnaires, tests maison, auto-évaluations, tests projectifs, etc.) ;

– Les indicateurs de changement dans le comportement des étudiants par l'utilisation de mesures non réactives (absences, dossiers anecdotiques, travaux, lectures, participation en classe, etc.) ;

– Les indicateurs de changement dans les comportements cognitifs et affectifs des intervenants et du personnel par rapport à l'évaluation (échelles d'attitudes, listes d'inventaire, participation à des rencontres professionnelles, perfectionnement, etc.) ;

– Les indicateurs de comportement des membres de la communauté par rapport à l'évaluation (participation aux activités de l'école, participation à des enquêtes, entrevues, conférences, etc.).

Le modèle de Hammond

Hammond (1973), tout comme Tyler, conçoit l'évaluation comme *la détermination du degré d'efficacité d'un programme dans l'atteinte de ses objectifs.* Selon cet auteur, le succès ou l'échec d'un programme est déterminé par le jeu interactif d'un ensemble de forces liées à l'environnement pédagogique. Ces forces se définissent en termes de dimensions et de variables opérant dans une structure tridimensionnelle. L'interaction de ces variables constitue les facteurs à considérer dans l'évaluation d'un programme donné.

La dimension de l'enseignement

La dimension de l'instruction décrit les variables reliées à l'innovation : organisation, contenu, méthodes, installations et coût.

Figure 1
STRUCTURE D'ÉVALUATION SELON LE MODÈLE DE HAMMOND

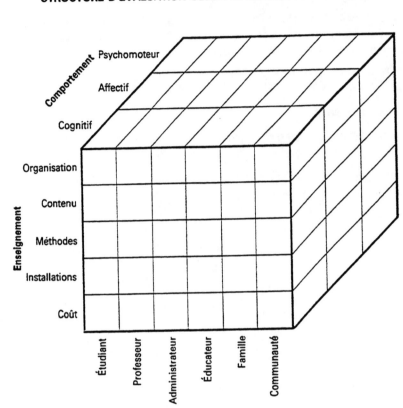

—   *L'organisation.* Elle est définie comme la matrice dans laquelle on retrouve les étudiants et les professeurs, et qui peut contenir les composantes
temps et espace :
   • le temps, c'est la durée et la séquence des blocs de temps consacré à
     l'enseignement des matières. La durée indique la longueur d'une période
     donnée. La séquence indique l'ordre d'enseignement des matières,
   • l'espace renvoie à l'organisation verticale et horizontale des étudiants.
     L'organisation verticale considère le classement des étudiants en termes
     d'année-niveau, alors que l'organisation horizontale s'adresse au groupe-
     ment des étudiants par professeur ;

—   *Le contenu.* Cette variable est définie comme l'ensemble des connaissances identifiées sous une matière d'enseignement, laquelle peut être identi-
fiée par les thèmes devant être couverts à un niveau scolaire donné ;

- *Les méthodes.* C'est un processus à trois niveaux mis en place pour faciliter l'apprentissage. Les trois niveaux sont : les activités d'enseignement, les interactions maître-élèves, et les principes ou les théories d'apprentissage utilisés ;
- *Les installations.* Ce sont les installations physiques et l'équipement qui servent de support à un programme ;
- *Le coût.* C'est l'argent que nécessitent les installations, l'entretien et le personnel pour accomplir les tâches.

La dimension institutionnelle

La dimension institutionnelle est définie par les variables : étudiant, professeur, administrateur, éducateur spécialisé, famille et communauté.

Pour les fins de l'évaluation, chacune des variables est décrite en termes de sous-variables qui peuvent influencer un programme donné.

- *L'étudiant* : l'âge, le niveau scolaire, le sexe, les antécédents familiaux, etc. ;
- *Le professeur, l'administrateur et l'éducateur* : les données factuelles, la formation et l'expérience, l'environnement, les engagements au niveau du programme ;
- *La famille* : les implications au niveau du programme, les caractéristiques générales ;
- *La communauté* : la situation géographique, l'histoire, les caractéristiques démographiques, économiques et sociales.

La dimension comportementale

Cette dimension inclut les domaines cognitif, affectif et psychomoteur.

- *Cognitif* : la connaissance, la compréhension, l'application, l'analyse, la synthèse et l'évaluation ;
- *Affectif* : les intérêts, les attitudes, les valeurs, les appréciations, les ajustements personnels ;
- *Psychomoteur* : la coordination neuromusculaire.

Les étapes

Une fois que les forces pouvant affecter positivement ou négativement un programme ont été reconnues et placées dans une structure analytique, l'étape suivante consiste à développer un modèle d'évaluation. L'application de celui-ci doit se faire avec précaution à travers une série d'étapes bien délimitées et définies. Les étapes pour développer un tel modèle sont les suivantes :

- Préciser la dimension du programme devant faire l'objet d'une évaluation ;

- Définir les dimensions pertinentes, au niveau de l'enseignement et de l'institution, à l'exception de la variable coût;
- Formuler les objectifs spécifiques;
- Évaluer, à l'aide d'instruments de mesure appropriés, les comportements décrits dans les objectifs spécifiques;
- Analyser les résultats par facteur et les interactions entre les facteurs, afin de déterminer l'efficacité du programme dans l'atteinte des objectifs (les facteurs sont déterminés à la deuxième étape).

Un programme ainsi évalué devrait permettre à une école ou à une commission scolaire d'envisager, s'il y a lieu, des changements à apporter au programme, lesquels prendront l'allure d'innovations.

Le modèle d'accréditation

Parmi les modèles faisant usage de critères internes, le plus connu est certes celui de l'accréditation. Quoique cette approche soit de moins en moins populaire, elle fut pendant nombre d'années la forme d'évaluation privilégiée dans le domaine de l'éducation (surtout aux États-Unis).

Miller (1972) définit les fonctions premières de l'accréditation de la façon suivante :

- Reconnaître, pour le bien du public, les établissements d'enseignement et les programmes d'études qui atteignent des standards d'excellence;
- Améliorer le niveau de l'éducation, des établissements et des programmes, en impliquant les administrateurs et le personnel dans les processus d'auto-évaluation, de recherche et de planification.

Les méthodes privilégiées par cette approche sont l'auto-évaluation et l'autorapport. Les standards utilisés par une agence d'accréditation pour évaluer un établissement représentent les jugements de personnes considérées comme expertes dans le domaine. Typiquement, des équipes d'experts sont choisies pour : visiter l'établissement; vérifier les données de l'auto-évaluation; obtenir des informations supplémentaires.

Les étapes

Le processus traditionnel d'accréditation se fait habituellement en plusieurs étapes :

- L'établissement signifie à une association d'accréditation son intention d'être accréditée;
- L'association d'accréditation rencontre les responsables de l'établissement pour leur expliquer la politique et les procédures;

- L'établissement met en branle un processus d'auto-évaluation et présente un rapport à l'association d'accréditation ;
- L'association d'accréditation délègue un comité d'experts chargé de vérifier sur place les données du rapport ;
- Le rapport du comité d'experts est remis à l'établissement et à l'association d'accréditation pour étude et critique ;
- L'association accorde ou refuse l'accréditation, ou la remet à plus tard.

Parmi les points d'intérêt des équipes d'accréditation, on retrouve, entre autres, le nombre et la qualité des volumes et des périodiques dans les bibliothèques, le niveau de scolarité du personnel des écoles, les qualités physiques des bâtiments scolaires, la composition du conseil d'administration des établissements, la structure et le contenu des programmes.

Sur le plan des avantages, il nous faut souligner que les facteurs considérés dans ce type d'approche peuvent être utiles pour clarifier les éléments opérants d'un programme. Remarquons aussi que l'utilisation de l'auto-évaluation et de standards définis et formels sont des caractéristiques intéressantes de l'accréditation.

Bien qu'il soit concevable de penser que les divers aspects définissant les intrants puissent avoir quelques relations avec les résultats produits par les programmes offerts dans les établissements d'enseignement, la pauvreté des données empiriques établissant ou confirmant ces relations a créé un climat d'insatisfaction et de doute quant à cette approche.

Le modèle de Provus

Provus (1971) définit l'évaluation comme *un processus* :

- *de définition des standards d'un programme ;*
- *de détermination des écarts existant entre le fonctionnement d'un aspect du programme et de certains standards du programme ;*
- *d'utilisation de cette information exprimée en termes d'écarts pour modifier soit le fonctionnement ou les standards du programme.*

Le modèle d'évaluation de Provus comporte cinq phases : *le projet, l'installation, le processus, le produit* et *la comparaison du programme* (tableau 4).

À chacune de ces étapes, une comparaison est faite entre la réalité et un ou des standards. La différence observée, s'il y a lieu, s'appelle écart. Sur la base des comparaisons faites à chacune des étapes du modèle, l'information concernant les écarts observés est remise aux personnes responsables du programme qui peuvent faire des ajustements de façon plus rationnelle.

Les quatre premières phases du modèle suivent le paradigme suivant:

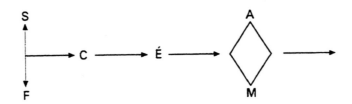

où

S = standard
F = fonctionnement
C = comparaison entre S et F
É = écart observé en C
A = abandon du programme
M = modification de S ou F.

L'application de ce paradigme conduit à quatre options de décision: le programme est abandonné; il peut poursuivre ses activités sans subir de modifications; son fonctionnement peut être modifié; les standards peuvent être modifiés.

Les étapes

Le modèle de Provus comprend cinq étapes.

Le projet

La première étape du modèle de Provus consiste à préciser la nature du programme. À cette phase, il s'agit de déterminer:

—   Les objectifs terminaux et les objectifs intermédiaires du programme;

—   Les caractéristiques des étudiants, du personnel et des autres sources devant être présentes pour atteindre les objectifs du programme;

—   Les activités de formation devant favoriser l'atteinte des objectifs;

—   Les supports requis: installations, matériel, équipement.

À ce niveau, le projet de programme est évalué quant à la qualité de sa structure, en termes d'*intrants*, de *processus* et de *résultats*, et quant à la qualité de la théorie sur laquelle il repose.

L'installation

Au niveau de la deuxième étape, il s'agit de déterminer si le programme mis en place est conforme au plan prévu. En somme, il s'agit de voir si l'implantation du programme correspond à ce qui avait été planifié.

Tableau 4
LES ÉTAPES DU MODÈLE D'ÉVALUATION DE PROVUS

	Projet	Installation	Processus	Produit	Coût
Objectif	Détermination des objectifs, des caractéristiques des étudiants, du personnel et des autres sources, des activités de formation	Implantation du programme Recherche des écarts entre le projet et l'implantation	Atteinte des objectifs intermédiaires Relations avec les objectifs intermédiaires déterminés à l'étape 1 et les processus mis en place	Atteinte des objectifs terminaux Relations avec objectifs terminaux déterminés à l'étape 1 et les processus mis en place	Analyse des coûts-bénéfices Comparaisons avec les autres programmes
	Analyse du projet sur les plans de la structure et de la théorie				

Le projet tel qu'il est déterminé à la première étape devient le standard de comparaison utilisé pour détecter la présence ou l'absence d'écarts.

Le processus

À cette étape, il s'agit de voir si les objectifs intermédiaires du programme ont été atteints, d'une part, en relation avec les attentes précisées à la première étape et, d'autre part, avec les processus mis en place pour aider à les atteindre. En somme, il s'agit d'étudier les relations existant entre les processus mis en place et les résultats intérimaires obtenus.

Les attentes spécifiées au niveau du projet (première étape) deviennent les standards de comparaison.

Le produit

Il s'agit, à cette étape, de savoir si le programme aide l'atteinte des objectifs terminaux. Il s'agit de déterminer si ces objectifs, identifiés à la première étape, sont atteints. Ces objectifs terminaux deviennent les standards de comparaison.

La comparaison du programme

Il s'agit ici d'analyser le programme en termes de coûts-bénéfices et de comparer ceux-ci avec ceux d'autres programmes de même nature.

Le modèle de Stake

Pour Stake (1967), dans le passé les évaluateurs ont surtout mis l'accent sur quelques dimensions d'un programme (résultats/objectifs); de plus, les évaluations produites étaient le plus souvent informelles et ne reflétaient que l'opinion de quelques personnes seulement. Selon cet auteur, l'évaluation d'un programme éducationnel suppose l'examen de l'enseignement prévu aussi bien que des effets de cet enseignement sur l'apprentissage. De plus, un programme éducationnel ne peut être parfaitement compris que s'il est entièrement *décrit* et *jugé*. Par conséquent, pour Stake, l'approche traditionnelle consistant à évaluer la performance des étudiants à partir de résultats à des tests n'est pas suffisante; il insiste pour décrire et juger le processus d'intervention ainsi que les relations existant entre celui-ci et la performance des étudiants.

Le modèle proposé par Stake insiste donc sur deux opérations fondamentales: la description et le jugement. Les actions descriptives comportent deux aspects: les intentions et les observations, lesquelles doivent être décrites d'une façon approfondie. La dimension jugement est divisée en deux éléments: les standards et les jugements. Par standards, Stake entend les critères qui permettent d'en arriver à un jugement.

Le modèle d'évaluation de Stake comporte les éléments suivants: une *problématique*, une *matrice descriptive*, qui incorpore les dimensions *intentions* et *observations*, une *matrice jugement*, qui comporte les aspects *standards* et *jugements*, et trois phases distinctes mais interreliées: les *antécédents*, les *transactions* et les *résultats*.

Les étapes

Le modèle de Stake ne comporte pas d'étapes à proprement parler mais on y retrouve les éléments énumérés ci-dessus.

La problématique

Au niveau de la problématique, il s'agit d'énoncer la philosophie qui sous-tend le programme ainsi que ce que l'on se propose de faire par l'intermédiaire du programme.

La problématique devrait servir à l'évaluation des intentions ainsi qu'à l'identification des groupes de répondants devant éventuellement être utilisés pour déterminer les critères et poser un jugement.

La matrice descriptive

Tout comme Tyler, Stake considère la description comme l'acte de base du processus d'évaluation. Ce dernier juge cependant l'approche de Tyler comme étant réductionniste et, à l'instar de Cronbach, suggère que les intervenants

Figure 2
**MODÈLE D'ÉVALUATION DE STAKE:
MATRICES DE DESCRIPTION ET DE JUGEMENT**

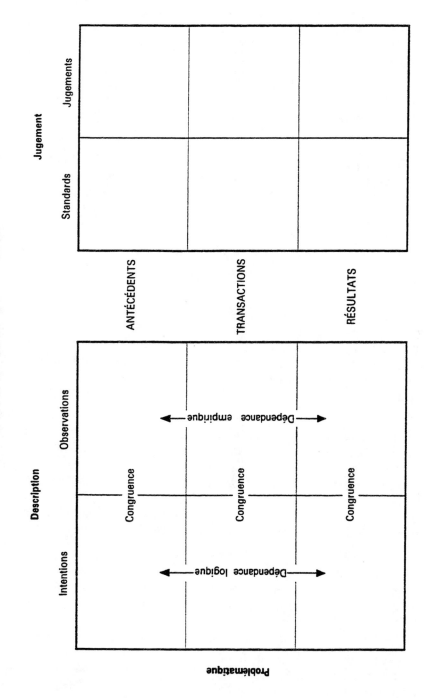

étendent leur concept de l'atteinte des objectifs ainsi que les façons de les mesurer ; il demande en outre aux spécialistes de développer une méthode qui reflète la complexité et l'importance d'un programme plutôt que la fidélité et la validité des instruments.

Pour Stake, il est important de décrire les antécédents, les transactions et les résultats, prévus et actuels, et d'examiner les relations de congruence et de dépendance entre ces trois dimensions.

Les intentions

Par intentions, Stake fait référence à tout ce qui a été planifié, incluant les conditions antérieures, les activités et les résultats désirés. Les intentions incluent les conditions d'environnement, les démonstrations, les comportements planifiés, les buts, les objectifs, etc. Ce sont les effets désirés, souhaités, prévus et même ceux que l'on craint.

L'ensemble des intentions constitue une liste prioritaire de tout ce qui peut se produire.

Les observations

Les caractéristiques décrites sous la dimension intentions doivent faire l'objet d'observations, lesquelles renvoient à tout ce qui se produit au niveau des antécédents, des transactions et des résultats. Ces informations sont recueillies à l'aide d'instruments de mesure variés. Selon Stake, il existe deux façons d'analyser les données descriptives : reconnaître les dépendances entre les antécédents, les transactions et les résultats, et établir la congruence entre les intentions et les observations.

La dépendance au niveau des intentions est d'ordre logique, alors qu'au niveau des observations, elle est d'ordre empirique. La dépendance logique établit les liens entre les intentions. Pour ce faire, les évaluateurs doivent se baser sur leur expérience antérieure avec des populations et des programmes de même nature. Selon Stake, ce type d'analyse est important pour pouvoir juger de l'adéquation structurale d'un programme. D'autre part, la dépendance empirique établit la relation entre les conditions antérieures et les activités observées, et entre ces dernières et les résultats.

L'étude des congruences s'intéresse à l'écart entre les intentions d'un programme et les activités observées. Les données d'un programme sont congruentes si ce qui a été planifié se produit effectivement.

La matrice jugement

Stake entérine la position de Scriven (1967) selon laquelle une évaluation non seulement suppose mais exige un jugement. Cependant, celui-ci ne devrait pas être porté par des spécialistes car, d'une part, cela risque d'amener les intervenants à se désintéresser de l'évaluation et, d'autre part, parce que peu d'entre eux s'avèrent qualifiés pour discuter de ce qui convient le mieux à une école, un établissement ou une communauté. Comme compromis, Stake suggère que les évaluateurs recueillent et analysent objectivement les opinions et les jugements émis par des groupes bien définis au préalable.

Selon Stake, la mesure de l'excellence requiert des standards explicites. À ce chapitre, la cueillette et l'analyse de l'information relative au fonctionnement d'un programme ainsi qu'à son rationnel fournissent une base valable pour cerner les critères qui serviront à formuler des jugements sur son mérite. Pour lui, les notes, les résultats obtenus à des tests standardisés ne sont pas les critères les plus valides. À l'instar de Clark et Guba (1965), Stake insiste sur le fait que les différents stades du développement d'un programme supposent l'utilisation de différents critères.

Selon Stake, il existe deux façons de juger les caractéristiques d'un programme : par rapport à des standards d'excellence absolus, indépendants de tout programme (jugements et convictions personnels sur ce qui est bon et désirable) ; par rapport à des standards relatifs (caractéristiques de programmes optionnels).

L'application de standards absolus amène une comparaison absolue, c'est-à-dire un programme comparé à des standards d'excellence absolus, alors que l'application de standards relatifs produit une comparaison relative, c'est-à-dire un programme comparé à un autre programme.

Les phases

Selon Stake, l'évaluateur doit décrire et juger à chacune des phases d'un programme, soit : à la phase *antécédents*, à la phase *transactions* et à la phase *résultats*.

Les antécédents (intrants)

Par antécédents, Stake entend les conditions qui existent avant même que l'enseignement ne prenne place et qui peuvent être en relation avec les résultats. En somme, ce sont les préalables à l'activité pédagogique, et ce, par rapport aux ressources humaines et matérielles, aux caractéristiques des étudiants, aux attentes des parents et de la société, etc.

Les transactions (processus)

C'est une succession d'événements et d'engagements qui constituent le processus d'enseignement : les relations étudiant(s)-professeur(s), étudiant(s)-étudiant(s), etc. C'est aussi l'étude des méthodologies, des stratégies et des conditions d'apprentissage (par exemple, la présentation d'un film, une discussion de groupe, l'administration d'un test, etc.).

Les résultats (extrants)

Ce sont les effets de l'application d'un programme. Cet aspect concerne l'évaluation de l'apprentissage, la détermination du degré de satisfaction des personnes concernées, l'étude des coûts, etc. Ce sont, en somme, les conséquences de l'acte pédagogique, immédiates et éloignées, cognitives et affectives, personnelles et collectives. Comme le montre la figure 2, les antécédents, les transactions et les résultats apparaissent tant au niveau de la matrice description qu'à celui de la matrice jugement.

Stake admet que les frontières entre les différentes cellules ne sont pas toujours évidentes et aussi claires dans la pratique. Il suggère aux évaluateurs de rendre le vécu du programme accessible aux participants.

Les comparaisons

Comparaisons absolues

Les comparaisons sont dites absolues lorsque les standards que l'évaluateur utilise pour porter des jugements proviennent de différents groupes de référence.

Le jugement rationnel, dans une évaluation, est une décision concernant le degré d'attention que l'on doit accorder aux standards de chacun des groupes de référence, quant à la décision d'entreprendre ou non une action administrative. Chaque ensemble de standards absolus représente des niveaux jugés acceptables pour les antécédents, les transactions et les résultats.

Avant de porter un jugement, il s'agit de déterminer si chacun des standards est respecté. Le jugement, pour l'évaluateur, consiste à assigner un poids, une importance à chaque ensemble de standards.

Comparaisons relatives

Les comparaisons sont dites relatives lorsque les standards que l'évaluateur utilise pour porter des jugements proviennent de programmes optionnels.

Le jugement est porté comme dans le cas de comparaisons absolues, excepté que les standards viennent des descriptions fournies par d'autres programmes. Il appartient à l'évaluateur de sélectionner les caractéristiques à considérer et les programmes devant servir d'éléments de comparaison.

Selon Stake, il est possible, à partir d'un jugement relatif ou d'un jugement absolu, d'obtenir une estimation de la valeur d'un programme et de prendre une décision à son sujet.

Un exemple

Stake donne un exemple du type de données qui pourraient apparaître dans les douze cellules des matrices description et jugement: 1) des étudiants

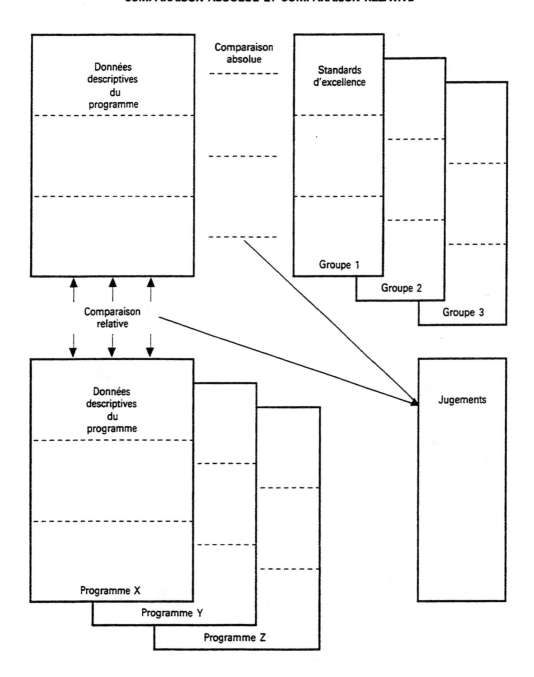

Figure 3
MODÈLE D'ÉVALUATION DE STAKE:
COMPARAISON ABSOLUE ET COMPARAISON RELATIVE

doivent lire un chapitre donné; 2) le professeur a l'intention de faire un exposé sur le sujet mercredi; 3) il précise que les étudiants devront être capables de rédiger un texte sur le sujet deux jours plus tard; 4) il remarque que quelques étudiants étaient absents au jour convenu pour l'exposé; 5) il n'a pu compléter l'exposé à cause d'une longue discussion; 6) comme le démontrent les résultats à l'examen, seulement les deux tiers des étudiants semblent comprendre l'un des concepts majeurs; 7) de façon générale, il s'attend à quelques absences mais aussi à ce que le travail soit terminé avant l'examen; 8) il s'attend également à ce que son exposé soit suffisamment clair pour 90 % des étudiants; 9) il sait que ses collègues s'attendent à ce que seulement 10 % des étudiants comprennent parfaitement chacun des concepts majeurs présentés dans une telle leçon; 10) il juge que la lecture du chapitre n'était pas une préparation suffisante à l'exposé; 11) les étudiants font remarquer que l'exposé était provocateur; 12) son assistant remarque qu'un très grand nombre d'étudiants confondaient les concepts.

Le rôle de l'évaluateur

On pourrait résumer ainsi le rôle de l'évaluateur:

— Il recueille et analyse l'information descriptive et il décrit le rationnel du programme;

— Il définit les critères absolus (convictions formelles et informelles de groupes de référence pertinents) ou déduit à partir de descriptions d'autres programmes les critères relatifs pour comparer ce programme à d'autres de même nature;

— Il détermine jusqu'à quel point le programme à l'étude satisfait aux critères relatifs et (ou) absolus;

— Il juge le programme, seul ou en collaboration avec d'autres, en assignant une pondération à chacun des critères.

Selon Stake, non seulement l'évaluateur doit-il être familier avec la littérature théorique et les études pertinentes, mais il doit de plus avoir acquis une expérience pratique et pertinente par l'étude de programmes similaires. Comme un évaluateur répond rarement à ces exigences, Stake suggère l'utilisation d'une équipe d'évaluation multi-disciplinaire qui devrait faciliter l'étude évaluative et favoriser le développement de nouvelles procédures.

Le modèle d'Alkin

Alkin (1969) définit l'évaluation comme *un procédé par lequel on vérifie les domaines où il s'agira de prendre des décisions, on détermine, recueille et analyse l'information jugée nécessaire pour prendre les décisions, on présente cette information à celui qui a la responsabilité de prendre des décisions afin qu'il puisse choisir entre plusieurs solutions.*

Figure 4
MODÈLE D'ÉVALUATION D'ALKIN (1969)

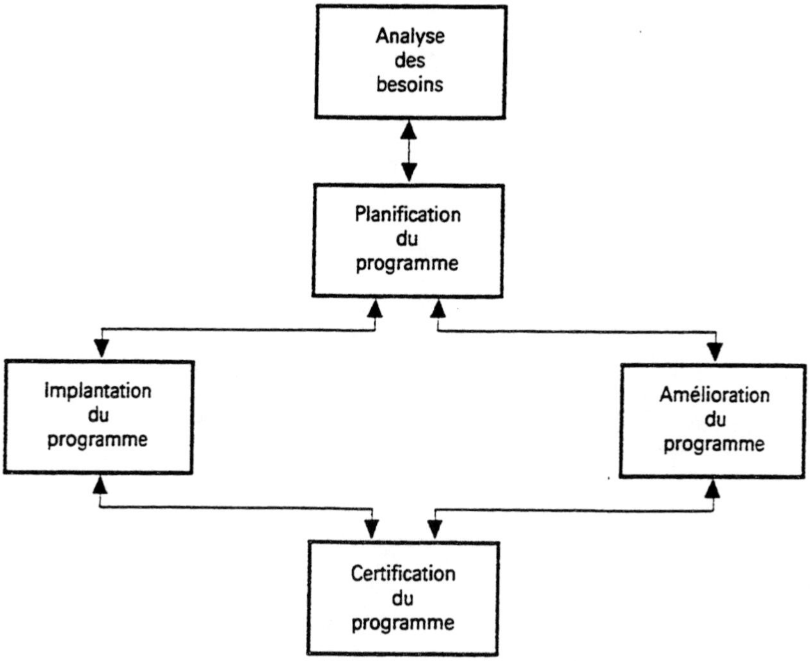

Selon Alkin, le type d'information de même que les instruments utilisés pour la recueillir seront différents suivant le domaine de décision. Ainsi, s'il s'agit de l'identification des besoins d'une population donnée, les informations seront différentes de celles que nécessite l'évaluation du succès plus ou moins complet de deux programmes optionnels. Aussi les instruments utilisés pour recueillir ces informations pourraient également varier. Alkin insiste sur le fait que les données recueillies, quel que soit le domaine, servent à alimenter des décisions. De plus, les données doivent être présentées à celui qui prend les décisions de telle façon qu'il puisse les interpréter facilement et efficacement. Enfin, différents types de décisions peuvent exiger différentes sortes d'évaluation.

Le modèle d'évaluation d'Alkin se présente en cinq phases : *analyse des besoins, planification du programme, implantation du programme, amélioration du programme, certification du programme*. À chacune de ces phases correspond un type de décision particulier (tableau 5).

Les étapes

Le modèle d'Alkin comprend cinq phases ou étapes.

Tableau 5

LES ÉTAPES DU MODÈLE D'ÉVALUATION D'ALKIN

	Analyse des besoins	Planification du programme	Évaluation de l'implantation	Évaluation de l'avancement	Évaluation du résultat
Objectif	Détermination des besoins	Détermination de plusieurs options d'action pour combler les besoins	Mise en application du programme	Détermination du succès relatif des différentes parties du programme	Détermination de la valeur globale du programme
	Liste des besoins jugés prioritaires	Comparaison des options	Détermination de la congruence entre le plan du programme et sa mise en application	Détermination des problèmes	
			Identification des problèmes d'implantation	Amélioration du programme	
Décision	Sélection des besoins prioritaires	Choix d'un plan	Amélioration du programme	Modification du programme	Certification et adoption du programme

L'analyse des besoins

La phase initiale du modèle met l'accent sur la collecte d'information concernant le degré d'atteinte des objectifs d'un programme d'études afin de dégager un ensemble de besoins pouvant être à la base d'un programme. (Selon Alkin, un besoin peut être conçu comme la distance qui sépare un objectif de la situation actuelle.)

Cette phase suppose la formulation d'objectifs éducationnels potentiels, le choix des objectifs jugés prioritaires et la détermination de leur atteinte dans la perspective d'un programme déjà existant. Cette dernière information est utilisée pour déterminer les besoins prioritaires auxquels doit répondre le programme.

Le type de décision concerné porte donc sur *la sélection d'un ensemble de besoins jugés prioritaires*.

La planification du programme

La deuxième phase met l'accent sur l'information relative aux divers types de programme pouvant permettre l'atteinte des objectifs définis à l'étape précédente.

Cette étape consiste, d'une part, à identifier un ensemble d'options de programme et, d'autre part, à déterminer celui qui peut le mieux satisfaire aux besoins préalablement définis.

Il s'agit de prendre une série de décisions sur la façon dont les besoins peuvent être comblés compte tenu des ressources disponibles.

Ici, le type de décision concerné porte sur *la sélection d'un programme* permettant l'atteinte des objectifs.

L'implantation du programme

Une fois la planification du programme terminée, il est nécessaire de recueillir l'information quant à la façon dont le programme est implanté à partir de l'étape précédente.

Cette étape-ci consiste à déterminer jusqu'à quel point le programme appliqué coïncide avec la description du programme. En somme, c'est une étude détaillée des données du plan du programme, afin de déterminer la marge entre l'intention et la réalité, en vue d'y introduire des ajustements. Il s'agit donc de voir le degré de congruence existant entre la description préalable du programme et sa réalisation, entre les intrants prévus et les intrants observés.

L'attention porte sur une décision de type *modification du programme* ou du processus même *d'implantation du programme*.

L'amélioration du programme

À ce stade, il s'agit de savoir jusqu'à quel point le programme permet l'atteinte des objectifs sur lesquels il repose. Il faut donc recueillir de l'information concernant le succès relatif de différentes parties du programme.

Le type de décision consiste en *une modification du programme*.

La certification du programme

À cette dernière étape, il s'agit de déterminer d'une façon globale la valeur du programme à partir des résultats produits. Le type de décision prise ici concerne *la certification et (ou) l'adoption du programme*.

Le modèle de Stufflebeam (CIPP)

Selon Stufflebeam (1971), la qualité des programmes est fonction de la qualité des décisions qui sont prises à leur égard ; la qualité de ces décisions est elle-même fonction de l'habileté de ceux qui les prennent à identifier les décisions possibles, ainsi que de leur habileté à poser des jugements sensés ; de tels jugements supposent l'accès, à temps, à de l'information valide et fidèle ; la disponibilité de cette information est fonction de l'utilisation de moyens systématiques pour la recueillir. Stufflebeam (1984) fait remarquer le fait que le modèle CIPP est basé sur l'idée que le but premier de l'évaluation est d'améliorer et non de prouver.

À partir de la problématique présentée ci-dessus, Stufflebeam définit l'évaluation comme « *un processus qui consiste à déterminer, à recueillir et à transmettre des informations utiles pour choisir entre diverses décisions* ».

Reprenons, de façon détaillée, les différents termes de cette définition.

— *Processus*: une activité particulière continue et cyclique regroupant plusieurs méthodes et supposant un certain nombre d'étapes et d'opérations ;

— *Déterminer*: consiste à définir le type d'information dont a besoin celui qui prend les décisions ; il s'agit en somme de préciser, définir et expliquer le type d'information requis pour prendre des décisions ;

— *Recueillir*: concerne la collecte, l'organisation et l'analyse de l'information par l'utilisation de processus techniques telles la mesure et la statistique ;

— *Transmettre*: consiste à synthétiser l'information recueillie de telle sorte qu'elle soit utile de façon optimale à celui qui prend des décisions ;

— *Utile*: conforme aux critères élaborés préalablement par l'évaluateur et son client ;

— *Information*: ce sont les données descriptives ou interprétatives des phénomènes évalués (tangibles ou non), ainsi que leurs interrelations ;

— *Juger*: assignation de poids en conformité avec une échelle de valeurs préalablement précisée, un ensemble de critères dérivés de cette échelle de valeurs et de l'information reliant les critères aux phénomènes évalués ;

— *Options de décisions*: un ensemble de réponses possibles à une situation décisionnelle.

Les phases de la prise de décision

Pour Stufflebeam, la raison fondamentale de toute évaluation est la prise de décision et il devient dès lors important de savoir comment se prend une décision. Il définit les phases du processus menant à la prise de décision de la façon suivante :

— *La prise de conscience*
  • reconnaître les divers objets ou situations prévisibles au sujet desquels des décisions doivent être prises,
  • identifier les besoins non satisfaits et les problèmes non résolus,
  • identifier les circonstances qui pourraient être utilisées ;

— *Le plan de la situation*
  • énoncer la situation décisionnelle sous la forme d'une question,
  • spécifier le nom des personnes qui doivent prendre les décisions,
  • formuler les diverses décisions possibles,
  • déterminer les critères qui serviront à évaluer les diverses décisions possibles,
  • déterminer les règles devant régir le choix d'une des décisions possibles,
  • déterminer le temps où la décision doit se prendre ;

– *Le choix*

• recueillir et évaluer les informations relatives à chaque décision,
• appliquer les règles de décision,
• réfléchir sur la validité du choix effectué,
• entériner le choix fait ou le rejeter et reprendre le processus;

– *L'action*

• déterminer les responsabilités relatives à l'implantation de la décision prise,
• rendre opérationnelle la décision prise,
• réfléchir sur la validité de l'opérationnalisation de la décision,
• mettre à exécution la décision exprimée de façon opérationnelle ou reprendre le processus.

Les types de décisions sous-jacentes au modèle CIPP

Selon Stufflebeam, la raison fondamentale de toute évaluation est la prise de décision et à cet effet il propose une typologie des décisions: décisions de planification, décisions de structuration, décisions d'implantation et décisions d'interprétation-relance (tableau 6).

– Les *décisions de planification* précisent les changements majeurs que doit subir un programme. Les questions suivantes illustrent ces décisions. Les buts du programme devraient-ils être changés? Le mandat actuel devrait-il être modifié? Quels sont les besoins prioritaires auxquels le programme devrait répondre? Quels comportements les étudiants soumis au programme devraient-ils manifester à la fin du programme? Ainsi, les décisions de *planification* se rapportent à la *détermination des objectifs d'un programme*;

– Les *décisions de structuration* précisent les moyens à prendre pour atteindre les buts fixés à l'étape de planification. Les questions suivantes illustrent ces décisions. Quelles qualifications le personnel doit-il avoir? Quelle stratégie s'avère la plus propice pour atteindre les objectifs? De

Tableau 6
TYPES DE DÉCISIONS SELON STUFFLEBEAM

	Intentions	Réalités vécues
Fins	Décisions de PLANIFICATION pour déterminer les objectifs	Décisions d'INTERPRÉTATION-RELANCE pour juger les résultats obtenus et relancer les opérations
Moyens	Décisions de STRUCTURATION pour élaborer le plan des opérations	Décisions d'IMPLANTATION pour utiliser, contrôler et raffiner le plan des opérations

nouvelles installations doivent-elles être prévues? Ces décisions doivent considérer les variables méthodes, contenu des programmes, organisation pédagogique et administrative, calendrier et horaire, installations et budget. Elles doivent tenir compte: des décisions de planification qui précisent ce qui doit être réalisé par le programme; de l'existence de plusieurs moyens disponibles pour atteindre les buts visés; des forces et des faiblesses relatives pour chacun des moyens disponibles. Les décisions de *structuration* concernent donc *l'élaboration d'un plan d'opérations*;

— Les *décisions d'implantation* sont celles qui sont prises lorsqu'il s'agit de mettre le plan en application. Elles proviennent de deux sources:

- la connaissance des procédures planifiées,
- la connaissance de la relation entre les procédures déterminées lors de la planification et les procédures effectivement en usage.

Les questions suivantes illustrent ces décisions. Le personnel doit-il être recyclé? De nouvelles procédures devraient-elles être développées et instituées? Des ressources additionnelles sont-elles nécessaires? Une redistribution des responsabilités du personnel est-elle à prévoir? L'horaire devrait-il être modifié? L'échéancier devrait-il être revu? Les décisions *d'implantation* se rapportent donc à la *mise en place, au contrôle et au raffinement du plan d'opération*;

— Les *décisions d'interprétation-relance* considèrent les réalisations ou les résultats de l'application d'un programme. Les besoins des étudiants sont-ils comblés? Le projet est-il en péril? Les résultats valent-ils l'investissement? Y a-t-il eu un gain appréciable dans la performance des étudiants? Les décisions *d'interprétation-relance*, donc, concernent *l'évaluation des résultats observés et la relance, ou la continuation ou la terminaison ou la modification des opérations.*

Les étapes

Le modèle est relié à la typologie des décisions qui vient d'être exposée et comporte les éléments suivants: *évaluation du contexte, évaluation de l'intrant, évaluation du processus, évaluation du produit.* À chacune de ces étapes correspond un type de décision particulier (tableau 7).

L'évaluation du contexte

Selon Stufflebeam, c'est le type d'évaluation de base. Son but est de fournir un modèle théorique pour la formulation des objectifs éducationnels. C'est ainsi que l'évaluation du contexte vise à identifier les forces et les faiblesses d'un objet (établissement, programme, population cible, personnel, etc.) et à fournir une direction pour l'améliorer. L'évaluation du contexte vise aussi à établir la correspondance entre les besoins et les objectifs poursuivis. Les résultats de l'évaluation du contexte devraient fournir une base solide pour ajuster ou établir

Tableau 7
LES ÉTAPES DU MODÈLE D'ÉVALUATION DE STUFFLEBEAM

	Évaluation du contexte	Évaluation de l'intrant	Évaluation du processus	Évaluation du produit
Objectif	Définition de l'environnement, des besoins, des problèmes sous-jacents à ces besoins Détermination des buts et des objectifs	Détermination des capacités du système, des stratégies pour atteindre les objectifs, et des modèles d'implantation appropriés pour atteindre les objectifs associés aux buts du programme	Détermination des faiblesses du programme dans son modèle ou son application	Établissement des liens entre les résultats, les objectifs, le contexte, l'intrant et le processus
Décision	Planification	Structuration	Implantation et amélioration	Continuation, terminaison, modification, réorientation, recyclage

des buts et des priorités et déterminer ainsi les changements devant être apportés.

Le type de décision à prendre concerne la *planification des changements sentis*, c'est-à-dire le cadre théorique, les objectifs généraux et les objectifs spécifiques.

L'évaluation du contexte peut se faire à l'aide de différentes méthodes. Elle peut débuter par des entrevues auprès de clients dans le but de recueillir leurs perceptions de l'objet à l'étude ainsi que des problèmes qu'ils rencontrent; ces informations peuvent déboucher sur une enquête; des tests diagnostiques peuvent être administrés; différentes techniques (technique Delphi, estimation de l'amplitude, le tri de cartes, etc.) peuvent être utilisées pour la mise en priorité des besoins.

L'évaluation de l'intrant

Selon Stufflebeam, l'évaluation de l'intrant consiste à déterminer la façon d'utiliser les ressources disponibles pour atteindre les objectifs du programme.

L'évaluation de l'intrant vise à mettre sur pied un programme qui engendrera les changements souhaités par le biais de l'analyse critique de diverses approches. Le but global est d'aider les intervenants à considérer les stratégies d'action qui s'offrent à eux, en fonction des besoins et des caractéristiques environnementales.

Dans ce type d'évaluation, il s'agit de reconnaître et d'évaluer:

— les possibilités du système,

—   les stratégies potentielles pour atteindre les objectifs identifiés à l'étape précédente,

—   les modèles d'implantation appropriés.

Chacune des stratégies potentielles est évaluée : par rapport aux ressources, au temps et à l'investissement requis ; quant à sa pertinence et à sa faisabilité, eu égard aux objectifs poursuivis ; quant à sa capacité d'atteinte des objectifs. Le résultat d'une évaluation de l'intrant est une analyse comparée d'approches diverses, en termes de coûts/bénéfices.

Le type de décision concerne la *structuration des activités et des stratégies* à mettre en place pour produire les changements prévus.

Les méthodes peuvent, dans un premier temps, consister en une analyse de la situation par une étude de la littérature, par des visites sur le terrain. L'information recueillie peut alors être utilisée pour penser et développer des approches différentes, lesquelles pourraient être soumises à des experts pour des fins d'analyses comparatives.

L'évaluation du processus

L'évaluation du processus est nécessaire lorsque le programme est mis en opération. Ce type d'évaluation consiste à déterminer ou à prédire, au niveau du processus, les problèmes que pose le programme ou ses défauts, soit par rapport au plan soit par rapport à l'implantation. Il s'agit ainsi de monter et de maintenir un dossier sur les événements et les activités. Son but premier est d'aider les responsables d'un programme à prendre des décisions plus rationnelles dans leurs efforts pour améliorer la qualité de leur programme.

L'évaluation du processus se présente comme un contrôle continu de l'implantation d'un programme. Elle vise à fournir aux gestionnaires et au personnel concernés une information quant à l'adéquation existant entre les éléments planifiés et les éléments mis en place. Elle cherche également à fournir des balises aux modifications et aux ajustements apportés au programme. Elle a aussi pour but d'évaluer le degré d'engagement et d'acceptation des participants dans un programme. Elle devrait permettre de fournir de la documentation sur le processus d'implantation du programme.

Le type de décision à prendre ici concerne le suivi de l'*implantation* du programme dans une perspective d'*améliorations à y apporter*.

L'évaluateur s'avère la personne déterminante dans cette évaluation, car le personnel, souvent, n'est pas en mesure de déterminer l'information qu'il est important de recueillir. L'évaluateur doit revoir le plan du programme et identifier les aspects importants : par exemple, les sessions de perfectionnement du personnel, le développement et l'implantation de matériel pédagogique, les tests et examens, la supervision des participants, les rapports avec les parents, etc.

Pour ce faire, l'évaluateur peut former un comité-conseil dont la responsabilité pourrait être de préciser les questions et les sujets d'intérêt. Au point de départ, il doit faire usage d'approches non menaçantes afin que se tissent des liens positifs et que s'établisse une relation de confiance avec le personnel. Les contacts pourront devenir plus structurés et formels une fois ces bases établies ; visites sur les lieux, observation, participation aux réunions avec le personnel, entrevues avec les participants clés. Le personnel peut être invité à recueillir de l'information au moyen d'entrevues, de journaux de bord, d'observations, de questionnaires.

Tout au long de ce processus interactif, l'évaluateur est appelé périodiquement à se prononcer sur le niveau de réussite du programme. Il décrit les déviations par rapport au plan original, caractérise les activités planifiées, trace l'évolution du plan de base.

Ce type d'évaluation s'avère utile pour aider le personnel à implanter un programme ou encore à le modifier le cas échéant. Elle présente aussi un intérêt pour la compréhension de ce qui se passe dans un programme. Elle s'avère enfin une source vitale d'information pour interpréter les résultats de l'évaluation du produit.

L'évaluation du produit

L'évaluation du produit consiste à mesurer et à interpréter les effets du programme, donc à voir si les objectifs sont atteints. Il s'agit de mettre en relation les résultats obtenus avec les objectifs visés au niveau du contexte, des intrants et du processus. Cette évaluation ne doit pas se limiter au programme terminé mais doit prendre place tout au long de la durée du programme et elle doit s'intéresser autant aux effets positifs qu'aux effets négatifs.

Dans ce type d'évaluation, l'évaluateur recueille et analyse les témoignages de personnes reliées au programme. Il peut aussi comparer les effets du programme avec les résultats d'autres programmes.

L'évaluation du produit vise avant tout à déterminer si un programme doit être continué, terminé, modifié, réorienté ou recyclé. Le type de décision à prendre concerne donc *la continuation, la terminaison, la modification, la réorientation ou le recyclage du programme*.

Selon Stufflebeam, il n'existe pas d'algorithme pour effectuer une évaluation du produit. Pour obtenir une compréhension la plus étendue possible des effets d'un programme, la meilleure approche s'avère être l'utilisation d'une combinaison de techniques. Ainsi, par rapport à la performance des étudiants, l'évaluateur peut faire usage de tests critériés et (ou) normatifs, d'échelles d'appréciation, etc. Il peut utiliser l'entrevue pour produire des hypothèses sur la performance des étudiants, pour repérer les effets non attendus. Il peut conduire une étude de cas pour obtenir une compréhension plus profonde et intime des effets du programme, etc.

La planification d'une évaluation

Stufflebeam fournit un guide donnant les étapes à suivre pour développer un plan d'évaluation. L'auteur insiste sur le fait que la structure logique du plan d'évaluation demeure la même, quelle que soit l'orientation de l'évaluation : contexte, intrant, processus et produit.

Le plan d'une évaluation suppose la prise d'un certain nombre de décisions qui concernent, par exemple :

— les questions à poser,

— l'auditoire cible ou les auditoires cibles (à qui s'adresse l'évaluation?),

— le type d'évaluation (contexte, intrant, processus ou produit),

— le moment et le lieu,

— les contrôles à exercer,

— les sources d'information,

— les méthodes et les instruments de collecte des données,

— les procédures de collecte, d'analyse, d'interprétation des données, et de communication des résultats.

L'évaluateur doit concevoir la planification de l'évaluation comme un processus et non un produit. Les buts et procédures de l'évaluation devraient être tracés d'avance et revus périodiquement.

Stufflebeam suggère les grandes lignes suivantes pour aider la planification d'une évaluation.

— *L'examen du mandat* :
  - définition de l'objet de l'évaluation,
  - identification du client et des auditoires,
  - but(s) de l'évaluation (amélioration, imputabilité et (ou) compréhension),
  - type d'évaluation à utiliser (contexte, intrant, processus, produit),
  - principes à observer (utilité, faisabilité, opportunité, pertinence) ;

— *Le plan pour obtenir l'information* :
  - stratégie générale (enquête, étude de cas, expérimentation sur le terrain...),
  - postulats pour guider la mesure, l'analyse et l'interprétation,
  - collecte de l'information (échantillonnage, instrumentation, collecte de données),
  - organisation de l'information (encodage, rapport...),
  - analyse de l'information (quantitatif/qualitatif),
  - interprétation des résultats (identification de critères et procédures de jugement) ;

– *Le plan pour rapporter les résultats*:
   • préparation des rapports,
   • distribution des rapports,
   • préparation d'activités de suivi pour assurer l'impact de l'évaluation;
– *Le plan pour gérer l'évaluation*:
   • résumé du plan d'exécution de l'évaluation,
   • plan pour répondre aux exigences du personnel ainsi qu'aux ressources disponibles,
   • prévision pour la méta-évaluation,
   • prévision pour mettre à jour la planification de l'évaluation,
   • budget,
   • contrat.

Tous ces points servent d'indications générales sur le type d'information qu'il faudrait éventuellement prévoir et obtenir.

Cette planification exige une collaboration étroite entre le client et l'évaluateur. Par exemple, il appartient au client de formuler l'objet de l'évaluation mais l'évaluateur peut l'aider dans cette démarche. Le client est certes la personne la plus apte à identifier les divers groupes d'intérêt; l'évaluateur peut cependant suggérer des auditoires pertinents. Il appartient au client de préciser les objectifs de la démarche mais l'évaluateur peut l'aider à les clarifier et à les mettre en ordre de priorité. L'évaluateur indique le type d'étude (CIPP) et le client confirme ce choix ou aide à le modifier. L'évaluateur a la responsabilité d'ébaucher le plan d'évaluation mais il doit le soumettre au client pour des fins d'approbation. Avec l'aide du client, l'évaluateur doit s'assurer que la démarche choisie satisfait aux critères préalablement sélectionnés. L'évaluateur s'occupe des dimensions techniques, c'est-à-dire des méthodes à utiliser (enquête, étude de cas, visite du site, recherche, confrontation entre les diverses parties, expérimentation sur le terrain), des instruments de collecte des données, de leur structure, traitement et analyse. Le client intervient davantage au niveau de l'interprétation et de la dissémination des résultats.

LA COMPARAISON DES MODÈLES

Nous nous proposons dans les quelques pages qui suivent d'établir certaines comparaisons entre les différents modèles d'évaluation décrits, en évitant cependant d'entrer dans les détails. Nous nous limiterons à comparer les différents modèles sur trois plans:

– Dans un premier temps, les modèles seront comparés en regard de certaines caractéristiques telles que: définition, but, insistance majeure, rôle de l'évaluateur, types d'évaluation et construits proposés;

Tableau 8

COMPARAISON DE DIVERS MODÈLES FORMALISTES D'ÉVALUATION DE PROGRAMME

	Stake	Stufflebeam	Alkin
Définition	Décrire et juger un programme éducatif	Définir, obtenir et utiliser l'information pour prendre des décisions	Processus de détermination des domaines de décisions, de collecte et d'analyse de l'information pour favoriser la prise de décisions
But	Décrire et juger les programmes éducatifs sur la base d'un processus d'analyse formel	Fournir l'information pertinente à ceux qui prennent les décisions	Fournir l'information pertinente à ceux qui prennent les décisions
Insistance majeure	Collecte de données descriptives et de jugements de divers groupes de répondants	Rapports d'évaluation utilisés pour prendre des décisions	Rapports d'évaluation utilisés pour prendre des décisions
Évaluateur	Spécialiste	Spécialiste	Spécialiste
Types d'évaluation	Formelle/informelle	1) Contexte 2) Intrant 3) Processus 4) Produit	1) Analyse de besoins 2) Planification du programme 3) Implantation du programme 4) Amélioration du programme 5) Certification du programme
Construits proposés	1) Matrices de données et de jugements 2) Données descriptives: contingence entre les intentions et les observations 3) Base pour jugements absolus et relatifs	1) Évaluation du contexte pour des décisions de type planification 2) Évaluation de l'intrant pour des décisions de type programmation 3) Évaluation du processus pour des décisions de type implantation 4) Évaluation du produit pour des décisions de type recyclage	Évaluation de systèmes éducatifs vs évaluation de programmes instructionnels; cinq domaines d'évaluation

Provus	Tyler	Accréditation	Hammond
Comparer la performance à des standards	Comparer la performance de l'étudiant aux objectifs spécifiques	Jugement sur les processus éducatifs par des professionnels Développement de standards pour les programmes éducatifs	Évaluer l'efficacité des programmes existants ou nouveaux en comparant aux objectifs les données reliées à la performance
Pour déterminer si on doit améliorer, maintenir ou terminer un programme éducatif	Pour déterminer si les objectifs sont atteints	Identifier des lacunes: formation des maîtres/étudiants, contenu, procédures, auto-amélioration	Déterminer si les changements favorisent l'atteinte des objectifs
Identification des écarts entre les standards et la performance en utilisant l'approche par équipe	Spécification des objectifs et mesure de la performance des étudiants	Jugement personnel utilisé pour l'évaluation du processus éducatif; auto-étude	Développement de programmes locaux
Membre de l'équipe	Spécialiste de programmes	Collègues professionnels	Consultant expert
1) Projet 2) Installation 3) Processus 4) Produit 5) Coût	Mesure de la performance pré et post	1) Auto-étude 2) Visite 3) Rapports annuels 4) Jury d'évaluation	1) Dimension instructionnelle 2) Dimension institutionnelle 3) Dimension behavioriste utilisée pour décrire le programme
1) Concept de l'écart 2) Rétroaction et révision des objectifs et (ou) des programmes	1) Objectifs exprimés en termes comportementaux 2) Objectifs s'adressant à l'étudiant 3) Les objectifs doivent prendre en compte: étudiants, société, spécialistes, philosophie de l'éducation et psychologie de l'apprentissage	Utilisation de spécialistes du contenu comme juges	1) Application du modèle d'évaluation pour un programme existant 2) Décision concernant l'adéquation du programme existant en relation avec les objectifs 3) Rétroaction à partir de 2) 4) Application de l'évaluation à l'innovation même Notion de rétroaction continue

— Dans un deuxième temps, les modèles considérés seront comparés quant à leur préoccupation majeure, afin de déterminer le ou les modèles qui s'inscrivent dans un processus d'évaluation complet;

— Le troisième plan concerne la comparaison des modèles quant aux différentes étapes ou phases proposées par les auteurs afin de déterminer jusqu'à quel point celles-ci sont semblables ou différentes.

Ces comparaisons n'ont pas pour but de déclarer un modèle d'évaluation supérieur aux autres ni d'inciter le lecteur à en utiliser un plutôt qu'un autre ; mais ces comparaisons visent en fait à rendre le lecteur plus familier avec ces divers modèles.

Certaines caractéristiques

Afin de permettre au lecteur d'avoir une vue à la fois globale et comparative des différents modèles considérés dans le présent chapitre, une synthèse de ceux-ci par rapport à six caractéristiques principales est présentée au tableau 8 (voir p. 106-107). Les caractéristiques retenues nous apparaissent comme des composantes importantes de l'évaluation, pour qu'il soit utile et profitable d'en comparer les différents modèles d'évaluation. Chacune des caractéristiques est brièvement décrite afin d'aider à l'interprétation du tableau.

— Définition : la façon dont chaque auteur définit l'évaluation ;

— But : l'idée que chaque auteur a du but de l'évaluation ;

— Insistance majeure : sous ce titre, nous présentons l'aspect fondamental du processus d'évaluation proposé par chacun des auteurs ;

— Rôle de l'évaluateur : la perception que les auteurs ont de l'évaluateur ;

— Types d'évaluation : les différentes étapes du processus d'évaluation ;

— Construits proposés : les contributions théoriques ou logistiques de chacun des auteurs.

Les préoccupations majeures

Les divers modèles ont été intégrés dans un système cybernétique d'évaluation comprenant les trois composantes : *intrants, processus* et *extrants* (tableau 9). Comme on le voit, certains de ces modèles insistent davantage sur les intrants, alors que d'autres insistent davantage sur les extrants; enfin quelques modèles se préoccupent à la fois des intrants, des extrants ainsi que du processus.

À la lumière de la description des différents modèles, il nous apparaît possible d'associer le modèle d'accréditation à la dimension *intrants*. Cette approche est la seule qui insiste uniquement sur cette dimension.

Tableau 9
**COMPARAISON DE MODÈLES FORMALISTES
POUR LES DIMENSIONS INTRANTS, PROCESSUS ET EXTRANTS**

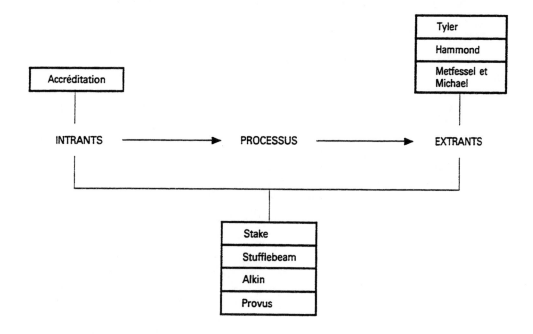

D'autre part, il nous semble possible de regrouper les approches de Tyler, Hammond, Metfessel et Michael sous une même appellation. Ces auteurs se préoccupent d'une façon primordiale de l'évaluation des effets d'un programme, c'est-à-dire l'atteinte des buts ; par conséquent, nous les regroupons sous la dimension *extrants*.

Enfin, indépendamment de leurs caractéristiques particulières, les approches de Stake, Stufflebeam, Alkin et Provus nous semblent similaires car elles insistent toutes sur la qualité des *intrants*, du *processus* et des *extrants*. Il nous apparaît important de signaler que l'approche de Stake insiste davantage sur l'aspect jugement impliqué dans l'évaluation à partir de critères internes, alors que les approches de Stufflebeam, Alkin et Provus soulignent l'aspect facilitation de la prise de décision.

Cette deuxième analyse comparative nous permet de conclure, d'une part, que les modèles d'évaluation insistant uniquement sur les intrants ou les extrants sont des modèles incomplets. Cela ne veut pas dire pour autant que les aspects considérés dans ces divers modèles ne peuvent être d'aucune utilité pour les évaluateurs. D'autre part, d'une façon globale, les modèles d'évaluation de Stake, Stufflebeam, Alkin et Provus s'inscrivent tous dans une même approche d'évaluation de programme. À ce titre, ils peuvent être considérés comme équivalents.

Les étapes

La figure 5 présente une vue globale des modèles d'évaluation de Stake, Stufflebeam, Alkin et Provus considérés sous les aspects *conception théorique du programme* et *réalisation du programme*.

Ce schéma a été élaboré à partir de la description des étapes d'évaluation proposées par les auteurs de ces modèles. Il est important de signaler que, contrairement à ce que peut laisser croire la figure, là où les étapes apparaissent similaires chez certains auteurs, elles ne le sont pas d'une façon parfaite et absolue. Il est à noter cependant que les traits verticaux encadrant les étapes des différents modèles soulignent une certaine correspondance entre ceux-ci.

L'analyse de cette figure nous révèle d'abord que le vocabulaire utilisé pour décrire les étapes des modèles d'évaluation varie d'un auteur à l'autre.

Nous remarquons en outre que les étapes d'évaluation varient d'un modèle à l'autre. Au niveau de l'aspect *conception du programme*, d'une part, Stake parle des *intentions* en termes d'antécédents, de transactions et de résultats, alors que Provus l'appelle *projet*; d'autre part, Stufflebeam divise cet aspect en deux éléments, le *contexte* et l'*intrant*, auxquels correspondent respectivement les étapes *analyse de besoins* et *planification du programme* chez Alkin. En ce qui concerne l'aspect *réalisation du programme*, l'étape que Stufflebeam appelle *processus* est subdivisée en *implantation*, *amélioration* et *certification du programme* chez Alkin, en *installation*, *processus* et *produit* chez Provus, et en *antécédents*, *transactions* et *résultats* chez Stake.

Par ailleurs, le modèle de Provus est le seul où nous retrouvons l'étape *coût*.

Au niveau de la *conception du programme*, les approches de Stufflebeam et d'Alkin semblent, comparativement aux autres modèles, les plus explicites en même temps que les plus similaires, alors qu'à l'aspect *réalisation du programme*, ce sont les approches d'Alkin et de Provus qui apparaissent les plus explicites et qui se rapprochent le plus l'une de l'autre.

Figure 5

COMPARAISON DE DIFFÉRENTS MODÈLES D'ÉVALUATION SUR LES ASPECTS DE LA CONCEPTION THÉORIQUE ET DE LA RÉALISATION DU PROGRAMME

	Conception du programme		Réalisation du programme		
	INTENTIONS Antécédents, transactions, résultats		OBSERVATIONS Antécédents, transactions, résultats		
Stake					
Stufflebeam	CONTEXTE	INTRANT	PROCESSUS	PRODUIT	COÛT
Alkin	ANALYSE DES BESOINS	PLANIFICATION DU PROGRAMME	IMPLANTATION DU PROGRAMME	AMÉLIORATION DU PROGRAMME	CERTIFICATION DU PROGRAMME
Provus	PROJET		INSTALLATION	PROCESSUS	PRODUIT
	INTRANTS		PROCESSUS		EXTRANTS

◆ RÉFÉRENCES

Alkin, M.C. (1969). *Evaluation Theory Development. Evaluation Comment.* 2 (1). 2-7.

Borich, G.D., Jemelka, R.P. (1982). *Programs and Systems: An Evaluation Perspective.* New York, N.Y. Academic Press.

Caro, F.G. (1971). *Issues in the Evaluation of Social Programs. Review of Educational Research.* 41 (2). 87-114.

Hammond, R.L. (1973). *Evaluation at the Local Level.* Dans B.R. Worthen, J.R. Sanders (éd.) *Educational Education: Theory and Practice.* Worthington, Ohio. C.A. Jones.

Hurteau, M., Nadeau, M.A. (1987). *Le post-mortem d'une évaluation naturaliste. Revue canadienne d'éducation/Canadian Journal of Education.* Vol. 12 (3).

Hurteau, M., Nadeau, M.A. (1987). *Distinctions de base: Évaluation de programme, recherche évaluative et recherche. Revue canadienne de psycho-éducation.* Vol. 16 (2).

Madaus, G.F., Scriven, M.S., Stufflebeam, D.C. (éd.) (1983). *Evaluation Models: Viewpoints on Educational and Human Services Evaluation.* Boston, Mass. Kluwer-Nijhoff.

Metfessel, M.S., Michael, W.B. (1967). *A Paradigm Involving Multiple Criterion Measures for the Evaluation of the Effectiveness of School Programs. Educational and Psychological Measurement.* 27. 931-948.

Miller, J.W. (1972). *Organization Structure of Non-Governmental Post-Secondary Accreditation: Relationship to Use of Accreditation.* Thèse de doctorat non publiée. Washington, D.C. The Catholic University of America.

Nadeau, M.A. (1981). *L'évaluation des programmes d'études: Théorie et pratique.* Québec, Qc. Les Presses de l'Université Laval.

Nadeau, M.A., Hurteau, M. (1985). *The Pros and Cons of Naturalistic Inquiry.* Communication présentée à « Evaluation 85 ». Toronto, Ont.

Nadeau, M.A., Hurteau, M. (éd.) (1987). *L'évaluation: Défis des années 80. Monographie en mesure et évaluation.* Québec, Qc. Département de mesure et évaluation, Université Laval.

Popham, J.W. (1975). *Educational Evaluation.* Englewood Cliffs, N.J. Prentice-Hall.

Provus, M.C. (1971). *Discrepancy Evaluation.* Berkeley, Calif. McCutchan.

Scriven, M. (1967). *The Methodology of Evaluation. Perspectives of Curriculum Evaluation. AERA Monograph Series on Curriculum Evaluation.* Chicago, Ill. Rand McNally.

Stake, R.E. (1967). *The countenance of Educational Evaluation. Teachers College Record.* 68. 523-540.

Stufflebeam, D.L. *et al.* (1971). *Educational Evaluation and Decision Making.* Itasca, Ill. Peacock.

Stufflebeam, D. *et al.* (1980). *L'évaluation en éducation et la prise de décision.* Traduction de Jules Dumas. Victoriaville, Qc. Éditions NHP.

Stufflebeam, D.L., Shinkfield, A.J. (1985). *Systematic Evaluation.* Boston, Mass. Kluwer-Nijhoff.

Tyler, R.W. (1942). *General Statement on Evaluation. Journal of Educational Research.* 35. 492-501.

Tyler, R.W. (1950). *Basic Principles of Curriculum and Instruction.* Chicago, Ill. University of Chicago Press.

Tyler, R.W., Gagne, R., Scriven, M. (1967). *Perspectives of Curriculum Evaluation.* Chicago, Ill. Rand McNally.

Worthen, B.R., Sanders, J.R. (1973). *Educational Evaluation: Theory and Practice.* Worthington, Ohio. C.A. Jones.

CHAPITRE 5
◆

◆ LES MODÈLES
◆ NATURALISTES

La quatrième génération d'évaluation centre son
énergie sur les revendications, les préoccupations et
les sujets de controverse des différents auditoires
cibles.
(Y.S. Lincoln)

Nous nous proposons, dans le présent chapitre, de décrire et de comparer sommairement certains modèles d'évaluation que l'on pourrait regrouper sous l'appellation naturaliste. Parmi les modèles naturalistes que nous décrivons et comparons dans le texte, nous avons retenu ceux de Stake, Wolf, Rippey, Parlett et Hamilton, Eisner, et Guba et Lincoln. Nous avons opté pour ces modèles car ce sont ceux qui, à notre avis, semblent présentement le plus influencer les évaluateurs et qui sont les plus susceptibles de contribuer à changer les pratiques actuelles et futures en matière d'évaluation de programme.

Tout comme dans le cas des modèles formalistes, la pléthore de modèles naturalistes peut amener une certaine confusion et provoquer de l'incertitude chez celui qui veut entreprendre une étude évaluative. Nous croyons cependant que la description et la comparaison de ces modèles, qui s'éloignent des conceptions plus classiques de l'évaluation des programmes d'études, seront utiles au lecteur désireux d'en saisir la portée et de se familiariser avec ceux-ci. Nous pensons également que les descriptions de ces modèles seront utiles à l'évaluateur qui doit choisir un plan et un modèle lui permettant de conduire une évaluation. Nous croyons aussi que les descriptions et comparaisons faites dans le présent chapitre sont suffisantes pour celui qui ne désire qu'une vue globale de ces différents modèles. D'autre part, nous croyons qu'elles peuvent servir d'introduction au lecteur qui sent le besoin ou a le désir de poursuivre l'étude de ces modèles d'une façon plus intensive. Enfin, nous croyons que ces comparaisons peuvent aider à la conceptualisation et au développement de nouvelles approches.

L'ÉVALUATION NATURALISTE

Depuis les vingt dernières années, plusieurs auteurs, dont Guba (1969), Stake (1976), Guba et Lincoln (1981 et 1985), Borich et Jemelka (1982), ont critiqué l'inadéquation des modèles formalistes d'évaluation de programmes et ont reconnu certaines de leurs limites. Leurs critiques portent sur l'inadéquation méthodologique de ces modèles; sur leur manque de compréhension du contexte socio-politique entourant un programme; sur leur manque de considération du concept « valeur » dans le processus de prise de décision; sur la partialité et l'injustice de la démarche qui se penche plus sur les préoccupations des personnes influentes que sur celles des auditoires concernés; sur les limites qu'ils imposent au type et au nombre de problèmes considérés; sur le manque de réalisme des critères servant à mesurer le succès d'un programme; sur les restrictions imposées au type de données recueillies ainsi que leur manque de signification pratique; sur les choix forcés imposés aux répondants par le biais de l'instrumentation; sur l'impertinence de la démarche qui vise à fournir des réponses à des questions qui n'intéressent pas les auditoires. Enfin, ces auteurs critiquent l'inutilité de la démarche puisqu'elle laisse presque toujours la situation inchangée.

Selon Weiss (1983), les modèles classiques mettent l'emphase sur les préoccupations des personnes détenant le pouvoir au détriment des préoccupations, des intérêts et des valeurs des personnes impliquées dans le programme. Cette opinion est partagée par Berk et Rossi (1976), Patton (1978), Stake (1978), Cochran (1980), Datta (1981), Parlett et Hamilton (1976), Coleman (1980), House (1980).

Weiss ajoute que les critères utilisés pour mesurer le succès d'un programme ne sont pas réalistes. Par exemple, les effets d'un programme qui sont mesurés après une période trop courte. Caro (1971) et Schwartz (1980) partagent cette opinion. Weiss souligne de plus que souvent les résultats observés se révèlent inutiles puisqu'ils viennent trop tard et influencent peu ou pas le processus de décision. Rutman (1980), et Scott et Shore (1979) abondent dans le même sens que Weiss qui avait déjà émis cette opinion en 1972. Enfin, Weiss insiste sur le fait que les méthodes particulières à la recherche sont le plus souvent inadéquates en évaluation.

Dans le même sens, Gold (1981) insiste sur le fait que les évaluateurs se sont, dans le passé, davantage préoccupés de répondre aux impératifs méthodologiques qu'aux préoccupations des bénéficiaires de l'évaluation, et ce, dans le but d'éviter la confrontation avec leurs pairs.

Comme le soulignent Hurteau et Nadeau (1987), de façon générale l'évaluateur dépose un rapport et se retire. Les administrateurs se sentent réconfortés par les résultats positifs et se dépêchent d'oublier les demandes de réforme. Et, la plupart du temps, la situation demeure inchangée.

Les caractéristiques

Comme solution de rechange aux modèles traditionnels d'évaluation de programmes, certains auteurs, dont Levine (1974), Stake (1976), Parlett et Hamilton (1976) et Guba et Lincoln (1981 et 1985) suggèrent l'utilisation d'une approche naturaliste, dont voici les caractéristiques : elle est davantage centrée sur les activités du programme que sur ses intentions ; elle est davantage partisane des techniques de collecte d'information sur le terrain ; elle est plus sensible aux différentes valeurs des participants car ce sont elles qui constitueront les critères pour poser un jugement ; la structure utilisée pour recueillir et analyser l'information est susceptible de se transformer au fur et à mesure des opérations.

L'évaluation naturaliste se présente donc comme une alternative à la méthodologie conventionnelle en éducation, s'écartant des formes et des méthodes traditionnelles d'instrumentation et d'analyse des données. Quoique les méthodes naturalistes aient été utilisées à de nombreuses fins et appliquées dans plusieurs disciplines (anthropologie, sociologie, psychologie et éducation pour n'en nommer que quelques-unes), elles seraient idéalement adaptables à l'observation et à l'enregistrement systématique des valeurs normatives.

L'investigation naturaliste a été définie de différentes façons : Willems et Raush (1969) la définissent comme *toute forme de recherche qui vise une découverte et une vérification par le biais de l'observation* (cité dans Guba, 1978).

Wolf et Tymitz (1976) définissent l'évaluation naturaliste comme *des épisodes de vie documentés par le langage naturel représentant le mieux possible ce que ressentent les gens, ce qu'ils connaissent et ce que sont leurs intérêts, croyances, perceptions et compréhension.*

House (1977) définit l'évaluation naturaliste comme *une évaluation qui tente d'amener un auditoire cible à des généralisations naturalistes ; qui vise un auditoire non spécialiste, tels les professeurs ou la population en général ; qui utilise un langage simple ; qui est basée sur le raisonnement quotidien informel ; qui fait un grand usage d'arguments tendant à démontrer la structure de la réalité.*

Quoique, comme nous pouvons le constater, plusieurs définitions de l'investigation naturaliste aient été formulées, la plupart des auteurs (Guba et Lincoln, 1981 ; Patton, 1980) s'entendent sur le fait que l'investigation naturaliste diffère des autres modes d'investigation par sa position par rapport à deux dimensions : le degré avec lequel l'investigateur manipule les conditions antérieures à l'investigation (l'évaluateur impose un minimum de contraintes) ; le degré de contrainte imposée au comportement des sujets impliqués dans l'investigation naturaliste (normalement l'évaluateur n'en impose pas).

L'observation naturaliste est devenue une composante importante, sinon majeure, de plusieurs modèles actuels d'évaluation de programmes (Guba et Lincoln, 1981 ; Murphy, 1980 ; Parlett et Hamilton, 1976 ; Patton, 1980 ; Reichardt et Cook, 1979 ; Rist, 1980), ce qui a eu pour effet de favoriser le développement et la description d'un ensemble de stratégies, de méthodes et de techniques naturalistes. L'influence de l'investigation naturaliste à cet égard a été considérable et représente ce qui doit être décrit comme un mouvement qui s'éloigne des pratiques conventionnelles d'évaluation et des définitions plus formalistes. L'évaluation naturaliste, dans son esprit et dans sa méthode, est d'abord et avant tout qualitative, c'est-à-dire orientée vers les valeurs.

Les modèles que l'on retrouve sous l'appellation de naturaliste revêtent un certain nombre de caractéristiques communes :

- Ils sont davantage axés sur les activités d'un programme que sur ses intentions (objectifs initiaux) ;

- Ils se caractérisent par une structure en émergence non organisée à l'avance ;

- Ils font usage de techniques de collecte d'information sur le terrain, ce qui assure des données rapportées dans le langage naturel des participants ;

- Ils s'intéressent aux différentes valeurs des personnes impliquées puisque celles-ci constitueront les critères de jugement ;

- Ils se préoccupent du jugement porté sur l'objet d'évaluation par les personnes impliquées.

Les modèles

Plusieurs modèles portant l'étiquette de naturaliste ont été développés ces dernières années. Ils ont, comme caractéristique première, de posséder les éléments de l'investigation naturaliste. En effet, ces modèles prennent tous en compte, quoique à des degrés divers, l'observation, la description et la vérification des standards, des critères ou des valeurs agissant dans l'environnement d'un programme.

Selon Lincoln et Guba (1985), bien qu'il ne puisse être déterminé à l'avance, le schéma d'une évaluation naturaliste doit considérer un certain nombre de questions et satisfaire, entre autres, aux caractéristiques suivantes :

- L'évaluateur débute certes avec un but, un centre d'intérêt, mais celui-ci peut changer, se modifier en cours de route ;

- La théorie émerge de l'investigation ; elle n'est pas « a priori » ; devant s'adapter à la théorie qui, elle, peut se modifier en cours de route, les méthodes peuvent également changer ;

- L'échantillonnage est fait dans le but de maximiser l'étendue et la portée de l'information ; il est donc intentionnel ;

- L'instrumentation n'est pas externe (objective) mais interne (subjective) ; l'instrument (être humain) ne représente pas une définition opérationnelle de l'objet à mesurer mais plutôt un dispositif sensible, capable d'identifier les éléments les plus importants et de les poursuivre ; l'instrument se raffine et devient plus connaissant au fur et à mesure que l'étude se poursuit ;

— L'analyse des données est ouverte et inductive ; les données sont davantage qualitatives que quantitatives, ce qui rend l'usage des statistiques moins pertinent ; l'importance est accordée à l'analyse des données, celle-ci devant permettre la poursuite de l'investigation et conduire à une compréhension maximale du phénomène évalué ;

— La variable temps ne peut être déterminée à l'avance et le budget ne peut être prévu avec exactitude ;

— Le produit fini est difficile à déterminer sauf qu'il est possible de dire qu'une « plus grande compréhension » émergera, que celle-ci aura une plus grande validité pour les auditoires cibles, que les rapports feront usage d'un langage adapté aux différents auditoires et feront état d'un contenu émanant de leurs propres perceptions.

Les différents modèles que nous allons décrire respectent avec plus ou moins de succès, ces différentes caractéristiques. Ces modèles sont qualifiés de naturalistes parce qu'ils adhèrent aux deux conditions de base : ils ne manipulent pas les conditions antécédentes à l'investigation et ils imposent des contraintes minimales aux comportements des participants. Quoique cela soit variable, les modèles que nous allons décrire remplissent ces conditions à un degré beaucoup plus élevé que la majorité des approches conventionnelles.

Le modèle « réagissant bien »

Le modèle « réagissant bien » développé par Stake (1975a et b) se concentre sur les problèmes et les questions importantes reliés à un programme. Il requiert une planification et une structure mais les caractéristiques de celles-ci sont fonction du programme et des personnes impliquées. Selon Stake, l'évaluation « réagit bien » si elle s'intéresse plus directement aux activités d'un programme qu'à ses buts, si elle répond aux demandes d'information de l'auditoire cible et si, dans la présentation des forces et faiblesses du programme, le rapport fait aussi état des différents systèmes de valeur.

Le but premier de l'évaluation réagissant bien est de répondre aux demandes d'information de l'auditoire cible, d'une part, et de faire surgir les différentes valeurs pouvant être exprimées par les divers auditoires, d'autre part. Sa méthodologie, tout comme celle de l'investigation naturaliste, est non contraignante, libre. Selon Stake, pour réaliser une évaluation réagissant bien, l'évaluateur conçoit un plan d'observation et de négociations. Il s'organise pour que diverses personnes observent le programme et, avec leur aide, il prépare de brefs récits, des portraits, des démonstrations, des représentations graphiques, etc. Il tente de découvrir ce qui « a de la valeur » pour les différents auditoires et rassemble ce qui correspond à l'expression de ces valeurs, exprimées par des individus dont les opinions divergent. Naturellement, il contrôle la qualité de ses données : il vérifie auprès des responsables la justesse et l'exactitude des portraits de la situation qu'il a tracés et il demande aux membres des auditoires cibles d'examiner la pertinence de ses résultats. Il fait le plus souvent usage de cet outil informel, reprend le processus aussi souvent que nécessaire et conserve un enregistrement de toutes les actions et réactions. Afin d'accroître la probabilité et la fidélité de la communication, il utilise des médias qui sont accessibles aux différents auditoires. Il peut enfin préparer un rapport final ou ne pas le faire, selon l'entente convenue avec le client.

Selon Stake (1984), l'être humain représente encore le meilleur instrument disponible pour plusieurs des questions d'évaluation. Ce qui importe, pour l'évaluateur, c'est d'obtenir, de sources variées, indépendantes et crédibles, l'information la plus complète possible eu égard à un programme, information représentant le « statut » du programme tel qu'il est perçu par les différents auditoires. Il est important de les amener à comprendre un programme, dans ses aspects positifs autant que négatifs, dans ses forces vitales autant que dans ses faiblesses.

Les activités

Les activités sont représentées par une série d'événements qui peuvent être décrits ainsi :

— échanger avec les clients, le personnel affecté au programme et les différents auditoires impliqués,
— déterminer l'envergure du programme,
— fournir une description des activités du programme,
— découvrir les buts et les intérêts,
— conceptualiser les questions et les problèmes,
— identifier les données pertinentes à ces questions,
— choisir les observateurs, les juges et les instruments (si nécessaire),
— observer les antécédents, les transactions et les résultats projetés,
— thématiser ou préparer des portraits sur la base d'études de cas,
— démêler, valider, rattacher les résultats obtenus aux différents auditoires,
— sélectionner une forme de communication utile aux auditoires,
— préparer les rapports officiels (si nécessaire).

Selon Stake, ces différentes activités ne doivent pas être considérées dans une perspective linéaire ; elles peuvent prendre place à n'importe quel moment durant le processus d'évaluation, l'évaluateur peut y revenir aussi souvent qu'il le juge nécessaire et plus d'une activité peut prendre place en même temps. Le modèle s'inspire de ce que les gens font normalement : ils observent et réagis-

Figure 6
LES ACTIVITÉS D'ÉVALUATION, SELON STAKE

Échanger avec les clients,
le personnel affecté au
programme et les différents
auditoires impliqués
12

Préparer les rapports
officiels (si nécessaire)
11

Déterminer l'envergure
du programme
1

Sélectionner une forme
de communication utile
aux auditoires
10

Fournir une description
des activités du
programme
2

Démêler, valider, rattacher
les résultats obtenus
9

Découvrir les buts et
les intérêts
3

Thématiser ou préparer
des portraits sur la base
d'études de cas
8

Conceptualiser les
questions et les
problèmes
4

Observer les antécédents,
les transactions et les
résultats projetés
7

Identifier les données
pertinentes à ces
questions
5

Choisir les observateurs,
les juges et les
instruments (si nécessaire)
6

sent. Comme il n'y a pas d'hypothèse déterminée au départ, l'évaluateur observe et négocie le processus d'évaluation qu'il modifie et ajuste au fur et à mesure que l'information émerge. Dans ce modèle, l'évaluateur n'est pas seulement un observateur qui se veut aussi objectif que possible, il est d'abord et avant tout un participant actif.

Selon Stake, l'évaluation réagissant bien est particulièrement utile durant la phase de développement d'un programme (évaluation formative), c'est-à-dire lorsqu'on ne connaît pas les problèmes qui vont surgir et que l'on a besoin d'assurer un suivi au programme. Elle peut aussi être utile au stade de l'évaluation sommative lorsque par exemple les auditoires cibles désirent connaître les activités d'un programme, ses forces et ses faiblesses, ou encore lorsque l'évaluateur juge qu'il est de sa responsabilité de fournir le compte rendu d'une expérience indirecte.

Le modèle « judiciaire »

Le modèle « judiciaire » développé par Wolf (1975 et 1979), Owens (1973) et Levine (1974) prend l'allure d'une audition devant une cour de justice. Selon Wolf (1984), cette méthode offre aux parents, aux enfants, au personnel d'une école, aux payeurs de taxes et aux groupes communautaires, un moyen de participer d'une façon signifiante et significative aux différentes étapes d'une évaluation et les amène à faire usage de toutes leurs capacités.

Le but du modèle judiciaire est d'informer et de juger de questions reliées à l'objet ou au phénomène évalué. Les défenseurs ou les conseillers prennent des positions opposées sur un certain nombre de questions reliées à l'objet d'évaluation et doivent défendre leur point de vue avec le plus de conviction possible. Le juge et les membres du jury entendent les dépositions des « témoins » et la présentation des faits pertinents à la question, et présentent leur perception de la valeur du programme et leurs recommandations pour son amélioration. Cette approche soutient que la « vérité » (et, par conséquent, les valeurs) a plus de chances d'émerger dans un tel cadre que dans celui, plus conventionnel, où on est en présence du seul évaluateur. Selon Wolf (1984), l'évidence, qui guide la réflexion et le jugement, inclut non seulement les « faits » mais aussi les perceptions, les opinions, les spéculations, les biais, et ce, dans un contexte de valeurs et de croyances.

Dans le but de rendre la méthode le plus efficace possible, c'est-à-dire de permettre l'investigation en profondeur et de préparer une argumentation complète et totale, les investigateurs doivent devenir familiers avec les techniques d'investigation naturalistes, ce qui veut dire qu'ils doivent être capables de conduire des entrevues en profondeur, de faire des observations, de visiter des sites, de consulter des revues et d'analyser des documents, de faire des sommaires, etc. Les « procédures judiciaires » reposent sur l'habileté des équipes d'évaluation à conduire une exploration naturaliste, réagissante et étendue.

Les étapes

Le modèle judiciaire se déroule habituellement selon les étapes suivantes, au nombre de quatre.

La production de questions

Cette étape représente la phase préparatoire de l'investigation et consiste à identifier les questions d'intérêt les plus larges possibles, à partir d'entrevues conduites et réalisées auprès d'un échantillon de membres des auditoires cibles impliqués, à travers des observations *in situ* et l'analyse de documents, comme dans le cas du modèle réagissant bien. Les stratégies de l'investigation naturaliste prédominent à cette étape.

La sélection de questions

Le but de cette étape est de réduire le nombre de questions identifiées à l'étape précédente et de les placer par ordre de priorité, de telle sorte qu'elles puissent être utilisables selon le format d'audition. Les questions qui ne sont pas retenues pour les fins d'évaluation doivent par contre être incluses dans le rapport final de l'investigation. Cette phase fait largement usage des techniques naturalistes.

La préparation d'arguments formels

Cette étape consiste à construire une argumentation sur le phénomène en cause. À partir des questions retenues, chaque équipe de conseillers ou de défenseurs prépare un ensemble d'arguments formels ; ils peuvent utiliser toute évaluation et toutes les données disponibles comme « pièces à conviction ». Toute évidence additionnelle peut être recueillie, particulièrement celle qui prend la forme de dépositions des témoins ; ces derniers peuvent même être appelés à témoigner lors de l'audition elle-même.

Pendant une préaudition, chaque équipe présente à la partie adverse les arguments majeurs qu'elle entend faire valoir, les évidences qu'elle veut présenter. Comme ce n'est pas un procès dans le sens conventionnel du terme mais bien un effort pour découvrir la vérité, chaque partie partage ses résultats et ses découvertes avec l'autre partie. De plus, les parties elles-mêmes décident des règles du jeu (nombre de témoins à appeler et critères d'admissibilité de l'évidence).

L'audition

Cette étape finale consiste à faire une présentation publique du cas. Épousant le modèle d'une cour de justice, l'audition prend place devant un officier administratif et un jury ou panel d'audition. Après l'audition de l'évidence, le jury remplit toutes les fonctions que les parties lui ont assignées, lesquelles impliquent habituellement la présentation des découvertes (incluant les jugements de valeurs) et des recommandations.

Le modèle transactionnel

Le modèle transactionnel développé par Rippey (1973) diffère des modèles conventionnels en ce qu'il s'intéresse directement aux conflits de gestion et aux changements institutionnels provoqués par l'implantation d'un programme, et utilise ce qu'on appelle la « théorie des systèmes ouverts ». L'approche transactionnelle étudie donc les perturbations causées par un programme, au niveau de l'établissement, et travaillle à éliminer ces bouleversements en faisant usage de stratégies de résolution de conflits de gestion.

Les phases

L'évaluation transactionnelle comporte cinq phases.

La phase initiale

Elle suppose que certains problèmes existent ou encore qu'il se présente certaines situations difficiles. Les parties intéressées sont convoquées à une réunion tenue sous la direction d'un évaluateur « neutre », travaillant dans une atmosphère exempte de jugements.

La phase d'instrumentation

Dans cette phase, un instrument (*transactional evaluation instrument*) est développé, lequel a pour but d'aider l'évaluateur à connaître les perceptions et les attentes des divers groupes d'intérêt. Il fournit aussi une tribune pour le partage d'opinions entre ces différents groupes d'intérêt. Il est développé et administré à l'intérieur de sessions de groupe, durant lesquelles : l'évaluateur formule les questions d'intérêt reflétant les opinions du groupe ; les participants sont invités à reformuler leurs opinions ; les réponses écrites les plus représentatives et les plus divergentes sont soigneusement transposées en items auxquels on joint une échelle de mesure allant de « fortement en accord » à « fortement en désaccord » ; l'instrument est administré au groupe ; les réponses sont analysées.

Le développement du programme

Le programme est transformé de telle façon qu'il reflète les buts et les valeurs sur lesquels le groupe fait consensus.

Le suivi du programme

Les divers groupes s'entendent pour assurer la responsabilité de l'implantation et du suivi du programme révisé.

Le recyclage

Le processus entier est repris à toute phase jugée appropriée, lorsque de nouveaux conflits se manifestent.

Le modèle « éclairant »

Le modèle « éclairant » développé par Parlett et Hamilton (1976) repose sur une série d'observations (mais aussi sur les questionnaires, entrevues et tests) faites dans le but d'enregistrer les événements en cours d'une façon continue afin d'identifier : les caractéristiques critiques et les caractéristiques non manifestes d'un programme ; les postulats de base qui lui sont sous-jacents ; les relations interpersonnelles qui l'affectent ; les réalités complexes qui l'entourent.

Selon les termes de Parlett et Hamilton, l'évaluation éclairante rend compte des contextes plus larges dans lesquels les programmes évoluent, sa préoccupation première étant la description et l'interprétation plutôt que la mesure et la prédiction. Elle se présente comme un paradigme méthodologique alternatif.

Les buts de l'évaluation éclairante sont d'étudier les innovations : comment elles fonctionnent ; comment elles sont influencées par l'environnement et les situations scolaires ; ce que les gens directement concernés considèrent comme ses avantages et ses inconvénients ; comment elles affectent les tâches intellectuelles et l'expérience académique des étudiants. Elle vise à découvrir et à documenter les caractéristiques les plus marquantes, les événements concomitants les plus fréquents et les processus les plus critiques. Bref, elle cherche à exprimer et à éclairer un ensemble complexe de questions.

Les stades

L'évaluation éclairante se réalise en trois stades.

D'abord, on effectue des observations initiales ayant pour but de familiariser l'évaluateur avec la réalité quotidienne, généralement à la manière des anthropologues et des historiens.

Puis on conduit une investigation plus soutenue et intensive sur un nombre d'incidents banals, de tendances récurrentes et de questions d'intérêt fréquemment soulevées dans les discussions.

Enfin, on s'efforce d'identifier les principes généraux qui sous-tendent l'organisation du programme, pour déterminer les relations de cause à effet et pour placer les résultats observés dans un contexte explicatif plus large.

Le modèle « du connaisseur »

Le modèle « du connaisseur » développé par Eisner (1975 et 1979) repose sur l'idée que l'enseignement est un art demandant certaines qualités, qui sont différentes d'un professeur à un autre ; que l'éducation est un processus qui peut varier d'un contexte à un autre. Dans cette perspective, l'évaluation en éducation ne doit pas être à la recherche de recettes propres à contrôler et à mesurer la pratique mais, au contraire, elle doit faire en sorte que le professeur exerce ses capacités artistiques au maximum. Eisner voit l'évaluation comme une forme de critique, en fonction des capacités de l'évaluateur et vue comme l'acte d'apprécier et de sentir les qualités subtiles d'un projet ou d'une activité. Les « indicateurs critiques » (bornes) utilisés pour conduire l'évaluation constituent les éléments essentiels de l'approche du connaisseur. Ces bornes ou indicateurs critiques représentent les valeurs et les concepts formés à partir de la tradition, de l'expérience et des théories, et représentent donc les standards pour juger l'objet ou l'activité. Guba (1978) caractérise ainsi les connaisseurs:

> [Ce sont] des personnes ayant un niveau de perception raffiné, une connaissance de ce qui doit être recherché et un bagage d'expériences pertinentes. Ils ont la capacité de reconnaître les habiletés, la forme et l'imagination, et de percevoir les intentions et les conceptions majeures sous-jacentes à l'entité évaluée. À cause de ces caractéristiques, le connaisseur constitue lui-même l'instrument d'évaluation. Ayant posé ses jugements, il communique les qualités propres à l'entité évaluée, leur signification et certaines considérations sur la valeur de l'expérience, souvent à travers l'emploi de riches métaphores (p. 39).

Selon Eisner, la critique en éducation possède trois caractéristiques: la description, l'interprétation et l'évaluation. La description constitue un effort pour caractériser le phénomène, c'est-à-dire en faire le portrait à partir des qualités perçues. L'interprétation représente un effort de compréhension du sens et de l'importance que représentent, pour différents auditoires, les diverses formes d'action prenant place dans un contexte donné. L'évaluation consiste à poser des jugements de valeur sur le phénomène observé, sur sa signification et sur son apport éducatif.

Afin d'assurer une plus grande validité de l'approche, Eisner suggère l'utilisation de deux critères: la confirmation structurale et l'adéquation des références. La confirmation structurale consiste à valider les conclusions par la citation d'une variété de faits les supportant; l'adéquation des références consiste à observer le phénomène et à tenter d'y retrouver les constats et les conclusions présentés par le connaisseur.

Le modèle conjoncturel

Lincoln (1986) propose la définition suivante de l'évaluation: elle est une forme d'investigation contrôlée, visant à déterminer la valeur (le mérite) d'une certaine entité (la chose évaluée), tels un traitement, un programme, un lieu physique, une performance, etc., dans le but d'améliorer ou de perfectionner la chose évaluée (évaluation formative), ou dans le but d'analyser son impact (évaluation sommative).

Pour Guba et Lincoln (1985), l'évaluation est une forme d'investigation contrôlée qui a ses propres propriétés mais dont les buts, les clients et les résultats sont différents de ceux qui sont visés par la recherche ou encore par les analyses de politique. D'une façon plus particulière, l'évaluation est:

— un processus socio-politique,

— un processus d'enseignement/apprentissage,

- un processus continu, récurrent et divergent,
- un processus qui « crée » la réalité,
- un processus émergent,
- un processus dont les résultats sont imprévisibles,
- un procédé de collaboration,
- un procédé qui doit prendre la forme d'études de cas.

Le modèle conjoncturel développé par Guba et Lincoln (1981) met l'accent sur les préoccupations et les questions en litige, les problèmes rencontrés par les différents auditoires cibles concernés.

Les caractéristiques

Tel que le souligne la définition, le modèle conjoncturel est basé sur les préoccupations et les problèmes des divers auditoires cibles concernés ainsi que sur leurs besoins d'information, plutôt que sur des objectifs et des hypothèses préconçus. Il prend en considération les différentes valeurs de ces auditoires cibles et accepte d'envisager les conflits pouvant émerger des différents points de vue. Par le fait même, il a une vue pluraliste d'un programme d'études.

Le modèle est flexible, compte tenu du fait que le cadre structural se bâtit et se modifie au fur et à mesure que les problèmes et les données émergent. L'évaluateur, comme les participants, doit se laisser stimuler par les activités du programme et devenir lui-même « participant ».

Le modèle conjoncturel favorise l'étude de cas puisque selon Graham et Hope (1977) il est :

A systematic gathering of enough information about a particular person, situation, community or program to permit one understand how that entity functions as a unit of society (p. 84).

En outre, il permet d'établir une description du phénomène selon le point de vue des différents participants.

Certains évaluateurs utilisent l'étude de cas selon un point de vue anthropologique alors que d'autres l'utilisent dans une perspective journalistique. Welch (1981), ainsi que Guba et Lincoln (1981a), proposent plutôt une approche ethnographique et, à l'instar de Dobbert (1982) et Huefte (1983), ils distinguent l'étude de cas ouverte de l'étude de cas focalisée.

L'étude de cas ouverte permet de produire des hypothèses, des questions et de créer une vision d'un phénomène, et doit être utilisée lorsqu'on sait peu de chose sur le sujet à l'étude et qu'on désire en augmenter la compréhension globale. D'autre part, l'étude de cas focalisée vise une meilleure compréhension d'un problème et devrait être utilisée lorsqu'on détient déjà de l'information et que des problèmes ont été cernés. Elle devrait être utilisée soit en vue d'un diagnostic (clarifier, expliquer des situations ambiguës, découvrir des situations problématiques stressantes, etc.), soit en vue d'un rapport (enregistrer le développement d'une situation, documenter une implantation, évaluer des résultats, etc.).

C'est habituellement l'étude de cas focalisée qui est retenue parce qu'elle répond mieux aux besoins d'information du client et augmente l'utilité des résultats de l'évaluation.

Les objectifs de l'évaluation

Dans le cadre du modèle conjoncturel, l'évaluation d'un programme peut prendre deux orientations :

— la détermination du mérite de l'entité,
— la détermination de la valeur de l'entité (Scriven, 1978 ; Guba et Lincoln, 1981a).

Le mérite constitue une estimation de la valeur intrinsèque. Il s'agit, de fait, de déterminer la valeur absolue, implicite, inhérente à l'objet d'évaluation, et ce, indépendamment de toute application, libre de tout contexte. On peut déterminer le mérite d'une entité en examinant le degré de conformité existant entre l'entité évaluée et certains critères établis par un groupe d'experts (évaluation absolue) ou encore en comparant le phénomène évalué avec d'autres phénomènes de même nature (évaluation comparative, relative).

La détermination de la valeur consiste à évaluer la valeur extrinsèque de l'entité évaluée, c'est-à-dire celle qui est reliée au contexte. Cette valeur est déterminée en comparant l'impact ou les effets du phénomène évalué aux critères externes (évaluation des besoins, évaluation du contexte, etc.).

Pour Guba et Lincoln (1981a), il est possible d'associer la détermination du mérite à une évaluation de type formatif et la détermination de la valeur à une évaluation de type sommatif ; ces dimensions sont complémentaires. Selon ces deux auteurs, la distinction entre les deux contextes n'est pas seulement d'ordre conceptuel, mais elle aurait en fait des implications opérationnelles importantes, puisque les jugements posés seront différents selon l'orientation retenue.

Le modèle conjoncturel privilégie les méthodes qualitatives (entrevue, observation, étude de documents, etc.), sans pour autant rejeter les techniques quantitatives lorsque la situation l'exige. L'important est que l'information soit recueillie en quantité suffisante et à partir de différentes sources pour représenter le statut du programme tel qu'il est perçu par les différents auditoires cibles.

L'évaluation conjoncturelle s'applique à dresser des portraits d'une situation donnée, selon une forme adaptée aux différents auditoires auxquels ils sont destinés, et propose aussi une rétroaction continuelle auprès de ces divers auditoires cibles.

L'approche conjoncturelle se situe à l'intérieur du paradigme naturaliste et repose sur les postulats suivants :

- la réalité est envisagée comme divergente, interreliée et multidimensionnelle,
- la relation sujet/chercheur/évaluateur est considérée comme interreliée,
- la nature des énoncés vise plutôt à établir les différences et les conséquences inattendues, et à tracer une image complète du programme.

L'évaluateur s'éloigne des théories connues pour adopter une théorie « au ras du sol » (*grounded*), bâtie sur des faits observés systématiquement, théorie qui tient compte des situations empiriques et des liens de collaboration qu'il peut établir avec tous ceux qui sont partie prenante au processus d'évaluation. Il travaille dans des conditions naturelles, empreintes de changements, de nouveautés et d'éléments imprévisibles. Il doit témoigner, lors des différents moments de l'évaluation, de la complexité de la situation en englobant dans la problématique tous les éléments de la situation qui en rendent compte. S'il lui faut effectuer un choix de variables à considérer et déterminer l'importance de chacune d'elles, il ne doit cependant pas pour autant ignorer d'autres variables qui, en cours de démarche, pourraient se révéler plus importantes.

L'évaluation conjoncturelle s'inspire des attributs de l'approche naturaliste, en établissant les jalons de l'évaluation, en utilisant un centre d'intérêt pour analyser l'information et en assurant une rigueur à la démarche.

Les jalons de l'évaluation

Selon Guba et Lincoln (1981), il est évident qu'on ne peut « tout » étudier et qu'il nous faut faire des choix. À cet égard, la différence entre l'approche conjoncturelle et les autres ne réside pas tant dans la façon dont les limites sont établies mais bien dans la façon dont les problèmes sont identifiés ; en fait ils ne sont pas identifiés avant que l'évaluation ne prenne place mais ils émergent pendant le processus d'évaluation, ce qui suppose : une présence et une ouverture d'esprit face aux idées des personnes impliquées ; une attitude de curiosité et de découverte face au phénomène étudié ; un esprit de collaboration, un désir de négociation entre l'évaluateur et les personnes impliquées.

L'utilisation d'un centre d'intérêt

L'approche conjoncturelle suggère le regroupement des informations recueillies en catégories les plus représentatives des intérêts et des problèmes vécus par les répondants. La structuration de ces catégories s'effectue en plusieurs étapes. En effet, elles doivent être constamment soumises à l'attention et à la critique des personnes concernées de près ou de loin par le phénomène évalué, en vue d'obtenir leur approbation. Ce retour offre la garantie de la crédibilité et de l'exhaustivité de celles-ci. L'ensemble des catégories sera jugé fiable, valide et complet si, après vérification, un second observateur est capable de déduire une cohérence interne et de réintroduire les informations recueillies dans l'une ou l'autre de ces catégories.

C'est lors de l'analyse et de l'interprétation des données que l'évaluateur doit créer, imaginer, à partir des propos des différents interlocuteurs, les liens, la logique inhérente, l'ordonnancement des faits. Une fois l'analyse terminée, l'évaluateur y trouvera des indices concernant la fin du processus de collecte de données, l'impossibilité par exemple d'identifier des situations nouvelles, d'autres sujets à interroger, d'autres documents à examiner ou des informations additionnelles.

L'assurance de la rigueur

Guba et Lincoln (1981) ont identifié quatre critères permettant d'assurer la rigueur de la démarche, lesquels forment la contrepartie des concepts de validité interne, validité externe, fidélité et objectivité appliqués au processus de recherche traditionnel. Ces quatre critères sont: la *crédibilité*, l'« *audibilité* », la « *transférabilité* » et la *confirmation*. L'approche sera crédible si les données recueillies reflètent une multitude de réalités propres aux personnes concernées par l'objet d'évaluation. L'approche sera « audible » si les données recueillies sont « vérifiables » et « retraçables ». L'approche respectera le critère de confirmation si les données peuvent être corroborées. Enfin, l'approche satisfera au critère de la « transférabilité » s'il est possible de dégager des ressemblances et des différences d'une situation à une autre.

L'application de ces critères devrait permettre d'assurer l'authenticité des informations recueillies et de leur interprétation, de leur signification et de leur importance, d'évacuer tout biais émanant des opinions de l'évaluateur sur le phénomène évalué, et d'adapter l'approche à d'autres situations.

L'évaluation conjoncturelle traite la réalité comme si elle était composée de plusieurs facteurs et d'une multitude de relations, et formait une structure d'ensemble qui ne peut être comprise que lorsqu'elle est considérée de façon « holistique ».

Afin d'assurer la rigueur des données recueillies dans le cadre de l'approche conjoncturelle, Guba et Lincoln (1981) ont élaboré certaines stratégies (tableau 10).

Toutes ces techniques ont leur importance, mais certaines plus que les autres parce qu'elles assurent la couverture des quatre critères mentionnés plus haut. Ces techniques sont:

Tableau 10
**TECHNIQUES POUR ASSURER LA RIGUEUR
DE L'APPROCHE CONJONCTURELLE**

Critère	Techniques
Crédibilité	(1) Activités dans le champ qui accroissent la probabilité d'un haut niveau de crédibilité
	(a) Engagement prolongé
	(b) Observation persistante
	(c) Triangulation (sources, méthodes, investigateurs)
	(2) Rapport auprès des pairs
	(3) Analyse de cas négatifs
	(4) Adéquation référentielle
	(5) Vérifications par les membres (en cours et à la fin)
Transfert	(6) Description étoffée
Fiabilité	(7a) Audition de fiabilité
Confirmation	(7b) Audition de confirmation
Tous les critères	(8) Le journal de bord personnel

— la vérification interne,
— la vérification externe,
— la triangulation.

La vérification interne

Elle consiste à retourner aux auditoires cibles et à leur présenter l'information recueillie afin d'obtenir leurs réactions et leurs versions des faits. L'information présentée leur apparaît-elle nouvelle ? La présentation la rend-elle compréhensible ? La présentation déforme-t-elle la réalité ? Est-elle biaisée, contraire à leurs valeurs, à leurs intérêts ? etc.

La vérification externe

Elle consiste à examiner les procédures utilisées pour recueillir, analyser et interpréter les données, et à juger de leur acceptabilité. La vérification externe a aussi pour fonction de certifier l'existence de données supportant chacune des interprétations, d'une part, et la consistance de ces dernières avec les données, d'autre part.

La triangulation

Cette technique consiste en une vérification des données, des faits, des propositions par l'utilisation de sources, de méthodes ou encore d'investigateurs différents. Selon Guba et Lincoln (1985), toute information recueillie devrait être confirmée par un exercice de triangulation.

L'apport principal de l'approche conjoncturelle réside dans le rôle qu'elle confère à l'évaluateur qui est vu comme l'instrument indispensable. En effet, l'évaluateur est en interaction constante avec le milieu, continuellement confronté à de nouvelles données et avenues d'observation, et il est sensible aux propos et aux idées de tous les participants. Il doit en outre varier ses grilles ou cadres d'analyse, il doit faire appel à son imagination, à sa créativité et à celle des répondants. L'évaluateur doit avoir une perception holistique de la réalité ; « ce qui est dit » n'est pas ou n'est plus la seule donnée ou la plus importante. Ce qui est perçu, senti, vécu est tout aussi important et révélateur.

Les éléments du schéma

Comme le soulignent Lincoln et Guba (1985), il s'agit d'identifier les éléments clés d'une étude évaluative, et ceux-ci ne doivent pas être vus comme immuables et leur utilisation ne doit pas être considérée dans une perspective linéaire. Les éléments du schéma sont les suivants.

La détermination d'un centre d'intérêt

La détermination du centre d'intérêt consiste à cerner l'objet d'évaluation, à préciser si l'évaluation s'adresse à sa valeur ou à son mérite, et à indiquer si l'évaluation est de type formatif ou de type sommatif. La détermination du centre d'intérêt permet une identification des frontières de l'étude et des critères permettant à l'évaluateur de retenir ou de rejeter l'information.

La détermination de la relation entre le paradigme et le centre d'intérêt

Il s'agit de savoir si les postulats propres à l'approche naturaliste s'appliquent. Selon Lincoln et Guba (1985), ils sont applicables dans la très grande majorité des investigations à caractère social et psychologique.

La détermination de la relation entre le paradigme et la théorie sous-jacente à l'investigation

Lincoln et Guba soulignent le fait que, comme dans une investigation naturaliste la théorie se dégage au fur et à mesure que l'information émerge, on peut ne pas considérer cet élément puisque la théorie sera nécessairement en relation avec le paradigme. Ils indiquent cependant que si des études similaires ou en relation avec celle qui est en cours, fournissent quelques bases théoriques importantes, il est alors nécessaire de considérer le degré de relation existant entre ces bases théoriques et le paradigme.

La détermination de la collecte des données (où et auprès de qui)

Il s'agit de déterminer, d'une façon même provisoire, les caractéristiques de l'échantillon final devant être utilisé. Il importe de s'assurer que cet échantillon permettra l'expression du maximum d'information, la plus complète et variée possible. L'échantillonnage doit se poursuivre jusqu'à ce que les informations deviennent redondantes, c'est-à-dire jusqu'à ce qu'il n'y ait plus d'informations nouvelles. À cette fin, il faut prévoir les caractéristiques de l'échantillon final, s'assurer d'une émergence ordonnée de l'échantillon, raffiner le processus d'échantillonnage tout au long de la collecte d'information et prévoir la fin de la procédure.

La détermination des phases de l'investigation

La phase 1 consiste en une étude ou une orientation préliminaire. Il s'agit essentiellement de déterminer les aspects les plus importants et qui doivent avoir un suivi. Cette étape fait usage d'instruments non raffinés car l'évaluateur connaît peu la situation. La phase 2 est appelée « exploration orientée » et consiste à faire une analyse en profondeur des éléments reconnus comme importants lors de la phase 1. Suffisamment de temps doit être laissé entre la phase 1 et la phase 2 pour permettre la mise sur pied de protocoles d'enquête ou d'observation plus raffinés. Les informations provenant de la phase 2 sont colligées dans un rapport prenant généralement la forme d'une étude de cas. La phase 3 consiste à soumettre ce rapport aux personnes ayant fourni les informations lors des phases 1 et 2, afin qu'elles puissent le corriger, l'amender, l'augmenter. En somme, il s'agit, lors de cette phase, de déterminer la crédibilité de l'évaluation.

La détermination de l'instrumentation

L'évaluation conjoncturelle privilégie l'être humain comme instrument de collecte des données. Lincoln et Guba (1985) suggèrent l'utilisation d'équipes, celles-ci pouvant jouer plusieurs rôles, représenter différents systèmes de valeurs, provenir de différentes disciplines, faire usage de stratégies diverses, refléter une expertise méthodologique substantielle, assurer une plus grande rigueur, s'assurer un support mutuel. L'évaluateur doit voir à assurer un maximum d'efficacité à ces équipes et les choisir de telle sorte qu'elles aient les qualités mentionnées ci-dessus. Il doit de plus leur assurer un entraînement de base, de même que tout entraînement jugé nécessaire durant le déroulement de l'étude. Il ne doit pas non plus négliger la considération et le développement de tout autre type et forme d'instrument pouvant permettre la collecte de l'information pertinente.

La détermination de la collecte et de l'organisation des données

Le schéma d'évaluation doit prévoir, quoique d'une façon incomplète, les diverses activités de collecte d'information que devront réaliser les membres de l'équipe d'évaluation. Il est important de porter une attention particulière à l'organisation des données, celle-ci pouvant varier quant à la « fidélité » (habileté de l'évaluateur à reproduire exactement les données) et quant à la structure.

La planification de l'analyse des données

L'analyse des données ne doit pas être perçue comme une étape intervenant à un moment précis dans le temps. Selon Guba et Lincoln (1985), elle débute dès les premiers moments de l'investigation pour se poursuivre tout au long du processus. Le schéma doit faire état de cette particularité et faire en sorte qu'elle soit possible.

La planification des éléments logistiques

Le schéma doit prêter attention aux éléments logistiques : des activités du projet tout entier ; des activités qui précèdent les visites sur le terrain ; des activités durant ces visites sur le terrain ; des activités suivant les visites ; des activités de conclusion du projet.

La planification des éléments de fidélité

L'évaluateur doit faire en sorte que les informations recueillies et interprétées puissent être authentifiées et exemptes de biais. Il lui faut s'assurer que les données satisfassent aux critères de *crédibilité*, d'*audibilité*, de *transférabilité* et de *confirmation*. Il lui faut choisir des techniques propres à assurer la couverture de ces critères, les vérifications interne et externe, et la triangulation étant les plus importantes à ce chapitre.

Les avantages et les limites du modèle

Les avantages et les limites présentés ci-dessous sont empruntés à Nadeau et Hurteau (1987).

Les avantages

L'utilisation du modèle conjoncturel offre certains avantages :

—   Le modèle conjoncturel utilise une planification minimale des opérations, celles-ci se prêtant donc à des modifications en cours de route (Rockwell, 1982), ce qui permet de répondre plus aisément aux besoins du client qui peut modifier ses demandes au fur et à mesure que l'information émerge (Klintberg, 1976) ;

—   Cette planification des opérations permet plus facilement l'émergence et la reconnaissance des problèmes, la conceptualisation des questions en litige, etc. (Stake et Pearsol, 1981 ; Rackel, 1976 ; Land, 1976). On parvient à une impression plus appropriée et plus intéressante de la situation (Schermerhorn et Williams, 1979 ; Rockwell, 1982 ; Van Hoose, 1970) ;

—   De par le type d'information qu'il recueille, le modèle conjoncturel éveille l'intérêt, chez les personnes impliquées dans le programme, ainsi que leur participation et leur collaboration (Land, 1976 ; Murray, cité dans Stake, 1982a ; Klintberg, 1976 ; Preskill, 1973) ;

–   Le modèle conjoncturel transmet l'information aux personnes intéressées au fur et à mesure qu'elle émerge, et dans un langage qui leur est approprié (Schermerhorn et Williams, 1979; Van Hoose, 1970);

–   Le modèle conjoncturel permet une utilisation maximale des résultats en recherchant une participation maximale des participants dans la recherche des solutions (Murray, cité dans Stake, 1982a; Van Hoose, 1970; Ryan et Randhawa, 1982; Preskill, 1973; Rackel, 1976; Rockwell, 1982);

–   Enfin, cette approche amène les preneurs de décision à poser des gestes pour améliorer le programme (Rockwell, 1982; Kalman, 1976; Schermerhorn et Williams, 1979).

Les limites

S'il ressort que l'utilisation du modèle conjoncturel a, la plupart du temps, satisfait les auteurs, il n'en demeure pas moins qu'ils ont expérimenté aussi certaines difficultés. Ainsi :

–   Pour Schermerhorn et Williams (1979), l'utilisation du modèle conjoncturel entraîne des coûts beaucoup plus élevés que ceux encourus par l'utilisation d'un modèle formaliste; le rapport serait de 6 000 $ à 570 $...

–   Pour Sorlie et Essex (1978), le modèle conjoncturel n'offre pas toujours la possibilité de recueillir l'information désirée et il faut alors compléter par d'autres modèles. Rackel (1976) abonde dans le même sens, en précisant qu'il réserve l'utilisation de ce modèle à l'évaluation de nouveaux programmes;

–   Pour Van Hoose (1977), la structure flexible du modèle peut susciter des difficultés dans le maintien du centre d'intérêt ainsi que dans son adaptation aux difficultés qui surgissent;

–   Enfin, Stake et Pearsol (1981) soulignent que la communication qui se veut accessible peut parfois sembler décevante aux personnes à qui elle est destinée, leur apparaissant trop personnalisée, incomplète et « simpliste ».

◆   **RÉFÉRENCES**

Barbour, I.G. (1976), *Myths, Modus and Paradigms,* New York, N.Y. Harper and Row.

Berk, R.A., Rossi, P.H. (1976). *Doing Good or Worst: Evaluation Research Politically Reexamined. Social Problems.* 3. 337-349.

Borich, G.D. (1980). *A State of the Arts Assessment of Education Evaluation.* ERIC ED 187717.

Borich, G.D., Jemelka, R.P. (1982). *Programs and Systems: An Evaluation Perspective.* New York, N.Y. Academic Press.

Brickell, H.M. (1976). *Needed: Instruments as Good as our Eyes.* Evaluation Center, Occasional Paper Series no. 7. Kalamazoo, Mich. Western Michigan University.

Brugelmann, H. (1982). *German Conference on the Case Study Approach. Evaluation News.* 3 (1). 34-37.

Caro, F.G. (1971). *Issues in the Evaluation of Social Programs. Review of Educational Research.* 41 (2). 87-114.

Clark, P.L., Guba, E.G. (1965). *An Examination of Potential Change Role in Education.* Communication présentée au Seminar of Innovation in Planning School Curricula. Aizliehouse, Va.

Cochran, N. (1980). *Society as Emergent and More than Rational: An Essay on the Inappropriateness of Program Evaluation. Policy Sciences.* 12. 113-129.

Coleman, N. (1980). *Policy Research and Political Theory. University of Chicago Record.* 14 (2).

Datta, L.E. (éd.) (1981). *Evaluation in Change.* Beverly Hills, Calif. Sage.

Denyin, N.K. (1978). *Sociological Methods.* New York, N.Y. McGraw-Hill.

Dobbert, M.L. (1982). *Ethnographic Research: Theory and Application for Modern Schools and Societies.* New York, N.Y. Praeger.

Eisner, E.W. (1975). *The Perceptive Eye: Toward the Reformation of Educational Evaluation. Occasional Papers of the Stanford Evaluation Consortium.* Stanford, Calif. Stanford University.

Eisner, E.W. (1976). *Educational Connoisseurship and Criticism: Their Form and Functions in Educational Evaluation. Journal of Aesthetic Education.* 3-4 (10). 135-150.

Eisner, E.W. (1979). *The Educational Imagination.* New York, N.Y. McMillan.

Gold, N. (1981). *The Stakeholder Process in Educational Program Evaluation.* Washington, D.C. National Institute of Education.

Graham, K., Hoke, S. (1977). *Designing Case Studies that Make a Difference. Inntech Journal.* 1 (1). 84-88.

Guba, E.G. (1969). *The Failure of Educational Evaluation. Educational Technology.* 9. 29-38.

Guba, E.G. (1982). *The Paradigm Revolution in Inquiry: Implications for Vocational Research and Development. Occasional paper no 70.* The National Center for Research in Vocational Education. Colombus, Ohio. Ohio State University.

Guba, E.G., Lincoln, Y.S. (1981a). *Effective Evaluation.* San Francisco, Calif. Jossey-Bass.

Guba, E.G., Lincoln, Y.S. (1981b). *Naturalistic Evaluation. Acte du Congrès d'Évaluation 81.* Austin, Texas.

Guba, E.G., Lincoln, Y.S. (1985). *The Countenance of Fourth-Generation Evaluation: Description, Judgment, and Negotiation.* Communication présentée à Evaluation 85. Toronto, Ont.

House, E.R. (1977). *The Logic of Evaluative Argument. CSE Monograph Series in Evaluation, No. 7.* Los Angeles, Calif. Center for the Study of Evaluation, University of California.

House, E.R. (1980). *Evaluating with Validity.* Beverly Hills, Calif. Sage.

Huefte, S.A. (1983). *A Focused Case Study. Acte du Congrès Expanding the Frontiers.* Chicago, Ill.

Hurteau, M. (1984). *Une approche naturaliste: L'évaluation du certificat de relations industrielles à la faculté de l'éducation permanente (Université de Montréal) au moyen du modèle conjoncturel.* Thèse de doctoral en mesure et évaluation. Québec. Qc. Université Laval.

Hurteau, M., Nadeau, M.A. (1987). *Le post-mortem d'une évaluation conjoncturelle.*

Revue canadienne d'éducation/Canadian Journal of Education. 12 (3).

Kalman, M. (1976). *Use of Responsive Evaluation in State Wise Program Evaluation.* **Studies in Educational Evaluation.** 2 (1). 9-18.

Klintberg, I.G. (1976). *A Responsive Evaluation of Two Programs in Medical Education.* **Studies in Educational Evaluation.** 2 (1). 23-30.

Krathwohl, D.R. (1974). *The Myth of Value-Free Evaluation.* **Educational Evaluation and Policy Analysis.** 2. 37-46.

Land, F.L. (1976). *The Evaluation from the Program Director's Viewpoint.* **Educational Evaluation.** 2 (1). 31-32.

Levine, M. (1974). *Scientific Method and the Adversary Model.* **American Psychologist.** 29 (9). 661-677.

Lincoln, Y.S. (1986). *Program Evaluation in the Year 2000: Problems and Solutions.* Conférence présentée au Congrès « L'évaluation: défis des années 80 », dans le cadre de l'ACFAS. Montréal, Qc.

Lincoln, Y.S. (1987). *L'évaluation en l'an 2000: Problèmes et solutions.* Dans M.A. Nadeau, M. Hurteau (éd.) *L'évaluation: Défis des années 80.* Québec, Qc. Département de mesure et évaluation, Université Laval.

Lincoln, Y.S., Guba, E.G. (1985) *Naturalistic Inquiry.* Beverly Hills, Calif. Sage.

Madaus, G.F., Scriven, M.S., Stufflebeam, D.C. (éd.) (1983). *Evaluation Models: Viewpoints on Educational and Human Services Evaluation.* Boston, Mass. Kluwer-Nijhoff.

Murphy, J. (1980). *Getting the Facts: A Fieldwork Guide for Evaluators and Policy Analysis.* Santa Monica, Calif. Goodyear.

Nadeau, M.A. (1981). *L'évaluation des programmes d'études: Théorie et pratique.* Québec, Qc. Les Presses de l'Université Laval.

Nadeau, M.A., Hurteau, M. (1985). *The Pros and Cons of Naturalistic Inquiry.* Communication présentée dans le cadre d'« Evaluation 85 ». Toronto, Ont.

Nadeau, M.A., Hurteau, M. (éd.). *L'évaluation: Défis des années 80. Monographie en mesure et évaluation.* Québec, Qc. Département de mesure et évaluation, Université Laval.

Owens, T.R. (1973). *Educational Evaluation by Adversary Proceedings.* Dans E.R. House (éd.) *School Evaluation: The Politics and Process.* Berkeley, Calif. McCutchan.

Parlett, M., Hamilton, D. (1976). *Evaluation as Illumination: A New Approach to the Study of Innovatory Programs.* Dans G.V. Glass (éd.) *Evaluation Studies Review Manual.* Vol. 1. Beverly Hills, Calif. Sage.

Patton, M.Q. (1975). *Alternative Evaluation Research Paradigm.* North Dakota Study Group on Evaluation. Dakota, University of North Dakota.

Patton, M.Q. (1978). *Utilization-Focused Evaluation.* Beverly Hills, Calif. Sage.

Patton, M.Q. (1980). *Qualitative Evaluation Method.* Beverly Hills, Calif. Sage.

Preskill, H. (1983). *Notes on Being Responsive: Evaluation of a Graduate Nursing Program.* Communication présentée à Evaluation 83. Chicago, Ill.

Rackel, R.E. (1976). *A Summary: Responsive Evaluation and Family Practice.* **Studies in Educational Evaluation.** 2 (1). 35-36.

Reichardt, C.S., Cook, T.D. (1979). *Beyond Qualitative versus Quantitative Methods.* Dans T.D. Cook, C.S. Reichardt (éd.) *Qualitative and Quantitative Methods in Evaluation Research.* Beverly Hills, Calif. Sage.

Rippey, R.M. (1973). *Studies in Transactional Evaluation.* Berkeley, Calif. McCutchan.

Rist, R.C. (1980). *Blitzkrieg Ethnography: On the Transformation of a Method into a Movement.* **Educational Researcher.** 9 (2). 8-10.

Rockwell, S. (1982). *A Responsive Approach to Evaluating an Alcohol Program for Youth.* **Studies in Educational Evaluation.** 8 (2). 197-200.

Rohner, R. (1977). *Advantages of the Comparative Method of Anthropology.* **Behavior Science Research.** 12. 117-192.

Rutman, L. (1980). *Planning Useful Evaluations.* Beverly Hills, Calif. Sage.

Ryan, A., Randhawa, B. (1982). *Evaluation at the University Level: Responsive and Responsible.* **Assessment and Evaluation.** 7 (2). 159-166.

Sanders, J.R., Sachs, T.P. (1977). *Applied Performance Testing in the Classroom.* **Journal of Research and Development in Education.** 10. 92-104.

Schwartz, P.A. (1980). *Program Evaluation: Can the Experiment Reform?* Dans E. Loveland (éd.) *Measuring the Raid to Measure. New Directions for Program Evaluation.* No. 6. San Francisco, Calif. Jossey-Bass.

Schermerhorn, G.R., Williams, R.G. (1979). *An Empirical Comparison of Responsive and Preordinate Approaches to Program Evaluation.* **Educational Evaluation and Policy Analysis.** 1 (3). 55-60.

Scott, R.A., Shore, A.R. (1979). *Why Sociology Does not Apply a Study of the Use of Sociology in Public Policy.* New York, N.Y. Elsevier.

Scriven, M. (1978). *Merit vs Value. Evaluation News.* 8. 20-29.

Sorlie, W.E., Essex, D.L. (1978). *Evaluation of a Three Year Health Science PLATO IV Computer-Based Education Project.* ERIC ED 161 424.

Stake, R.E. (1975a). *Evaluating the Arts in Education: A Responsive Approach.* Colombus, Ohio. Merrill.

Stake, R.E. (1975b). *Program Evaluation, Particularly Responsive Evaluation.* Occasional Paper Series, no. 5. Evaluation Center, Western Michigan University.

Stake, R.E. (1976). *A Theoretical Statement of Responsive Evaluation. Studies in Educational Evaluation.* 2 (1). 19-22.

Stake, R.E. (1978). *Responsive Evaluation.* Dans T. Husen, T.N. Postlewaite (éd.) *International Encyclopedia of Education: Research and Studies.* New York, N.Y. Pergamon.

Stake, R.E. (1982). *Stakeholder Influence in the Evaluation of Cities-In-Schools. Acte du Congrès « Evaluation 82 ».* Baltimore, Md.

Stake, R.E., Pearsol, J.A. (1981). *Evaluating Responsively.* Dans J.R. Brandt (éd.) *Applied Strategies for Curriculum Evaluation.*

Stufflebeam, D.L., Shinkfield, A.J. (1985). *Systematic Evaluation.* Boston, Mass. Kluwer-Nijhoff.

Van Hoose, J. (1977). *A Responsive Evaluation of Inside/Out.* ERIC ED 156 170.

Weiss, C.H. (1972). *Evaluating Educational and Social Action Programs: A Treeful of Owls.* Dans C.H. Weiss (éd.) *Evaluating Action Programs: Readings in Social Action and Education.* Boston, Mass. Allyn and Bacon.

Weiss, C.H. (1983). *The Stakeholder Approach to Evaluation: Origins and Promise.* Dans A.S. Bryk (éd.) *Stakeholder Based Evaluation. New Directions for Program Evaluation.* 17. 3-14.

Welch, W.W. (1981). *Case Study Methodology in Education Evaluation. Proceedings of the 1981 Minnesota Evaluation Conference.* Minneapolis, Minn. Research and Evaluation Center.

Willems, E.P., Raush, H.L. (1969). *Naturalistic Viewpoints in Psychological Research.* New York, N.Y. Holt, Rinehart and Winston.

Wolf, R.L. (1974). *The Application of Select Legal Concepts to Educational Evaluation.* Thèse de doctorat non publiée, University of Illinois.

Wolf, R.L. (1975). *Trial by Jury: A New Evaluation Method. Phi Delta Kappa.* 17 (11). 5-8.

Wolf, R.L. (1979). *The Use of Judicial Evaluation Methods in the Formulation of Educational Policy. Educational Evaluation and Policy Analysis.* 1 (3). 19-28.

Wolf, R.L., Tymitz, B. (1976-1977). *Ethnography and Reading: Matching Inquiry Mode to Process. Reading Research Quarterly.* 12. 5-11.

CHAPITRE 6

◆ LES STANDARDS
◆ DE L'ÉVALUATION

LES STANDARDS REPRÉSENTENT UN ENSEMBLE
DE PRINCIPES JUGÉS ACCEPTABLES ET DEVANT GUIDER
LES PRATIQUES ÉVALUATIVES.
(Joint Committee)

Plusieurs auteurs et organismes ont tenté de développer des standards propres à guider la pratique de l'évaluation de projets, d'innovations, de matériel, de programmes éducatifs et sociaux (Evaluation Research Society, 1982; Joint Committee, 1981; Stufflebeam *et al.*, 1971; Tallmadge, 1977; U.S. General Accounting Office, 1978). Les efforts les plus intéressants à ce chapitre sont ceux du Joint Committee et ceux de l'Evaluation Research Society.

Les efforts du Joint Committee, qui était dirigé par Stufflebeam, se sont traduits par le développement de trente standards regroupés sous quatre catégories ou attributs de l'évaluation: standards d'utilité (pour assurer une information qui rejoint les besoins des auditoires concernés); standards de faisabilité (pour assurer une évaluation réaliste, prudente, diplomate et simple); standards de propriété (pour assurer une évaluation légale, éthique et bénéfique); standards de précision (pour assurer une information techniquement adéquate).

Les efforts de l'Evaluation Research Society se sont traduits par le développement de cinquante-cinq standards regroupés sous six catégories ou tâches d'évaluation: formulation et négociation; structure et schéma; collecte et préparation des données; analyse et interprétation des données; communication et divulgation des résultats; utilisation des résultats.

Le présent chapitre décrit de façon détaillée les standards produits par chacun de ces deux organismes et se termine par la comparaison des deux ensembles.

LES STANDARDS DU JOINT COMMITTEE

Le « rationnel »

Les « Standards pour l'évaluation de programmes, de projets et de matériels éducatifs » ont été développés par le Joint Committee on Standard of Educational Evaluation (1981) sous la direction de Stufflebeam et sont regroupés sous quatre catégories : les standards d'utilité ; les standards de faisabilité ; les standards de propriété ; les standards de précision (tableau 11).

Au point de départ le comité a adopté les définitions suivantes :

—   *L'objet d'évaluation* : L'objet d'évaluation consiste en ce qui est considéré dans une évaluation, soit un programme, un projet ou un matériel éducatif ;

—   *L'évaluation* : L'évaluation consiste en une investigation systématique de la valeur ou du mérite d'un programme, d'un projet ou d'un matériel ;

—   *Les standards* : Les standards consistent en un ensemble de principes pour mesurer la valeur ou la qualité d'une évaluation, et sur lesquels s'entendent les gens engagés dans la pratique de cette discipline.

Dans le développement de ces standards, le Joint Committee fut guidé, d'une part, par le postulat que l'évaluation constitue une partie inévitable de toute activité humaine et, d'autre part, par la conviction qu'une solide évaluation peut promouvoir la compréhension et l'amélioration de l'éducation alors qu'une évaluation fautive peut l'affaiblir. Le comité fut également guidé par l'idée qu'un ensemble de standards professionnels pourrait jouer un rôle essentiel dans la revitalisation des pratiques évaluatives.

Le Joint Committee associe plusieurs avantages au développement de ces standards : ils assurent aux évaluateurs un langage commun propre à faciliter la communication et la collaboration, un ensemble de principes généraux pour

Tableau 11
**LES STANDARDS DU JOINT COMMITTEE
ON STANDARDS OF EDUCATIONAL EVALUATION**

A) LES STANDARDS D'UTILITÉ
A) 1. Identification de l'auditoire
A) 2. Crédibilité de l'évaluateur
A) 3. Envergure et sélection de l'information
A) 4. Valeur dans l'interprétation
A) 5. Clarté du rapport
A) 6. Diffusion du rapport
A) 7. À-propos du rapport
A) 8. Impact de l'évaluation

B) LES STANDARDS DE FAISABILITÉ
B) 1. Procédures pratiques
B) 2. Viabilité politique
B) 3. Efficacité des coûts

C) LES STANDARDS DE PROPRIÉTÉ
C) 1. Engagement officiel
C) 2. Conflits d'intérêt
C) 3. Divulgation complète et honnête

C) 4. Droit du public à l'information
C) 5. Droits des personnes
C) 6. Interactions humaines
C) 7. Équilibre du rapport
C) 8. Responsabilité financière

D) LES STANDARDS DE PRÉCISION
D) 1. Identification de l'objet
D) 2. Analyse du contexte
D) 3. Description des buts et procédures
D) 4. Sources d'information défendables
D) 5. Mesure valide
D) 6. Mesure fidèle
D) 7. Contrôle systématique des données
D) 8. Analyse de l'information quantitative
D) 9. Analyse de l'information qualitative
D) 10. Conclusions justifiées
D) 11. Objectivité du rapport

guider leurs pratiques évaluatives souvent confuses et favoriser la résolution des problèmes, un canevas conceptuel pour étudier le processus d'évaluation, un ensemble de définitions pour en guider le développement, une description du niveau de développement de l'évaluation, une base pour établir leur niveau de responsabilité et une base pour assurer une plus grande crédibilité à leurs efforts.

L'objectif ultime était d'assurer que toute évaluation serait effectivement conduite avec honnêteté et efficacité. En ce sens, les standards peuvent aider en définissant ce qu'est une bonne évaluation, en légitimant les pratiques pertinentes à ces définitions et en éliminant les pratiques inconséquentes et incompatibles.

Selon le comité, cet ensemble de standards ne doit pas être considéré comme absolu, complet, adéquat et permanent. Ces standards devraient être utilisés et appliqués en tenant compte des lois et codes civils en vigueur, des développements récents de la recherche et du développement. Ils devraient en outre être revus de façon périodique.

Le centre d'intérêt

Le Joint Committee ne prend pas position sur ce qui est ou pourrait être une « bonne éducation », pas plus qu'il ne présente ces standards comme des critères pour juger de programmes, de projets ou de matériels éducatifs.

Le comité a tenté d'établir un ensemble de standards applicables à toute étude évaluative, que ce soit de programmes, de projets ou de matériels, que ce soit une étude interne ou externe, formelle ou informelle, formative ou sommative, de petite ou de grande dimension.

Le comité a de plus déterminé des standards qui encouragent l'utilisation de multiples méthodes et procédures d'évaluation : enquêtes, recherches d'archives, observations participantes ou non participantes, études de cas, tests, simulations, études DELPHI, approche PERT, etc.

Les standards ont aussi été développés avec l'idée d'aider l'évaluateur à reconnaître les réalités politiques et à y faire face.

L'utilisateur

Les standards n'ont pas été développés pour l'usage exclusif des évaluateurs. Ils s'adressent plutôt à tous ceux qui de près ou de loin s'intéressent à l'évaluation. Ils peuvent être utiles autant à ceux qui commandent ou à ceux qui conduisent une étude évaluative, qu'à ceux qui en utilisent les résultats. En ce sens, le comité rejette l'idée que la pratique de l'évaluation soit réservée aux seuls spécialistes ; il croit au contraire que les éducateurs, les psychologues, les parents, les étudiants, les administrateurs, les législateurs et le public en général peuvent conduire des évaluations tout comme ils peuvent en utiliser les résultats. Selon le comité, les bonnes évaluations requièrent l'intervention d'une équipe de personnes issues de différents groupes.

L'application

Selon le Joint Committee, ces standards ne doivent pas être considérés comme des règles immuables et mécaniques; ce sont de fait des principes devant guider les pratiques évaluatives. Ils fournissent des informations quant aux erreurs commises par les évaluateurs, ils véhiculent des avertissements et des mises en garde contre des pratiques évaluatives inadéquates et inacceptables, et ils proposent des procédures considérées comme efficaces et éthiques.

Toujours selon le Joint Committee, les gens concernés par une évaluation doivent réfléchir sur ces standards et sur leur application dans des situations précises telles que:

— décider s'il y a lieu d'évaluer,

— définir le problème,

— rédiger le contrat,

— faire le schéma d'évaluation,

— établir le budget,

— déterminer le personnel,

— administrer et contrôler l'évaluation,

— produire et communiquer les rapports,

— évaluer l'évaluation,

— développer les politiques évaluatives,

— entraîner les évaluateurs,

— décider de l'utilisation des résultats.

Au niveau de l'application des standards, il arrive parfois que certains entrent en conflit avec un ou plusieurs autres; selon le comité, l'évaluateur doit reconnaître et traiter ces conflits de la manière la plus judicieuse possible.

Ces standards ne peuvent être reconnus et respectés que s'il existe une volonté et un engagement de toutes et chacune des parties, évaluateurs, clients, sujets et auditoires cibles.

Selon le comité, l'importance relative des standards peut varier d'une situation à une autre. Le comité suggère de les considérer comme d'importance égale, et ce, jusqu'à ce qu'il soit possible de les analyser dans un contexte particulier. L'évaluateur qui croit ou qui prévoit qu'une évaluation donnée pourrait ne pas respecter un ou plusieurs standards doit en prendre note et indiquer lequel ou lesquels, dans le rapport, et dire pourquoi: temps, coûts ou autre(s) contrainte(s).

Selon le comité, quoique les standards devraient stimuler et aider les évaluateurs et les consommateurs d'évaluation, les évaluations solides et valables demandent des évaluateurs créateurs, ingénieux et capables de faire preuve d'un bon jugement.

Les limites

Les standards élaborés par le Joint Committee représentent une entente minimale entre les membres du comité, les experts et les autres groupes qui ont participé à leur élaboration ou à leur validation. Malgré tout, le comité considère cet accord comme le reflet de la prise de position d'un groupe relativement restreint de personnes. Selon le comité, il est important de poursuivre le travail de réflexion, de recherche et de consultation sur ces standards, dans le but de les réviser et de les compléter.

Les standards d'utilité

Cette catégorie contient des standards propres à guider les pratiques évaluatives afin qu'elles soient informatives et réalisées en temps opportun et qu'elles aient de l'influence. Ces standards exigent que l'évaluateur connaisse les auditoires concernés par l'évaluation ainsi que leurs besoins particuliers d'information, qu'il planifie l'évaluation de telle sorte qu'elle puisse répondre à ces informations et qu'il rapporte ces informations de façon claire et en temps opportun. Globalement, les standards d'utilité sont destinés à assurer une évaluation qui répondra aux besoins d'information pratique des différents auditoires concernés.

L'identification de l'auditoire

Selon le Joint Committee, une évaluation implique inévitablement un auditoire multiple et diversifié. Les différents groupes de personnes concernés ou affectés par l'évaluation devraient être reconnus afin que leurs besoins puissent être identifiés et connus. Ces auditoires incluent les personnes susceptibles d'utiliser les résultats de l'évaluation dans leur prise de décisions, comme les conseils d'administration, les comités, les administrateurs, les législateurs, le personnel enseignant et non enseignant ou encore les consommateurs des biens et services faisant l'objet de l'évaluation ; ce pourrait également être les individus et les groupes dont le travail est évalué, ou encore les individus susceptibles d'être affectés par les résultats, les organisations communautaires ou le public en général.

La crédibilité de l'évaluateur

Les personnes responsables de l'évaluation devraient être compétentes et dignes de confiance, afin que leurs conclusions reçoivent un niveau de crédibilité et d'approbation maximal.

Selon le Joint Committee, l'évaluateur sera crédible s'il manifeste les qualités et les caractéristiques jugées nécessaires par le client et les auditoires concernés par l'évaluation, par exemple une formation adéquate, une compétence technique, une connaissance réelle, une expérience valable, de l'intégrité et des habiletés particulières en relations publiques. Comme ce sont là des qualités qui se rencontrent rarement toutes chez un seul individu, le comité suggère d'avoir recours à une équipe d'évaluation.

L'envergure et la sélection de l'information

L'information recueillie devrait être d'une telle étendue et sélectionnée d'une façon telle qu'elle s'adresse aux questions les plus pertinentes, quant à l'objet d'évaluation, et réponde aux besoins et aux intérêts des auditoires concernés.

Selon le Joint Committee, l'information est d'étendue suffisante si elle est pertinente et reliée aux objectifs du preneur de décision, si elle est importante pour les auditoires concernés et si elle est de portée suffisamment large pour offrir un support valable à un jugement portant sur la valeur ou sur le mérite d'un objet d'évaluation.

L'évaluation ne peut toucher tous les problèmes soulevés par les différents auditoires; l'évaluateur doit sélectionner parmi les problèmes identifiés ceux qui sont d'importance majeure pour les auditoires les plus importants et fournir pour chacun d'eux une information compréhensible et utile. L'objet d'évaluation doit aussi être évalué par rapport à un ensemble de variables importantes telles que: son efficacité, sa faisabilité, ses coûts, sa qualité comme réponse aux valeurs de la société, ses effets secondaires négatifs, etc.

La valeur dans l'interprétation

Les perspectives envisagées, les procédures et le rationnel utilisés pour interpréter les résultats devraient être soigneusement décrits afin que les critères sur lesquels reposent les jugements de valeur soient clairs.

Selon le Joint Committee, le concept « valeur » constitue l'essence même du processus d'évaluation; qualifier un objet sur le plan de son utilité, de son importance ou encore de sa valeur générale constitue la principale tâche de la majorité des évaluations. Au cœur de cette activité apparaît la nécessité d'interpréter les informations recueillies en termes de *valeurs*, que celles-ci soient à caractère quantitatif ou qualitatif, reliées au processus ou aux résultats, de type formatif ou sommatif. Ce processus est cependant complexe et il est susceptible de soulever de la controverse. Selon le Joint Committee, l'évaluateur et ses clients doivent mettre beaucoup de sérieux dans le choix d'une approche pour juger les informations en termes de *valeurs*. De plus, ils doivent révéler et justifier leur choix.

La clarté du rapport

Le rapport d'évaluation devrait décrire l'objet évalué et son contexte, ainsi que les objectifs, les procédures et les résultats de l'évaluation, afin que les auditoires concernés comprennent rapidement ce qui fut fait, pourquoi cela fut fait, quelles informations furent obtenues, quelles conclusions furent tirées et quelles recommandations furent faites.

Selon le Joint Committee, peu importe le médium utilisé pour rapporter les résultats de l'évaluation, celui-ci doit être explicite, exempt de détails inutiles et encombrants, et faire usage d'illustrations et de descriptions. Le rapport doit de plus être concis, logique dans son développement, utiliser des termes techniques bien définis, des représentations graphiques et présenter des exemples.

La diffusion du rapport

Les résultats de l'évaluation devraient être distribués aux clients et aux auditoires concernés afin qu'ils puissent les évaluer et les utiliser de façon appropriée. Selon le Joint Committee, l'évaluateur et ses clients doivent s'efforcer de rejoindre et d'informer tous les auditoires concernés par l'évaluation. Ils doivent ajuster le format et le type de rapport aux différents auditoires.

L'à-propos du rapport

Le rapport devrait être produit en temps opportun afin que les auditoires puissent utiliser au mieux l'information qui leur est présentée. Selon le Joint Committee, un rapport est jugé *à propos* ou *opportun* lorsqu'il est remis à un moment où l'auditoire concerné peut en faire un usage maximum. Un rapport remis en retard perd de sa valeur car son utilisation risque alors d'être fortement diminuée. Cela représente aussi un gaspillage de temps, d'argent et de ressources.

L'impact de l'évaluation

Les évaluations devraient être planifiées et dirigées de telle sorte qu'elles suscitent et encouragent une continuité chez les membres des auditoires concernés.

Selon le Joint Committee, l'impact d'une évaluation représente l'influence que celle-ci peut avoir sur les décisions et les actions des auditoires concernés. L'évaluateur ne peut naïvement croire que les améliorations et changements suggérés vont être immédiatement mis en application une fois le rapport déposé. Il est de sa responsabilité de stimuler et d'encourager les auditoires à suivre les recommandations contenues dans le rapport, par exemple apporter des améliorations. À ce titre, il doit jouer le rôle d'agent de changement.

Les standards de faisabilité

Cette catégorie contient des standards qui reconnaissent que l'évaluation doit être conduite dans un milieu naturel et qu'elle consomme des ressources. Les standards sont propres à rendre le plan d'évaluation applicable dans un milieu particulier et à exercer un contrôle sur les dépenses en matériel et en personnel.

Les standards de faisabilité sont destinés à assurer une évaluation réaliste, prudente, sobre et diplomate.

Les procédures pratiques

Les procédures d'évaluation devraient être pratiques afin que les perturbations soient réduites au minimum et que l'information nécessaire puisse être obtenue.

Selon le Joint Committee, les procédures sont les principales actions entreprises pour recueillir et évaluer les informations nécessaires au jugement de la valeur ou du mérite d'un objet d'évaluation. On retrouve, entre autres, les procédures pour la détermination du contrat d'évaluation, pour l'identification des sources de données, pour la sélection et l'administration des instruments de mesure, pour le choix des méthodes de collecte, d'enregistrement, d'entreposage et de rappel des données, pour l'identification des procédures d'analyse des données et des moyens de rapporter des résultats.

La viabilité politique

L'évaluation devrait être planifiée et dirigée avec un effort de prévision des positions différentes que pourraient tenir les groupes ayant des intérêts dans l'évaluation, afin que, d'une part, leur coopération puisse être obtenue et que, d'autre part, les tentatives possibles de ces groupes de réduire l'opération d'évaluation, ou d'influencer ou de mal utiliser les résultats, puissent être évitées ou contrariées.

Selon le Joint Committee, un groupe d'intérêt est tout groupe qui cherche à influencer une politique qui lui est favorable, par rapport à un but ou à une préoccupation. Une évaluation est politiquement viable si elle peut poursuivre et atteindre ses buts malgré les pressions exercées et les actions entreprises par différents groupes d'intérêt. L'évaluateur doit prendre des mesures pour assurer la viabilité politique de son travail.

L'efficacité des coûts

L'évaluation devrait fournir une information ayant une valeur suffisante pour justifier les ressources dépensées.

Selon le Joint Committee, une évaluation est efficace par rapport aux coûts lorsque les avantages qu'on en retire sont égaux ou supérieurs aux coûts encourus. Ces derniers renvoient à la valeur totale, sociale et monétaire, des ressources humaines et matérielles mises à contribution dans l'évaluation; ils incluent autant le coût du matériel et de l'équipement que le temps des participants, des sujets, des volontaires. Les avantages sont représentés par la valeur de tous les résultats provenant de l'évaluation, comme le fait de diagnostiquer correctement une déficience du système et d'y apporter une solution pratique, ou bien de distinguer les services efficaces de ceux qui ne le sont pas, ou encore de réduire le coût de certains services sans en diminuer la qualité.

Les standards de propriété

Cette catégorie contient des standards qui reflètent le fait que toute évaluation affecte les êtres humains qui en sont touchés. Ces standards sont là pour assurer le respect des droits des personnes et des groupes.

Les standards de propriété sont destinés à assurer qu'une évaluation sera dirigée légalement, selon une certaine éthique et avec considération pour le bien-être de ceux qui sont concernés par l'évaluation aussi bien que ceux qui sont touchés par ses résultats.

L'engagement officiel

Les engagements des parties officielles à une évaluation (ce qu'il y a à faire, comment, par qui, quand) devraient être consignés par écrit afin que ces parties soient obligées d'adhérer à toutes les conditions de l'entente ou puissent entreprendre de les renégocier en bonne et due forme.

Selon le Joint Committee, l'accord écrit constitue une entente mutuelle quant aux attentes et aux responsabilités de l'évaluateur et de ses clients. Il constitue une obligation tant légale qu'éthique de se conformer aux ententes ou encore de les renégocier s'il y a lieu. Le développement d'un contrat permet à l'évaluateur et à ses clients de revoir et de résumer le plan d'évaluation, de clarifier leurs droits et leurs obligations respectifs.

Les conflits d'intérêt

Les conflits d'intérêt, souvent inévitables, devraient être discutés ouvertement et honnêtement afin qu'ils ne compromettent pas le processus et les résultats de l'évaluation.

Ils peuvent se manifester autant dans une évaluation interne que dans une évaluation externe; la question n'est pas comment les éviter mais plutôt comment se comporter lorsqu'ils se présentent. Selon le Joint Committee, les conflits d'intérêt peuvent avoir un effet négatif sur l'évaluation par la corruption du processus, des résultats et de leur interprétation. Ils suggèrent plusieurs façons d'attaquer le problème; par exemple, les discussions initiales entre l'évaluateur et les clients peuvent permettre d'identifier et de décrire diverses sources, de demander les avis de personnes extérieures quant à ces possibilités, d'indiquer par une entente écrite les procédures à respecter pour les éviter, etc.

La divulgation complète et honnête

Les rapports d'évaluation, oraux et écrits, devraient être ouverts, directs et honnêtes par la divulgation de résultats pertinents, incluant les limites de l'évaluation.

Selon le Joint Committee, une évaluation sera défendable à la condition qu'il y ait une divulgation complète et honnête des résultats. Dans ce cas, peut-être que les changements souhaités et suggérés seront entrepris, alors que, dans le cas contraire, on risque de miner la crédibilité du rapport.

Le droit du public à l'information

Les parties officielles à une évaluation devraient respecter et assurer le droit du public à l'information, droit qui, bien sûr, doit être considéré dans les limites des principes et lois connexes, telles celles qui touchent la sécurité du public et le droit à la vie privée.

Le public, ou l'auditoire concerné, est tout groupe qui moralement et légalement a le droit d'être informé des intentions, des opérations et des résultats d'une évaluation. En l'absence de cette information, les personnes ou les groupes pouvant être affectés par l'évaluation, ne peuvent reconnaître les faiblesses dans les procédures ou dans les données, pas plus qu'ils ne peuvent faire un usage constructif des conclusions.

Le Joint Committee suggère, entre autres, d'inclure dans le projet d'entente ce qui concerne les obligations des parties envers le droit du public à l'information.

Les droits des personnes

Les évaluations devraient être conçues et dirigées de telle sorte que les droits et le bien-être des personnes soient respectés et protégés.

Selon le Joint Committee, ces droits sont autant ceux qui sont couverts par les lois (consentement de la personne, droit de retrait, droit à la vie privée, etc.) et ceux que l'on retrouve dans les codes de déontologie (respect de l'anonymat, limite quant au temps demandé, protection de la vie et de la santé, etc.), que ceux qui relèvent du sens commun et de la courtoisie (éviter les expériences inconfortables, etc.).

Les interactions humaines

Les évaluateurs devraient respecter la dignité et la valeur humaines dans leurs contacts et leurs échanges avec les personnes associées à une évaluation.

Selon le Joint Committee, l'évaluateur doit faire des efforts particuliers pour respecter les personnes avec qui il entre en interaction dans le cours d'une évaluation, parce que ce sont des êtres humains qui ont droit au respect, mais aussi pour ne pas mettre l'évaluation et ses résultats en péril.

Selon le Joint Committee, l'évaluateur peut faire preuve de respect, entre autres, en s'intéressant aux préoccupations des participants, en prenant le temps de comprendre les différences culturelles et sociales, en maintenant une communication.

L'équilibre du rapport

Le rapport d'évaluation devrait comprendre une présentation complète et claire des forces et faiblesses de l'objet évalué, afin que les forces puissent être utilisées et les problèmes discutés.

Selon le Joint Committee, il est important d'être honnête et franc dans la divulgation des aspects positifs et négatifs de l'objet évalué.

La responsabilité financière

Les honoraires versés à l'évaluateur et le coût des ressources impliqués dans l'évaluation devraient refléter des préoccupations d'imputabilité, en plus de la prudence et de la responsabilité déontologique.

Selon le Joint Committee, l'évaluateur pourrait exercer cette responsabilité financière entre autres, en maintenant à jour un dossier des dépenses et des engagements, et un dossier de ses émoluments et du temps consacré à l'évaluation, en précisant dans le contrat écrit les ententes et les accords sur les sommes allouées aux divers postes, etc.

Les standards de précision

Cette catégorie contient des standards qui déterminent si une évaluation a produit de l'information valide et pertinente. Ces standards rappellent que l'évaluateur doit considérer toutes les caractéristiques importantes de l'objet évalué, recueillir de l'information sur chacune d'elles, voir à ce que cette information soit techniquement adéquate et produire des jugements qui soient en relation directe avec les données.

Les standards de précision sont destinés à assurer qu'une évaluation révélera et communiquera une information techniquement adéquate sur les caractéristiques qui déterminent la valeur ou le mérite de l'objet étudié.

L'identification de l'objet

L'objet de l'évaluation (programme, projet, matériel) devrait être suffisamment observé afin que la ou les dimensions de l'objet considéré dans l'évaluation puissent être clairement identifiées.

L'objet de l'évaluation, c'est la chose particulière à l'étude, un programme, un projet ou un matériel éducatif. Ce peut également être une technique ou une façon de faire particulière.

Selon le Joint Committee, il est important pour l'évaluateur d'étudier l'objet en question sur une certaine période de temps pour faciliter le développement et la conduite de l'évaluation, et la rédaction du rapport. En plus, la description qui en est faite devrait aider les auditoires à mieux le connaître dans ses caractéristiques particulières et à lui associer plus facilement les effets positifs et négatifs qu'il engendre.

L'analyse du contexte

Le contexte dans lequel le programme, le projet ou le matériel est utilisé devrait être examiné d'une façon suffisamment détaillée afin que ses influences probables sur l'objet puissent être cernées.

Le contexte est fait des conditions entourant l'objet d'évaluation, tels sa localisation géographique, son à-propos, le climat politique et social, les activités professionnelles pertinentes en cours, la nature du personnel et les conditions économiques existantes.

Selon le Joint Committee, il est important de connaître ces conditions et autres facteurs pour développer, conduire et rapporter une évaluation réaliste et sensible. Cette connaissance devrait, d'une part, éviter à l'évaluateur de croire à une application plus large que ne le justifient les résultats et, d'autre part, aider les auditoires à interpréter l'évaluation, à juger du degré de similitude entre le contexte de l'étude et d'autres contextes.

La description des buts et des procédures

Les buts et les procédures de l'évaluation devraient être contrôlés et décrits de façon suffisamment détaillée pour être identifiés et évalués.

Les buts, ce sont les objectifs de l'évaluation (juger le mérite ou la valeur, contrôler et rapporter le processus d'implantation). Les procédures incluent les diverses façons de collecter, organiser, analyser et rapporter l'information.

Selon le Joint Committee, les buts et les procédures de l'évaluation devraient être précisés et enregistrés à différents moments de l'évaluation : au début, puis à différents moments du déroulement et, enfin, à la remise du rapport.

Ces informations sont importantes pour évaluer l'évaluation (métaévaluation), pour aider d'autres évaluateurs à planifier des études évaluatives dans d'autres contextes, pour guider le choix des buts et des procédures à suivre pour une reprise de l'étude, pour aider à la dissémination des techniques utilisées dans l'étude et comme matériel de base dans la formation d'évaluateurs.

Des sources d'information défendables

Les sources d'information devraient être décrites de façon suffisamment détaillée pour bien juger de la pertinence de l'information.

Ces sources incluent les individus, les groupes, les documents audio et vidéo, les films, etc., et peuvent être utilisées de diverses façons : dans des tests, des observations, des enquêtes et des entrevues.

Selon le Joint Committee, l'évaluateur doit identifier et décrire ses sources d'information, les critères et les méthodes utilisés lors de leur sélection, et les moyens pris pour extraire l'information. Il doit de plus décrire les procédures d'échantillonnage utilisées, ainsi que les biais possibles.

Une mesure valide

Les instruments et les procédures servant à recueillir l'information devraient être choisis ou développés, et implantés de telle façon qu'ils assurent la validité de l'interprétation finale.

Le processus de validation consiste à accumuler de l'évidence pour supporter l'utilisation et les interprétations résultant de l'usage d'un instrument ou d'une procédure de mesure. La validité d'un instrument est fonction de son utilisation, des questions auxquelles il s'adresse, des conditions de collecte des données, des caractéristiques des personnes à qui il est administré et surtout de l'interprétation des résultats.

Selon le Joint Committee, aucun programme, projet ou matériel ne peut être évalué par une seule et unique mesure ; il est donc important, pour bien évaluer un programme, de faire appel à toutes les variables importantes. De plus, comme les instruments de mesure et les utilisateurs ne sont pas parfaits, l'usage de mesures multiples peut pallier les déficiences des uns et des autres. Selon le Joint Committee les évaluateurs devraient voir à mesurer de multiples résultats et faire usage de nombreux instruments de mesure (chacun de ceux-ci devant être valide), y compris les questionnaires, les entrevues, les échelles de mesure, les observations, les tests et les descriptions.

Une mesure fidèle

Les instruments et les procédures servant à recueillir l'information devraient être choisis ou développés, et utilisés de telle façon que l'information obtenue possède un degré de fidélité suffisant pour l'usage attendu.

Une mesure fidèle est celle qui fournit des informations constantes quant à la caractéristique étudiée.

Selon le Joint Committee, les évaluateurs devraient choisir un ou des instruments de mesure qui ont un niveau de fidélité acceptable pour leur utilisation particulière et pour la ou les situations particulières dans lesquelles ils sont utilisés. Ils devraient également vérifier et rapporter le degré de fidélité des mesures prises dans leur étude évaluative.

Le contrôle systématique des données

Les données recueillies, traitées et rapportées dans l'évaluation, devraient être révisées et corrigées afin que les résultats ne soient pas entachés d'erreurs.

Le contrôle systématique des données signifie que toutes les mesures possibles seront prises pour que les données utilisées soient exemptes d'erreurs humaines.

Le Joint Committee suggère que les évaluateurs mettent en place des mesures de contrôle et de vérification afin d'éviter qu'il ne se glisse des erreurs humaines (autant des répondants que de l'évaluateur ou des codificateurs et analystes) lors de la collecte, de l'enregistrement, de la codification, du traitement et de l'analyse des données.

L'analyse de l'information quantitative

Afin d'assurer des interprétations défendables, l'information quantitative devrait être convenablement et systématiquement analysée.

L'information quantitative est composée de faits et de prétentions (âge, caractéristiques socio-économiques, performance, attitudes, comportements, caractéristiques de l'objet d'évaluation, etc.) représentés par des chiffres et, pour des fins d'analyse, compilés, organisés, manipulés et validés afin de répondre à certaines questions relatives à un objet donné.

Selon le Joint Committee, l'analyse quantitative peut aboutir à différentes conclusions et il appartient aux évaluateurs de faire en sorte que les méthodes d'analyse utilisées ne conduisent pas à des interprétations abusives et (ou) fautives et (ou) fallacieuses. Les évaluateurs doivent être en mesure de justifier et de défendre leur approche méthodologique, les postulats sur lesquelles elle s'appuie, leurs calculs et leurs conclusions.

L'analyse de l'information qualitative

Afin d'assurer des interprétations défendables, l'information qualitative devrait être convenablement et systématiquement analysée.

On entend par information qualitative les faits et les interprétations qui épousent la forme narrative plutôt que numérique. Il s'agit de trouver des réponses à des questions concernant l'objet d'évaluation. Contrairement à l'analyse quantitative, on peut ici donner de la perspective et de la profondeur à des données.

Selon le Joint Committee, l'information qualitative peut provenir de différentes sources (des entrevues, structurées ou pas, des observations, participantes ou pas, des documents et des dossiers, etc.); elle peut être intentionnelle ou non; elle peut se rapporter aux décisions, aux objectifs, aux plans et procédures, aux résultats, etc.; elle peut être notée sous la forme de descriptions, d'argumentations logiques, d'interprétations ou encore d'impressions subjectives. Les évaluateurs doivent faire des efforts sérieux pour éviter les conclusions abusives et (ou) fautives et (ou) fallacieuses, et ce, en choisissant des méthodes d'analyse appropriées, en procédant à des contre-vérifications et en s'assurant de la validité et de la fidélité des instruments et des procédures de mesure.

Des conclusions justifiées

Les conclusions d'une évaluation devraient être explicitement justifiées afin que l'auditoire puisse les évaluer.

Elles se présentent comme des jugements et des recommandations, et doivent être défendues et défendables, d'une part, parce qu'elles peuvent être fautives et, par conséquent, mener à des actions inappropriées et, d'autre part, parce qu'elles peuvent être ignorées en l'absence d'information. Selon le Joint Committee, pour être défendables, les conclusions doivent s'appuyer sur une grande logique et sur une information appropriée. Elles seront défendues si elles sont accompagnées d'une description des procédures, de l'information et des postulats de base, de même que d'une discussion des interprétations optionnelles et des raisons de leur rejet, s'il y a lieu.

L'objectivité du rapport

Les procédures d'évaluation devraient assurer une garantie contre la distorsion des résultats et des rapports d'évaluation, distorsion qui peut être causée par les sentiments et les préjugés personnels des parties en cause.

Selon le Joint Committee, les rapports d'évaluation peuvent être biaisés de plusieurs façons: ils peuvent ne pas représenter les diverses perspectives ou ne pas en faire état, ils peuvent être conçus de façon à décevoir, à déformer, à couvrir des faits, à entériner des décisions déjà prises, etc. Certaines distorsions peuvent être le résultat de l'ignorance ou de l'imprudence de l'évaluateur, d'autres peuvent être le résultat de pressions exercées par les clients, les auditoires concernés ou les bailleurs de fonds. L'évaluateur doit voir à l'intégrité et à l'objectivité du rapport. Ce sera possible dans la mesure où il consistera en un assemblage impartial de faits, évitant de prendre position en faveur d'un groupe au détriment d'un autre.

LES STANDARDS DE L'EVALUATION RESEARCH SOCIETY

Les efforts de l'Evaluation Research Society (ERS), sous la direction de Rossi (1982), se sont traduits par le développement de cinquante-cinq standards regroupés en six catégories ou tâches : formulation et négociation, structure et schéma, collecte et préparation des données, analyse et interprétation des données, communication et divulgation, utilisation des résultats.

Selon l'ERS, bien que les évaluateurs portent des titres différents, travaillent dans des domaines différents et soient de formation différente, ils ont des préoccupations et des intérêts communs, et la théorie et la pratique de l'évaluation peuvent profiter de cette interdisciplinarité. Ces prémisses ont conduit à la recherche de standards pouvant guider la pratique évaluative et centrer l'attention sur cette nouvelle profession.

Selon l'ERS, quoique les standards produits par le Joint Committee soient très valables et utiles, ils ont le défaut de ne s'adresser qu'aux seuls programmes éducatifs, ce qui ne satisfait pas aux intérêts plus larges des membres de l'Evaluation Research Society. Les standards formulés par l'ERS portent sur l'évaluation de programme en général et sous toutes ses formes particulières.

Formulation et négociation

Selon l'Evaluation Research Society, avant que ne débute un projet ou un programme, les différentes parties concernées devraient tenter de s'entendre sur ce qui doit être fait et pourquoi, sur la manière de le faire et sur une appréciation des contraintes et des embûches possibles. C'est ce que tentent de cerner les standards de la présente catégorie.

1. Préciser autant que possible les buts et les caractéristiques du programme ou de l'activité.

2. Identifier les clients, les preneurs de décisions et les utilisateurs potentiels, ainsi que leurs attentes et leurs besoins. Lorsque c'est approprié, l'évaluateur devrait aider à reconnaître les domaines d'intérêt publique.

3. Choisir le type d'évaluation le plus approprié, clarifier les objectifs et préciser l'étendue des activités d'évaluation.

4. Estimer les coûts comptables de l'évaluation, de façon valide, prudente et éthique et, s'il y a lieu, présenter ceux des options.

5. S'entendre sur la valeur de l'information, sur son applicabilité et son utilisation potentielle.

6. Estimer la faisabilité de l'évaluation par une analyse formelle ou informelle. (Parmi les facteurs à considérer, nous retrouvons : la clarté de la description du programme et des objectifs ; les collaborations nécessaires ; la plausibilité des relations causales postulées ; la disponibilité en temps, en argent et

Tableau 12

LES STANDARDS DE L'ÉVALUATION RESEARCH SOCIETY

FORMULATION ET NÉGOCIATION
1. Buts et caractéristiques du programme
2. Besoins et attentes des auditeurs
3. Type, objectifs et étendue des activités d'évaluation
4. Estimation de coûts sérieuse, prudente et éthique
5. Coûts et avantages de l'information
6. Faisabilité de l'évaluation
7. Restrictions sur l'accès et la diffusion des données
8. Conflits d'intérêt
9. Droits et bien-être des parties
10. Responsabilité technique et financière
11. Accords formels
12. Capacités

STRUCTURE ET SCHÉMA
13. Approche d'évaluation
14. Effets attendus
15. Méthodes d'échantillonnage
16. Fidélité et validité des mesures
17. Procédures et instruments appropriés
18. Coopération

COLLECTE ET PRÉPARATION DES DONNÉES
19. Plan de préparation et de collecte des données
20. Écarts par rapport au plan original
21. Compétence du personnel
22. Maintien de la dignité humaine
23. Vérification de la fidélité et de la validité des instruments
24. Sources d'erreurs
25. Protection contre les distorsions
26. Dérangement minimum
27. Information et consentement sur procédures à risques ou à effets négatifs

28. Divulgation non autorisée
29. Documentation complète
30. Perte de données irrécupérable

ANALYSE ET INTERPRÉTATION DES DONNÉES
31. Analyse des données
32. Postulats et procédures d'analyse
33. À-propos de l'analyse
34. Unité d'analyse
35. Justification de l'analyse
36. Documentation pour la remise de l'étude
37. Signification statistique et pratique des résultats
38. Explications et hypothèses rivales
39. Résultats objectifs par rapport à jugements et opinions

COMMUNICATION ET DIVULGATION
40. Clarté, honnêteté et exhaustivité des résultats
41. Clarté du langage
42. Résultats et recommandations
43. Postulats
44. Limites et étude ultérieure
45. Origines des résultats
46. Rétroaction appropriée
47. Procédures de divulgation
48. Autorisation de communication
49. Organisation de la documentation

UTILISATION DES RÉSULTATS
50. Diffusion en temps opportun
51. Interprétations abusives et erronées
52. Effets non prévus
53. Distinctions entre les résultats et les recommandations
54. Recommandations sur les coûts et les avantages d'options
55. Rôle d'évaluateur par opposition à celui de plaidoyeur

en expertise pour mener l'évaluation à terme ; les contraintes administrati-ves, financières et légales.)

7. S'entendre entre évaluateur et client sur toute restriction, quant à l'accès et (ou) à la diffusion des données et des résultats.

8. Reconnaître les conflits d'intérêt potentiels et prendre les moyens néces-saires pour éviter que ceux-ci ne mettent le processus en péril.

9. Respecter et protéger (dans le processus de négociation) les droits et le bien-être des diverses parties impliquées.

10. Déterminer les procédures de gestion technique et financière de l'évalua-tion.

11. Préciser les ententes dans un contrat formel (échéancier, obligations et implications de toutes les parties ; politiques et procédures d'accès aux données ; changements aux plans ou conditions).

12. Accepter (évaluateur) des obligations en relation avec ses qualifications professionnelles ou les ressources mises à sa disposition.

Stucture et schéma

Selon l'Evaluation Research Society, le schéma d'une évaluation, en plus des considérations d'ordre méthodologique, doit aussi refléter les préoccupations logistiques, éthiques, politiques et financières.

13. Préciser et justifier le schéma d'évaluation en relation avec les conclusions et les inférences à présenter, et ce, pour toute forme d'évaluation.

14. Décrire et justifier le problème et la méthode d'estimation des effets de non-traitement dans les études d'impact.

15. Décrire et justifier la procédure d'échantillonnage (choix de l'unité, métho-de de sélection, temps, etc., sur la base des exigences de l'évaluation, incluant la généralisation).

16. Préciser et décrire les procédures et les instruments de mesure ; estimer leur fidélité et leur validité pour la population ou le phénomène d'intérêt.

17. Justifier les procédures et les instruments sélectionnés.

18. Planifier et s'assurer la collaboration du personnel, des institutions, des membres de groupes communautaires et de ceux qui sont impliqués dans l'évaluation (voir le standard 11).

Cueillette et préparation des données

Selon l'Evaluation Research Society, les standards de cette catégorie reposent sur l'idée que la cueillette des informations est appliquée à partir des spécifications d'un schéma et d'un plan de travail valides (voir les standards 1 à 18). Lors de la détermination des méthodes et des procédures de collecte des données, il est possible de réajuster le plan. De même, lors de la mise en application du plan, il est nécessaire de procéder à quelques modifications afin de l'adapter aux caractéristiques de la situation particulière.

19. Développer un plan de collecte des données.

20. Développer une procédure pour détecter, réduire et documenter tout écart par rapport au plan original.

21. Sélectionner, entraîner et superviser le personnel d'évaluation pour assurer la compétence, la logique, l'impartialité et une pratique déontologiquement correcte.

22. Recueillir les informations de façon à respecter et à protéger les droits, le bien-être et la valeur des individus impliqués.

23. Vérifier la fidélité et la validité des procédures et des instruments de mesure dans le contexte de leur utilisation (voir le standard 16).

24. Analyser les sources d'erreurs et établir des procédés de contrôle et d'assurance de la qualité.

25. Prévoir au niveau des procédures de cueillette et de préparation des données, des moyens de protection contre les distorsions introduites par ceux qui recueillent les informations.

26. Recueillir les informations en minimisant le dérangement imposé au programme évalué, aux organisations ou aux personnes auprès de qui on recueille l'information.

27. Soumettre à une analyse et à une critique extérieure toute procédure à risques ou pouvant provoquer des effets négatifs, et ne les utiliser qu'avec le consentement des parties concernées.

28. Manipuler et conserver les données de façon à prévenir et à éviter l'accès et la divulgation non autorisés des informations et des données (voir le standard 7).

29. Documenter le processus de cueillette des données (source, méthode, circonstances et processus de préparation).

30. Prévoir des moyens de protection contre d'irrécupérables pertes de données.

Analyse et interprétation des données

Selon l'Evaluation Research Society, le choix de la méthode d'analyse des données est largement tributaire de la structure et du schéma d'évaluation. À ce stade de l'analyse des données, l'évaluateur n'a plus la possibilité de modifier le plan ou le schéma ; les analyses doivent s'adapter aux données recueillies.

31. Assortir les procédures d'analyse aux buts et au schéma de l'évaluation, et à la procédure de la cueillette des données.

32. Décrire les procédures d'analyse, leurs postulats et leurs limites, et expliquer les raisons pour lesquelles elles ont été retenues.

33. Adapter les procédures d'analyse aux propriétés des mesures utilisées et à la qualité et à la quantité des données.

34. Adapter les unités d'analyse à la façon dont les données furent recueillies et aux types de conclusions à en tirer.

35. Fournir une justification quant à l'utilisation de procédures d'analyse appropriées.

36. Fournir une documentation suffisante pour permettre une reprise de l'étude.

37. Indiquer le degré de signification statistique et pratique de toute comparaison quantitative.

38. Justifier les relations causales par rapport au schéma d'évaluation, mais aussi dans la reconnaissance et l'élimination d'hypothèses rivales.

39. Rapporter les résultats de telle façon qu'on puisse distinguer les résultats objectifs des opinions, des jugements et des spéculations.

Communication et divulgation

Selon l'Evaluation Research Society, une bonne communication est à la base d'une évaluation bien formulée et exécutée, et d'une utilisation judicieuse des résultats. Elle est nécessaire dans le processus de clarification de la nature du programme, des attentes de l'évaluation et même du type d'évaluation requis (voir les standards 1, 2 et 3); dans la détermination des restrictions imposées sur l'accès aux résultats et sur leur divulgation, et sur les conflits d'intérêt (voir les standards 7 et 8); dans la considération du processus de responsabilisation (voir les standards 10 et 11); dans la recherche de la coopération entre les parties (voir les standards 18 et 27); dans la distinction entre les résultats objectifs, et l'opinion et l'interprétation (voir le standard 39). En somme, la communication ne se limite pas au rapport final. L'évaluation fournit des rapports intermédiaires et final, oraux et écrits, et ceux-ci sont tous soumis aux standards énumérés ci-dessous.

40. Présenter les résultats de façon claire, complète et honnête (voir le standard 39).

41. Organiser les résultats et les présenter dans un langage compréhensible aux preneurs de décisions et autres auditoires, et établir clairement les relations entre les recommandations et les résultats.

42. Présenter les résultats et les recommandations dans un format qui indique leur importance relative.

43. Reconnaître explicitement les postulats.

44. Énoncer les limites imposées par le temps, les ressources, la disponibilité des données, etc. (voir les standards 5, 6, 7, 11 et 12). (Des suggestions quant aux préoccupations et aux questions qui demanderaient une étude plus poussée devraient être incluses.)

45. Décrire la manière dont les résultats ont été établis.

46. Présenter aux personnes, aux groupes et aux organisations concernés par l'évaluation et y ayant contribué, une information appropriée à leurs besoins.

47. Divulguer les résultats sur une base légale et selon les droits de propriété déterminés et spécifiés dans le contrat (voir le standard 7).

48. Identifier les personnes, en exercice d'autorité, qui ont le droit de divulguer les résultats.

49. Organiser la base de données finale et la documentation pertinente, en accord avec les procédures et les politiques d'accès à l'information (voir les standards 7, 28, 29, 32 et 36).

Utilisation des résultats

L'Evaluation Research Society insiste sur le fait que l'on ne peut garantir que les résultats d'une évaluation seront utilisés. Les chances sont considérablement améliorées si une attention sérieuse est accordée aux besoins d'information des utilisateurs potentiels, tout au long du processus d'évaluation (voir les standards 2, 3, 18, et 40 à 46).

50. Rendre les résultats disponibles aux utilisateurs avant que ne soient prises les décisions.

51. Prévoir et prévenir toute mauvaise utilisation et toute fausse interprétation des résultats.

52. Présenter aux preneurs de décisions et aux auditoires concernés les effets non prévus, positifs ou négatifs.

53. Distinguer les résultats d'une évaluation et les recommandations basées sur ces résultats.

54. Considérer et indiquer l'efficacité probable et les coûts reliés aux corrections suggérées.

55. Maintenir une distinction entre le rôle d'un individu comme évaluateur et son rôle comme plaideur ou défenseur d'une prise de position.

Appelé à critiquer les standards produits par l'Evaluation Research Society, Stufflebeam (1982) conclut en la complémentarité de ceux-ci avec ceux du Joint Committee. Par ailleurs, Cronbach (1982) trouve tellement de faiblesses et de failles dans les standards de l'ERS qu'il conclut que ceux-ci seront de peu d'utilité pour standardiser les pratiques d'évaluation et que, de plus, il sera difficile de les utiliser pour approuver ou désapprouver un plan d'évaluation.

LA COMPARAISON DES STANDARDS

Le tableau 13 présente les éléments communs aux standards du Joint Committee et à ceux de l'Evaluation Research Society. Lorsque nous examinons leur contenu, il se dégage un consensus quant à la façon dont une évaluation doit être pensée, conduite et révélée. D'autre part, les standards sont clairs et en accord quant aux étapes logiques du déroulement d'une évaluation. Ils invitent judicieusement les praticiens à recueillir des informations au moyen de diverses sources et instruments, de même qu'à déterminer l'adéquation des méthodes utilisées pour décrire l'objet d'évaluation. Les deux ensembles recommandent aussi l'utilisation d'instruments qualitatifs et quantitatifs, valides et fidèles, et insistent sur la nécessité d'établir ou d'indiquer quelles mesures ont de fait correspondu à leurs attentes. Enfin, les utilisateurs sont invités à considérer les standards par rapport aux coûts, aux intérêts et aux droits du client, aux participants et aux demandes qui leur sont faites, et aux évaluateurs.

Quoique certains auteurs (Cronbach *et al.*, 1981 ; Cronbach, 1982 ; Stake, 1981) jugent ces efforts prématurés, il semble y avoir un commun accord quant à leur contenu et leur étendue. Malgré les différences qui existent entre les deux ensembles de standards, Stufflebeam (1982) considère ceux-ci comme suffisamment en accord pour que des efforts soient consacrés à leur unification. Boruch et Cordray (1980) ont analysé six ensembles de standards et ont conclu à leur grande communalité. Selon Cordray (1982), les standards du Joint Committee et ceux de l'Evaluation Research Society peuvent être d'une grande utilité :

— Ils représentent une série de prescriptions pour les évaluateurs ainsi qu'un excellent canevas de travail pour les responsables du développement de programmes ;

— De plus, les standards mettent en évidence les problèmes et les questions les plus importantes et ils fournissent ainsi aux concepteurs et aux évaluateurs un cadre de référence et de communication commun ;

— Les standards peuvent être utilisés pour revoir et corriger le rapport d'évaluation. Il s'agit en somme de vérifier l'exactitude et la précision des informations contenues dans le rapport (procédure, instruments, résultats, etc.) avant que celui-ci ne soit publié, afin d'éviter que des erreurs et des inadéquations ne s'y retrouvent ;

— Les standards peuvent également être utilisés pour une évaluation sommative de l'évaluation elle-même, c'est-à-dire pour juger de la justesse des conclusions sur la base des évidences offertes.

Tableau 13

**LES STANDARDS DE L'EVALUATION RESEARCH SOCIETY
ET DU JOINT COMMITTEE**

Sections de l'Evaluation Research Society[a]

Standards du Joint Committee[b]		Formulation et négociation	Structure et schéma	Préparation et collecte des données	Analyse et interprétation	Communication et divulgation	Utilisation des résulats
Utilité	A1 Identification de l'auditoire	2 *	18 *				*
	A2 Crédibilité de l'évaluateur	6 12 *				*	*
	A3 Envergure et sélection de l'information	2 *	*	21 *			*
	A4 Valeur dans l'interprétation		*	*		42 *	52 *
	A5 Clarté du rapport			*	40 41 *	*	*
	A6 Diffusion du rapport	*			46 *		*
	A7 À-propos du rapport	*				*	50 *
	A8 Impact de l'évaluation	*				*	51 54 *
Faisabilité	B1 Procédures pratiques	6 *	*	26 *	*		
	B2 Viabilité politique	6 *		*			*
	B3 Efficacité des coûts	4 5 *					
Propriété	C1 Engagement formel	6 7 11 *	18 *	*	47 48		
	C2 Conflits d'intérêt	8 *					
	C3 Divulgation complète et honnête	*				40 47	*

Sections de l'Evaluation Research Society[a]

	Standards du Joint Committee[b]	Formulation et négociation	Structure et schéma	Préparation et collecte des données	Analyse et interprétation	Communication et divulgation	Utilisation des résultats
Propriété	C4 Droit du public à l'information	7 *				47 *	*
	C5 Droits des personnes	9 *		22 27 28 *		49 *	
	C6 Interactions humaines			*		*	*
	C7 Équilibre du rapport		*				*
	C8 Responsabilité financière	10 *		*			
Précision	D1 Identification de l'objet	1 6 *	*	*		*	*
	D2 Analyse du contexte	*	*		*	*	*
	D3 Description : buts et procédures	3 *	13 14 17 *	19 20 *			
	D4 Sources de données défendables		15 *	19 29 *	36		
	D5 Mesure valide		16 17 *	23 *		44 45 49 *	
	D6 Mesure fidèle		16 *	23 *		*	
	D7 Contrôle des données			19 24 30 *			
	D8 Analyse quantitative		14 *		31 32 33 34 35 37 *		
	D9 Analyse qualitative		* *		31 32 33 35 38 39 *		
	D10 Conclusions					43 *	53
	D11 Objectivité du rapport		*	25 *	39	*	53 55 *

(a) Les chiffres renvoient aux 55 standards de l'Evaluation Research Society.
(b) Les astérisques indiquent les standards du Joint Committee qui sont les plus pertinents aux sections de l'ERS.

En guise de conclusion à ce chapitre nous reprenons les remarques de Brown et Newman (1985) pour qui ces deux ensembles de standards représentent une étape importante dans le processus de professionnalisation de l'évaluation et suscitent un intérêt et une préoccupation accrue quant aux enjeux déontologiques que pose l'évaluation.

◆ RÉFÉRENCES

Boruch, F.R., Cordray, D.S. (1980). *An Appraisal of Education Program Evaluations: Federal, State, and Local Agencies*. Evanston, Ill. Northwestern University.

Brown, R.D., Newman, D.L. (1985). *Ethical Principles and Evaluator Roles*. Communication présentée à l'Evaluation Network Meeting. Toronto, Ont.

Cordray, D.S. (1982). *Assessment of the Utility of the ERS Standards*. Dans P.H. Rossi (éd.) *Standards for Evaluation Practice*. San Francisco, Calif. Jossey-Bass.

Cronbach, L.J., Ambron, S.R., Dornbusch, S.M., Hess, R.D., Hornik, R.C., Phillips, D.C., Walker, D.E., Weiner, S.S. (1980). *Toward Reform of Program Evaluation*. San Francisco, Calif. Jossey-Bass.

Cronbach, L.J. (1982). *In Praise of Uncertainty*. Dans P.H. Rossi (éd.) *Standards for Evaluation Practice*. San Francisco, Calif. Jossey-Bass.

ERS Standards Committee (1982). *Evaluation Research Society Standards for Program Evaluation*. Dans P.H. Rossi (éd.) *Standards for Evaluation Practice*. San Francisco, Calif. Jossey-Bass.

Rossi, P.H. (1982). *Standards for Evaluation Practice*. San Francisco, Calif. Jossey-Bass.

Stufflebeam, D.L. (éd.) (1981). *Standards for Evaluations of Educational Programs, Projects, and Materials*. New York, N.Y. McGraw-Hill.

Stufflebeam, D.L. (1982). *A Next Step: Discussion to Consider Unifying the ERS and Joint Committee Standards*. Dans P.H. Rossi (éd.) *Standards for Evaluation Practice*. San Francisco, Calif. Jossey-Bass.

◆　◆　◆

Dans cette première partie du volume, nous avons voulu familiariser le lecteur avec l'approche évaluation de programme en lui présentant, d'une façon sommaire, les bases méthodologiques sur lesquelles elle repose. Le lecteur a pu constater, d'une part, que cette approche n'est pas le fruit d'une génération spontanée mais qu'elle s'est bien développée grâce aux efforts déployés dans diverses disciplines et par la conjoncture d'événements sociaux importants et, d'autre part, qu'elle possède des caractéristiques uniques et particulières qui la distinguent des approches mesure, recherche et accréditation, et enfin, que la présence de nombreux modèles, tous aussi intéressants et importants les uns que les autres, constitue une preuve de la qualité de son développement et de son raffinement.

DEUXIÈME
PARTIE

L'ASPECT
PRATIQUE

La littérature portant sur l'évaluation de programme met en évidence l'idée d'intervention d'un spécialiste en évaluation de programme. Cependant, la majorité des écrits sont peu explicites quant à l'identification des responsabilités propres à l'évaluateur, de telle sorte que celui qui voudrait en savoir plus à ce sujet risque de demeurer sur son appétit. Bien qu'il soit pratiquement impossible de cerner et de détailler chacune des interventions possibles d'un évaluateur, chaque situation d'évaluation étant unique et particulière, il est quand même possible et souhaitable de cerner les composantes principales de ces interventions.

Dans cette deuxième section, nous entendons mettre en évidence le rôle de l'évaluateur à chacune des étapes du processus d'évaluation de programme et nous situons nos propos dans la perspective d'une *approche formaliste d'évaluation*. Le lecteur doit comprendre que les étapes dont il est question dans ce chapitre ne peuvent convenir à l'approche naturaliste, celle-ci préconisant l'émergence des étapes d'évaluation, du modèle. Cependant, certains de ces rôles s'appliquent à tout processus d'évaluation, et ce, quelle que soit l'approche utilisée. Nous empruntons les étapes du modèle d'Alkin pour des fins d'illustration et non parce que nous préconisons ce modèle d'évaluation plus qu'un autre.

D'une façon particulière, nous tenterons de préciser les aspects ou les dimensions sur lesquels l'évaluateur est appelé à intervenir, d'une part, et d'indiquer ou de suggérer les méthodes et les techniques que celui-ci peut utiliser pour exercer sa fonction, d'autre part. Pour ce faire, le chapitre 7 s'intéresse à l'analyse de besoins et met en évidence le rôle de l'évaluateur dans la définition de la problématique d'un programme et dans le choix et l'application d'une stratégie d'analyse de besoins. Le chapitre suivant est consacré à la planification de programme et souligne le rôle de l'évaluateur dans la clarification des objectifs, dans la comparaison des stratégies et dans l'élaboration d'un schéma d'évaluation. Le neuvième chapitre s'intéresse à l'implantation de programme et définit le rôle de l'évaluateur dans l'identification des dimensions critiques à évaluer, dans le processus de collecte des informations et au niveau de la rédaction du rapport d'évaluation. Le dixième chapitre se consacre à l'amélioration de programme et fait état du rôle de l'évaluateur dans la cueillette des informations quant à la performance des étudiants, dans le traitement et l'interprétation des données et au niveau de la rédaction du rapport d'évaluation. Le onzième chapitre s'intéresse à la certification de programme et met en évidence le rôle de l'évaluateur dans l'analyse et la description du ou des programmes, dans l'élaboration et l'application d'un schéma d'évaluation sommative, dans le traitement et l'interprétation des données et dans la rédaction du rapport d'évaluation.

CHAPITRE 7

◆ L'ANALYSE
◆ DE BESOINS

LA SIMPLE FORMULATION DES BUTS ÉDUCATIFS NE GARANTIT
PAS LEUR VALIDITÉ.
(R. Kaufman)

Les professionnels de l'éducation insistent de plus en plus pour que les programmes d'études répondent à des besoins précis. Ils insistent également sur la nécessité d'identifier les besoins d'une façon systématique et rigoureuse. Nous avons vu au chapitre précédent que la majorité des modèles contemporains d'évaluation de programme mettent en évidence l'étape analyse de besoins; les spécialistes considèrent celle-ci comme l'amorce de tout processus de changement planifié. On s'entend généralement sur le fait que cette étape implique l'identification des besoins éducatifs, lesquels peuvent donner lieu à la formulation de buts éducatifs, puis à la sélection et à la mise en application des moyens pour les atteindre.

Cependant, bien qu'il semble exister un consensus quant à la nécessité et à l'utilité d'une telle approche, l'unanimité n'existe pas quant à la façon de la réaliser. En effet, différentes approches ont été suggérées pour déterminer les besoins éducationnels; certains préconisent l'utilisation de personnes ressources comme les étudiants, les professeurs, les représentants de la société, les parents à qui on demande, par l'intermédiaire d'un questionnaire, d'identifier des besoins; d'autres suggèrent au contraire l'utilisation de données empiriques reliées à la performance des étudiants. Certains paradigmes proposent une approche déductive alors que d'autres suggèrent une approche inductive.

Dans un premier temps, nous présentons certaines considérations théoriques sur les concepts de besoin et d'analyse de besoins. Ces considérations nous permettront de situer le concept de besoin dans le contexte éducatif, d'une part, et de présenter le rationnel à la base du processus d'analyse de besoins, d'autre part.

Dans un deuxième temps, nous présentons les dimensions pratiques de ce processus, en insistant sur le rôle et les fonctions de l'évaluateur aux niveaux de la problématique, de la stratégie d'analyse, de l'application de cette stratégie et du rapport du responsable.

LA NOTION DE BESOIN

Définition

Le concept de besoin est à ce point usuel qu'il fait partie du vocabulaire courant et des conversations journalières de tous les individus. Ainsi, l'enfant parle de ses besoins; le consommateur de biens et services parle de ses besoins particuliers; l'industriel parle des besoins de son entreprise; le travailleur social parle des besoins des assistés sociaux; le parent parle des besoins de ses enfants; le législateur parle des besoins de la société; l'étudiant parle de ses besoins d'appartenance et de réalisation; le professeur parle des besoins de ses étudiants dans sa discipline; le responsable de programme parle des besoins que veut combler un programme particulier. Il est fréquent d'entendre dire que tel programme politique ou tel programme social, ou encore tel programme éducatif fut développé pour répondre à des besoins précis.

La littérature offre plusieurs définitions du concept de besoin. Suivant que l'on est de telle école de psychologie ou de telle autre, le concept aura telle connotation plutôt que telle autre. Selon Misanchuk (1982), la littérature abonde en adjectifs variés lorsqu'il s'agit de besoins: de base, sentis, exprimés, normatifs, comparatifs, vrais, éducatifs, symptomatiques, universels, intégratifs; ou encore on parle d'écart de but, d'écart social, d'écart de souhait ou de désir. Certaines définitions lui associent l'idée de carence, d'autres de force, de motivation; certaines parlent de tension de l'organisme, d'autres renvoient à la notion de désir. On parle de besoins de base et de besoins sociaux, de besoins primaires et secondaires; on distingue besoins internes et externes, on parle de besoins diffus, de besoins latents et de besoins manifestes; on insiste sur le fait qu'il existe, pour la personne, des besoins intérieurs et extérieurs; on parle de besoins individuels et de besoins collectifs. La littérature en éducation et en science sociale offre une pléthore de termes pour désigner les types de besoin: subjectif, objectif, normatif, prescriptif, prescrit, imputé, motivationnel, réel, perçu, exprimé, relatif, etc. On retrouve encore les expressions: besoin démocratique, besoin diagnostique, besoin analytique.

Pour certains auteurs, le terme a perdu sa signification précise. Selon Kimmel (1977), le concept est vide, « sans frontières conceptuelles » et, pour avoir une signification opérationnelle, il doit être défini dans un contexte spécifique par l'utilisation de critères absolus ou relatifs. Selon Myers et Koenigs (1979), un besoin est fonction du type d'analyse de besoins qui est conduite et, à moins que ce type ne soit défini, le besoin ne peut être défini.

Moroney (1977) signale que, même dans les législations à caractère social, le concept est « souvent enseveli dans des phrases tellement globales qu'il est de peu d'utilité pour établir des limites à une tâche de planification [ou est] employé d'une façon tellement étroite qu'il en résulte une demande de services spécifiques... [Il] est rarement rendu opérationnel » (p. 133).

Certains auteurs (Mattimore-Knudson, 1983) suggèrent l'abolition du terme « besoin », parce qu'il est trop ambigu ou encore parce qu'il ne renvoie jamais à une classe définie de choses. Selon Mattimore-Knudson, on devrait plutôt utiliser une expression qui décrit un état de choses ; ainsi, on devrait parler de l'analyse d'une situation (analyse situationnelle) plutôt que de l'analyse de besoins. Archambault (1957) se plaignait du caractère vague du concept de besoin. Il proposa l'utilisation du terme « besoin véritable », lequel référerait à une déficience dans l'environnement de l'« apprenant ».

Il n'est pas évident que ces nombreuses et différentes acceptions et manifestations du concept de besoin véhiculent une seule et même signification. Par conséquent, il est important, pour quiconque veut développer un programme d'études qui répond à des besoins, d'avoir une définition claire, non équivoque de ce concept.

Quoiqu'on ne retrouve pas de définition du concept qui soit universellement acceptée, le dictionnaire *Robert* en présente une qui permet de distinguer deux catégories majeures de besoins : les besoins innés et les besoins acquis. C'est ainsi qu'il définit le concept de besoin comme « une exigence née de la nature ou de la vie sociale ».

Les besoins innés, ou naturels, ou physiologiques, sont inhérents à la nature de l'organisme et deviennent très importants lorsqu'ils ne sont pas satisfaits. Ce type de besoin reflète un état ou une condition. La hiérarchie des besoins de Maslow (1954), qui va des besoins de survivance de base jusqu'à celui de l'actualisation de soi, rejoint cette définition. Les besoins suivants seraient classés sous l'une de ces appellations : la faim, le repos, la chaleur. Ils représentent donc des exigences nées de la nature et rejoignent ce que Maslow (1954) appelle les besoins physiologiques et Murray (1938), les besoins primaires.

Les besoins acquis, quant à eux, naissent des interactions entre les êtres humains, lesquelles suscitent la création de valeurs. Ces valeurs sont apprises et acceptées par le groupe communautaire, et elles guident et contrôlent les comportements des membres. Ces besoins dépendent évidemment de l'expérience des membres d'une société, des conditions de l'environnement, des valeurs véhiculées par cette société ; le besoin de posséder une maison, le besoin d'un certain niveau de vie, le besoin de lire, d'écrire, etc. Cette acception du terme rejoint celle qui prévaut plus particulièrement en sociologie et en anthropologie.

L'usage commun définit le besoin comme « tout ce qui est désiré pour la santé ou le bien-être d'une personne », tels l'oxygène, la nourriture ou l'amour (Gould et Kolb, 1964). Cette définition populaire en rejoint une autre que l'on retrouve en psychologie. En effet, en psychologie le terme renvoie à ce qui est requis pour la santé et le bien-être d'une personne. S'il y a un manque à ce niveau, se dessine un désordre interne qui occasionne une poussée (*drive*). Une utilisation plus large de ce concept se retrouve dans les théories de la personnalité, où un besoin est perçu comme « tout ce qu'une personne désire avec suffisamment de constance dans le temps pour qu'il soit considéré comme une caractéristique de sa personnalité » (Gould et Kolb, 1964; p. 462).

En sociologie et en anthropologie, le terme « besoin » a souvent le même sens qu'en psychologie. Cet usage n'est cependant pas universel. En effet, le terme peut être utilisé pour dénoter les exigences dont une personne prend conscience lorsqu'elle acquiert des valeurs qui demandent qu'elle s'oriente vers telle fin ou encore se comporte de telle façon dans une situation donnée. Ce deuxième usage du concept de besoin introduit la distinction entre les besoins essentiels à la vie et les principes socio-culturels de la conduite humaine. C'est à travers l'interaction symbolique que le socio-culturel prend préséance sur le biologique dans le comportement humain. Les êtres humains qui entrent en interaction créent des valeurs et celles-ci sont apprises par la communauté; ces valeurs guident et contrôlent les comportements humains. Elles déterminent non seulement la façon dont les nécessités biologiques vont être comblées mais également si elles vont être comblées ou pas.

En éducation, les besoins sont inséparables des valeurs véhiculées dans le milieu où survient l'acte éducatif et pédagogique. En ce sens, ils sont appris ou à apprendre. C'est à ce type de besoin que nous nous adressons, mais pour être utile pour des fins d'identification, le concept doit être défini de façon opérationnelle.

Dans le contexte de l'analyse de besoins, la définition opérationnelle la plus répandue est celle qui considère le besoin comme un « écart ». En effet, le concept « besoin » souligne un écart entre une condition désirée, acceptable, et une condition observée, actuelle (Atwood et Ellis, 1971; Kaufman, 1972; Bradshaw, 1974; Witkin, 1977; Monette, 1977; Anderson et Ball, 1978; Houston *et al.*, 1978; Roth, 1978; Kaufman et English, 1979; Beatty, 1981; Guba et Lincoln, 1982). Quoique Kaufman fût celui qui a le plus contribué à l'acceptation de cette définition, c'est à Tyler (1950) qu'il faut en attribuer la paternité. Il fut en effet le premier à considérer le concept de besoin en termes d'écart. C'est ainsi qu'en 1950, il écrivait :

> Les études portant sur les apprenants suggèrent des objectifs opérationnels seulement lorsque les informations recueillies sont comparées à des standards désirés, à des normes jugées acceptables, de telle sorte que la différence entre la condition actuelle de l'apprenant et la norme acceptable peut être identifiée. Cette différence ou écart est ce à quoi renvoie l'appellation de besoin (p. 5-6).

Kaufman (1982a) définit le besoin de la même façon; il le considère comme un écart entre « *ce qui est et ce qui devrait être* », et ce, en termes de résultats (p. 73). Witkin (1984) utilise les termes *statut* (ce qui est) et *standard* (ce qui devrait être).

Shively (1980) utilise la notion d'écart et définit un besoin comme un écart entre un statut actuel et un statut désiré, lequel constitue une péoccupation éducationnelle non résolue. Cette définition est aussi utilisée pour définir des besoins s'exprimant en termes de services sociaux et gravitant autour de la notion de qualité de vie.

Beatty (1981) propose une définition de besoin qui fait usage de la même notion d'écart, mais aussi qui la modifie. Un besoin consiste en un écart mesurable entre un état présent et un état désiré, revendiqué par une personne qui ressent le besoin ou par une autorité par rapport à ce besoin. Le besoin exprimé par le possesseur est d'ordre « motivationnel » mais ne doit pas être vu comme un souhait ou un désir. Un besoin motivationnel renvoie à une déficience relative par rapport à un but ou à une finalité, individuellement désiré, défini et possédé. Par ailleurs, le besoin d'une autorité est normatif et constitue l'expression d'un écart entre un état présent et un but particulier publiquement prescrit au sein d'une communauté donnée.

Pour leur part, Stufflebeam *et al.* (1985) définissent le besoin comme quelque chose dont on peut démontrer qu'il est nécessaire et utile pour satisfaire à une intention soutenable, et reconnaissent trois points de vue : démocratique, diagnostique et analytique. Le point de vue démocratique considère le besoin comme un changement désiré par la majorité d'un groupe social ; le point de vue diagnostique voit le besoin comme quelque chose dont l'absence ou la déficience se révèle nuisible ; le point de vue analytique perçoit le besoin comme la direction qu'une amélioration peut emprunter étant donné l'information que l'on a du statut présent.

Rossi, Freeman et Wright (1979) considèrent le besoin comme un ensemble de problèmes perçus soit par les bénéficiaires de service, soit par des observateurs, ou encore par des distributeurs de services. Pour Frisbie (1981), un besoin est l'expression d'un changement jugé bénéfique et devant diminuer la sévérité d'une condition inacceptable.

Guba et Lincoln (1982) définissent le concept comme un préalable ou un desideratum engendré par l'écart entre un état cible et un état actuel si, et seulement si, on démontre que la présence de conditions définies au niveau de l'état cible est significativement bénéfique au sujet (un individu, une famille, un groupe social) et que leur absence le blesse, l'indispose ou lui impose une contrainte.

Nous retenons donc comme définition de besoin celle qui le considère comme un écart entre une situation souhaitée, désirée, idéale et une situation actuelle, observée. Toute définition qui s'éloignerait de celle-ci de façon substantielle ne saurait nous satisfaire.

Les catégories de besoins

Atwood et Ellis (1971) parlent de deux catégories : les besoins motivation-nel et prescriptif. Le besoin motivationnel se présente comme une déficience qui déclenche une motivation chez les individus. Le besoin prescriptif, comme le nom l'indique, prescrit le contexte dans lequel le besoin est senti.

Monette (1977) et Bradshaw (1974) classent les besoins en quatre catégo-ries : les besoins humains de base, les besoins exprimés ou sentis, les besoins normatifs et les besoins comparatifs. Les besoins de base sont causés par une déficience et conduisent à un comportement visant la satisfaction. Les besoins perçus sont l'expression de désirs, lesquels lorsqu'ils sont exprimés suggèrent un besoin non comblé et un moyen pour atteindre la satisfaction. Un besoin normatif renvoie à un écart entre un état présent et un critère quelconque. Ce type de besoins requiert des jugements de valeur dans l'établissement de standards. Les besoins comparatifs surgissent lorsqu'un individu ou un groupe ne reçoit pas le service que d'autres reçoivent dans la même situation.

Roth (1978) fait état de cinq types de besoins reposant tous sur la notion d'écart, mais qui sont différents suivant la définition accolée au pôle *situation souhaitée*, lequel peut représenter un état idéal, ou désiré, ou attendu, ou une norme, ou un seuil minimal.

Scisson (1982) parle de besoins subjectifs, ou désirs, et de besoins objectifs, ou déficience. Un besoin sera classé subjectif s'il est exprimé par l'individu lui-même, alors qu'il sera classé objectif s'il est exprimé par une autre personne que celui qui ressent le besoin. Scisson présente une typologie de besoins éducatifs basée sur trois composantes (compétence, utilité, motivation) et impliquant deux catégories (désirs et besoins complexes).

Moroney (1977) définit quatre catégories de besoin : normatif, perçu, exprimé et relatif. Le besoin normatif renvoie à un standard (par exemple, le nombre de lits pour les urgences). Le besoin perçu représente l'opinion du consommateur, alors que le besoin exprimé dépend du nombre de personnes qui ont actuellement recours à un service. Le besoin relatif est mesuré par un écart existant entre les services dans différentes régions, prenant en compte les différences en population et en pathologie sociale.

Les besoins et les moyens

Le terme « besoin » pris dans un sens très général suggère donc une carence quelconque, l'absence d'un bien jugé nécessaire ou désirable. En ce sens, un besoin peut être considéré comme la manifestation d'une inadéquation entre ce qui est et ce qui devrait être. Par exemple, une personne qui dit avoir froid et qui voudrait avoir une couverture manifeste un besoin de chaleur. De même une personne qui ne se sent pas aimée et qui désire l'être exprime un besoin d'amour.

Donc, s'il arrive fréquemment, bien que ce ne soit pas toujours de façon consciente, de manifester des besoins, nous évoquons souvent également des moyens propices pour les combler; nous parlons d'une couverture ou d'un manteau pour combler le besoin de chaleur, et nous parlons d'un être cher pour combler un besoin d'amour. Il arrive donc que les gens confondent l'expression de besoins et l'expression de moyens pour les combler.

Il est important de signaler qu'un besoin est l'expression d'une fin et non du ou des moyens pour atteindre cette fin. En ce sens, une personne qui se procure une couverture pour se réchauffer utilise un moyen pour combler un besoin. Par conséquent, toute expression d'un besoin doit souligner un manque, une carence, une déficience à combler. Pour saisir l'importance de cette distinction entre l'expression d'une fin et d'un moyen, nous paraphrasons l'histoire d'Olgin telle que nous la présente Kaufman (1972).

> Deux hommes déambulaient sur le trottoir et aperçurent un homme très corpulent. Les deux hommes se regardèrent et l'un des deux dit: « Regarde ce gros homme, il aurait besoin de se mettre au régime. » Le second de dire: « Il est gros, c'est vrai, mais ce dont il a besoin c'est de faire de la course à pied. » Les deux hommes s'approchèrent alors de celui qui faisait l'objet de leurs remarques et dirent: « Comment allez-vous? » Le gros homme répondit: « Pour tout dire, pas tellement bien. » Les deux hommes se réjouirent pendant un instant de la justesse de leur diagnostic et de leur prescription. Le gros homme ajouta: « Je suis le champion du monde aux poids et haltères et je dois ajouter de vingt à trente kilos à mon poids actuel de telle sorte que je puisse lever le poids requis pour gagner le prochain championnat mondial. Je ne me sentirai pas bien jusqu'à ce que je sois plus lourd: je sais qu'alors je pourrai m'approprier ce championnat de nouveau. »

Dans cet exemple, les deux analystes se sont attaqués à des moyens pour finalement se rendre compte que ceux-ci ne répondaient pas au véritable besoin. Il eût été préférable pour eux d'identifier le besoin dans un premier temps pour ensuite suggérer des moyens pour le combler.

CONSIDÉRATIONS THÉORIQUES

Nous adoptons les vues de Witkin (1984) qui considère comme « analyse de besoins » toute procédure systématique utilisée pour déterminer des priorités et prendre des décisions eu égard à un programme et à l'allocation de ressources. Elle ajoute que cette procédure, qui se veut à la fois objective et reliée à des valeurs, nécessite la collecte et l'analyse de données provenant de diverses sources et demande la considération de différents points de vue.

Kaufman et English (1979) insistent sur le fait qu'il n'y a pas une « bonne » façon de procéder à une analyse des besoins. Et, comme le précise Witkin (1984), il n'y a pas de modèle d'analyse des besoins qui soit universellement accepté. De plus, il n'y a pas d'évidence empirique démontrant la supériorité d'une approche par rapport à une autre. Bien plus, il semble y avoir un rapport inversement proportionnel entre les modèles élégants et complets et leur niveau d'acceptation et d'utilisation.

Comme le soulignent Kaufman et English (1979), chaque situation est différente d'une autre, de sorte qu'un ensemble de règles ou de procédures uniques peut rarement s'appliquer exactement à tous les contextes. D'où la nécessité d'avoir recours à une procédure fonctionnelle d'analyse des besoins. Cette procédure peut présenter certains points communs avec celles qui sont utilisées dans d'autres situations, mais le choix des outils, des techniques et des procédés doit être fondé sur les caractéristiques uniques à la situation à l'étude.

Définition

En quoi consiste une analyse de besoins? D'une façon globale une analyse de besoins a pour buts d'identifier l'ensemble complet des buts éducatifs et de déterminer leur importance relative. Le résultat devrait faciliter les décisions de type planification, comme le développement et la modification de programmes éducatifs, en attirant l'attention sur les questions et les décisions les plus importantes, d'une part, et devrait justifier l'attention accordée à certains besoins de base à partir desquels les changements dans la performance des étudiants pourront être évalués, d'autre part.

Kaufman et English (1975) nous proposent une définition plus articulée de l'analyse de besoins :

- Un processus qui consiste à définir les fins attendues (résultats, produits) d'une séquence donnée dans le processus de développement d'un programme ;

- Un processus qui consiste à préciser, d'une façon intelligible, ce qui doit être du ressort de l'école ainsi que la façon de l'évaluer ;

- Un processus empirique qui vise à déterminer les résultats de l'éducation et qui, à ce titre, consiste en un ensemble de critères à partir desquels des problèmes peuvent être dégagés et comparés ;

- Un processus qui sert à déterminer la validité des objectifs éducationnels et à déterminer si des tests standardisés ou critériés doivent être utilisés et sous quelles conditions ;

- Un outil de résolution de problème à l'aide duquel une variété de moyens peuvent être sélectionnés et mis en relation dans le processus de développement d'un programme ;

- Un outil qui permet d'obtenir des informations quant aux écarts existant entre les résultats actuels et les résultats attendus, de placer ces écarts par ordre de priorité et de sélectionner les écarts les plus importants en termes de priorité d'action.

Selon Witkin (1975), même si les nombreux modèles d'analyse de besoins diffèrent considérablement au niveau des contenus et des procédés, il existe un niveau d'accord suffisant pour reconnaître qu'un modèle complet doit être constitué de quatre composantes : l'identification des buts ; la détermination du statut actuel par rapport à ces buts ; l'identification, la description et l'analyse des écarts ; la détermination de l'ordre de priorité des besoins.

Une analyse de besoins suppose donc la détermination de deux pôles, le statut actuel de l'étudiant et le statut désiré de l'étudiant, et la spécification de la distance ou de l'écart existant entre ces deux pôles.

Une analyse de besoins consiste donc en une analyse des écarts existant entre le statut désiré et le statut actuel, ce qui suppose l'accès à de l'information concernant ces deux dimensions. Il est important, comme le souligne Popham (1975), de distinguer ce processus de la cueillette de données préférentielles qui consiste à établir un choix, par ordre de priorité, parmi les éléments jugés importants. En somme, lorsque l'on recueille des informations quant au statut désiré des étudiants nous obtenons des données préférentielles. C'est là la procédure la plus usuelle. Il apparaît évident que la validité des besoins exprimés est fonction de la validité des données recueillies en regard du statut désiré et du statut actuel. Une analyse de besoins ne peut être réalisée que si les conditions actuelles et futures des étudiants peuvent être mesurées.

Les postulats

Le processus d'analyse de besoin est essentiellement empirique, ce qui suppose l'acceptation d'un certain nombre de postulats. Elle ne peut être réalisée que si les postulats suivants tiennent :

— La réalité peut être connue, comprise et représentée sous une forme symbolique.

Comme l'analyse de besoins consiste à rendre explicite une réalité, il doit être possible de représenter celle-ci sous une forme symbolique, verbale ou mathématique ;

— La réalité n'est pas statique. Par conséquent, l'analyse de besoins doit être un processus continu.

L'évolution des champs de connaissance et de leur application suppose la réévaluation constante des fins de l'éducation ;

— Tout peut être mesuré sur une quelconque échelle.

Bien que certains phénomènes éducationnels ne puissent être mesurés sur une échelle à intervalles ou sur une échelle de rapport (ce avec quoi

Lodge (1981) serait en désaccord), ces phénomènes peuvent, à la limite, être représentés à partir d'indices plus grossiers résultant de l'application d'échelles nominales ou ordinales ;

— Les fins ou les buts de l'éducation peuvent être précisés.

Il existe un ensemble de moyens permettant aux éducateurs, d'une part, d'expliciter les buts de l'éducation tels que les taxonomies de Bloom, de Krathwohl et de Harrow, l'approche hiérarchique de Gagné, l'approche opérationnelle de Mager, etc., et, d'autre part, d'obtenir des consensus au niveau de ces buts.

Les avantages

Les auteurs traitant de l'analyse de besoins s'entendent généralement sur les avantages suivants :

— La connaissance des aspects les plus forts et les plus faibles de l'apprentissage des étudiants devrait favoriser une meilleure planification de programme ;

— Le fait d'avoir plusieurs groupes de répondants (parents, étudiants, professeurs, administrateurs) devrait permettre de découvrir les écarts manifestés quant à leur perception respective de la manière dont l'école remplit son rôle ;

— Une analyse de besoins devrait permettre de couvrir les besoins non prévus ou diffus, ou encore les causes des problèmes scolaires persistants et non résolus ;

— Une analyse de besoins devrait permettre une meilleure allocation et répartition des ressources monétaires ;

— Une analyse des besoins répétée à tous les deux ou trois ans devrait permettre de suivre l'évolution de la population scolaire et d'adapter les programmes à celle-ci ;

— À une époque où l'investissement scolaire est en baisse, une bonne analyse devrait aider à découvrir les causes des difficultés et des problèmes éprouvés par les étudiants et à déterminer les priorités pour une action corrective ;

— Une analyse de besoins devrait aider la planification dans les secteurs spéciaux : éducation des handicapés, services de *guidance* et de santé, éducation vocationnelle et orientation professionnelle, besoins des groupes minoritaires et des groupes linguistiques différents.

CONSIDÉRATIONS PRATIQUES

Le responsable d'un projet a un certain nombre de décisions à prendre. Afin que celles-ci soient des plus adéquates, il lui faut trouver des réponses valides et pertinentes à de nombreuses questions. Le problème est-il à ce point important qu'il justifie une analyse de besoins? À quel type de besoins devons-nous nous intéresser? Quelles approches pouvons-nous utiliser pour identifier les besoins? Disposons-nous de ressources suffisantes pour appliquer l'approche choisie? Quelle procédure allons-nous utiliser pour déterminer la priorité des besoins exprimés?

Les réponses à ces questions pourraient amener le responsable à décider, par exemple, de procéder à l'analyse de besoins par une approche déductive, de considérer les besoins exprimés sous la forme d'objectifs spécifiques, d'utiliser une méthode graphique pour déterminer la priorité des besoins.

Le spécialiste appelé à intervenir à titre d'évaluateur a plusieurs rôles à jouer: il doit aider le responsable du projet à définir et à circonscrire la problématique devant orienter l'analyse de besoin; il lui faut également adapter, adopter ou élaborer une stratégie particulière d'analyse de besoins et l'appliquer.

La problématique

Dans un premier temps, l'évaluateur doit aider le responsable du projet à définir et à circonscrire le problème qui l'a amené à entreprendre une analyse de besoins, d'une part, et à déterminer le niveau des besoins en question, d'autre part. On ne saurait trop insister sur l'importance que revêt l'identification des paramètres d'un problème: cette étape devrait amener le responsable à prendre conscience de l'importance plus ou moins grande du problème et, par voie de conséquence, l'aider à prendre une décision quant à l'opportunité et à la nécessité d'entreprendre un projet. Cette démarche qui consiste à situer le problème dans ses perspectives véritables devrait faciliter l'identification des moyens à prendre pour lui trouver une solution.

D'abord, il s'agit de situer le problème par rapport au domaine affecté. Par exemple, au niveau scolaire, s'agit-il d'un problème relatif à une matière, comme les mathématiques, ou relatif à un programme de formation, comme les techniques infirmières, ou s'agit-il d'un problème touchant les orientations du cours primaire? D'autre part, il s'agit de déterminer l'étendue et l'importance du problème: se manifeste-t-il au niveau d'une classe, d'une école, d'un district ou d'une commission scolaire, ou au niveau de l'ensemble du système? Enfin, il est important de cerner les symptômes à l'origine du problème. De quelles informations dispose-t-on pour affirmer qu'il y a problème? Quelles sont les sources consultées?

L'évaluateur peut aider le responsable du projet à circonscrire le problème de diverses façons: il peut faire l'analyse et la critique de documents écrits, il peut faire appel à des groupes de discussion et (ou) d'experts. Pour déterminer l'importance du problème et de ses composantes, il peut suggérer l'utilisation de techniques particulières comme la technique DELPHI, la technique du groupe nominal, la technique de l'incident critique, la *fault-tree analysis*. Il peut aussi faire appel à des techniques d'enquête, comme les entrevues, les questionnaires, les échelles d'opinions. Il peut aussi utiliser des procédés non réactifs tels la consultation des éditoriaux de journaux, les rapports de recherche ou d'enquête produits par des chercheurs, par des associations éducatives, par des comités d'écoles, etc.

Il est également important de déterminer le niveau des besoins. Doivent-ils être formulés en termes de buts, d'objectifs généraux ou d'objectifs spécifiques? Les besoins peuvent être définis à des degrés divers de précision selon que l'on se situe au niveau de l'analyse d'un système ou à celui d'un programme d'études ou encore au niveau d'un programme de cours. Par exemple, une analyse de besoins pourrait être entreprise pour déterminer les buts que devrait poursuivre un niveau scolaire donné, comme « assurer à chaque enfant du primaire l'acquisition des outils permanents d'apprentissage ». Similairement, on pourrait entreprendre une analyse de besoins pour déterminer les objectifs généraux d'un programme d'études, par exemple « connaître les événements qui ont marqué l'histoire ». Enfin, on pourrait, par une analyse de besoins, déterminer les objectifs spécifiques d'un programme de mathématiques de quatrième année, comme « être capable d'extraire la racine carrée d'un nombre entier ». Selon le niveau auquel on se situe, la procédure pour réaliser l'inventaire de besoins sera différente, mais l'approche sera fondamentalement la même. Il est important de souligner que la majorité des auteurs s'intéresse davantage au troisième niveau de besoin.

La stratégie

Dans un deuxième temps, l'évaluateur doit adapter, adopter ou élaborer une stratégie particulière d'analyse de besoins et l'appliquer. Par stratégie nous entendons la façon de conduire l'analyse, autrement dit l'évaluateur doit penser à un modèle d'analyse de besoins.

À ce niveau, l'évaluateur a la responsabilité, d'une part, de faire l'inventaire des modèles et des approches d'analyse de besoins existants, d'autre part, de les analyser sur le plan des avantages et des désavantages et, enfin, de concert avec le responsable du projet, d'adapter, d'adopter ou d'élaborer une stratégie particulière. L'évaluateur aurait avantage à consulter les ouvrages des auteurs suivants: Klein *et al.* (1971), Kaufman et English (1975), Kaufman (1972), Stufflebeam (1971), Witkin (1977), Hoepfner *et al.* (1971), Witkin (1984).

La littérature n'offre pas de modèles d'analyse de besoins qui soient universellement acceptés. Les modèles existants, et il y en a plusieurs, peuvent cependant être catégorisés dans l'une ou l'autre des trois approches majeures suivantes: modèle inductif, modèle déductif et modèle classique (Kaufman et Harsh, 1969). Ces modèles diffèrent principalement quant au point de départ utilisé pour la détermination des buts et des objectifs éducationnels (tableau 14).

Le modèle classique

Ce modèle est habituellement utilisé par défaut, c'est-à-dire lorsqu'il n'existe pas ou qu'on ne connaît pas l'existence de modèles plus valables, ou encore lorsqu'on ne veut pas se donner la peine d'utiliser un modèle plus valable.

Ce modèle est encore utilisé par les agences d'éducation, par les ministères de l'Éducation et autres, bien qu'il ne soit pas recommandable.

Dans cette approche, on débute par des énoncés vagues, généraux et globaux de buts ou d'intentions, pour passer directement au développement de programmes éducationnels, lesquels sont ensuite implantés, puis évalués. Habituellement, aucune de ces quatre étapes n'est accomplie à partir de données empiriques. Le travail n'est d'ailleurs pas toujours accompli ou réalisé d'une façon précise ou mesurable.

Tableau 14
STRATÉGIES SPÉCIALES POUR ÉVALUER LES BESOINS ÉDUCATIONNELS ET POUR L'IDENTIFICATION DES BUTS

Modèle inductif	Modèle déductif	Modèle classique
Identifier les comportements actuels [1]	Identifier et sélectionner les buts éducationnels existants [2]	Buts généraux [1]
Compiler et clarifier les comportements dans les programmes et les attentes comportementales [2]	Développer les mesures de type critérié [2]	Développer des programmes [3]
Comparer aux buts généraux existants [1]	Déterminer les changements requis [1]	Implanter le programme [2]
Réconcilier les écarts [1]	Recueillir les données et déterminer les écarts [2]	Évaluer [3]
Déterminer les objectifs spécifiques [2]	Déterminer les objectifs spécifiques [2]	
Développer un programme d'études [2]	Développer un programme d'études [2]	
Implanter le programme d'études [2]	Implanter le programme d'études [2]	
Évaluer les effets du programme [2]	Évaluer les effets du programme [2]	
Réviser [2]	Réviser [2]	

1. Responsabilité conjointe : éducateurs et groupes sociaux.
2. Responsabilité : éducateurs.
3. Non systématique.

Ce modèle présente l'avantage de demander peu de temps, d'efforts, d'énergie ou d'argent, d'une part, et il n'exige pas l'établissement d'un consensus, d'autre part. Cependant, cette économie de temps, d'énergie et d'argent trouve sa contrepartie dans une validité douteuse, pour ne pas dire inexistante. Enfin, on risque d'avoir à reprendre la procédure dans un délai relativement court.

Le modèle inductif

Le modèle inductif tire son nom du fait que les buts, les attentes et les résultats de l'éducation sont obtenus des membres de groupes et de sous-groupes sociaux d'une communauté et que le programme est basé sur ces données.

Il débute avec les partenaires ou les agents de l'éducation qui, seuls ou en groupes, déterminent les valeurs et les buts. Ils en établissent la liste et déterminent les priorités. Des données sont par la suite recueillies pour voir jusqu'à quel point ces buts sont plus ou moins atteints.

La première étape consiste à recueillir des informations quant aux comportements actuels des étudiants d'un district ou d'une commission scolaire donnée. Dans un deuxième temps, il s'agit de compiler et de partager par domaines et par comportements attendus, les comportements identifiés par les groupes et sous-groupes sociaux de la commission scolaire. Dans un troisième temps, il s'agit de comparer les attentes aux buts existants, de réconcilier tout écart d'une manière acceptable pour les divers sous-groupes et, enfin, d'énoncer les objectifs et de les réviser s'il y a lieu, et ce, aussi souvent que c'est nécessaire.

Ce modèle est valable parce qu'il est basé sur les attentes et les perceptions des groupes et sous-groupes sociaux, d'une part, et parce qu'il utilise une approche rigoureuse et systématique pour la cueillette des données empiriques, d'autre part. On peut cependant lui reprocher sa lenteur d'application et sa complexité.

Les Bucks County Schools de Pennsylvanie ont développé un modèle de type inductif, qui consiste en un ensemble de livrets, dont *un instrument à caractère général* comprenant dix énoncés de buts axés sur la qualité de l'éducation et *dix instruments à caractère particulier*, un par but.

L'instrument général qui peut être utilisé par les parents, les étudiants, les professeurs ou les administrateurs contient les énoncés de dix buts généraux de même que des indicateurs de ces buts dont l'importance doit être jugée sur une échelle à cinq points, avec l'aide d'un questionnaire ou d'un tri de cartes. L'ensemble des jugements sert à déterminer les dimensions prioritaires.

Les instruments particuliers, un par but, servent aux étudiants à qui on demande de s'auto-évaluer par rapport à un certain nombre d'objectifs spécifiques, en indiquant sur une échelle la fréquence d'une action ou de la manifestation d'un trait.

Les caractéristiques particulières du modèle sont les suivantes : on a utilisé la technique de l'incident critique pour produire des énoncés de buts et de comportements ; les dix buts constituent la structure de base pour les instruments général et spécifiques ; les étudiants s'auto-évaluent ; des tests appropriés sont déterminés pour chaque but. Le modèle ne dit cependant pas comment relier les évaluations faites à partir des instruments général et spécifiques.

Les modèles développés à Dallas (Texas) et à Fresno (Californie) sont aussi des exemples de l'approche inductive.

Le modèle déductif

Le modèle déductif part d'énoncés de buts et d'objectifs existants pour déboucher sur un programme éducatif. Le point de départ consiste en l'identification et la sélection de buts éducatifs existants. Les agents ou les partenaires de l'éducation utilisent ces listes dans le but d'en déterminer l'utilité, l'exhaustivité et la précision. De ces listes sont dérivés les buts éducatifs et des données sont recueillies afin de déterminer l'existence d'écarts. Dans un deuxième temps, il s'agit de développer des mesures critériées représentatives de certains comportements. Dans un troisième temps, il s'agit de s'enquérir auprès des partenaires du système éducationnel des changements à y apporter. On administre par la suite les mesures critériées afin de déterminer si les comportements désirés se sont ou non déjà manifestés. On détermine les écarts, les objectifs détaillés sont formulés, un programme est développé, implanté, évalué et révisé.

Parmi les avantages de cette approche nous notons sa validité, car elle fait appel aux partenaires du système éducatif, sa rapidité et sa simplicité. Par contre, le fait de partir d'une liste préétablie de buts et d'objectifs peut représenter une faiblesse.

Le Center for the Study of Evaluation de l'université de Californie à Los Angeles a développé le *CSE/Elementary School Evaluation Kit* (Hoepfner *et al.*, 1971) qui adopte une approche déductive. Il comprend un ensemble de livrets décrivant la manière de réaliser une analyse de besoins au niveau primaire. Le processus d'analyse de besoins comprend quatre étapes :

- *Identification des buts à atteindre* : les répondants reçoivent une série de cent six énoncés répartis en quarante et une dimensions et on leur demande de juger de l'importance de ces buts sur une échelle à cinq points, à l'aide d'un questionnaire ou d'un tri de cartes. Les buts sont reliés à la performance académique et touchent le développement de l'étudiant dans les domaines cognitif, affectif et psychomoteur ;

- *Sélection des tests devant servir à mesurer l'atteinte des buts* : une liste de tests reliés à chaque but et comprenant une évaluation de ces tests, quant à la validité, à l'applicabilité, à la facilité d'administration et à la qualité des normes, est mise à la disposition des responsables. Ceux-ci doivent choisir les tests devant servir à évaluer l'atteinte des buts;

— *Interprétation des résultats en fonction de normes*: une table de normes nationales est fournie, de même qu'un ensemble de facteurs de correction afin de permettre aux responsables d'en dériver des normes pour une école particulière;

— *Utilisation d'un modèle pour déterminer les buts prioritaires*: l'ordre de priorité des énoncés de buts est estimé à partir des facteurs suivants: l'importance du but, l'importance ou l'utilité d'améliorer la performance et le degré de probabilité de cette amélioration.

Les modèles *Phi Delta Kappa*, *Battelle* et *Worldwide* sont aussi des exemples de l'approche déductive.

Il est important de signaler que le choix de l'une ou de l'autre de ces approches est fonction de plusieurs facteurs, telles la variable temps, les ressources financières et autres disponibles, et évidemment de la situation particulière à l'étude. Toutes choses égales par ailleurs, le modèle inductif est valable parce qu'il a comme point de départ les perceptions et les préoccupations des divers partenaires de l'éducation dans le milieu, mais il présente le désavantage d'être plus lent et plus complexe à implanter que le modèle déductif. Quant au modèle classique, il est certes à déconseiller. Il est possible également que l'évaluateur fasse appel à un modèle mixte, c'est-à-dire un modèle qui fait usage des approches inductive et déductive.

Le lecteur intéressé par les différents modèles et types d'analyse de besoins pourrait avec intérêt consulter la taxonomie proposée par Kaufman et English (1979), de même que celle de Stufflebeam *et al.* (1985).

L'application du modèle

Une fois le modèle déterminé, l'évaluateur doit l'appliquer, c'est-à-dire mettre en marche le processus d'analyse de besoins proprement dit. Nous avons vu dans la section précédente que, quel que soit le modèle envisagé, le processus comporte généralement quatre composantes: la détermination du statut désiré; la détermination du statut actuel; l'identification, la description et l'analyse des écarts entre les deux premières composantes; la détermination des priorités.

La détermination du statut désiré

L'identification des buts ou des objectifs

L'identification des buts ou des objectifs doit partir d'une réflexion sur la croissance de l'étudiant dans une société changeante, c'est-à-dire sur les résultats, les habiletés, les connaissances et les attitudes qu'il doit acquérir pour pouvoir faire face à cette société. La liste complète des buts et des objectifs éducatifs possibles constitue le matériel de base de l'analyse de besoins. Ces buts ou ces objectifs peuvent être élaborés par un groupe d'experts ou encore provenir de listes déjà établies.

L'évaluateur n'est pas dépourvu de moyens pour réaliser cette tâche : le modèle théorique de Tyler (1950), qui fournit une procédure pour produire des buts et des objectifs, peut être utile à ce chapitre ; les rapports de recherches et d'enquêtes produits par les associations de parents, les associations éducatives, les éditoriaux des journaux, les dossiers scolaires, les descriptions de programmes, les guides méthodologiques, les banques d'objectifs, telles qu'*IOX* (Popham, 1968) et le *CSE/Elementary School Evaluation Kit* (Hoepfner *et al.*, 1972), peuvent servir de sources pour constituer des listes de buts et d'objectifs ; les taxonomies de Bloom *et al.* (1956), de Krathwohl (1964) et de Harrow (1973) s'avèrent utiles dans les domaines cognitif, affectif et psychomoteur ; les approches opérationnelles de Mager (1962) et de Metfessel *et al.* (1967) sont intéressantes et importantes pour qui veut formuler des besoins sous la forme d'objectifs spécifiques.

Dans les modèles basés sur la notion d'écarts, l'identification des buts/ objectifs est l'une des premières étapes du processus. Witkin (1975) précise que, dans plusieurs modèles, on leur assigne un ordre d'importance. Ainsi, dans l'approche développée par le Worldwide Education and Research Institute (Eastmond, 1974) et dans celle de Kaufman (1972), deux modèles de type déductif, la première étape consiste à générer des buts et à leur assigner un ordre d'importance.

D'autres modèles utilisent une liste prédéterminée de buts généraux. C'est notamment le cas pour le *Phi Delta Kappa* (PDK) qui propose une liste de dix-huit énoncés de buts. Dans ce modèle, l'analyse des besoins débute par la détermination de l'importance des buts ainsi que du niveau à atteindre ; en second lieu, il s'agit d'énoncer des objectifs pour les besoins jugés prioritaires et de planifier l'implantation d'interventions pour satisfaire à ces besoins ; enfin, il faut procéder à l'allocation des ressources. Le modèle CSE, développé par le Center for the Study of Evaluation de l'université de la Californie à Los Angeles, propose aussi une liste de buts. La première étape du processus consiste à leur assigner un ordre d'importance ; la deuxième consiste à sélectionner des tests pour mesurer la performance des étudiants pour les buts jugés les plus importants ; la troisième consiste à analyser les résultats obtenus aux tests ; enfin, il faut utiliser un modèle décisionnel pour en tirer les besoins critiques (Hoepfner *et al.*, 1972).

Dans les modèles qui utilisent une approche inductive, les buts viennent à la suite du repérage des problèmes propres à une situation particulière. C'est le cas du modèle de Fresno et du modèle de Dallas.

Une dernière technique de détermination de buts consiste, en un premier temps, à énoncer des buts généraux, tant au niveau individuel qu'au niveau de l'établissement, et à recueillir des informations sur le statut actuel de chaque but. Dans un deuxième temps, les buts généraux sont reformulés en énoncés plus spécifiques. Les buts ne sont pas placés par ordre d'importance, mais les écarts entre eux sont étudiés afin d'en arriver à déterminer les besoins prioritaires. L'*Alameda County Needs Assessment Model* (ACNAM) (Witkin, 1975) utilise cette technique.

La détermination de l'importance des buts ou des objectifs

La deuxième étape consiste à faire appel à des représentants du milieu (parents, groupes sociaux), à des professeurs, à des administrateurs et à des étudiants à qui on demande de déterminer l'importance relative de ces buts ou objectifs préalablement déterminés. Il s'agit essentiellement d'un exercice de mise en rang dont le résultat se présente comme un ensemble de données préférentielles.

Il s'agit à ce niveau d'identifier les répondants qui seront appelés à juger de l'importance relative des buts ou des objectifs, de développer et d'appliquer une procédure pour juger de l'importance des buts ou des objectifs, d'identifier les données préférentielles:

— Le choix des répondants est une activité importante, car ce sont eux qui en définitive vont déterminer le résultat final de cette étape. Le type et le nombre de répondants requis sont fonction de l'importance et de l'étendue de la tâche, d'une part, et de la nécessité de recueillir l'opinion de diverses catégories de répondants, d'autre part. Si on fait appel à plusieurs catégories, il y a lieu de décider si on accorde la même importance à chacune d'entre elles ou si on leur accorde un poids différent;

— Quant à l'importance des objectifs, l'évaluateur a le choix entre plusieurs méthodes. Les plus usuelles sont, selon Witkin (1977), les échelles d'opinions de type *Likert* et le tri de cartes. On peut en outre suggérer l'utilisation de techniques particulières, comme la technique DELPHI, ou la technique du groupe nominal, ou la technique de l'incident critique; on peut aussi utiliser les techniques d'enquêtes, comme les entrevues, ou les questionnaires, ou la méthode d'allocation budgétaire, ou la procédure de pondération pairée et l'échelonnage par estimation de l'amplitude.

Une fois le type et le nombre de répondants déterminés et la procédure choisie, il s'agit de procéder à la collecte d'informations;

— Une fois les données recueillies, il s'agit de les traiter et de les analyser de telle façon qu'il soit possible de déterminer l'ordre d'importance des buts ou des objectifs. L'évaluateur peut faire appel aux techniques statistiques descriptives, telles les mesures de tendance centrale, les mesures de dispersion; il peut aussi, s'il désire établir des comparaisons entre les diverses catégories de répondants, faire appel à des techniques statistiques plus sophistiquées, telles que les mesures d'association, les tests de différence, etc.

L'échelle Likert

Dans plusieurs modèles d'analyse des besoins, la détermination de l'importance des buts se fait à l'aide d'une échelle de type *Likert*. On utilise généralement une échelle à cinq points; c'est notamment le cas des modèles *Battelle*, *Westinghouse*, IGI (*Institutional Goals Inventory*), *Bucks County*. La valeur scalaire moyenne est généralement calculée pour chaque but, puis les buts sont placés en ordre décroissant d'importance.

Cette méthode offre les avantages d'être d'utilisation rapide et simple, et permet d'illustrer les valeurs d'importance assignées par les répondants. Malgré les faiblesses inhérentes à cette technique, 75 % des analyses de besoins en feraient usage (Kominski, 1979). Selon Lodge (1981), ce type d'échelle, largement utilisé pour mesurer la force d'une opinion, manifeste de sérieuses faiblesses. L'utilisation d'une échelle avec un nombre limité de catégories prédéterminées entraînerait une perte d'informations. De plus, même si le répondant peut clairement établir la différence entre deux objets, l'échelonnage par catégories l'oblige à faire des jugements de type similarité/différence et à classifier les items jugés plus ou moins semblables dans la même catégorie. Lodge (1981) souligne en outre le fait que les échelles à catégories prédéterminées ne représentent qu'un niveau de mesure ordinal, ce qui empêcherait l'utilisation de méthodes statistiques plus puissantes.

Il croit enfin que l'utilisation d'une échelle à catégories fixes a pour effet d'affecter la réponse. Il semblerait en effet que, alors que le changement réel des stimuli sociaux varie dans le temps et d'un individu à l'autre, l'étendue des catégories peut contraindre les jugements du répondant lorsqu'elle n'est pas suffisamment large.

Le tri de cartes

Avec la méthode du tri de cartes, les répondants reçoivent une série de cartes sur lesquelles sont imprimés les énoncés de buts (un énoncé par carte). Ils ont pour tâche de répartir les cartes en un certain nombre de piles (habituellement de trois à cinq) indiquant leur degré d'importance. Des valeurs sont assignées aux énoncés, selon la catégorie à laquelle ils appartiennent, afin de rendre possible le calcul de moyennes.

Il est possible de forcer la distribution des résultats en exigeant des répondants qu'ils répartissent un nombre égal d'énoncés dans chaque pile. Cette méthode est utilisée dans le modèle *Phi Delta Kappa* (PDK) développé par le Northern California Program Development Center.

Selon Witkin (1977), les avantages de cette méthode résident dans sa facilité d'utilisation pour un individu ou pour un petit groupe, dans le plaisir qu'éprouvent les répondants à l'exercice et dans le fait qu'elle rend possibles les interactions entre les répondants d'un petit groupe. Parmi les inconvénients, on signale qu'elle peut indisposer les participants parce qu'elle est trop mécanique, qu'elle est difficilement applicable avec un grand nombre d'énoncés, qu'elle peut être onéreuse car elle nécessite un matériel en plusieurs exemplaires.

L'allocation budgétaire

La méthode d'allocation budgétaire est utilisée pour forcer les répondants à prendre des décisions quant à l'importance à accorder à des buts. En effet, elle est ainsi faite qu'elle amène les répondants à déterminer les buts comme n'ayant pas tous une importance majeure. C'est ce qui se produit souvent, selon Witkin (1977), avec les échelles de type *Likert*.

Cette méthode demande à chaque répondant d'allouer un nombre de points (ou dollars) à des énoncés de buts ou d'objectifs, ce nombre de points étant généralement deux fois plus élevé que le nombre de buts. Les buts ou objectifs sont imprimés sur une feuille et sont placés dans un ordre quelconque. Le répondant doit leur assigner des points jusqu'à épuisement du total à allouer. La moyenne de points alloués pour chaque but est par la suite calculée et les buts sont finalement placés par ordre de priorité sur la base de ces moyennes.

La pondération pairée

Cette méthode fait également usage de choix forcé. En effet, chaque répondant doit comparer chaque but avec chacun des autres buts et il doit décider lequel des deux est le plus important ou essentiel. Une seule décision est prise pour chaque paire. Les poids sont par la suite additionnés pour chaque but, lesquels sont alors placés par ordre d'importance sur la base du poids total reçu.

Selon Witkin (1977), cette procédure est plus valide que le tri de cartes et que l'échelle à catégories parce que le répondant est appelé à comparer chaque but ou objectif à chacun des autres. Par ailleurs, elle est difficile et lourde d'application lorsque le nombre de buts dépasse dix ou douze. Witkin indique également que les choix sont parfois difficiles à faire.

L'estimation de l'amplitude

Selon Dell (1974), le calibrage par estimation de l'amplitude serait une technique plus précise que les précédentes pour juger de l'importance relative d'objectifs ainsi que pour faire des comparaisons entre les groupes. L'essence de la méthode réside dans le rapport de proportion existant entre les différents énoncés constituant l'échelle. Cette méthode permet non seulement d'illustrer l'ordre d'importance des énoncés mais également la distance relative entre les buts/objectifs (Witkin, 1977).

Dans cette méthode, tous les jugements consistent à comparer chacun des énoncés à un énoncé type auquel une valeur arbitraire d'intensité faible ou moyenne a été assignée. Dans chaque cas, le répondant donne une valeur chiffrée qui indique combien de fois l'objectif ou le but est considéré supérieur ou inférieur à l'énoncé type. Il n'y a pas de limite supérieure pour les valeurs numériques que l'on peut assigner; par contre, la limite inférieure est égale à zéro. Les valeurs numériques sont par la suite transformées en logarithmes, lesquels sont transformés en moyennes géométrique et arithmétique. Les valeurs obtenues peuvent être illustrées par une courbe sur un graphique. Comme le précise Lodge (1981), un échantillon de dix répondants suffit pour obtenir une courbe que l'on peut interpréter. Cette méthode, contrairement aux autres, permet à chaque répondant d'allouer à chaque énoncé une valeur correspondant exactement à sa perception de l'objet évalué (Lodge, 1981).

Lodge (1981) prétend que cette technique, appliquée au domaine de la psychophysique (calibrage de sensations, comme l'intensité des sons, de la lumière, la saveur d'aliments, le poids d'objets, etc.), peut être appliquée au calibrage et à la validation de stimuli sociaux appartenant à des dimensions socio-psychologiques. Dell (1974) a démontré que cette technique pouvait aussi être utilisée dans le domaine de l'éducation pour le calibrage des objectifs éducatifs. Lodge (1981) affirme même que la logique, les mesures et les procédures développées pour la quantification des stimuli physiques sont virtuellement identiques aux méthodes, aux tests et aux analyses employés pour le calibrage et la validation de jugements socio-psychologiques.

Witkin (1984) est d'avis que les échelles proportionnelles constituent un moyen fiable pour poser des jugements relatifs à des stimuli sociaux pour lesquels il n'existe pas de mesure objective. L'analyse de besoins fait souvent appel à des techniques de collecte de données subjectives. Par conséquent, toutes les techniques qui offrent un niveau de fidélité acceptable sont intéressantes.

La détermination du statut actuel

Cette composante du processus d'analyse de besoins consiste à déterminer dans quelle mesure les objectifs ou les buts ont été atteints, à l'aide d'instruments de mesure appropriés. Il peut y avoir autant d'instruments de mesure qu'il y a de buts ou d'objectifs pour lesquels nous voulons des informations. Il est important, à cette étape, de sélectionner, de confectionner ou d'adapter les instruments de mesure propres à fournir les informations les plus pertinentes et les plus valides, quant au statut actuel des étudiants par rapport aux buts ou aux objectifs, et de les appliquer.

Le choix des instruments de mesure doit se faire en tenant compte d'un certain nombre de facteurs, tels l'importance relative des buts ou des objectifs, le coût de la collecte et de l'analyse des informations, la quantité et la qualité des informations à recueillir, le facteur temps et les ressources disponibles, et la possibilité d'amélioration de l'atteinte des buts ou des objectifs. L'évaluateur dispose de plusieurs sources de données :

— *Les données perceptuelles* : il s'agit de demander à des répondants (parents, professeurs, administrateurs) d'indiquer, ordinairement sur une échelle à cinq points, le degré d'atteinte des buts. Il est important dans un tel cas de s'assurer que les répondants possèdent suffisamment d'informations factuelles, car la validité des données en dépend ;

— *La performance des étudiants* : il s'agit de soumettre les étudiants à des tests de performance standardisés ou à des tests critériés. Il est possible également de se reporter aux données consignées au bulletin scolaire ou encore de demander aux étudiants de s'auto-évaluer. (Cette dernière pratique n'est pas sans poser de problème !) Ce sont là les procédures les plus usuelles, sinon les plus valides, pour déterminer le statut actuel des étudiants par rapport aux buts ou aux objectifs.

 D'autres données peuvent être recueillies à partir d'observations ou encore de productions artistiques, dramatiques, scientifiques, sportives ou autres ;

— *Les données institutionnelles* : il s'agit ici de données démographiques ou de données portant sur des phénomènes tels que l'absentéisme, l'abandon scolaire, la santé des étudiants, etc.

 D'autres sources, comme les statistiques portant sur la fréquentation de la bibliothèque, la consultation auprès des professionnels non enseignants (conseiller d'orientation, psychologue scolaire, etc.) peuvent être utilisées ;

— *Les registres civils* : les données de recensement, des cours municipales, des services sociaux communautaires, des groupes de citoyens, etc.

 Que ce soit pour l'adaptation, l'adoption ou le développement des instruments de mesure, il est important de s'assurer que ceux-ci répondent bien aux critères de validité, de fidélité et de pertinence, lesquels affectent la qualité des informations et, partant, la qualité des évaluations et des décisions.

 De façon générale, il est important de considérer plusieurs sources de données plutôt qu'une seule. De plus, il est important d'accorder une attention particulière à la représentativité des groupes de répondants (échantillon) et il est primordial de fournir toutes les informations susceptibles d'éclairer les répondants.

 Il est également important de s'interroger sur l'interférence que peut causer l'utilisation de certains instruments ; les mesures non réactives telles que les données institutionnelles, les registres ou les dossiers scolaires sont quelquefois plus efficaces et plus fiables que les tests de rendement.

Sur le plan de l'administration des instruments de mesure, que ceux-ci soient de rendement, d'attitudes ou de performance psychomotrice, il est nécessaire pour l'évaluateur de considérer s'il y a lieu d'utiliser tous les étudiants ou seulement un échantillon, ou encore d'utiliser un échantillon combiné des items et des sujets (échantillon matriciel : Lord, 1968 ; Sirotnik, 1974 ; Husek et Sirotnik, 1968).

Le questionnaire d'enquête

Witkin (1977) est d'avis que l'enquête constitue la méthode la plus usuelle pour déterminer le statut actuel, c'est-à-dire pour voir si les buts/objectifs d'un programme sont atteints ou encore pour déterminer les conditions existantes d'un programme. Elle ajoute que si l'enquête constitue généralement la seule méthode utilisée pour la collecte des données, elle est quand même souvent combinée à d'autres méthodes.

Dans le contexte d'une analyse de besoins, l'enquête a pour but de recueillir des données relatives à une situation particulière, en vue de définir un certain nombre de priorités, d'une part, et de procéder à l'allocation de ressources, d'autre part. L'enquête doit permettre de recueillir des données relatives aux deux pôles reconnus comme « ce qui est » (statut actuel) et « ce qui devrait être » (statut désiré). Elle doit être spécifique au niveau des questions, surtout si elle constitue la seule méthode de collecte de données. Selon Witkin (1984), une enquête à caractère général ne saurait être d'aucune utilité.

De l'avis de Witkin (1984), l'enquête la plus efficace est celle qui s'adresse à des répondants choisis en raison de leur expérience personnelle, de leur niveau d'expertise, de leur connaissance d'un milieu précis, ou encore en raison de leur connaissance de faits les concernant ou concernant d'autres personnes. On doit cependant éviter de demander aux répondants de porter un *jugement global* sur l'adéquation de services ou sur le niveau de performance de sujets. Il n'est pas non plus recommandé de demander aux répondants de lister leurs propres besoins, ni ceux des autres.

L'enquête est généralement réalisée à l'aide d'un questionnaire écrit ou encore à l'aide de la technique d'entrevue. Quatre aspects particulièrement importants doivent retenir l'attention lors de la construction d'un questionnaire destiné à recueillir des données sur le statut actuel : l'objet de l'analyse des besoins ; les sources d'information ; le contenu des échelles d'opinion ; l'origine de ces échelles (lorsque des échelles déjà existantes sont utilisées).

L'objet

Tout questionnaire d'enquête doit clairement définir son objet : l'enquête porte-t-elle sur les besoins des bénéficiaires de services (niveau primaire) ou sur ceux des dispensateurs (second niveau)? Dans le premier cas, on s'intéresse au produit final, aux résultats, aux extrants d'un système. Dans le deuxième, on centre l'attention sur les intrants, les processus ; on inclut les programmes, les ressources de l'organisation aussi bien que les besoins de formation du personnel.

Les sources

Il est important de déterminer les sources d'information les plus appropriées, c'est-à-dire des répondants qui connaissent suffisamment le domaine étudié, qui sont capables de comprendre l'intention des auteurs de l'enquête et de répondre adéquatement aux questions, et des répondants qui ne vont pas mentir ou encore considérer l'enquête comme une ingérence dans leur vie privée.

Les échelles

Les intervenants de besoins font souvent usage d'énoncés proposant des réponses sur une échelle à catégories prédéterminées. Il s'agit, à ce niveau, d'être explicite quant aux informations que l'on veut recueillir et de formuler des énoncés clairs et précis, non ambigus. Comme le précise Witkin (1984), les questionnaires ont pour fonction de recueillir l'opinion des répondants sur l'une ou l'autre des dimensions suivantes : l'importance de buts/objectifs éducatifs ou sociaux, de programmes, de services, de comportements, de conditions au sein de l'organisation ; la performance ou l'atteinte d'objectifs précis ; le degré d'accord sur un ensemble de buts, de conditions ou de comportements ; la fréquence avec laquelle se manifestent certains comportement ; le degré de satisfaction à l'égard de services, de cours, de programmes ou de tout autre intrant d'un système ; le niveau de difficulté de certaines tâches ; la préférence pour un programme ou une activité.

Les questionnaires peuvent également comprendre une section destinée à recueillir des données socio-démographiques et des données factuelles. Il s'agit à cet égard d'inclure les questions les plus pertinentes et les seules essentielles.

L'origine

Finalement, il est évidemment important de mentionner l'origine ou les origines du questionnaire ou de certains de ses éléments. Dans le cas où le concepteur d'une analyse de besoins entend utiliser les éléments d'un questionnaire déjà existant, il doit évidemment obtenir l'autorisation.

Il arrive fréquemment que le même questionnaire d'enquête serve à déterminer à la fois le statut désiré et le statut actuel, qui sont les deux pôles du concept « besoin ». Le fait de demander au répondant de compléter *un seul* questionnaire risque moins de l'indisposer que si on lui demande de répondre à deux questionnaires. En outre, cette façon de faire peut représenter une économie substantielle, et ce, autant en temps qu'en argent.

L'identification des écarts

Cette étape consiste à déterminer les écarts entre le statut désiré et le statut actuel des étudiants, dans le but de pouvoir identifier les buts et les objectifs que devrait poursuivre un programme. Cette composante comporte deux étapes : la détermination des écarts, d'une part, et la quantification de ces écarts, d'autre part.

Les méthodes vont de simples équations (écart = différence entre le statut désiré et le statut actuel) aux procédures complexes qui utilisent les notions de poids différentiel (Klein *et al.*, 1971 ; Popham, 1975) et d'échelles ajustées (Dell, 1973 ; Dell et Meeland, 1973 ; Dell, 1974).

De l'avis de Kaufman (1972), l'analyse des écarts suppose la considération de trois caractéristiques : les données doivent représenter le monde actuel des individus concernés par ces besoins, tel qu'il est, aussi bien que tel qu'il sera, qu'il pourrait être et devrait être dans l'avenir ; la détermination des besoins n'est jamais finale et complète et il faut prendre conscience que la validité de tout énoncé d'un besoin devrait constamment être remise en question ; les écarts devraient être présentés en termes de produits ou de comportements (fins) plutôt qu'en termes de processus (ou moyens).

Witkin (1975) mentionne que la diversité et les différences dans les modèles d'analyse des besoins viennent de cette première caractéristique et plus précisément de l'interprétation des mots et phrases clés « actuel », « tel qu'il est » et « tel qu'il sera », « pourrait être et devrait être ».

Un aspect important de l'analyse des écarts consiste à en examiner la cause. Malheureusement, comme le signale Witkin (1975), cet aspect est souvent négligé. Trop souvent, les professionnels et le public ont tendance à poser des jugements d'une façon expéditive relativement aux écarts et aux facteurs qui y sont reliés. L'auteur précise que cette façon de faire est particulièrement évidente lorsque les besoins prioritaires sont reconnus simplement en choisissant les buts les plus importants et qui sont atteints seulement à un faible niveau.

La cause des écarts réside soit chez les étudiants, soit au niveau de l'institution. Des données sur les caractéristiques des étudiants et des informations sur l'institution seront utiles. De fait, Witkin (1975) recommande de procéder à une analyse des besoins en deux étapes : en premier lieu, il convient d'identifier, de décrire et d'analyser les besoins chez les étudiants. En second lieu, il convient d'analyser les intrants au niveau du personnel, des programmes, du matériel et des autres ressources. Les modèles ACNAM et *Worldwide* (Eastmond, 1974) proposent une méthode d'analyse des besoins qui renvoie à des faits, des valeurs et des politiques.

La détermination des priorités

Cette étape consiste, d'une part, à élaborer un ensemble de critères pour juger de l'importance des écarts identifiés à l'étape précédente et, d'autre part, à établir un ordre de priorité des besoins.

Kaufman (1972) affirme que la mise en priorité des besoins est importante dans la mesure où il semble n'y avoir jamais suffisamment d'argent et de temps pour satisfaire à tous. À cette fin, Kaufman et Harsh (1969) insistent sur l'importance d'avoir recours à une méthode systématique de mise en priorité de besoins. S'il est critique d'avoir recours à une méthode systématique, écrivent les auteurs, il est aussi essentiel que l'ordre de priorité de ces besoins se fasse de façon systématique. Selon eux, par le passé, la mise en priorité des besoins était empreinte d'amateurisme et souvent faite de façon fortuite.

Witkin (1984), tout en étant d'accord avec Kaufman et Harsh, précise toutefois que les méthodes de mise en priorité des besoins doivent être prévues dès le début de l'analyse des besoins. Selon Witkin, on obtient de meilleurs résultats lorsque des critères d'analyse et de conversion des besoins en priorité sont établis, lorsque l'on utilise des règles de décision et des procédures d'une façon systématique, lorsque l'on intègre des données quantitatives et qualitatives à cette analyse et lorsque l'on tient compte à la fois des coûts relatifs à l'implantation de solutions et que l'on considère les conséquences inhérentes au fait d'ignorer les besoins prioritaires.

Les méthodes varient grandement; certaines se limitent à calculer l'importance moyenne de chacun des buts ou des objectifs et à établir une simple mise en rang de ceux-ci, alors que d'autres font appel à des techniques statistiques comme le test « t » ou le khi carré. D'autres méthodes utilisent des règles de décision plus complexes qui tiennent compte de facteurs tels que : l'importance des buts, la grandeur de l'écart, la probabilité que le besoin puisse être comblé, l'utilité, le rapport coûts-bénéfices et autres (Klein *et al.*, 1971 ; Hoepfner *et al.*, 1971). D'autres méthodes encore suggèrent l'utilisation de procédés graphiques (Hershkowitz, 1973 ; Opinion Research Corporation, 1972 ; Yuskiewicz, 1980 ; Witkin et Richardson, 1983 ; Nadeau, 1985). Certaines méthodes proposent le calcul d'indices (Neff, 1973 ; Lane *et al.*, 1983 ; Sork, 1979 ; Kemerer et Schroeder, 1983). Enfin, certaines méthodes font usage de procédures complexes, telle l'estimation de l'amplitude (Dell, 1973 ; Lodge, 1981).

Nadeau (1985) a créé un logiciel (Apple, IBM/PC et compatibles, MacIntosh) qui incorpore certains de ces algorithmes, permet le traitement de données provenant d'un inventaire de besoins et fournit certaines statistiques de base, de même qu'une mise en priorité de besoins et un diagnostic.

Le rapport au responsable

Tout au long du processus d'analyse de besoins, l'évaluateur doit fournir au responsable du programme les informations dont celui-ci a besoin pour prendre des décisions, que celles-ci concernent le type de besoins sur lesquels porte l'enquête ou la stratégie particulière à utiliser pour les identifier. Ces rapports peuvent varier considérablement dans leur forme; ils peuvent prendre l'allure de rapports oraux ou de rapports écrits; ils peuvent être exigés de façon continue ou ponctuelle. Peu importe la forme du rapport, l'évaluateur doit être en mesure: de décrire chacune des étapes du processus d'analyse de besoins; de justifier le choix des procédures, des méthodes, et des techniques; de présenter de façon intelligible les résultats obtenus.

L'évaluateur peut en outre être appelé à fournir au responsable du programme un rapport synthèse sur le processus d'analyse de besoins. Cette exigence est particulièrement plausible dans le cas où le responsable du programme doit lui-même faire rapport au bailleur de fonds. Dans une telle éventualité, l'évaluateur aurait avantage à présenter un rapport détaillé mettant en évidence chacune des étapes réalisées, soit: la problématique, la stratégie, l'application et les résultats. Il est important pour l'évaluateur autant que pour le responsable du programme de faire ressortir les décisions prises à chacune des étapes, de donner les raisons justifiant l'utilisation de chacune des procédures, des méthodes et des techniques. Il est également important de présenter les résultats dans un langage adapté au destinataire du rapport.

L'évaluateur aurait avantage à tenir son dossier d'évaluation à jour de telle sorte qu'il puisse, d'une part, répondre rapidement à chacune des demandes du responsable du programme et, d'autre part, fournir les informations les plus détaillées possibles.

À la fin de l'étape analyse de besoins, le responsable du programme possède une liste de besoins jugés prioritaires. Comme nous l'avons mentionné, ces besoins peuvent être exprimés en termes de buts, d'objectifs généraux ou d'objectifs spécifiques. Cette liste de besoins constitue le point de départ de l'étape suivante: la planification de programme.

202   L'ASPECT PRATIQUE

◆ RÉFÉRENCES

Alkin, M.C. (1969). *Evaluation Theory Development. Evaluation Comment.* 2 (1).

Anderson, S.B., Ball, S. (1978). *The Profession and Practice of Program Evaluation.* San Francisco, Calif. Jossey-Bass.

Archambeault, R.D. (1957). *The Concept of Need and its Relation to Certain Aspects of Educational Theory. Harvard Educational Review.* 27. 38-62.

Atkin, J.M. (1968). *Behavioral Objectives in Curriculum Design: A Cautionary Note. The Science Teacher.* 35. 27-30.

Atwood, H.M., Ellis, J. (1971). *The Concept of Need: An Analysis for Adult Education. Adult Leadership.* 19. 210-212, 244.

Beatty, P.T. (1976). *A Process Model for the Development of an Information Base for Community Needs Assessment: A Guide for Practitioners.* Communication présentée à la Seventeenth Annual Adult Education Research Conference. Toronto, Ont.

Beatty, P.T. (1981). *The Concept of Need: Proposal for a Working Definition. Journal of Community Development Society.* 12 (2). 39-46.

Bloom, B.S., Englehart, M.D., Furst, E.J., Hill, W.H., Krathwohl, D.R. (1956). *Taxonomy of Educational Objectives: Handbook 1: Cognitive Domain.* New York, N.Y. David McKay.

Bradshaw, J. (1974). *The Concept of Social Need. Ekistics 220.* 184-187.

Dell, D.L., Meeland, T. (1973). *Needs Assessment Scaling Procedures: Position Paper.* Menlo Park, Calif. Stanford Research Institute.

Dell, D.L. (1973). *Magnitude Estimation Scaling Procedures of Patron Assessment of School Objectives.* Menlo Park, Calif. Stanford Research Institute.

Dell, D.L. (1974). *Magnitude Estimation Scaling in Needs Assessment.* Menlo Park, Calif. Stanford Research Institute.

Dell, D.L. (1973). *Patron Assessment of School Objectives for M. School.* Menlo Park, Calif. Stanford Research Institute.

English, F.W., Kaufman, R. (1975). *Needs Assessment: A Focus for Curriculum Development.* Washington, D.C. Association for Supervision and Curriculum Development.

Eastmond, J.N., Sr. (1974). *Needs Assessment: A Manual of Procedures for Educators.* Salt Lake City, Ut. Worldwide Education and Research Institute.

Frisbie, R.D. (1981). *Field Analysis: Something More than Needs Assessment.* Communication présentée à la réunion annuelle de l'Evaluation Network/Evaluation Research Society, Austin, Tex.

Gable, R.K., Pecheone, R.L., Gillung, T.B. (1981). *A Needs Assessment Model for Establishing Personnel Training Priorities. Teacher Education and Special Education.* 4 (4). 8-14.

Gould, J., Kolb, W.L. (1964). *A Social Dictionary of the Social Sciences.* New York, N.Y. MacMillan.

Guba, E.G., Lincoln, Y.S. (1982). *The Place of Values in Needs Assessment. Educational Evaluation and Policy Analysis.* 4 (3). 311-320.

Harrow, A.J. (1972). *Taxonomy of the Psychomotor Domain: A Guide for Developping Behavioral Objectives.* New York, N.Y. David McKay.

Hershkowitz, M. (1973). *A Regional ETV Network: Community Needs and System Structure.* Technical Report No 791. Prepared for Regional Education Service Agency of Appalachian Maryland. Silver Spring, Md. Operations Research.

Hoepfner, R., Bradley, P.A., Klein, S.P., Alkin, M.C. (1972). *A Guidebook for CSE/Elementary School Evaluation Kit: Needs Assessment.* Boston, Mass. Allyn and Bacon.

Houston, W.R. et al. (1978). *Assessing School/College/Community Needs.* Omaha, Nebr. The Center for Urban Education. The University of Nebraska at Omaha.

Husek, T.R., Sirotnik, K.A. (1967). *Item Sampling in Educational Research.* Center for Study of Evaluation. Occasional Report, No 2. Los Angeles, Calif. University of California.

Husek, T.R., Sirotnik, K.A. (1968). *Matrix Sampling in Educational Research: An Empirical Investigation.* Communication présentée à l'AERA.

Kaufman, R.E., English, F.W. (1979). *Needs Assessment: Concept and Application.* Englewood Cliffs, N.J. Educational Technology Publication.

Kaufman, R.A., Harsh, J.R. (1969). *Determining Educational Needs: An Overview.* Sacramento, Calif. California State Department of Education, Bureau of Elementary and Secondary Education, PLEDGE Conference.

Kaufman, R.E. (1972). *Educational System Planning.* Englewood Cliffs, N.J. Prentice-Hall.

Kaufman, R.E. (1982). *Identifying and Solving Problems: A System Approach.* (3ᵉ éd.) San Diego, Calif. University Associates.

Kemerer, R.W., Schroeder, W.L. (1983). *Determining the Importance of Community-Wide Adult Education Needs.* *Adult Education Quarterly.* 33 (4). 201-214.

Kimmel, W.A. (1977). *Needs Assessment: A Critical Perspective.* Washington, D.C. Office of Program Systems, Office of the Assistant Secretary for Planning and Evaluation, U.S. Department of Health, Education and Welfare.

Klein, S.P. (1971). *Choosing Needs for Needs Assessment.* Conférence présentée à l'American Educational Research Association Meeting. New York, N.Y.

Klein, S.P., Burry, J., Churchman, D., Nadeau, M.A. (1971). *Evaluation Workshop 1: An Orientation.* Monterey, Calif. CTB/McGraw-Hill.

Komisar, P. (1968). *Need and the Needs-Curriculum.* Dans B.O. Smith, R.H. Ennis (éd.) *Language and Concepts in Education.* Chicago, Ill. Rand McNally.

Krathwohl, D.R., Bloom, B.S., Masia, B.B. (1964). *Taxonomy of Educational Objectives, Handbook II: Affective Domain.* New York, N.Y. David McKay.

Lane, K.R., Crofton, C., Hall, G.J. (1983). *Assessing Needs for School District Allocation of Federal Funds.* Communication présentée à la réunion annuelle de l'AERA. Montréal, Qc.

Lodge, M.B. (1981). *Magnitude Scaling: Quantitative Measurement of Opinions.* Quantitative Applications in the Social Sciences, No 07-025. Beverly-Hills, Calif. Sage.

Lord, F.M., Novick, M.R. (1968). *Statistical Theories of Mental Test Scores.* Reading, Mass. Addison-Wesley.

Mager, R.F. (1962). *Preparing Instructional Objectives.* Palo Alto, Calif. Fearon.

Maslow, A.H. (1954). *Motivation and Personality.* New York, N.Y. Harper and Row.

Mattimore-Knudson, R. (1983). *The Concept of Need: Its Hedonistic and Logical Nature.* *Adult Education.* 33 (2). 117-124.

Metfessel, N.S., Michael, W.B.A. (1967). *Paradigm Involving Multiple Criterion Measures for the Evaluation of the Effectiveness of School Programs.* *Educational and Psychological Measurement.* 27. 931-943.

Misanchuk, E.R. (1982). *Toward a Multi-Component Model of Educational and Training Needs.* Communication présentée à la réunion annuelle de l'Association for Educational Communications and Technology. Dallas, Tex.

Monette, M.L. (1977). *The Concept of Educational Need: An Analysis of Selected Literature. Adult Education.* 27. 116-127.

Moroney, R.M. (1977). *Needs Assessment for Human Services.* Dans W.F. Anderson, B.J. Frieden and M.J. Murphy (éd.) *Managing Human Services.* Washington, D.C. International City Management Association.

Myers, E.C., Koenigs, S.S. (1979). *A Framework for Comparing Needs Assessment Activities.* Communication présentée à la réunion annuelle de l'AERA. San Francisco, Calif.

Nadeau, M.A., Girard, R. (1975). *Rapport synthèse sur l'inventaire des besoins.* Québec, Qc. Polyvalente de Charlesbourg.

Nadeau, M.A. (1977). *L'analyse de besoins.* Texte non publié. Québec, Qc. Faculté des sciences de l'éducation, Université Laval.

Nadeau, M.A. (1981). *L'évaluation des programmes d'études: Théorie et pratique.* Québec, Qc. Les Presses de l'Université Laval.

Nadeau, M.A. (1985). *La mise en priorité de besoins.* Manuel d'accompagnement du logiciel « La mise en priorité de besoins » pour Apple, IBM/PC et compatibles, Macintosh. Québec, Qc.

Neff, J.L. (1973). *A Study of the Priorities of Goals and Needs in Two Selected School Districts.* Thèse de doctorat non publiée. Miami, Fla. Miami University.

Opinion Research Corporation (1972). *Goals for Elementary and Secondary Public Schools in New Jersey. A survey Among New Jersey Residents.* Trenton, N.J. New Jersey State Department of Education.

Pelchat, J.B. (1973). *L'évaluation des besoins des A.D.P. dans le cadre d'un programme de formation en cours d'emploi*. Essai de maîtrise. Québec, Qc. Université Laval.

Popham, W.J. (1970). *Instructional Objectives Exchange Rationale Statement*. Los Angeles, Calif. Instructional Objectives Exchange.

Popham, W.J. (1975). *Educational Evaluation*. Englewood Cliffs, N.J. Prentice Hall.

Rossi, P.H., Freeman, H.E., Wright, S.R. (1979). *Evaluation: A Systematic Approach*. Beverly Hills, Calif. Sage.

Rossi, P.H., Freeman, H.E. (1982). *Evaluation: A Systematic Approach*. Beverly Hills, Calif. Sage.

Roth, J.E. (1978). *Theory and Practice of Needs Assessment with Special Application to Institutions of Higher Learning*. Thèse de doctorat non publiée. Berkeley, Calif. Department of Education, University of California.

Rucker, W.R. (1969). *A Value-Oriented Framework for Education and the Behavioral Sciences. The Journal of Value Inquiry*. 3 (4).

Scallon, G., Masson, J.P. (1975). *Inventaire des besoins de perfectionnement et de formation en mesure et évaluation*. Québec, Qc. Faculté des sciences de l'éducation, Université Laval.

Scisson, E.H. (1982). *A Topology of Needs Assessment Definitions in Adult Education. Adult Education*. 33 (1). 20-28.

Shively, J.E. (1980). *Appalachia Educational Laboratory's Needs Assessment Design for Determining Short-term R&D Service Agendas and a Long-Term Programmatic R&D Agenda*. Charleston, W.Va. Appalachia Educational Laboratory.

Sirotnik, K.A. (1974). *Matrix Sampling for the Practitioner*. Dans J.W. Popham, (éd.) *Evaluation in Education: Current Applications*. Berkeley, Calif. McCutchan Publishing Corporation.

Sork, T.J. (1979). *Development and Validation of a Normative Process Model for Determining Priority of Need in Community Adult Education*. Communication présentée à l'Adult Education Research Conference. Ann Arbor, Mich.

Stephens, K.G. (1972). *A Fault Tree Approach to Analysis of Educational Systems as Demonstrated in Vocational Education*. Thèse de doctorat non publiée. Washington, D.C. Department of Educational Administration. University of Washington.

Stufflebeam, D.L., McCormick, C.H., Brinkerhoff, R.D., Nelson, C.O. (1985). *Conducting Educational Needs Assessment*. Boston, Mass. Kluwer-Nijhoff.

Stufflebeam, D., Foley, W.J., Gephart, W.J., Guba, E.G., Hammond, R.L., Merriman, H.O., Provus, M.C. (1971). *Educational Evaluation and Decision-Making*. Itasca, Ill. F.E. Peacock.

Sweigert, R.L. (1969). *The First Step in Educational Problem-Solving. A Systematic Assessment of Student Benefit*. Sacramento, Calif. California State Department of Education, Bureau of Elementary and Secondary Education, PLEDGE Conference.

Tyler, R.W. (1950). *Basic Principles of Curriculum and Instruction*. Chicago, Ill. The University of Chicago Press.

Varenais, K. (1977). *Needs Assessment: An Exploratory Critique*. Washington, D.C. Office of Planning and Evaluation.

Westinghouse Learning Corporation (1973). *Westinghouse Survey*. Iowa City, Ia. Westinghouse Learning Corporation.

Wickens, D. (1980). *Games People Oughta Play: A Group Process for Needs Assessment and Decision-Making for Elementary and Secondary Schools. A Manual for the Facilitator*. Hayward, Calif. Office of the Alameda County Superintendant of Schools.

Witkin, B.R. (1975). *An Analysis of Needs Assessment Techniques for Educational Planning at State, Intermediate and District Levels*. Hayward, Calif. Office of the Alameda County Superintendent of Schools.

Witkin, B.R. (1977). *Needs Assessment Kits, Models and Tools. Educational Technology*. 17 (11). 5-18.

Witkin, B.R. (1978a). *Before You Do a Needs Assessment: Important First Questions*. Hayward, Calif. Office of Alameda County Superintendant of Schools.

Witkin, B.R. (1978b). *Needs Assessment Product Locator. Available Needs Assessment Products and How to Select them for Local Use*. Hayward, Calif. Office of the Alameda County Superintendent of Schools.

Witkin, B.R. (1984). *Assessing Needs in Educational and Social Programs*. San Francisco, Calif. Jossey-Bass.

Witkin, B.R., Richardson, J. (1983). *APEX Needs Assessment for Secondary Schools. Manual*. Hayward, Calif. Office of the Alameda County Superintendent of Schools.

Witkin, R.B., Stephens, K.G. (1973). *Solving Communication Problems in Organizations: A Workshop on Fault Tree Analysis*. Communication présentée à la réunion annuelle de !'International Communication Association, Montréal, Qc.

Yuskiewicz, V.D. (1980). *Educational Needs Assessment: A Systematic Method for Determining Educational Need of Instructional Programs*. Nazareth, Penn. Colonial Northampton Intermediate Unit.

CHAPITRE 8

◆ LA PLANIFICATION
◆ DU PROGRAMME

La planification d'un programme vise à la réalisation anticipée d'objectifs considérés comme valides et légitimes.
(J.I. Goodlad et M.N. Richter)

Planifier consiste, selon Kaufman (1972), à déterminer ce qui doit être fait pour atteindre un ensemble de buts ou d'objectifs jugés valides. En ce sens, la planification précède l'action et elle n'est concernée que par la détermination du processus à suivre pour que des décisions de type implantation puissent être prises plus tard.

Nous avons vu au chapitre précédent que, selon l'approche formaliste, la première étape du processus de développement et d'évaluation d'un nouveau programme, ou encore de la modification d'un programme existant, consiste à conduire une analyse de besoins. Celle-ci consiste à identifier les besoins que ce programme, nouveau ou pas, devrait tenter de combler. Nous avons également vu que cette étape aboutit à l'identification d'un ensemble de besoins jugés prioritaires, lesquels peuvent être exprimés sous la forme d'objectifs à atteindre. Le processus d'identification des besoins constitue donc le point de départ du processus de planification.

La deuxième étape du processus de développement et d'évaluation d'un programme consiste à préparer un devis qui devrait permettre d'atteindre ces objectifs prioritaires. Cette deuxième étape constitue ce qu'Alkin appelle la planification du programme. Bien que cette étape n'apparaisse pas comme une entité ou une étape particulière dans tous les modèles d'évaluation, d'une part, et porte une appellation différente dans certains modèles (intrant chez Stufflebeam, projet chez Provus), d'autre part, il n'en demeure pas moins que tous les auteurs de modèles formalistes en reconnaissent la nécessité.

Nous nous proposons, dans un premier temps, de présenter certaines considérations théoriques sur les concepts « programme » et « planification de programme ». Dans un deuxième temps, nous nous attarderons à présenter les dimensions pratiques du processus de planification en insistant sur le rôle et les fonctions de l'évaluateur dans la clarification des objectifs, dans la comparaison des stratégies de programme, dans l'élaboration d'un schéma d'évaluation et dans le rapport au responsable.

LE PROGRAMME : DÉFINITIONS

La notion de programme peut varier considérablement selon les individus et l'usage que l'on en fait. Pour des fins administratives, un programme peut être considéré comme un agencement d'objectifs qu'un étudiant doit atteindre pour obtenir une certification. Cette définition peut être suffisante pour des fins de gestion mais elle n'est cependant pas suffisamment explicite pour servir de base au développement d'un programme. En somme elle donne très peu d'indications quant aux éléments qui composent un programme, quant à leur agencement et quant aux étapes à suivre pour le développer.

D'autre part, on peut définir un programme en se reportant à son aspect structural ; un programme est alors vu comme un ensemble d'instruments et de moyens mis en œuvre pour atteindre un ensemble d'objectifs. Selon Saylor et Alexander (1954), un programme peut être considéré comme l'ensemble des efforts que l'école consacre à l'atteinte de résultats désirés à l'égard de situations prenant place tant à l'intérieur qu'à l'extérieur de l'école. Des auteurs comme Smith, Stanley et Shores (1957) considèrent un programme comme une séquence d'expériences potentielles mises en place en milieu scolaire dans le but d'amener les enfants et les jeunes à adopter des façons d'agir et de penser conformes à celles d'un groupe donné. Bien que ces définitions soulignent l'intégration d'un ensemble d'éléments orientés vers l'atteinte d'objectifs, elles ne sont cependant pas très explicites sur le plan organisationnel. En somme, elles ne sont pas très fonctionnelles. Il est important de signaler par ailleurs que toute définition qui se limiterait aux seules notions d'objectifs et de contenu ne serait pas davantage adéquate.

Enfin, on peut définir un programme de façon opérationnelle en disant qu'il consiste en un ensemble organisé de buts, d'objectifs spécifiques, de contenu présenté de façon séquentielle, de moyens didactiques, d'activités d'apprentissage et de procédés d'évaluation pour mesurer l'atteinte de ces objectifs. Cette définition rejoint celles de Taba (1962) et de Tyler (1950). Elle nous semble la plus appropriée car elle détermine, d'une certaine façon, les étapes à suivre lors du développement d'un programme de même qu'elle souligne les éléments à considérer dans l'évaluation qui en est faite.

De cette définition, nous pouvons dégager un certain nombre de décisions que doit prendre la personne responsable du développement d'un programme :

— les décisions concernant les orientations majeures du programme, c'est-à-dire celles qui concernent le choix des buts et des objectifs ;

— les décisions concernant la sélection du contenu, des activités d'apprentissage, des moyens pédagogiques, du matériel, etc. ;

– les décisions concernant l'organisation du contenu, des activités d'apprentissage, des moyens pédagogiques, du matériel, etc. ;

– les décisions concernant l'enseignement, c'est-à-dire les méthodes d'enseignement, les moyens didactiques et les moyens d'évaluation. On peut également inclure les décisions concernant le personnel appelé à œuvrer dans le programme, à savoir les professeurs, le personnel non enseignant, les étudiants et les administrateurs.

LA PLANIFICATION

La planification d'un programme est un processus dont le but est de déterminer la nature, l'étendue et l'organisation des interventions et des activités à mettre en place pour permettre de combler les besoins (exprimés sous la forme d'objectifs) identifiés à la phase précédente, d'une part, et de déterminer les moyens à mettre en œuvre pour savoir si ceux-ci ont été comblés ou non, d'autre part. Alors que l'étape « analyse de besoins » s'intéresse à l'identification des buts ou des objectifs à poursuivre, l'étape « planification du programme » consiste en une projection de ce qui doit être fait ou mis en place pour les atteindre. En somme, cette deuxième étape s'intéresse aux moyens alors que la première s'intéressait aux fins. Le résultat final de la planification de programme devrait se manifester sous la forme d'un plan ou d'un devis de programme.

Le devis de programme doit prévoir les buts et les objectifs à poursuivre et les adapter aux conditions qui prévalent ; il doit déterminer quels sont les individus qui doivent intervenir ainsi que leurs caractéristiques ; il doit inclure un échéancier ainsi que des informations sur les ressources humaines et financières à consacrer à la poursuite des objectifs. En somme, le devis doit fournir des informations sur la façon d'utiliser les ressources disponibles pour atteindre les objectifs du programme. Il doit préciser les procédures, le matériel, les installations et l'équipement requis. Pour ce faire, il est nécessaire de reconnaître et d'évaluer les capacités du système, et ce, en termes de possibilités et de contraintes imposées ; les stratégies possibles pour atteindre les buts et les objectifs du programme ; les diverses approches pour implanter la stratégie particulière retenue.

Afin de pouvoir prendre les meilleures décisions possibles, quant au plan de programme à développer et à mettre en place, le responsable de la planification doit trouver réponse à de nombreuses questions, dont nous donnons des exemples : Les objectifs du programme sont-ils opérationnels ? Est-il possible de les atteindre ? Comment pouvons-nous savoir que ces objectifs sont atteints ? Quels sont les coûts et les bénéfices potentiels de chacune des stratégies ? Quelle est la meilleure stratégie, compte tenu des contraintes imposées par le système ? Quelle est la meilleure façon d'implanter cette stratégie ? Comment peut-on l'administrer, l'évaluer et la modifier ? De par sa formation, l'évaluateur devrait être la personne la plus en mesure d'aider le planificateur à obtenir les réponses aux questions portant sur les procédures, sur les techniques de mesure, sur les schémas d'évaluation. Il lui appartient : de suggérer les moyens propres à clarifier les objectifs, si ceux-ci ne sont pas opérationnels ; de suggérer et d'évaluer les procédures pour comparer les différentes stratégies de programme ; d'élaborer un schéma d'évaluation qui lui permette de recueillir de l'information valide et pertinente lui permettant de juger de la valeur du programme ; d'adopter, d'adapter ou de développer les techniques de mesure nécessaires à la cueillette des informations.

La clarification des objectifs

Nous avons vu dans le chapitre portant sur l'analyse de besoins que celle-ci a pour but d'établir un ordre de priorité parmi un ensemble de besoins jugés importants et que ces besoins peuvent être exprimés sous la forme d'objectifs à atteindre. Nous avons vu également que ceux-ci peuvent être exprimés de façon vague et imprécise ou, au contraire, être très précis dans leur formulation.

Un programme éducatif, comme n'importe quelle activité, doit reposer sur un ensemble d'objectifs. Ceux-ci définissent en termes opérationnels ce que l'étudiant doit acquérir comme connaissances, habiletés intellectuelles et motrices, compréhension ou attitudes. Les objectifs déterminent donc l'étendue et les limites de ce qui doit être enseigné et appris. Servir de guide dans le développement du programme, telle est la fonction principale des objectifs spécifiques. Il s'agit de bien choisir les aspects et le contenu qu'il faut couvrir, les activités et les expériences d'apprentissage qu'il faut mettre en place. Si un programme doit constituer un plan d'apprentissage, le contenu et les expériences d'apprentissage, les méthodes d'enseignement, le matériel didactique, les moyens d'évaluation doivent être organisés de telle sorte qu'ils rejoignent les objectifs du programme.

Il est donc important, au niveau de la planification de programme, de s'assurer que les objectifs sont formulés d'une façon opérationnelle de telle sorte qu'il devienne possible pour le planificateur de développer un programme congruent à ceux-ci ou encore de sélectionner un programme parmi plusieurs. Par conséquent, avant même la considération du plan d'un programme proprement dit, que celui-ci soit à adopter, à adapter ou à développer, il est important de revoir et de corriger, s'il y a lieu, les objectifs du programme.

L'évaluateur n'est pas dépourvu de moyens pour corriger des objectifs fautifs ou en formuler de nouveaux. Pour formuler des objectifs spécifiques il peut, entre autres, utiliser l'ouvrage de Mager (1965) qui fournit un ensemble de critères de formulation d'objectifs, ou celui de Popham et Baker (1970), ou celui de Yelon et Scott (1970), ou encore utiliser le chapitre portant sur les objectifs pédagogiques. Pour corriger les objectifs fautifs et abstraits, d'autre part, l'évaluateur peut se reporter à Metfessel et Michael (1970) qui proposent un ensemble de verbes opérationnels, lesquels devraient aider à transposer des objectifs vagues en objectifs spécifiques. Dans l'un et l'autre cas, les banques d'objectifs, telle celle qui est produite par IOX, sont également des outils disponibles et fort utiles.

La comparaison des stratégies

Le but ultime de la planification de programme consiste à développer ou à choisir parmi plusieurs options, un programme permettant une atteinte maximale d'un ensemble d'objectifs. Pour ce faire, le planificateur doit mettre tout en œuvre pour s'assurer qu'il possède les informations pertinentes et valides; il lui faut considérer toutes les avenues (stratégies) possibles, compte tenu des contraintes matérielles et humaines que lui impose le système. Il est important de s'assurer que les diverses dimensions du programme soient considérées, analysées et quelquefois comparées. Comme responsable du programme, le planificateur doit faire appel à ceux qui de près ou de loin peuvent l'aider dans sa tâche: les professeurs, spécialistes de programme, administrateurs, parents et étudiants.

L'évaluateur a comme responsabilité de suggérer et de critiquer les outils et les procédures que le planificateur peut utiliser pour développer un ou plusieurs programmes et, dans le cas où diverses options sont envisagées, pour comparer ces diverses options de programme. Il doit également aider le planificateur dans l'utilisation de ces outils et techniques.

Parmi les nombreux outils et procédures que l'évaluateur peut suggérer pour développer une ou plusieurs options de programme, nous retrouvons: l'engagement de consultants experts, les comités de planification, la technique DELPHI, l'approche PERT. Dans les situations qui requièrent la comparaison d'options, l'évaluateur dispose en plus des techniques suivantes: les listes de planification, les matrices décisionnelles, les approches de systèmes telles que la programmation linéaire, la simulation, le PPBS et l'analyse de systèmes.

L'évaluateur peut aussi consulter les ouvrages suivants: Alkin et Bruno (1970) pour les approches de systèmes, Hartley (1968) pour le PPBS, Cook (1966) pour l'approche PERT, Banghart (1969) pour la programmation linéaire et la simulation, Adelson et al. (1967), Gordon et Helmer (1966) pour la technique DELPHI.

L'élaboration d'un schéma d'évaluation

L'évaluation, selon l'approche formaliste, est un processus orienté vers la prise de décision; celle-ci peut être plus ou moins valide ou valable selon que l'information sur laquelle elle s'appuie est elle-même plus ou moins valable. La qualité de la décision repose en grande partie sur la qualité de l'information recueillie et sur les jugements qui en découlent. Par conséquent, la nature de l'information à recueillir est subordonnée à celle de la ou des décisions à prendre ; en somme, c'est le type de décision à prendre qui détermine la nature de l'information à recueillir. Il est donc important de déterminer la nature des décisions à prendre, avant de considérer le type d'information nécessaire pour l'alimenter, et le type d'information à recueillir doit lui-même être identifié, avant de penser aux moyens à mettre en place pour la recueillir.

Dans un premier temps, il est nécessaire de déterminer ou d'identifier les décisions à prendre. S'agit-il de recueillir de l'information pour juger de la qualité de l'implantation d'un programme ? S'agit-il de savoir si le programme permet l'atteinte des objectifs dans le but de modifier celui-ci, ou de le terminer ou de le poursuivre ? Bien que l'évaluateur puisse être appelé à intervenir à ce niveau, ce rôle est habituellement assumé par le responsable du programme puisque c'est lui qui en définitive prend les décisions. L'évaluateur peut intervenir à ce niveau dans le but d'aider le responsable du programme à clarifier une situation par une série de questions.

Dans un deuxième temps, il s'agit de déterminer le type d'information nécessaire pour rejoindre les décisions préalablement définies. L'information dont il est question peut être de nature diversifiée : il peut s'agir de données factuelles telles que l'âge, le sexe et la formation académique des professeurs appelés à œuvrer dans le programme, ou du type d'interventions prenant place dans une situation d'enseignement ; elle peut être relative au rendement académique des étudiants, à leur motivation, à leurs attitudes, etc.

L'évaluateur doit être conscient que plusieurs facteurs peuvent influencer la qualité et l'utilité des informations à recueillir : l'étendue, la pertinence, la validité, la fidélité, l'importance, la puissance, la dimension temps, l'efficacité, la crédibilité et la « communicabilité ». Pour que les informations respectent ces exigences, l'évaluateur doit être capable d'adapter, d'adopter ou de développer des instruments et des techniques de mesure appropriés. À cet égard, il existe des règles de confection et d'évaluation des instruments et techniques de mesure susceptibles de rendre ceux-ci adéquats et appropriés.

Parmi les instruments et les techniques de mesure que l'évaluateur peut utiliser, nous retrouvons : les tests de rendement scolaire, standardisés ou pas, normatifs ou critériés, à correction objective ou subjective ; les tests de personna-lité portant sur les attitudes, les motivations et les aptitudes des étudiants, que ceux-ci soient sous la forme d'autorapport ou par l'intermédiaire de techniques d'observation ; les techniques sociométriques ; les techniques projectives ; les mesures non réactives. L'évaluateur dispose également d'un ensemble de techniques particulières telles que les listes de vérification ou de pointage, les échelles d'appréciation, les entrevues, les questionnaires, les échelles d'opinions, les dossiers anecdotiques, les dossiers scolaires, etc. Les textes portant sur la confection d'instruments de mesure, comme ceux de Thorndike et Hagen (1961), Cronbach (1970), Lindvall (1967), Noll et Scannell (1972), peuvent être d'une grande utilité. Les catalogues de tests existants (Éditions du Centre de psychologie appliquée (Paris), Institut de recherches psychologiques Inc. (Montréal), *Buros Mental Measurements Yearbook, CSE Preschool, Kindergarten Test Evaluations, CSE Elementary School Test Evaluation, CSE-RBS Test Evaluations*) peuvent également aider l'évaluateur à sélectionner des instruments de mesure.

Dans un troisième temps, il s'agit de développer un schéma d'évaluation qui devrait: aider le programme à jouer le rôle qu'on attend de lui, à savoir permettre l'atteinte des objectifs; aider à contrer les effets de variables extérieures au programme; permettre de recueillir l'information nécessaire à la prise de décision. Il s'agit à ce niveau de choisir et de mettre en place les méthodes de collecte des données ou des informations. En somme, il s'agit de développer un plan qui détermine quand et auprès de qui les informations vont être recueillies, par l'intermédiaire des instruments et des techniques de mesure.

L'évaluateur, avec l'aide de l'administrateur, a à décider: s'il y a lieu d'avoir un groupe de contrôle ou pas; si les sujets seront assignés aux groupes de comparaison (s'il y a lieu) par une procédure de hasard ou bien si ces groupes seront des groupes intacts; du nombre et de la nature des mesures qui seront prises; des périodes d'application des mesures. La qualité du schéma d'évaluation retenu sera fonction d'un certain nombre de considérations telles la nature du programme, les ressources disponibles, la nature des décisions, les croyances et les attitudes des responsables et des utilisateurs du programme.

La littérature portant sur les techniques utilisées dans les méthodes expérimentales de recherche peut être utile à l'évaluateur. Entre autres, le texte de Campbell et Stanley (1969), qui discute des forces et des faiblesses de divers schémas expérimentaux et quasi expérimentaux, apparaît particulièrement approprié.

Le rapport au responsable

Une des responsabilités de l'évaluateur consiste à fournir au responsable du programme les informations demandées. Comme nous l'avons vu précédemment, celui-ci peut exiger un rapport d'évaluation écrit, comme il peut se satisfaire d'un rapport oral; il peut également demander un rapport synthèse, comme il peut exiger plusieurs rapports.

Nous croyons important de distinguer deux types de rapport pour l'étape planification de programme. Le premier devrait porter strictement sur le devis du programme et inclure une description détaillée et précise du processus de planification utilisé, en mettant en évidence les étapes de clarification des objectifs et de comparaison des stratégies de programme. En somme, il s'agit de décrire la procédure suivie pour le développement du devis du programme.

Le deuxième rapport devrait faire état du schéma d'évaluation. Il anticipe sur l'étape suivante, en ce qu'il définit le processus d'implantation du programme. Ce rapport doit dire quand et auprès de qui les informations vont être recueillies, et à l'aide de quels instruments et techniques de mesure. Il doit inclure des informations sur la présence ou non de groupes de contrôle, sur la procédure d'assignation des sujets aux différents groupes, sur le nombre et la nature des mesures à prendre, et sur les périodes de mesure.

L'évaluateur qui tient son dossier à jour verra sa tâche de beaucoup facilitée au chapitre des rapports d'évaluation. Il pourra ainsi répondre rapidement aux demandes du responsable du programme, d'une part, et ne pas omettre d'informations importantes, d'autre part.

À la fin de l'étape planification du programme, le responsable a en mains le devis du programme et le schéma d'évaluation. À ce stade-ci, le programme peut être considéré comme complet, sur le plan théorique, et la procédure pour le mettre en application est déterminée. Ces deux composantes constituent les feuilles de route du processus d'implantation du programme.

◆ RÉFÉRENCES

Adelson, M., Alkin, M.C., Carey, C., Helmer, O. (1967). *Planning Education for the Future. American Behavioral Scientist.* 10 (7).

Alkin, M.C., Bruno, J.E. (1970). *Social and Technological Change: Implications for Education.* Eugene, Oreg. University of Oregon. Center for the Advanced Study of Educational Administration, System Approach to Educational Planning.

Banghart, F.W. (1969). *Educational Systems Analysis.* London, Ont. Collier-MacMillan.

Borich, G.D. (1974). *Evaluating Educational Programs and Products.* Englewood Cliffs, N.J. Educational Technology Publications.

Campbell, D.T., Stanley, J. (1966). *Experimental and Quasi-Experimental Designs for Research on Teaching.* Dans N.L. Gage (éd.) *Handbook of Research on Teaching.* Chicago, Ill. Rand McNally.

Cook, D.L. (1966). *Program Evaluation and Review Technique: Applications in Education.* Cooperative Monograph No 17. U.S. Office of Education, Washington, D.C.

Cronbach, L.J. (1970). *Essentials of Psychological Testing.* New York, N.Y. Harper and Row.

Éditions du Centre de psychologie appliquée. Paris, France.

Gordon, T.J., Helmer, O. (1966). *Social Technology.* New York, N.Y. Basic Books.

Gronlund, N.E. (1968). *Constructing Achievement Tests.* Englewood Cliffs, N.J. Prentice-Hall.

Hartley, H.J. (1968). *Educational Planning-Programming-Budgeting: Systems Approach.* Englewood Cliffs, N.J. Prentice-Hall.

Hoepfner, R., Stern, C., Nummedal, S.G. (1971). *CSE-ECRC Preschool/Kindergarten Test Evaluations.* Los Angeles, Calif. Center for the Study of Evaluation. U.C.I.A.

Hoepfner, R. et al. (1972). *CSE-RBS Test Evaluations: Tests of Higher-Order Cognitive, Affective, and Interpersonal Skills.* Los Angeles, Calif. Center for the Study of Evaluation. U.C.L.A.

Institut de recherches psychologiques Inc. Montréal, Qc.

Kaufman, R.E. (1972). *Educational System Planning.* Englewood Cliffs, N.J. Prentice-Hall.

Klein, S.P., Burry, J., Churchman, D., Nadeau, M.A. (1971). *Evaluation Workshop I: An Orientation.* Monterey, Calif. CTB/McGraw-Hill.

Mager, R.F. (1962). *Preparing Instructional Objectives.* Palo Alto, Calif. Fearon Publishers.

Meloche, F., Nadeau, M.A., Scallon, G., St-Amour, Y. (1976). *L'évaluation des programmes d'études à la DGEC.* Québec, Qc. Ministère de l'Éducation, Direction générale de l'enseignement collégial.

Metfessel, M.S., Michael, W.B. (1967). *A Paradigm Involving Multiple Criterion Measures for the Evaluation of the Effectiveness of School Programs. Educational and Psychological Measurement.* 27. 931-943.

Nadeau, M.A. (1971). *Selecting Appropriate Measurement Instruments.* Document non publié. Los Angeles, Calif. Center for the Study of Evaluation. U.C.L.A.

Nadeau, M.A. (1981). *L'évaluation des programmes d'études: Théorie et pratique.* Québec, Qc. Les Presses de l'Université Laval.

Noll, V.H., Scannell, D.P. (1972). *Introduction to Educational Measurement.* Boston, Mass. Houghton Mifflin.

Popham, W.J. (1970). *Instructional Objectives Exchange Rationale Statement.* Los Angeles, Calif. Instructional Objectives Exchange.

Popham, W.J., Baker, E.L. (1970). *Establishing Instructional Goals.* Englewood Cliffs, N.J. Prentice-Hall.

Rossi, P.H., Freeman, F.E., Wright, S.R. (1979). *Evaluation: A Systematic Approach.* Beverley Hills, Calif. Sage.

Taba, H. (1962). *Curriculum Development: Theory and Practice.* New York, N.Y. Harcourt, Brace and World.

Thorndike, R.L., Hagen, E. (1961). *Measurement and Evaluation in Psychology and Education.* New York, N.Y. John Wiley and Sons.

Yelon, S., Scott, R. (1970). *A Strategy for Writing Objectives.* Dubuque, Ia. Kendall-Hunt.

CHAPITRE 9

◆ L'IMPLANTATION
◆ DU PROGRAMME

L'IMPLANTATION SUPPOSE L'ÉTUDE DE LA CONGRUENCE
ENTRE LES TRANSACTIONS PRÉVUES (AU DEVIS
DU PROGRAMME) ET LES TRANSACTIONS OBSERVÉES.
(G.D. Borich et S.F. Drezek)

Une fois le programme développé sur le plan théorique, ce qui constitue le résultat de l'étape précédente, il s'agit de le mettre en application. Ce programme est formé d'un ensemble d'éléments, objectifs, contenu, activités d'apprentissage, matériel pédagogique et moyens d'évaluation, organisés et structurés d'une façon logique et cohérente. La mise en application du programme donne lieu à deux étapes interreliées du processus d'évaluation. Tout d'abord, il est important de s'assurer que le programme est implanté de la façon précisée dans le devis du programme, ce qui constitue l'étape implantation, et, deuxièmement, il est important de vérifier si le programme donne les résultats escomptés, ce qui constitue l'étape amélioration du programme. Bien que ces deux aspects se déroulent de façon presque parallèle, nous les présenterons comme des entités séparées pour des fins de compréhension du rôle et des fonctions de l'évaluateur.

CONSIDÉRATIONS THÉORIQUES

L'étape implantation du programme a pour but de vérifier si les divers éléments définissant le programme sont mis en application selon le devis du programme préparé à l'étape précédente et d'apporter les correctifs jugés nécessaires. Cette étape est importante, car le succès ou l'échec d'un programme peut dépendre en grande partie des informations que l'on recueille à ce niveau et des modifications qui peuvent s'ensuivre. Par conséquent, les questions auxquelles s'intéresse l'implantation de programme doivent permettre de vérifier si les spécifications apparaissant au devis et qui concernent le personnel, les dimensions physiques, l'administration du programme et l'évaluation sont respectées.

Nous nous proposons, dans un premier temps, de présenter certaines considérations théoriques sur le processus d'implantation d'un programme. Dans un deuxième temps, nous tenterons de mettre en évidence les dimensions pratiques de ce processus, en insistant sur le rôle et les fonctions de l'évaluateur dans l'identification et la détermination des dimensions critiques, la collecte des informations et le rapport au responsable.

L'organisation interne du programme et le schéma d'évaluation prévu constituent la feuille de route du processus d'implantation. Ils décrivent les buts et les objectifs poursuivis, l'itinéraire à suivre, les temps d'arrêt prévus, les moyens à prendre pour réaliser les buts et les objectifs, ainsi que les moyens à mettre en place pour vérifier si ceux-ci sont atteints.

Afin d'assurer une évaluation valable et la réussite maximale du projet de programme, il est essentiel d'obtenir de l'information qualitative et quantitative concernant la conformité entre la planification du programme, et sa mise en application et la manière dont il est vécu. Par exemple, il serait tout à fait inadéquat de conclure à l'échec d'un projet si le matériel requis n'est pas arrivé à temps. À moins qu'une évaluation de ces dimensions soit mise en branle très tôt, bien des lacunes entre le plan du programme et son implantation passeront inaperçues et ne pourront être corrigées à temps, ce qui peut amener l'échec d'un projet.

Afin de pouvoir prendre les meilleures décisions possibles quant aux changements à apporter au plan du programme et (ou) au processus d'implantation, le responsable doit trouver réponse à de nombreuses questions. Il peut y avoir autant de questions qu'il y a d'aspects ou d'éléments dans le programme. L'attention accordée à chacun des facteurs est déterminée par la nature et les caractéristiques du programme. Ces questions se situent dans l'une ou l'autre, ou dans plusieurs des catégories suivantes: le personnel (étudiants, professeurs et autres), le matériel physique (équipement, installations), la dimension pédagogique (contenu, séquence), les méthodes d'enseignement et activités d'apprentissage, l'administration (échéancier, budget, communications) et l'évaluation (schéma, cueillette des données, instruments de mesure). Les questions suivantes sont présentées à titre d'exemples. Les étudiants ont-ils été assignés aux groupes de comparaison selon la procédure prévue à cette fin? Les étudiants soumis au traitement possèdent-ils les caractéristiques prévues dans le plan? Les professeurs réalisent-ils les tâches demandées? Possèdent-ils la formation requise pour pouvoir enseigner le programme? Le matériel pédagogique suggéré est-il disponible? Est-il de bonne qualité? Le contenu, la séquence d'enseignement et les méthodes suggérées sont-ils respectés? L'enseignement se fait-il selon l'horaire prévu? Le schéma d'évaluation est-il respecté?

Selon la nature des réponses à ces questions, le responsable pourra décider de conserver ou de modifier certains éléments du programme. Il pourrait par exemple décider de soumettre les professeurs à un entraînement supplémentaire ou de modifier la séquence d'enseignement, ou encore de suggérer l'utilisation d'un matériel différent.

L'évaluateur a un double rôle à jouer: d'une part, il doit, tout au long du processus d'implantation, recueillir des informations sur le programme, c'est-à-dire qu'il doit tenir à jour une description fidèle des phénomènes qui prennent place et qui se manifestent, et faire rapport au responsable du programme ; d'autre part, il doit aider ce dernier à mettre en place les changements jugés nécessaires à la lumière des informations fournies.

CONSIDÉRATIONS PRATIQUES

L'identification des dimensions critiques

Dans un premier temps, il est nécessaire de déterminer les dimensions critiques du programme ainsi que la nature et la quantité des informations à recueillir. Relativement à l'aspect « dimensions critiques », il s'agit de savoir par exemple s'il est plus important de s'intéresser aux données factuelles concernant les professeurs que de s'intéresser à leur degré de motivation face au programme enseigné, ou encore de savoir s'il est plus important de considérer les méthodes d'enseignement utilisées que de considérer le contenu véhiculé dans les cours. Quant à l'aspect « nature et quantité » des informations, il s'agit de savoir s'il suffit à l'évaluateur de rapporter d'une façon simple les informations relatives aux dimensions critiques ou s'il lui faut présenter des informations substantielles et très documentées. La confection d'un guide d'implantation de programme peut être utile à cet égard. Il pourrait, comme le suggèrent Klein *et al.* (1971), prendre l'allure d'une liste d'inventaire qui contient les dimensions à considérer (personnel, physique, pédagogique, administration, évaluation) et une série de questions précisant le type d'informations à recueillir. Il pourrait cependant être plus spécifique et détaillé, comme le suggère Nadeau (1973), et il pourrait contenir : les diverses dimensions du programme qu'il y a lieu de considérer (personnel, physique, etc.) ; pour chacune des dimensions, les divers aspects pour lesquels il est nécessaire de recueillir de l'information ; les sources et les instruments nécessaires à la cueillette des informations ; le type de traitement utile (tableau 15).

La collecte des informations

Dans un deuxième temps, il s'agit pour l'évaluateur de recueillir les informations relatives aux dimensions importantes du programme en voie d'être implanté et qui apparaissent dans le guide d'implantation. Ces informations ne sont pas toutes recueillies au même moment et avec les mêmes instruments et techniques de mesure. L'évaluateur ne peut se permettre d'attendre que les situations se présentent pour décider de recueillir les informations pertinentes. À ce titre, l'échéancier prévu à l'étape planification du programme, que l'on retrouve en tout ou en partie dans le guide d'implantation, devrait permettre à l'évaluateur de déterminer les moments où il doit recueillir les informations pertinentes. Il est possible cependant que le responsable du programme demande des informations non prévues dans le plan mais qui peuvent revêtir une grande importance. L'expertise et l'expérience de l'évaluateur sont alors mises à profit d'une façon

Tableau 15

GUIDE D'IMPLANTATION D'UN PROGRAMME

	Informations		Sources	Forme des données

I. PERSONNEL (Les étudiants, les professeurs et le personnel de soutien engagés dans le projet possèdent-ils les caractéristiques définies dans le plan?)

A. Étudiants

1. Âge			Dossier scolaire	Étendue, M, S, méd.
2. Habileté et performance	a-	mentale	Tests: QI	Étendue, M, S, méd.
	b-	lecture, maths, écriture	Tests	M, S, centiles, normes degré scolaire

B. Professeurs

1. Âge		Dossier scolaire	Étendue, M, S, méd.
2. Formation		Dossier scolaire et (ou) questionnaires et (ou) entrevues	Nombre d'années Étendue, M, S, méd.

II. ASPECTS PHYSIQUES (Le matériel, l'équipement et les locaux sont-ils adéquats et utilisés comme le veut le plan?)

A. Matériel et équipement

1. Quantité	a-	sorte	Liste de pointage et (ou) liste d'inventaire	Normes et standards
	b-	quantité		
2. Qualité	a-	présentation	Liste de pointage et (ou) liste d'inventaire et (ou) échelle (*rating*)	Normes et standards
	b-	contenu		
	c-	solidité		
	d-	durabilité		

B. Locaux

1. Adéquation	a-	grandeur	Liste de pointage et (ou) liste d'inventaire et (ou) plan de la bâtisse	Nombre de classes, laboratoires, etc.
	b-	quantité		
	c-	situation		
	d-	équipement		
2. Disponibilité	a-	sorte	Calendrier du programme	
	b-	quantité		
	c-	temps (quand)		

III. PÉDAGOGIE (L'enseignement est-il donné tel qu'il était planifié?)

Contenu, séquence, méthodes et réactions

1. Contenu	Planifié ou couvert	Plans des leçons, travaux, tests, observations, questionnaires	Type, quand
2. Matériel	Planifié ou déjà introduit	Questionnaires, observations, tests	Ordre, présentation, délais, etc.

IV. AUTRES CONDITIONS (Échéancier, communications, budget et schéma d'évaluation.)

A. Échéancier

   1. Instruction

      a- contenu
      b- séquence
      c- matériel

   2. Formation des enseignants

      a- adéquation
      b- fréquence
      c- pertinence

B. Communications

   1. Rapports

      a- évaluateurs, professeurs, responsables du projet et autres
      b- échéancier
      c- adéquation
      d- diffusion

   2. Réunions

      a- planifiés et (ou) selon les besoins
      b- efficacité
      c- participation
      d- utilité

Facteurs à envisager

C. Budget

   1. Matériel et équipement

      a- achat
      b- réparations
      c- modifications

      a- coût non prévu
      b- coût prévu
      c- épargne non prévue
      d- épargne prévue
      e- articles additionnels, etc.

   2. Locaux

      a- additions
      b- modifications
      c- réparations

   3. Tests et techniques de mesure

      a- achat
      b- administration
      c- correction
      d- analyse
      e- ordinateur

D. Schéma d'évaluation

   1. Collecte des données et autres types d'information

      a- choix et achat des tests et autres techniques de mesure
      b- développement de tests
      c- administration et correction des tests et autres mesures

      a- temps
      b- responsable
      c- qualité, adéquation et pertinence
      d- problèmes

   2. Données

      a- organisation
      b- dossiers
      c- analyse

ponctuelle. D'autre part, le plan du programme et le guide d'implantation devraient permettre à l'évaluateur de déterminer les instruments et les techniques de mesure dont il a besoin pour recueillir les informations nécessaires. Encore là, il se peut que l'évaluateur ait à décider en cours de route d'avoir recours à des instruments différents de ceux qui sont prévus, soit parce que le responsable demande des informations non prévues, soit parce que les instruments prévus ne sont pas disponibles, ou encore parce que d'autres instruments se révèlent plus adéquats.

L'évaluateur peut utiliser tous les instruments qu'il juge utiles pour recueillir les informations. Il peut avoir recours à des instruments qui sont publiés commercialement, alors que d'autres devront être confectionnés de toute pièce. Il peut employer les listes d'inventaire, les questionnaires, les entrevues, les techniques d'observation, les procédés d'analyse d'interaction, comme ceux d'Ausubel (1969) et de Flanders (1969), les cahiers de préparation de classe des professeurs, les plans de cours, les dossiers anecdotiques, les tests, etc.

Le rapport au responsable

Dans un troisième temps, l'évaluateur doit fournir au responsable du programme les informations dont celui-ci a besoin pour prendre les décisions appropriées. L'évaluateur doit être conscient que ces informations doivent être fournies au fur et à mesure que le responsable en fait la demande. Encore une fois, le plan du programme et le guide d'implantation devraient permettre à l'évaluateur de déterminer les moments où il doit faire rapport, bien qu'il puisse y avoir de fortes variations dans le temps selon l'allure que prend l'implantation du programme. Il se peut que des contraintes de temps obligent l'évaluateur à faire des présentations orales des résultats de ses analyses. Cependant, les informations devraient, dans la mesure du possible, être présentées sous la forme de rapports écrits. Ceux-ci obligent l'évaluateur à faire preuve de concision et de rigueur, et peuvent être utiles lorsqu'il s'agira de faire le bilan du programme et où il est important de faire ressortir les causes de certains problèmes ou ambiguïtés. Dans ses rapports, l'évaluateur doit préciser l'objet du rapport et les dimensions considérées, présenter les informations de la façon la plus simple et la plus compréhensible possible, faire ressortir les tendances majeures et les problèmes rencontrés, faire usage de représentations visuelles des résultats et, s'il y a lieu, faire des recommandations quant aux correctifs à apporter. Les rapports doivent être rédigés dans un langage approprié aux lecteurs.

À la fin de l'étape d'implantation, le programme a été mis en application selon les modalités, modifiées ou pas, précisées dans le programme. Dès qu'une de ses parties est implantée ou mise en application, le programme en est dès lors au niveau du vécu et, par conséquent, il est orienté vers l'atteinte des objectifs, que ceux-ci soient intermédiaires ou terminaux. Le processus d'implantation implique donc l'amélioration dans son suivi, ce qui constitue l'étape suivante.

◆ RÉFÉRENCES

Alkin, M.C. (1969). *Evaluation Theory Development. Evaluation Comment.* 2 (1). 2-7.

Ausubel, D.P. (1969). *Some Psychological and Educational Limitation of Learning by Discovery.* Dans L.N. Nelson (éd.) *The Nature of Teaching: A Collection of Reading.* Waltham, Mass. Blaisdal.

Borich, G.D. (1974). *Evaluating Educational Programs and Products.* Englewood Cliffs, N.J. Educational Technology Publications.

Fitz-Gibbon, C., Morris, L.L. (1978). *Evaluator's Handbook.* Beverly Hills, Calif. Sage.

Fitz-Gibbon, C., Morris, L.L. (1978). *How to Design a Program Evaluation.* Beverly Hills, Calif. Sage.

Flanders, N.A. (1969). *Teacher Influence in the Classroom.* Dans L.N. Nelson (éd.) *The Nature of Teaching: A Collection of Reading.* Waltham, Mass. Blaisdal.

Klein, S.P., Burry, J., Churchman, D., Nadeau, M.A. (1971). *Evaluation Workshop 1: An Orientation.* Monterey, Calif. CTB/McGraw-Hill.

Nadeau, M.A., Robert, M. (1973). *Guide d'implantation de programme.* Québec, Qc. Faculté des sciences de l'éducation, Université Laval.

Nadeau, M.A., Robert, M. (1973). *L'implantation des programmes en techniques commerciales à la DGÉA: Évaluation de l'implantation.* Québec, Qc. Faculté des sciences de l'éducation, Université Laval.

Nadeau, M.A. (1981). *L'évaluation des programmes d'études: Théorie et pratique.* Québec, Qc. Les Presses de l'Université Laval.

Provus, M.C. (1971). *Discrepancy Evaluation.* Berkeley, Calif. McCutchan.

Stake, R.E. (1967). *The Countenance of Educational Evaluation. Teachers College Record.* 68. 523-554.

Stufflebeam, D.L., Foley, W.J., Gephart, W.J., Guba, E.G., Hammond, R.L., Merriman, H.O., Provus, M.C. (1971). *Educational Evaluation and Decision-Making.* Itasca, Ill. F.E. Peacock.

CHAPITRE 10

◆ L'AMÉLIORATION
◆ DU PROGRAMME

LE BUT DE L'ÉVALUATION EST D'AMÉLIORER
ET NON DE PROUVER.
(D.L. Stufflebeam)

Comme nous le disions à la fin du chapitre précédent, une fois le processus d'implantation ou de mise en application du programme amorcé, celui-ci devient opérationnel. Ce programme est dès lors orienté vers l'atteinte des objectifs qui le définissent fondamentalement. Alors que l'étape implantation du programme s'intéresse aux écarts pouvant exister entre le devis du programme et la réalisation de celui-ci, l'étape amélioration du programme s'intéresse aux écarts pouvant exister entre les performances attendues et les résultats observés. Il s'agit donc de démontrer l'efficacité du programme dans l'atteinte des objectifs.

Nous nous proposons, dans un premier temps, de présenter certaines considérations théoriques touchant l'étape amélioration du programme. Dans un deuxième temps, nous discuterons du rôle et des fonctions de l'évaluateur au niveau de la cueillette des informations, du traitement et de l'interprétation des données, et du rapport au responsable.

CONSIDÉRATIONS THÉORIQUES

L'organisation du programme sous la forme d'un devis et le schéma d'évaluation prévus à l'étape planification constituent la feuille de route du processus d'amélioration du programme. Les buts et les objectifs définis au niveau du programme, l'itinéraire à suivre, les temps d'arrêt prévus et les instruments de mesure pour vérifier si les objectifs sont atteints deviennent les outils de l'étape amélioration.

L'étape amélioration du programme a pour but de vérifier si les objectifs du programme, tant intermédiaires que terminaux, sont atteints, d'établir les relations causales pouvant exister entre les caractéristiques du programme implanté (et modifié) et les résultats produits, d'apporter les correctifs jugés nécessaires. Les réponses aux questions qui se posent à cette étape doivent permettre de vérifier jusqu'à quel point les objectifs du programme sont atteints et jusqu'à quel point les composantes du programme mis en place en sont responsables.

À la lumière des réponses qu'il obtient, le responsable peut décider de poursuivre le programme ou encore d'apporter des modifications à son déroulement. Il pourrait décider, à la suite d'un rapport indiquant la non-atteinte ou l'atteinte partielle d'un certain nombre d'objectifs, de reprendre une séquence d'enseignement donnée, en suggérant l'utilisation d'une approche nouvelle ou encore d'un matériel pédagogique différent. Il pourrait aussi décider de remettre en cause les critères de performance préalablement fixés jugeant ceux-ci trop exigeants.

L'évaluateur a la responsabilité : de recueillir les informations relatives à la performance des étudiants quant aux objectifs, de les traiter de telle façon que les relations causales prévues, entre les composantes du programme et les résultats, puissent être établies et de faire rapport au responsable du programme ; d'assister le responsable dans la mise en place des modifications qu'il veut apporter au programme et d'en évaluer l'impact. L'évaluateur doit donc mettre en place un processus qui lui permette de mesurer et d'interpréter l'impact du programme.

Cette évaluation de l'impact d'un programme sera d'autant plus facile que le programme repose sur un ensemble d'objectifs opérationnels, que le devis en est suffisamment bien articulé pour que les facteurs susceptibles de l'affecter négativement soient contrôlés et que le programme est implanté selon les procédures prévues dans le devis.

Les instruments de mesure adoptés, adaptés ou développés constituent le point de départ de l'évaluation de l'impact. Ces instruments, comme nous l'avons dit précédemment, doivent être suffisamment sensibles pour permettre aux effets du programme, si celui-ci est efficace, de se manifester.

CONSIDÉRATIONS PRATIQUES

La performance des étudiants

Dans un premier temps, l'évaluateur doit recueillir les informations relatives à la performance des étudiants. Il doit faire usage d'instruments de mesure qui lui permettent de vérifier jusqu'à quel point les objectifs poursuivis sont atteints. Les objectifs auxquels ils s'adressent peuvent toucher les attitudes et les habiletés psychomotrices aussi bien que les habiletés cognitives des étudiants. Il peut également s'agir d'objectifs tant intermédiaires que terminaux. Ce sont les objectifs mêmes du programme et l'évaluateur doit s'y conformer. Mais cela n'implique pas pour autant que l'évaluateur doit fermer les yeux sur des résultats, produits par le programme, qui n'auraient pas été prévus. Quand de tels résultats se produisent, l'évaluateur se doit de les rapporter. Il se peut même que le responsable du programme en fasse la demande.

L'échéancier, le devis du programme, le schéma d'évaluation et le guide d'implantation développés aux étapes planification et implantation du programme sont des outils qui devraient permettre à l'évaluateur d'identifier les instruments de mesure dont il a besoin pour recueillir les informations jugées nécessaires, de savoir auprès de qui il doit recueillir ces informations, et à quels moments et avec quelle fréquence il doit administrer ces instruments. Comme nous l'avons indiqué dans la section implantation du programme, des circonstances particulières, telles une modification au niveau du processus d'implantation du programme ou la non-disponibilité de certains instruments de mesure, ou encore une séquence d'enseignement qui demande plus de temps que prévu, peuvent amener l'évaluateur à modifier ses procédures de cueillette de données. L'évaluateur doit s'assurer que les instruments de mesure utilisés à ce niveau possèdent les caractéristiques propres à fournir des informations fidèles, valides et appropriées, qu'il s'agisse d'instruments adoptés, adaptés ou développés.

Le traitement et l'interprétation des données

Dans un deuxième temps, l'évaluateur doit traiter et interpréter les données recueillies afin de faire rapport au responsable du programme. À ce niveau, il dispose d'un vaste ensemble de techniques statistiques qui devraient lui permettre de trouver réponse aux questions posées. Dans une situation où une simple description des faits est jugée suffisante, il peut par exemple se satisfaire de mesures de tendance centrale et de dispersion. Par contre, dans des situations où il doit comparer les performances de groupes distincts, il peut alors faire appel à l'analyse de la variance ou de la covariance, ou encore utiliser une approche multivariée si plusieurs variables dépendantes sont disponibles. Dans le cas où l'évaluateur ne dispose que des échelles ordinales, il peut utiliser les techniques non paramétriques, alors que pour des échelles d'intervalles, il peut utiliser les techniques paramétriques.

Le schéma d'évaluation qui décrit les caractéristiques du groupe ou des groupes utilisés et les caractéristiques des instruments de mesure utilisés, de même que les questions posées par le responsable du programme doivent guider l'évaluateur dans le choix de techniques statistiques appropriées. À ce titre, l'évaluateur aurait avantage à consulter les ouvrages de base en statistiques de Winer (1971), Kirk (1969), Hayes (1963), Siegel (1956) et Tatsuoka (1971), qui se présentent comme des classiques dans le domaine. Le guide pour la sélection de techniques statistiques, publié par Andrews et al. (1974) et traduit par Nadeau et Voyer (1978), peut être particulièrement utile car il permet d'identifier les techniques appropriées pour un problème donné en tenant compte du nombre de variables indépendantes et dépendantes, des caractéristiques des échelles utilisées (nominale, ordinale, à intervalles), ainsi que du type de relations considérées.

Le travail de traitement des données est d'autant plus facile que l'évaluateur dispose d'un ensemble de trousses statistiques pour le traitement par ordinateur: SPSS, BMD, OSIRIS, SOUPAC, SAS, *Multivariate* (Finn, 1974).

Au niveau de l'interprétation des données statistiques, l'évaluateur doit tenter de savoir, d'une part, si le programme ou ses composantes sont responsables des changements observés et si, d'autre part, les mêmes changements pourraient s'observer en l'absence du programme ou encore en présence d'un autre programme.

Le rapport au responsable

Dans un troisième temps, l'évaluateur doit faire rapport au responsable du programme ; il peut même être appelé à faire plusieurs rapports. Il doit, dans ses rapports, faire état des résultats obtenus, exposer les influences positives ou négatives du programme ou de ses composantes, par rapport aux résultats observés et, s'il le juge à propos, suggérer des correctifs. Il doit faire état de tous les résultats observés qui n'étaient pas prévus. Les représentations visuelles des résultats, un langage simple, clair et adapté sont de mise.

Il est important, à ce stade, de souligner les similitudes et les différences qui existent entre les étapes implantation et amélioration du programme. Tout d'abord, signalons que les deux étapes s'intéressent à la question de savoir si le programme fonctionne d'une façon appropriée et, à ce titre, s'inscrivent dans le processus de l'évaluation formative. De plus, les deux peuvent conduire à des décisions touchant des modifications et des changements à apporter au programme, lesquelles peuvent s'adresser tout aussi bien au devis du programme qu'à la façon dont celui-ci est implanté. Par conséquent, ces décisions devraient se baser sur les informations recueillies à ces deux étapes, puisque des problèmes se manifestant au niveau de l'implantation peuvent affecter les résultats. En somme, ces deux étapes sont fortement reliées, l'une s'intéressant à la façon dont les procédures sont mises en place et l'autre s'intéressant aux effets de ces procédures sur l'atteinte des objectifs du programme.

À la fin de l'étape amélioration, le responsable du programme possède toutes les informations pertinentes quant à l'atteinte des objectifs qui composent un programme. À ce stade-ci, le programme peut être considéré comme complet et valable, s'il a été déterminé qu'il permet d'atteindre les résultats escomptés. Le responsable peut alors suspendre le processus d'évaluation et prendre des décisions touchant le programme pris comme un tout, à savoir l'accepter ou le rejeter. Il peut également décider, s'il le juge à propos et si c'est possible, de comparer le programme à un ou plusieurs autres programmes semblables. Il aborde alors la dernière étape du processus d'évaluation, l'étape certification du programme.

◆ RÉFÉRENCES

Alkin, M.C. (1969). *Evaluation Theory Development. Evaluation Comment.* 2 (1). 2-7.

Fitz-Gibbon, C., Morris, L.L. (1978). *Evaluator's Handbook.* Beverly Hills, Calif. Sage.

Hayes, W.L. (1963). *Statistics.* New York, N.Y. Holt, Rinehart and Winston.

Kirk, R.E. (1968). *Experimental Design : Procedures for the Behavioral Sciences.* Belmont, Calif. Brooks/Cole.

Klein, S.P., Burry, J., Churchman, D., Nadeau, M.A. (1971). *Evaluation Workshop 1: An Orientation.* Monterey, Calif. CTB/McGraw-Hill.

Nadeau, M.A., Voyer, J.P. (1978). *Guide pour la sélection de techniques statistiques appropriées à l'analyse de données en sciences sociales.* Traduit de l'américain: F.M. Andrews *et al. A Guide for Selecting Statistical Techniques for Analyzing Social Sciences Data.* Ann Arbor, Mich. Survey Research Center, Institute for Social Research.

Nadeau, M.A. (1981). *L'évaluation des programmes: Théorie et pratique.* Québec, Qc. Les Presses de l'Université Laval.

Provus, M.C. (1971). *Discrepancy Evaluation.* Berkeley, Calif. McCutchan.

Siegel, S. (1956). *Non parametric Statistics for the Behavioral Sciences.* New York, N.Y. McGraw-Hill.

Stake, R.E. (1967). *The Countenance of Educational Evaluation. Teachers College Record.* 68. 523-540.

Stufflebeam, D., Foley, W.J., Gephart, W.J., Guba, E.G., Hammond, R.L., Merriman, H.O., Provus, M.C. (1971). *Evaluation and Decision-Making.* Itasca, Ill. F.E. Peacock.

Tatsuoka, M.M. (1971). *Multivariate Analysis: Techniques for the Educational and Psychological Research.* New York, N.Y. John Wiley and Sons.

Winer, B.J. (1971). *Statistical Principles in Experimental Design.* New York, N.Y. McGraw-Hill.

CHAPITRE 11

◆ LA CERTIFICATION
◆ DU PROGRAMME

Les résultats de l'évaluation sommative [...] concernent principalement ceux qui doivent décider de conserver un programme ou pas.
(G.D. Borich)

L'étape certification du programme constitue la dernière du processus d'évaluation. Cette étape s'intéresse à l'impact du programme considéré dans sa globalité et en ce sens elle s'inscrit dans ce que Scriven (1967) appelle l'évaluation sommative. Elle se distingue des étapes précédentes, qui constituent l'évaluation formative, en ce qu'elle n'est pas axée sur les améliorations à apporter au programme mais bien sur la détermination de sa valeur lorsqu'il est considéré comme un tout.

Nous nous proposons, dans ce chapitre, de présenter brièvement certaines considérations théoriques, pour ensuite discuter du rôle et des fonctions de l'évaluateur dans l'analyse et la description du ou des programmes, dans l'élaboration et l'application d'un schéma d'évaluation sommative, dans le traitement et l'interprétation des données et dans le rapport au responsable.

CONSIDÉRATIONS THÉORIQUES

L'étape certification du programme a pour but de décrire d'une façon détaillée les caractéristiques et les réalisations du programme, et de le comparer sous ces deux aspects à un ou à plusieurs autres programmes. Il est important de signaler qu'il n'est pas toujours possible de réaliser le deuxième but; dans un tel cas l'étape certification du programme se réduit à une description détaillée de ses caractéristiques et de ses réalisations. C'est donc à ce niveau que l'on vérifie par voie de comparaison le succès ou l'échec, partiel ou total, du programme.

Les questions qui se posent à cette étape devraient permettre au responsable du programme de vérifier si le programme produit une meilleure atteinte des objectifs que ne le fait un ou plusieurs autres programmes. À la lumière des réponses à ces questions, le responsable du programme pourrait décider par exemple de poursuivre ou de suspendre le programme, ou encore d'étendre ou de limiter son utilisation.

Parmi les responsabilités de l'évaluateur, nous retrouvons : analyser et décrire les composantes du ou des programmes ; élaborer et mettre en place un schéma d'évaluation pour des fins de comparaison de groupes ou de programmes ; faire rapport au responsable du programme.

L'étape certification du programme sera facilitée d'autant que l'évaluateur pourra comparer le programme étudié à un autre programme et qu'il disposera de toutes les informations pertinentes à chacun des programmes considérés.

CONSIDÉRATIONS PRATIQUES

L'analyse et la description du ou des programmes

Dans un premier temps, l'évaluateur doit analyser et décrire le ou les programmes d'intérêt. La description du ou des programmes doit inclure : l'historique du programme, les besoins qu'il entend combler, les buts et les objectifs poursuivis, et les caractéristiques du programme quant au personnel impliqué, aux ressources physiques, aux aspects pédagogiques, à l'administration et à l'évaluation. Dans une situation où il n'existe pas de programme de comparaison, l'évaluateur doit faire ressortir les aspects majeurs du programme qui demandent à être évalués et structurer un guide d'implantation. Il a la responsabilité de faire préciser les objectifs les plus importants du programme et qui pourraient mettre en cause l'existence même de celui-ci s'il s'avérait par exemple qu'ils sont aussi bien réussis par un groupe d'étudiants étrangers au programme. Dans une situation où un autre programme est utilisé pour des fins de comparaison, l'évaluateur doit porter son attention sur les caractéristiques communes des deux programmes et plus particulièrement sur la dimension « objectifs poursuivis ». Il doit alors préparer un guide d'implantation des deux programmes, lequel précise les caractéristiques sur lesquelles ils seront comparés.

Pour réaliser cette tâche, l'évaluateur peut utiliser plusieurs sources d'information. Le projet de programme, les rapports de l'analyse des besoins, de la planification, de l'implantation et de l'amélioration du programme sont des documents de base importants ; les guides méthodologiques produits, les descriptions du matériel, des équipements, des installations sont également des sources de données valables. L'évaluateur, surtout s'il n'est pas celui qui est intervenu au stade de l'évaluation formative, peut en plus consulter le responsable du programme pour des fins de vérification ou pour l'obtention d'informations supplémentaires.

L'élaboration et l'application
d'un schéma d'évaluation sommative

Comme les décisions à ce niveau sont relatives à la poursuite ou à la suspension du programme, ou encore à son extension ou à la limitation de son utilisation, il est important que les informations recueillies permettent de choisir parmi ces possibilités.

Élaboration du schéma d'évaluation

Comme nous l'avons mentionné au chapitre portant sur la planification d'un programme, il est important de développer un schéma d'évaluation qui constitue un plan pour déterminer quand, auprès de qui et comment les informations vont être recueillies. L'évaluateur doit considérer un schéma d'évaluation qui puisse permettre aux programmes de se manifester dans l'atteinte des objectifs qui les constituent, qui puisse assurer le contrôle des variables étrangères, qui rende possible l'établissement de relations causales entre les composantes du ou des programmes et l'atteinte des objectifs et, enfin, qui permette d'établir des comparaisons soit entre des groupes soumis à des programmes différents mais comparables, soit entre des groupes dont l'un est soumis au programme étudié et les autres groupes agissent comme groupes contrôles.

Les questions présidant au choix d'un schéma d'évaluation concernent : la nécessité et (ou) la possibilité d'avoir ou non un groupe contrôle, ou encore la disponibilité d'un programme comparable ; la procédure d'assignation des sujets aux groupes ou aux programmes comparables ; le nombre, la nature et la disponibilité des instruments de mesure ; les périodes d'administration de ces instruments.

Application du schéma d'évaluation

Une fois le schéma d'évaluation complété, il doit être mis en application, c'est-à-dire implanté de telle sorte que les informations relatives aux dimensions à évaluer puissent être recueillies. L'évaluateur doit voir à ce que le schéma mis en pratique corresponde au schéma planifié. Afin d'assurer cette correspondance, l'évaluateur aurait avantage à utiliser un guide d'implantation afin de pouvoir retracer facilement le type d'information dont il a besoin, d'une part, et de contrôler la réalisation des activités essentielles au schéma d'évaluation, d'autre part.

L'évaluateur doit s'assurer que les instruments de mesure sont de nature à lui fournir les informations désirées, qu'ils sont appliqués selon l'échéancier prévu et qu'ils sont administrés auprès des bons individus.

Traitement et interprétation

Sur le plan du traitement des données, l'évaluateur peut faire appel à toutes les techniques statistiques que lui permettent les instruments de mesure utilisés et le type de schéma d'évaluation employé. Sur le plan de l'interprétation, il doit tenter, à partir des données statistiques obtenues, de tirer des conclusions quant à la valeur du programme étudié.

Nous invitons le lecteur à reprendre la lecture de la deuxième section du chapitre 9, qui porte sur le traitement et l'interprétation des données, de même que les chapitres qui traitent de la sélection des instruments de mesure et des techniques statistiques.

À l'étape certification de programme, le rapport d'évaluation prend la forme d'un rapport de recherche. Non seulement l'évaluateur doit-il y mettre les informations recueillies, mais il doit également démontrer que les mesures obtenues et les observations faites sont précises et correspondent à la réalité. L'évaluateur doit justifier le schéma d'évaluation utilisé et faire la preuve de la validité et de la fidélité des instruments de mesure employés.

Nous renvoyons le lecteur au texte de Klein *et al.* (1971) et à celui de Morris et Fitz-Gibbon (1978), pour un exposé plus détaillé de la nature et du contenu d'un rapport d'évaluation sommative.

À la fin de l'étape certification du programme, le responsable possède les informations relatives à la valeur du programme pris comme un tout et il lui appartient alors de décider s'il y a lieu de conserver le programme, d'en étendre ou d'en restreindre l'application, ou encore de le rejeter totalement.

◆ RÉFÉRENCES

Alkin, M.C. (1969). *Evaluation Theory Development. Evaluation Comment*. 2 (1).

Borich, G.D. (1974). *Evaluating Educational Programs and Products*. Englewood Cliffs, N.J. Educational Technology Publications.

Fitz-Gibbon, C., Morris, L.L. (1978). *Evaluator's Handbook*. Beverly Hills, Calif. Sage.

Fitz-Gibbon, C., Morris, L.L. (1978). *How to Design a Program Evaluation*. Beverly Hills, Calif. Sage.

Klein, S.P., Churchman, D., Burry, J., Nadeau, M.A. (1971). *Evaluation Workshop 1: An Orientation*. Monterey, Calif. CTB/McGraw-Hill.

Nadeau, M.A. (1981). *L'évaluation des programmes d'études: Théorie et pratique*. Québec, Qc. Les Presses de l'Université Laval.

Provus, M.C. (1971). *Discrepancy Evaluation*. Berkeley, Calif. McCutchan.

Stake, R.E. (1967). *The Countenance of Educational Evaluation. Teachers College Record*. 68. 523-540.

Stufflebeam, D., Foley, W.J., Gephart, W.J., Guba, E.G., Hammond, R.L., Merriman, H.O., Provus, M.C. (1971). *Educational Evaluation and Decision-Making*. Itasca, Ill. F.E. Peacock.

◆ ◆ ◆

La lecture de cette deuxième partie du volume a pu convaincre le lecteur de l'importance du rôle de l'évaluateur dans un processus d'évaluation. Il nous semble important d'insister sur le fait que la réussite de toute évaluation repose, dans une large mesure, sur ses épaules. Nous avons voulu d'une façon toute particulière mettre en évidence ses responsabilités dans le processus d'évaluation d'un programme d'études en décrivant les interventions multiples, variées et complexes qu'il est appelé à faire, et ce, à chacune des étapes du processus et plus particulièrement lorsqu'une approche formaliste est utilisée.

Les propos tenus soulignent la complexité de ce processus, d'une part, font état des exigences qu'il impose à l'évaluateur, d'autre part, et enfin fournissent des indications quant au type d'expertise que l'on attend de lui. Le lecteur doit comprendre également que, pour jouer efficacement son-rôle, l'évaluateur doit non seulement connaître et maîtriser un ensemble de techniques et de méthodes qui relèvent de plusieurs disciplines mais il doit également être capable de les adapter à la situation particulière dans laquelle il travaille. Il est, de plus, important de signaler que le succès d'une étude évaluative ne saurait être assuré à moins qu'il n'existe une étroite collaboration entre l'évaluateur, le responsable d'un programme ou d'un projet et les différents auditoires cibles ayant quelque enjeu dans le programme.

TROISIÈME
PARTIE

L'ASPECT
TECHNIQUE

L'évaluateur qui a la responsabilité d'évaluer un programme d'études se doit de fournir les informations les plus pertinentes et les plus valides possibles à ceux qui ont la responsabilité de prendre les décisions quant à ce programme. L'évaluateur doit faire appel aux méthodes et aux techniques qu'il juge les plus aptes à recueillir les informations nécessaires. Ces méthodes et ces techniques constituent ce que nous appelons le support technique.

Dans cette troisième section nous entendons décrire un certain nombre de méthodes et de techniques qui peuvent être utiles à l'évaluateur. Pour ce faire, le douzième chapitre est consacré à la notion d'objectifs pédagogiques et met en évidence les origines, les distinctions de base, le problème de formulation et la description de certaines taxonomies. Le treizième chapitre s'intéresse à la construction et à la sélection des instruments de mesure, présente une classification des tests, discute des caractéristiques d'un bon instrument de mesure et en décrit quelques-uns. Le chapitre 14 introduit le lecteur à différentes méthodes de mise en priorité de besoins. Le quinzième chapitre pour sa part présente diverses techniques particulières susceptibles d'être utilisées dans un processus d'évaluation : les techniques d'enquête, les techniques de planification, les techniques de communication. Le seizième chapitre présente des considérations concernant les techniques statistiques disponibles pour analyser et traiter les données recueillies durant le processus d'évaluation ; on y discute de la classification des variables, des échelles de mesure, de la distribution des résultats et des techniques statistiques.

CHAPITRE 12

◆ LES OBJECTIFS
◆ PÉDAGOGIQUES

L'ESELE PROCESSUS DE L'ÉVALUATION DÉBUTE AVEC
L'IDENTIFICATION DES OBJECTIFS D'UN PROGRAMME
ÉDUCATIF.
(R.W. Tyler)

Nous avons vu, dans le chapitre traitant de l'historique, que le mouvement des objectifs, en éducation, avec les Bobbitt, Tyler, Bloom, Mager, Popham, a exercé une influence considérable sur le développement de l'approche évaluation de programme. Nous avons également vu dans le chapitre que la plupart des modèles, dont ceux de Tyler, Hammond, Metfessel et Michael, Stake, Stufflebeam, Provus et Alkin, accordent une importance primordiale à la notion d'objectifs. Nous avons insisté, dans les chapitres suivants, sur le fait qu'un programme d'études se caractérise d'abord et avant tout par les objectifs qui le composent, que ces objectifs doivent être définis de façon opérationnelle, afin de favoriser l'identification des moyens à prendre pour les atteindre, d'une part, ainsi que pour faciliter l'identification des instruments propres à évaluer leur atteinte, d'autre part, et, enfin, que ces instruments de mesure doivent être directement reliés aux objectifs.

L'évaluateur appelé à intervenir comme spécialiste doit être familier avec le rôle que jouent les objectifs pédagogiques dans l'évaluation d'un phénomène éducationnel. Il lui faut connaître et comprendre les principes à la base, les applications et les limites des objectifs pédagogiques, d'une part, et être capable de les transposer dans le vécu d'un programme, d'autre part.

L'évaluateur a la responsabilité de voir à ce que les objectifs définis au niveau d'un programme soient formulés d'une façon claire et précise. On attribue aux objectifs clairement formulés au moins trois avantages:

— Sur le plan d'un programme: les objectifs clairement formulés devraient favoriser les décisions qui s'y rapportent;

— Sur le plan de l'enseignement: les objectifs clairement formulés devraient favoriser l'identification et la mise sur pied de stratégies d'enseignement pertinentes;

— Sur le plan de l'évaluation: les objectifs clairement formulés devraient favoriser le développement, l'adoption ou l'adaptation d'instruments de mesure appropriés et, partant, de favoriser l'évaluation de l'atteinte de ces objectifs.

Le processus de clarification et d'explication des objectifs d'un programme est important et ne peut être pris à la légère; la simple formulation des objectifs pédagogiques ne garantit pas leur validité. L'évaluateur doit non seulement voir à ce que les objectifs soient bien formulés mais aussi que chacun des niveaux d'objectifs du programme soit congruent aux autres; en somme, il lui faut s'assurer d'une formulation adéquate des objectifs et également s'assurer d'une cohérence interne. Enfin, il doit s'assurer que les objectifs du programme s'inscrivent dans les finalités du système d'éducation.

Afin d'aider l'évaluateur dans sa tâche de clarification des objectifs d'un programme, le présent chapitre traite de leurs origines, présente des définitions pour les différents niveaux d'objectifs susceptibles d'être rencontrés au niveau d'un programme, décrit les taxonomies de Bloom, de Krathwohl et de Harrow, et se termine par des exemples d'opérationnalisation de ces différentes taxonomies.

LES ORIGINES

L'idée d'identifier et de formuler des objectifs pédagogiques n'est pas nouvelle. Bobbitt (1970) insiste sur la nécessité d'utiliser, dans les programmes, des objectifs formulés en termes clairs. Cependant, cette idée est demeurée une préoccupation bien secondaire, tant du côté des chercheurs et des spécialistes de programme que du côté des praticiens, et ce, jusque vers les années 50. Tout comme Bobbitt, Tyler (1950) reconnaît que les objectifs sont formulés dans des termes tellement vagues et nébuleux qu'ils ne visent à toutes fins pratiques que des généralités. Selon Tyler, de tels objectifs ont une valeur très limitée comme guide tant de l'enseignement que de l'évaluation. En tant que spécialiste de programmes, Tyler ne s'est pas restreint aux problèmes de la formulation des objectifs pédagogiques. Dans son ouvrage *Basic Principles of Curriculum and Instruction*, il propose un modèle classique, particulièrement utile pour ceux qui élaborent ce qu'on appelle des « programmes par objectifs ». Non seulement ce modèle théorique précise-t-il l'orientation du programme mais il définit aussi très bien la place que doivent y occuper les objectifs.

Avec Tyler, le milieu éducatif s'orientait vers une nouvelle époque – celle des objectifs pédagogiques – qui a influencé les professeurs et les spécialistes de programmes, aussi bien que les spécialistes de mesure et évaluation. Depuis, l'idée de définir les objectifs pédagogiques en termes comportementaux a reçu une attention toute particulière, avec pour conséquence que des centaines d'articles sur le « pourquoi des objectifs pédagogiques », et des livres et des manuels d'enseignement micrograduée sur le « comment formuler des objectifs pédagogiques » ont été écrits. L'influence du mouvement est telle que dans les différents milieux d'enseignement on prend de plus en plus conscience de l'importance d'une telle formulation.

Au cours des dernières années, des efforts sérieux, concernant l'identification et la formulation des objectifs pédagogiques, se sont concrétisés par l'apparition d'une quantité d'écrits sur le sujet mais plus particulièrement de la *Taxonomie des objectifs pédagogiques* de Bloom (1956) et du *Comment définir des objectifs pédagogiques* de Mager (1962). Ces deux ouvrages sont les premiers outils mis à la disposition des praticiens de l'éducation aux prises avec l'élaboration de programmes et la planification de l'enseignement. En 1948, Bloom et un groupe de chercheurs praticiens intéressés aux programmes et examens décident d'élaborer un système permettant de classifier tous les objectifs susceptibles de se retrouver dans les programmes. Ces efforts ont donné lieu à trois systèmes de classification d'objectifs : l'un relatif au domaine cognitif, un autre au domaine affectif, et un troisième au domaine psychomoteur. Le premier système de classification, soit le domaine cognitif, semble avoir reçu la faveur à la fois des spécialistes de programmes, des enseignants et des docimologues.

Bloom et ses collaborateurs ont élaboré ce système de classification des objectifs pédagogiques dans le domaine cognitif afin de favoriser à la fois l'élaboration de programmes et la mesure du rendement scolaire. Dans cette perspective un problème majeur à résoudre était celui de la communication. Les auteurs s'accordaient pour dire que la plupart des objectifs des programmes recouraient à des termes donnant lieu à diverses interprétations de la part des utilisateurs.

L'apparition de la taxonomie de Bloom a eu pour effet : de stimuler l'intérêt des pédagogues quant aux objectifs pédagogiques ; d'entraîner les professeurs à reconnaître d'autres comportements mentaux que la mémorisation simple et la connaissance ; d'apporter des changements dans l'enseignement où, plutôt que de se limiter à parler de contenu, on parle d'opérations mentales que l'étudiant doit maîtriser.

Bien que Bloom et ses collaborateurs aient eu une influence énorme sur le monde pédagogique, il n'en demeure pas moins que l'on s'est vite rendu compte que de tels objectifs n'étaient pas opérationnels, ce qui les rendait difficilement utilisables en milieu scolaire. Par conséquent, tout effort d'utilisation de la taxonomie dans la formulation d'objectifs doit tenir compte de son manque de précision quant aux comportements observables qui doivent se manifester et (ou) aux conditions dans lesquelles ils se manifestent.

L'apport de Mager se veut plus modeste : il s'est efforcé d'identifier un ensemble de critères qui, lorsqu'ils sont adéquatement appliqués, permettent la formulation d'objectifs pédagogiques de type opérationnel, c'est-à-dire qui se prêtent à la mesure. Selon Mager, un objectif se doit de posséder les trois éléments suivants : la détermination d'un comportement final à l'aide d'un verbe d'action, l'identification des conditions de réalisation du comportement, et l'établissement d'un critère d'acceptabilité de la performance. Les efforts de Mager ont permis de solutionner un problème de la taxonomie de Bloom, soit celui d'exprimer dans un objectif un comportement observable et mesurable. En ce sens, les objectifs formulés à partir des critères établis par Mager répondent plus adéquatement aux besoins de l'enseignement.

Dans les premières pages de son volume *Comment définir les objectifs pédagogiques*, Mager souligne l'importance du verbe utilisé dans la formulation. Il propose certains verbes d'action, mais n'en fait pas un objet d'études. C'est à ce type particulier de problèmes que se sont attaqués des auteurs tels que Sullivan (1969), Baker et Gerlach (1971), Walbesser (1968), Metfessel et Michael (1967), Metfessel, Michael et Kirsner (1969) et Gronlund (1970). Ces auteurs proposent des listes de verbes d'action pouvant être utilisés pour traduire un comportement. Certains d'entre eux ont tenté d'expliciter les diverses catégories des taxonomies de Bloom et de Krathwohl.

LES NIVEAUX D'OBJECTIFS

Dans le processus de clarification des objectifs pédagogiques, l'évaluateur est souvent en présence d'un problème de terminologie, comme le signale avec justesse Birzéa (1979). La littérature portant sur les objectifs fait état de variantes non seulement au niveau de la typologie d'objectifs (niveaux de définition) mais également sur le plan de la notion même d'objectif spécifique (opérationnel). McAshan (1974) a dénombré trente-six dénominations différentes s'appliquant aux objectifs spécifiques. Cette divergence n'est pas de nature à clarifier les choses et à simplifier le travail de l'évaluateur. Nous pensons que l'évaluateur en quête de notions claires et précises aurait avantage à utiliser la typologie suivante, laquelle nous apparaît susceptible de concilier la majorité sinon toutes les divergences que l'on peut relever dans la littérature.

Tableau 16
TYPOLOGIE D'OBJECTIFS

LES ORIENTATIONS D'UN SYSTÈME	Les FINALITÉS d'un système
	Les BUTS d'un système
LES ORIENTATIONS D'UN PROGRAMME	La FINALITÉ d'un programme
	Les BUTS d'un programme
LES OBJECTIFS D'UN PROGRAMME	Les OBJECTIFS GÉNÉRAUX d'un programme
	Les OBJECTIFS SPÉCIFIQUES d'un programme

Les orientations du système

Les finalités et les buts du système d'éducation en définissent les orientations majeures et en précisent les visées à très long terme. Au chapitre des finalités d'un système, on retrouve des énoncés très vagues dans leur formulation et qui concernent tous les individus formant une collectivité donnée. Ces énoncés font abstraction de tout niveau scolaire et de toute discipline particulière. Les énoncés suivants se veulent des exemples de finalités d'un système.

Le système d'éducation du... vise :

— à développer la personne dans toutes ses dimensions,

— à favoriser l'épanouissement d'une personne créatrice,

— à développer une personne autonome, libre et heureuse,

— à développer une personne capable de s'intégrer à la collectivité.

La littérature qui traite des objectifs pédagogiques souligne que les finalités et les buts sont l'expression la plus abstraite des intentions ou des orientations d'une action éducative (Jenkins et Deno, 1970 ; Gariépy, 1973 ; Burns, 1975 ; De Landsheere et De Landsheere, 1975 ; Birzéa, 1979). Les finalités traduisent le dernier « pourquoi » d'un système et sont formulées à un haut niveau d'abstraction.

Au chapitre des buts d'un système, on retrouve des énoncés qui articulent d'une façon un peu plus explicite les attentes et les intentions d'un système d'éducation. Contrairement aux finalités, qui traduisent l'éducation en général, les buts considèrent l'éducation dans un contexte scolaire. Ces énoncés renvoient généralement aux différents niveaux scolaires. Les énoncés suivants se veulent des exemples des buts d'un système.

Le niveau primaire vise :

— à assurer à l'enfant le développement des apprentissages fondamentaux nécessaires au développement intellectuel, à l'intégration de l'expérience et à l'insertion sociale.

Le niveau secondaire vise :

— à permettre à l'adolescent de poursuivre sa formation générale et de s'orienter dans la vie en se situant comme individu qui fait partie d'une collectivité.

Ces énoncés de finalités et de buts fournissent ou traduisent toute la philosophie d'un système d'éducation. Ils deviennent en quelque sorte la trame de fond sur laquelle la réalité scolaire doit s'appuyer et par conséquent ils constituent le rationnel de base sur lequel doivent s'appuyer les programmes éducatifs émanant de ce système.

L'évaluateur n'a pas à intervenir sur le plan de la formulation et (ou) de la clarification des orientations d'un système ; cette responsabilité relève davantage du pouvoir politique pris dans un sens très large. L'évaluateur doit cependant voir à ce que les orientations et les objectifs d'un programme s'inspirent de ces orientations du système.

Les orientations et les objectifs du programme

Les orientations du programme

La finalité ou l'objectif global d'un programme détermine d'une façon englobante la fin dernière visée par un programme particulier. Ce type d'énoncé doit servir de cadre de référence à la justification du programme en question et de base à l'explicitation de ses buts. Les énoncés suivants sont des exemples de finalités de programme :

— le programme de français, langue maternelle, vise l'acquisition et le développement de stratégies et d'habiletés langagières de telle sorte que l'étudiant soit capable de communiquer avec ses concitoyens,

— le programme de biologie vise à rendre l'étudiant capable de maintenir et d'améliorer sa santé physique et mentale,

— le programme d'études de langues d'origine vise à maintenir et à améliorer les connaissances de base, les habiletés langagières spécifiques et les attitudes propres à rendre l'élève capable de communiquer efficacement avec les gens de son entourage immédiat et d'apprécier sa culture d'origine.

La finalité ou l'objectif global d'un programme doit découler des besoins de formation qui sont précisés à l'étape analyse de besoins. Il doit dans son libellé préciser l'orientation majeure du programme. Il prépare ainsi la voie à la formulation des buts du programme.

Selon Burns (1975), les buts « énoncent d'une façon générale ce vers quoi tend l'enseignement ; ils ne visent pas à jauger le comportement et ne précisent pas ce que le sujet doit pouvoir faire à la fin de son apprentissage ».

Les énoncés suivants sont des exemples de buts :

— initier l'étudiant aux concepts de base rencontrés dans le domaine des sciences biologiques,

— acquérir des connaissances fondamentales dans le secteur de la chimie,

— acquérir et développer des habiletés spécifiques à l'utilisation de sa langue maternelle,

— acquérir des attitudes positives à l'égard de la langue d'origine et de la culture qu'elle véhicule.

Les buts doivent découler de la finalité du programme, préalablement énoncée. Ils doivent de plus énoncer de façon générale ce vers quoi tend le programme d'études en en précisant la ou les grandes orientations. Ils préparent ainsi la voie à la formulation des objectifs généraux ou de formation de programme. Les buts devraient couvrir les trois aspects ou domaines cognitif, affectif et psychomoteur. Bien que ces énoncés soient déjà plus clairs que la finalité du programme, ils sont cependant peu sûrs pour éclairer et guider l'action pédagogique quotidienne.

Sur le plan de la formulation, nous suggérons, d'une part, que ces énoncés fassent usage de verbes tels « sensibiliser, acquérir, développer, prendre conscience » (une liste plus exhaustive est présentée plus loin) et, d'autre part, qu'ils précisent le ou les domaines d'application, soit cognitif, affectif et psychomoteur.

Les objectifs du programme

Les objectifs généraux ou de formation d'un programme d'études doivent traduire les buts déjà formulés en habiletés intellectuelles, en attitudes ou en habiletés motrices. Ils doivent indiquer ce que les étudiants devraient être capables de démontrer à la fin du programme. L'utilisation des catégories apparaissant dans les taxonomies nous semble appropriée à ce niveau. Les énoncés suivants sont des exemples de ce type d'objectifs :

- connaître les principes et l'application des techniques de soins spécifiques,
- appliquer les règles élémentaires de la bienséance,
- connaître les œuvres d'auteurs contemporains,
- connaître les facteurs importants qui affectent le succès et la satisfaction dans l'emploi,
- dégager les valeurs humaines contenues dans une œuvre littéraire.

Les objectifs généraux ou de formation doivent être l'expression des buts du programme quant aux capacités ou aux dispositions que l'étudiant doit manifester.

Sur le plan de la formulation, le vocabulaire le plus utile nous semble celui des taxonomies d'objectifs. De plus, le contenu véhiculé dans un objectif général ou de formation peut faire référence à une matière, une discipline, un champ d'études ou encore à une activité socio-économique. Nous suggérons à l'évaluateur de consulter les taxonomies existantes : Bloom, 1956 ; Tyler, 1934 ; Guilford, 1967 ; Gronlund, 1970, pour le domaine cognitif ; Krathwohl, 1964 ; Gronlund, 1970 ; Smith, 1970, pour le domaine affectif : Simpson, 1966 ; Harrow, 1972 ; Kibler, Baker et Miles, 1970, pour le domaine psychomoteur. Une description sommaire de certaines de ces taxonomies est présentée un peu plus loin dans ce chapitre.

Enfin, les objectifs spécifiques doivent transposer les objectifs généraux ou de formation en comportements observables et mesurables. Ces objectifs doivent décrire ce que l'étudiant doit être capable de faire à la fin du programme, en termes de comportement observable, donc les changements attendus chez l'étudiant à la suite d'activités d'apprentissage; ces changements ne concernent pas les activités d'apprentissage elles-mêmes. Les énoncés suivants sont des exemples d'objectifs spécifiques:

— résoudre des équations à une inconnue,

— définir, selon un auteur donné, certains concepts psychologiques,

— énumérer et décrire les principales causes de la Deuxième Guerre mondiale,

— expliquer le fonctionnement d'un moteur rotatif,

— critiquer l'intervention soviétique en Afghanistan.

Comme caractéristiques principales, un objectif spécifique doit être mesurable et communicable.

Sur le plan de la formulation, les objectifs spécifiques doivent s'adresser à l'étudiant, contenir un verbe d'action spécifique et décrire un comportement terminal, c'est-à-dire le résultat d'un apprentissage. Ils doivent de plus véhiculer un contenu spécifique. La difficulté majeure dans la formulation des objectifs spécifiques semble se situer au niveau des verbes d'action, lesquels doivent être univoques dans leur interprétation et, d'autre part, de trouver des verbes d'action qui dépassent le simple niveau de la connaissance pour atteindre les catégories les plus élevées des taxonomies. L'évaluateur aurait avantage à consulter les listes de verbes d'action suggérées par différents auteurs (Sullivan, 1970; Baker et Gerlach, 1971; Walbesser, 1968; Metfessel, Michael et Kirsner, 1969; Gronlund, 1970) et dont certaines sont reprises un peu plus loin dans ce chapitre.

L'évaluateur peut être appelé à intervenir sur le plan de la formulation et (ou) de la clarification des orientations et des objectifs d'un programme. Il peut avoir à évaluer la cohérence de ces différents niveaux d'intentions ainsi que leur relation et dépendance par rapport aux orientations du système.

LES TAXONOMIES

En 1948, un groupe de chercheurs et de praticiens a élaboré un système permettant de classifier tous les objectifs susceptibles de se retrouver dans les programmes.

Leur but fondamental était de faciliter la communication en repérant et en définissant les objectifs rencontrés en milieu scolaire. Ainsi, ils pensaient diminuer la pléthore d'interprétations et d'opinions auxquelles donnaient lieu les objectifs contenus dans les programmes.

Ils ont tout d'abord reconnu trois domaines différents : le cognitif, l'affectif et le psychomoteur.

Le domaine cognitif : la taxonomie de Bloom

Cette taxonomie des objectifs pédagogiques sur le plan cognitif est connue sous le nom de taxonomie de Bloom.

Il s'agit d'une hiérarchie d'objectifs de comportements pouvant se manifester dans une situation d'apprentissage ou une situation d'examen. Selon Bloom *et al.* (1956), cette taxonomie « englobe les objectifs qui traitent du rappel des connaissances (remémoration) et du développement des habiletés et des capacités intellectuelles » (p. 9).

Cette taxonomie a été établie afin de favoriser à la fois l'élaboration des programmes scolaires et la mesure du rendement scolaire. De plus, comme les spécialistes ne s'entendaient pas sur la signification des objectifs tels que définis avant l'élaboration de la taxonomie, Bloom et ses collaborateurs ont tenté d'atteindre un consensus en définissant les termes utilisés.

Lors de l'élaboration, les auteurs ont suivi trois principes directeurs : pédagogique, logique et psychologique.

— pédagogique : une de leurs préoccupations a été de tenir compte des professeurs auxquels s'adressait la taxonomie, le but fondamental des auteurs étant d'améliorer la communication entre eux ;

— logique : une autre préoccupation étant le problème de la validité, la taxonomie, pour avoir cette qualité, devait être un système logique et cohérent ;

— psychologique : enfin, la taxonomie devait être en accord avec les principes et les théories psychologiques connues.

De cette façon, six catégories d'objectifs furent identifiées : connaissance, compréhension, application, analyse, synthèse et évaluation.

Ces catégories représentent des processus mentaux que les étudiants manifestent dans une situation d'apprentissage et (ou) de test. Chacune est subdivisée en sous-catégories qui représentent des applications différentes de ces processus mentaux.

Cette taxonomie va des processus mentaux les plus simples (connaissance) aux plus complexes (évaluation).

Les catégories

1.00 Connaissance

La connaissance implique le rappel des faits particuliers ou généraux, des processus ou des méthodes, des structures ou des modèles. Cette catégorie décrit les activités qui concernent la mémoire simple ou le rappel. Elle se subdivise en douze sous-catégories.

2.00 Compréhension

La compréhension constitue le niveau le plus élémentaire de l'entendement intellectuel. À ce niveau, l'étudiant connaît l'information qui lui est communiquée mais il n'est pas nécessairement capable d'établir de liens entre celle-ci et d'autres informations, ou encore d'en saisir toutes les implications. Cette catégorie est subdivisée en transposition, interprétation et extrapolation.

3.00 Application

L'application concerne l'utilisation de données abstraites dans des situations particulières et concrètes. Ces données abstraites peuvent être des idées générales, des règles de procédure ou encore des méthodes courantes: elles peuvent également être des principes, des théories à mémoriser ou à appliquer.

Tableau 17
**RÉSUMÉ DE LA TAXONOMIE DE BLOOM:
DOMAINE COGNITIF**

```
1.00 Connaissance
     1.10 Connaissance des données particulières
          1.11 Connaissance de la terminologie
          1.12 Connaissance des faits particuliers
     1.20 Connaissance des moyens permettant l'utilisation
          des données particulières
          1.21 Connaissance des conventions
          1.22 Connaissance des tendances et des séquences
          1.23 Connaissance des classifications
          1.24 Connaissance des critères
          1.25 Connaissance des méthodes
     1.30 Connaissance des représentations abstraites
     1.30 1.31 Connaissance des principes et des lois
     1.30 1.32 Connaissance des théories

2.00 Compréhension
     2.10 Transposition
     2.20 Interprétation
     2.30 Extrapolation

3.00 Application

4.00 Analyse
     4.10 Recherche des éléments
     4.20 Recherche des relations
     4.30 Recherche des principes d'organisation

5.00 Synthèse
     5.10 Production d'une œuvre personnelle
     5.20 Élaboration d'un plan d'action
     5.30 Dérivation d'un ensemble de relations abstraites

6.00 Évaluation
     6.10 Critique interne
     6.20 Critique externe
```

4.00 Analyse

L'analyse suppose la capacité de séparer en ses parties composantes une communication dans le but de rendre ses relations entre les idées et (ou) le lien hiérarchique entre ces idées plus clairs. Cette catégorie se subdivise en analyse des éléments, analyse des relations et analyse des principes d'organisation.

5.00 Synthèse

La synthèse consiste à rassembler des éléments ou des parties dans le but de former un tout. Cette capacité suppose l'utilisation et la combinaison des fragments, des éléments, des parties pour former un plan cohérent ou une structure organisée qui n'existait pas auparavant. Cette catégorie se subdivise en production d'une œuvre personnelle, élaboration d'un plan d'action et dérivation d'un ensemble de relations abstraites.

6.00 Évaluation

L'évaluation implique la formulation de jugements sur la valeur des méthodes et du matériel utilisés dans un but précis. Des jugements qualitatifs et quantitatifs sont formulés quant à l'adéquation entre des phénomènes et un ensemble de critères. Les critères peuvent provenir de l'étudiant ou lui être suggérés. Cette catégorie se subdivise en critique interne et critique externe.

Cette taxonomie est d'une grande utilité. Elle permet, lors de l'élaboration des programmes, de ne pas faire appel au seul processus mental de connaissance, de ne pas demander aux étudiants d'analyser un phénomène avant de le comprendre et ceci, avant de le connaître.

Toutefois, si elle a amélioré la communication, il reste encore des problèmes à ce niveau. Les spécialistes ne s'entendent pas toujours sur le processus en cause, d'après la taxonomie, dans un objectif. En somme, nous pouvons adopter la position de Sullivan (1969), à savoir qu'elle peut tout au plus servir de guide dans la description des objectifs généraux de programmes qui demandent à être précisés pour remplir le rôle de guide de l'enseignement.

Le domaine affectif : la taxonomie de Krathwohl

La taxonomie des objectifs pédagogiques, sur le plan affectif, est connue sous le nom de taxonomie de Krathwohl. Il s'agit d'une hiérarchie d'objectifs mettant en relief un sentiment, une émotion ou une idée d'acceptation ou de refus. Selon Bloom (1956), cette taxonomie « englobe les objectifs décrivant les modifications des intérêts, des attitudes, des valeurs, ainsi que les progrès dans le jugement et la capacité d'adaptation » (p. 9).

Ce système de classification des objectifs dans le domaine affectif fut élaboré par Krathwohl et ses collaborateurs afin de permettre une définition plus

Tableau 18
**RÉSUMÉ DE LA TAXONOMIE DE KRATHWOHL:
DOMAINE AFFECTIF**

1.00 Réception
    1.10 Conscience
    1.20 Volonté de recevoir
    1.30 Attention dirigée ou préférentielle

2.00 Réponse
    2.10 Assentiment
    2.20 Volonté de répondre
    2.30 Satisfaction de répondre

3.00 Valorisation
    3.10 Acceptation d'une valeur
    3.20 Préférence pour une valeur
    3.30 Engagement

4.00 Organisation
    4.10 Conceptualisation d'une valeur
    4.20 Organisation d'un système de valeurs

5.00 Caractérisation par une valeur ou un système de valeurs
    5.10 Disposition généralisée
    5.20 Caractérisation

---

claire des objectifs de ce domaine, d'aider les professeurs à découvrir certaines techniques pour mesurer l'évolution des élèves et, enfin, de faciliter la communication entre les professeurs, spécialistes en mesure et évaluation, psychologues et autres spécialistes des sciences du comportement.

Dans le domaine affectif, cinq catégories d'objectifs furent reconnues: réception, réponse, valorisation, organisation et caractérisation par une valeur ou un système de valeurs.

Les auteurs ont cherché à établir une relation hiérarchique entre divers comportements affectifs. Cette structure a été ordonnée de telle façon que chaque catégorie suppose la réalisation des comportements antérieurs. L'attribut en fonction duquel ont été ordonnés les comportements affectifs est le degré d'implantation qu'ils sous-entendent.

Au fur et à mesure que nous allons vers les catégories plus complexes, le sujet est plus engagé et un processus d'intériorisation plus grand est sous-jacent.

Les catégories

1.00 Réception

Ce premier niveau concerne la sensibilisation de l'étudiant à l'existence de certains stimuli et son consentement à les recevoir ou à y porter attention. Cette catégorie se subdivise en conscience, volonté de recevoir et attention dirigée ou préférentielle.

2.00 Réponse

Ce second niveau s'intéresse aux réponses qui dépassent la simple attention portée aux phénomènes. À ce niveau, non seulement l'étudiant est prêt à porter attention aux phénomènes mais il le fait effectivement et activement. Cette catégorie se subdivise en assentiment, volonté de répondre et satisfaction de répondre.

3.00 Valorisation

Cette troisième catégorie est utilisée dans le sens où une chose, un phénomène ou un comportement a une valeur aux yeux de l'individu. Cette catégorie se subdivise en acceptation d'une valeur, préférence pour une valeur et engagement.

4.00 Organisation

Ce niveau suppose l'organisation de l'ensemble des valeurs en un système régissant leurs interrelations. Cette catégorie se subdivise en conceptualisation d'une valeur et organisation d'un système de valeurs.

5.00 Caractérisation par une valeur ou un système de valeurs

Ce niveau s'intéresse à l'organisation et à la permanence du système de valeurs de l'individu. Cette catégorie se subdivise en disposition généralisée et caractérisation.

Le domaine psychomoteur : la taxonomie de Harrow

La taxonomie de Harrow est constituée de l'ensemble hiérarchique des mouvements observables chez l'être humain. Selon Harrow (1977), cette taxonomie « propose une façon d'envisager, d'expliquer et de classifier les comportements moteurs des élèves » (p. 1).

En 1972, Harrow a élaboré cette importante taxonomie du domaine psychomoteur. Six catégories furent reconnues : les mouvements réflexes, les mouvements fondamentaux, les capacités perceptives, les capacités physiques, les habiletés motrices et la communication gestuelle. Cette taxonomie, selon l'auteur, présente une structure hiérarchique, bien que, comme l'indiquent De Landsheere et De Landsheere (1975), le principe en soit plutôt vague.

Les catégories

1.00 Les mouvements réflexes

Dans cette catégorie se retrouvent les réponses involontaires à des stimuli ; ces mouvements constituent le point de départ des comportements moteurs. Cette catégorie se subdivise en réflexes segmentaires, réflexes plurisegmentaires et réflexes suprasegmentaires.

Tableau 19

RÉSUMÉ DE LA TAXONOMIE DE HARROW: DOMAINE PSYCHOMOTEUR

1.00 Les mouvements réflexes

    1.10 Les réflexes segmentaires
        1.11 Le réflexe de flexion
        1.12 Le réflexe myotatique (d'étirement)
        1.13 Le réflexe d'extension
        1.14 Le réflexe d'extension croisée

    1.20 Les réflexes plurisegmentaires
        1.21 Le réflexe de coopération
        1.22 Le réflexe d'inhibition
        1.23 Le réflexe d'induction successive
        1.24 La configuration réflexe

    1.30 Les réflexes suprasegmentaires
        1.31 Le réflexe de rigidité d'extension
        1.32 Les réactions de plasticité
        1.33 Les réflexes posturaux
            1.331 Les réactions de maintien
            1.332 Les réactions de transfert
                 de poids
            1.333 Les réflexes toniques
                 d'attitude
            1.334 Le réflexe de redressement
            1.335 Le réflexe d'agrippement
            1.336 Les réactions de stabilisation

2.00 Les mouvements fondamentaux

    2.10 Les mouvements locomoteurs

    2.20 Les mouvements non locomoteurs

    2.30 Les mouvements de manipulation
        2.31 La préhension
        2.32 La dextérité (par maturation)

3.00 Les capacités perceptives

    3.10 La discrimination kinesthésique
        3.11 La conscience du corps propre
            3.111 La bilatéralité
            3.112 La latéralité
            3.113 La dominance
            3.114 L'équilibre
        3.12 L'image corporelle
        3.13 La relation spatiale corps-objets
        environnants

    3.20 La discrimination visuelle

        3.21 L'acuité visuelle
        3.22 Le repérage visuel continu
        3.23 La mémoire visuelle
        3.24 La perception figure-fond
        3.25 La constance perceptive

    3.30 La discrimination auditive
        3.31 L'acuité auditive
        3.32 Le repérage auditif continu
        3.33 La mémoire auditive
    3.40 La discrimination tactile
    3.50 La coordination
        3.51 La coordination oculo-manuelle
        3.52 La coordination oculo-pédestre

4.00 Les capacités physiques

    4.10 L'endurance
        4.11 L'endurance musculaire
        4.12 L'endurance cardio-vasculaire

    4.20 La force

    4.30 La souplesse

    4.40 L'agilité
        4.41 Les changements de direction
        4.42 Les arrêts et les départs
        4.43 Le temps de réflexion
        4.44 La dextérité (par mutation)

5.00 Les habiletés motrices

    5.10 D'adaptation simple
        5.11 Débutant
        5.12 Intermédiaire
        5.13 Avancé
        5.14 Expert

    5.20 D'adaptation composite
        5.21 Débutant
        5.22 Intermédiaire
        5.23 Avancé
        5.24 Expert

    5.30 D'adaptation complexe
        5.31 Débutant
        5.32 Intermédiaire
        5.33 Avancé
        5.34 Expert

6.00 La communication gestuelle

    6.10 Les mouvements d'expression
        6.11 La posture et le maintien
        6.12 Les gestes
        6.13 L'expression du visage

    6.20 Les mouvements d'interprétation
        6.21 Les mouvements esthétiques
        6.22 Les mouvements de création

2.00 Les mouvements fondamentaux

On retrouve dans cette catégorie les mouvements qui se manifestent durant la première année de la vie d'un enfant. Ce sont des mouvements innés, c'est-à-dire non appris, et qui viennent des mouvements réflexes. Cette catégorie se subdivise en mouvements locomoteurs, mouvements non locomoteurs et mouvements de manipulation.

3.00 Les capacités perceptives

Cette catégorie inclut des comportements qui se développent sous l'effet combiné de la maturation et de l'apprentissage. Cette catégorie se subdivise en discrimination kinesthésique, discrimination visuelle, discrimination auditive, discrimination tactile et coordination.

4.00 Les capacités physiques

On retrouve dans cette catégorie les caractéristiques fondamentales fonctionnelles qui serviront à l'individu dans l'exécution de ses habiletés motrices. Cette catégorie se subdivise en endurance, force, souplesse et agilité.

5.00 Les habiletés motrices

Cette catégorie regroupe les actes moteurs plus ou moins complexes qui exigent une certaine adresse ou maîtrise, et qui se développent par apprentissage. Cette catégorie se subdivise en habiletés d'adaptation simple, habiletés d'adaptation composite et habiletés d'adaptation complexe.

6.00 La communication gestuelle

Ce niveau comprend les gestes du corps humain utilisé comme véhicule de communication, soit d'expression soit d'interprétation. Les mouvements de la parole sont exclus de cette catégorie qui se subdivise en mouvements d'expression et mouvements d'interprétation.

LE PROBLÈME DE LA FORMULATION

Comment formule-t-on la finalité, les buts, les objectifs généraux et les objectifs spécifiques d'un programme? Existe-t-il un ensemble de critères utiles pour chacun de ces niveaux?

L'évaluateur qui est à la recherche de principes et de critères précis lui permettant de formuler adéquatement les divers niveaux d'intention d'un programme trouvera très peu d'appui dans la littérature existante. À l'exception du niveau des objectifs spécifiques pour lequel il existe une littérature abondante et variée, et un ensemble de critères précis et adaptés, il ne semble pas exister de règles analogues et aussi précises pour la formulation des finalités, des buts et

Tableau 20

PRINCIPES ET CRITÈRES DE FORMULATION
DES DIVERS NIVEAUX D'INTENTION D'UN PROGRAMME

	Principes généraux	Critères spécifiques
La FINALITÉ d'un programme	1- découle des besoins reconnus à l'étape analyse de besoins 2- reliée directement aux orientations du système d'éducation 3- exprime le dernier « pourquoi » d'un programme	1- le nom du programme doit apparaître 2- le niveau scolaire ou l'année-degré doit apparaître 3- il doit comprendre un verbe traduisant la fin ultime du programme
Les BUTS d'un programme	1- sont en relation directe avec la finalité du programme 2- précisent de façon générale les grandes orientations du programme 3- recouvrent les domaines cognitif, affectif et psychomoteur	1- doivent contenir un verbe englobant du type acquérir, développer, initier, etc. 2- doivent faire référence directe au domaine d'intérêt: cognitif, affectif ou psychomoteur 3- doivent faire référence à une discipline, une matière académique, un champ d'études ou une activité socio-économique
Les OBJECTIFS GÉNÉRAUX d'un programme	1- s'adressent à l'étudiant 2- sont en relation directe avec les buts du programme 3- sont la manifestation de dispositions cognitive, affective ou psychomotrice	1- doivent faire usage d'un verbe taxonomique qui soit l'expression d'une disposition cognitive, affective ou psychomotrice 2- doivent faire référence directe à un contenu spécifique d'une discipline, d'une matière académique, d'un champ d'études ou d'une activité socio-économique
Les OBJECTIFS SPÉCIFIQUES d'un programme	1- sont en relation directe avec les objectifs généraux du programme 2- s'adressent à l'étudiant 3- traduisent un comportement terminal et non une activité d'apprentissage	1- doivent faire usage d'un verbe d'action qui soit l'expression opérationnelle d'une disposition cognitive, affective ou psychomotrice 2- doivent faire référence directe à un contenu spécifique d'une discipline, d'une matière académique, d'un champ d'études ou d'une activité socio-économique et ils 3- peuvent faire état de conditions particulières de réalisation de la performance (restrictions, limites, permissions) 4- peuvent expliciter le critère de performance attendu

des objectifs généraux d'un programme. Les écrits sur les objectifs sont très peu explicites pour ne pas dire muets à ce chapitre. L'absence de ces critères risque d'amener une divergence sur les plans de l'interprétation et de la formulation de ces intentions et, par voie de conséquence, de provoquer de la confusion auprès tant des évaluateurs que des responsables de programme et des utilisateurs.

Pour pallier ce problème, nous nous sommes reporté à la littérature existante, aux définitions et aux exemples qui y apparaissent, d'une part, et à notre expérience personnelle quant à la formulation de ces différents niveaux d'objectifs, d'autre part, pour tenter de dégager certains critères fondamentaux et principes de base pouvant guider l'évaluateur dans la formulation et (ou) la clarification de ces différents niveaux d'objectifs. Les quelques pages qui suivent font état de ces principes et critères.

Formulation de la finalité d'un programme

Un certain nombre de principes et de critères peuvent servir de guide à la formulation de la finalité d'un programme. Sur le plan des principes de formulation de ce niveau d'intention, l'évaluateur doit s'assurer que la finalité :

— découle des besoins préalablement identifiés à l'étape analyse de besoins,

— est directement reliée aux orientations du système d'éducation qui sont généralement consignées dans des textes émanant des autorités politiques ; ces orientations sont habituellement exprimées sous la forme de finalités ou de buts, ou encore les deux,

— exprime ou constitue le dernier « pourquoi » d'un programme.

Sur le plan des critères de formulation de ce niveau d'intention, l'évaluateur pourrait utiliser les suivants :

— le nom du programme devrait apparaître,

— le niveau scolaire ou l'année-degré auquel s'adresse le programme devrait apparaître,

— la fin ultime du programme devrait être précisée dans le verbe utilisé.

Les exemples qui suivent devraient aider l'évaluateur à mieux comprendre l'articulation de ces critères de formulation.

Dans la formulation de la finalité d'un programme doivent donc apparaître : le nom du programme, le niveau scolaire auquel le programme s'adresse et l'année-degré, le cas échéant, et l'expression de la fin ultime du programme.

Exemple I

1) Nom du programme	Le programme de français, langue maternelle.
2) Niveau scolaire	De niveau secondaire.
ou	
2) Année-degré	De secondaire IV.
3) Fin ultime	Vise à rendre l'étudiant capable de communiquer efficacement avec ses concitoyens.

La finalité s'énonce donc ainsi: « Le programme de français, langue maternelle, de niveau secondaire vise à rendre l'étudiant capable de communiquer efficacement avec ses concitoyens. »

Exemple II

1) Nom du programme	Le programme de biologie.
2) Niveau scolaire	De niveau secondaire.
ou	
2) Année-degré	De secondaire III.
3) Fin ultime	Vise à rendre l'étudiant capable de maintenir et d'améliorer sa santé mentale et physique.

La finalité s'énonce donc ainsi: « Le programme de biologie de secondaire III vise à rendre l'étudiant capable de maintenir et d'améliorer sa santé mentale et physique. »

Formulation des buts d'un programme

Sur le plan de la formulation, les principes et les critères suivants devraient être utilisés.

À ce niveau d'intention, l'évaluateur devrait respecter les principes suivants. Il doit s'assurer que les buts:

— sont en relation directe avec l'expression de la finalité du programme,

— précisent les grandes orientations du programme,

— recouvrent les domaines d'intérêt, soit: cognitif, affectif et psychomoteur.

Quant aux critères de formulation, l'évaluateur pourrait utiliser les suivants:

— l'énoncé d'un but doit contenir un verbe englobant du type acquérir, développer, initier, etc.,

— il doit faire référence directe au domaine d'intérêt: cognitif, affectif ou psychomoteur,

— il doit de plus faire référence à une discipline, une matière académique, un champ d'études ou une activité socio-économique.

À titre illustratif, nous présentons ci-dessous des exemples d'articulation de ces trois critères. L'évaluateur doit être conscient que la finalité d'un programme peut donner lieu à l'expression de plusieurs buts.

Dans la formulation des buts d'un programme doivent apparaître : un verbe englobant, le domaine d'appartenance (cognitif, affectif ou psychomoteur) et la discipline ou matière particulière.

Exemple I

1) Verbe englobant   Acquérir.
2) Domaine   Les connaissances de base (cognitif).
3) Discipline ou matière   De la langue maternelle française.

Le but s'énonce donc ainsi : « Ce programme devrait permettre à l'étudiant d'acquérir les connaissances de base de la langue maternelle française. »

Exemple II

1) Verbe englobant   Acquérir et développer.
2) Domaine   Les habiletés langagières spécifiques.
3) Discipline ou matière   De la langue maternelle française.

Le but s'énonce donc ainsi : « Ce programme devrait permettre à l'étudiant d'acquérir et de développer les habiletés langagières spécifiques de la langue maternelle française. »

Exemple III

1) Verbe englobant   Développer.
2) Domaine   Des attitudes positives (affectif).
3) Discipline ou matière   À l'égard de l'apprentissage et l'utilisation correcte de la langue maternelle française.

Le but s'énonce donc ainsi : « Ce programme devrait permettre à l'étudiant de développer des attitudes positives à l'égard de l'apprentissage et de l'utilisation correcte de la langue maternelle française. »

Nous pouvons reprendre les exemples des buts et suggérer la présentation suivante :

Ce programme devrait permettre à l'étudiant:

—   d'acquérir les connaissances de base de la langue maternelle française,
—   d'acquérir et de développer les habiletés langagières de la langue mater-
    nelle française,
—   de développer des attitudes positives à l'égard de l'apprentissage et de
    l'utilisation correcte de la langue maternelle française.

La liste de verbes présentée au tableau 21 nous apparaît utile pour la
formulation des buts d'un programme. Elle n'est cependant pas exhaustive.

Tableau 21
**LISTE DE VERBES POUR LA FORMULATION DES BUTS
D'UN PROGRAMME**

Prendre conscience	Faire réaliser	Observer
Sensibiliser	Porter attention	Percevoir
Acquérir	Intéresser	S'initier
Apprendre	Découvrir	Participer
Se familiariser	Approfondir	Maîtriser
Développer	S'éveiller	Entraîner
Former	Éveiller	Favoriser

Formulation des objectifs généraux d'un programme

Un certain nombre de principes et de critères doivent présider à la
formulation des objectifs généraux ou de formation d'un programme d'études.
Les principes et les critères suivants devraient être utiles à l'évaluateur.

D'abord, pour les principes, à ce niveau d'intention, l'évaluateur doit s'assurer que les objectifs généraux:

—   sont en relation directe avec les buts du programme,
—   sont la manifestation de dispositions cognitives, affectives et psychomo-
    trice,
—   s'adressent à l'étudiant.

Quant aux critères de formulation, l'évaluateur pourrait utiliser les suivants:

—   l'énoncé d'un objectif général ou de formation doit faire usage d'un verbe
    taxonomique qui soit l'expression d'une disposition cognitive, affective ou
    psychomotrice,

—   il doit faire référence directe à un contenu particulier d'une discipline, d'une matière académique, d'un champ d'études ou d'une activité socio-économique.

Les quelques exemples qui suivent servent à illustrer la façon d'articuler les objectifs généraux d'un programme. Il est important de signaler qu'il peut y avoir un ou plusieurs objectifs généraux ou de formation pour chacun des buts d'un programme.

Dans la formulation des objectifs généraux d'un programme doivent donc apparaître un verbe taxonomique et un contenu spécifique à la matière.

Exemple I

1) Verbe taxonomique   Connaître (cognitif).
2) Contenu spécifique   Les éléments structuraux d'une phrase complète.

L'objectif général s'énonce donc ainsi : « Connaître les éléments structuraux d'une phrase complète. »

Exemple II

1) Verbe taxonomique   Analyser (cognitif)
2) Contenu spécifique   Les parties d'un discours.

L'objectif général s'énonce donc ainsi : « Analyser les parties d'un discours. »

Exemple III

1) Verbe taxonomique   Apprécier (affectif).
2) Contenu spécifique   Le style poétique d'un auteur de l'époque romantique.

L'objectif général s'énonce donc ainsi : « Apprécier le style poétique d'un auteur de l'époque romantique. »

Les verbes des taxonomies de Bloom et de Burns peuvent être utiles pour la formulation des objectifs généraux du domaine cognitif. Les taxonomies de Krathwohl et de Burns peuvent être utiles pour le domaine affectif. La taxonomie de Harrow peut être utilisée pour le domaine psychomoteur.

Formulation des objectifs spécifiques d'un programme

Sur le plan des principes et des critères qui doivent servir à la formulation des objectifs spécifiques d'un programme, la littérature regorge de suggestions à ce sujet. Nous croyons cependant que les suivants sont suffisants.

Sur le plan des principes, à ce niveau d'intention, l'évaluateur doit s'assurer que les objectifs spécifiques :

— sont en relation directe avec les objectifs généraux ou de formation du programme,

— s'adressent à l'étudiant directement,

— traduisent un comportement terminal et non une activité d'apprentissage.

Quant aux critères de formulation, l'évaluateur pourrait utiliser les suivants :

— l'énoncé d'un objectif spécifique doit faire usage d'un verbe d'action qui soit l'expression opérationnelle d'une disposition cognitive, affective ou psychomotrice,

— il doit faire référence directe à un contenu particulier d'une discipline, d'une matière académique, d'un champ d'études ou d'une activité socio-économique.

Bien que ce ne soit pas essentiel, les critères suivants pourraient également être utilisés :

— l'énoncé peut faire état des conditions particulières de réalisation de la performance, c'est-à-dire imposer des restrictions, des limites ou encore accorder des permissions,

— il peut expliciter le critère de performance attendu.

Les exemples suivants illustrent l'articulation des objectifs spécifiques. Il est bon de noter, encore une fois, que chaque objectif général ou de formation peut donner lieu à plusieurs objectifs spécifiques.

Dans la formulation d'un objectif spécifique doivent donc apparaître un verbe d'action spécifique qui traduit un comportement terminal et un contenu spécifique. Bien que ce ne soit pas essentiel, nous pouvons y retrouver des conditions de réalisation et un critère de performance.

Exemple I

1) Verbe d'action   Identifier (cognitif).
2) Contenu spécifique   Les éléments structuraux d'une
                           phrase complète.

L'objectif spécifique s'énonce donc ainsi : « Identifier les éléments structuraux d'une phrase complète. »

Exemple II

1) Verbe d'action   Reconnaître (cognitif).
2) Contenu spécifique   Les éléments constitutifs d'un discours.

L'objectif spécifique s'énonce donc ainsi: « Reconnaître les éléments constitutifs d'un discours. »

Exemple III

1) Verbe d'action   Discuter (affectif).
2) Contenu spécifique   Le style poétique d'un auteur de l'époque
                        romantique.

L'objectif spécifique s'énonce donc ainsi: « Discuter du style poétique d'un auteur de l'époque romantique. »

Les listes de verbes d'action qui apparaissent dans les pages suivantes peuvent servir à la formulation d'objectifs spécifiques dans les domaines cognitif, affectif et psychomoteur.

LES VERBES D'ACTION

Un des problèmes que rencontre l'évaluateur, quant à la formulation et (ou) à la clarification des objectifs spécifiques d'un programme, concerne l'utilisation d'un verbe d'action. Il peut être appelé à suggérer des verbes d'action pour la transposition des objectifs généraux en objectifs spécifiques, comme il peut être appelé à en suggérer pour la correction d'objectifs spécifiques déficients. Afin de l'aider dans cette tâche, nous présentons dans les pages qui suivent des listes de verbes actifs proposées par différents auteurs (Metfessel, Michael et Kirsner, 1969; Gronlund, 1970; Burns, 1975), et ce, pour chacun des niveaux taxonomiques. Dans certains cas une liste de compléments d'objet directs accompagne les verbes. Signalons que Metfessel *et al.*, et Gronlund utilisent les taxonomies de Bloom et de Krathwohl comme référence taxonomique, alors que Burns utilise sa propre taxonomie.

Nous invitons l'évaluateur à utiliser ces listes de verbes avec discernement car, d'une part, elles ne contiennent pas tous les verbes actifs susceptibles d'être utilisés dans les objectifs spécifiques et, d'autre part, certains de ces verbes qualifiés d'actifs peuvent donner lieu à de l'interprétation quant à leur signification. Quoi qu'il en soit, ces listes représentent un outil précieux pour qui sait s'en servir.

Le domaine cognitif

Tableau 22
LISTE DES VERBES COMPORTEMENTAUX
POUR LA TAXONOMIE COGNITIVE DE BLOOM
(Metfessel, Michael et Kirsner, 1969)

Catégories cognitives	Verbes	Objets
1.00 Connaissance		
1.10 Connaissance des données particulières		
1.11 Connaissance de la terminologie	définir, distinguer, acquérir	vocabulaire, termes, terminologie, signification(s), définition, référents, éléments
1.12 Connaissance des faits particuliers	rappeler, reconnaître, acquérir, identifier	faits, informations factuelles (sources, noms, dates, événements, endroits, périodes temporelles, propriétés, exemples, phénomènes
1.20 Connaissance des moyens permettant l'utilisation des données particulières		
1.21 Connaissance des conventions	rappeler, identifier, reconnaître, acquérir	forme(s), conventions, usages, utilisations, règles, manières, moyens, symboles, représentations, style(s), format(s)
1.22 Connaissance des tendances et des séquences	rappeler, reconnaître, acquérir, identifier	action(s), processus, mouvement(s), continuité, développement(s), tendance(s), séquences, causes, relation(s), forces, influences
1.23 Connaissance des classifications et des catégories	rappeler, reconnaître, acquérir, identifier	aire(s), type(s), caractéristiques, classe(s), ensemble(s), division(s), arrangement(s), classifications, catégories
1.24 Connaissance des critères	rappeler, reconnaître, acquérir, identifier	critères, bases, éléments
1.25 Connaissance des méthodes	rappeler, reconnaître, acquérir, identifier	méthodes, techniques, approches, utilisations, procédés, traitements
1.30 Connaissance des représentations abstraites		
1.31 Connaissance des principes et des lois	rappeler, reconnaître, acquérir, identifier	principe(s), loi(s), propositions, parties essentielles, généralisations, éléments principaux, implications
1.32 Connaissance des théories	rappeler, reconnaître, acquérir, identifier	théories, bases, interrelations, structure(s), organisation(s), formulation(s)
2.00 Compréhension		
2.10 Transposition	traduire, transformer, dire avec ses mots, illustrer, préparer, lire, représenter, changer	signification(s), exemples, définitions, abstractions, représentations, mots, phrases

Catégories cognitives	Verbes	Objets
2.20 Interprétation	interpréter, réorganiser, réarranger, différencier, distinguer, faire, établir, expliquer, démontrer	pertinence, relations, faits essentiels, aspects, vues nouvelles, qualifications, conclusions, méthodes, théories, abstractions
2.30 Extrapolation	estimer, inférer, conclure, prédire, différencier, déterminer, étendre, interpoler, extrapoler, compléter, établir	conséquences, implications, conclusions, facteurs, ramifications, significations, corollaires, effets, probabilités
3.00 Application	appliquer, généraliser, relier, choisir, développer, organiser, utiliser, employer, transférer, restructurer, classer	principes, lois, conclusions, effets, méthodes, théories, abstractions, situations, généralisations, processus, phénomènes, procédures
4.00 Analyse		
4.10 Recherche des éléments	distinguer, détecter, identifier, classer, discriminer, reconnaître, catégoriser, déduire	éléments, hypothèses, conclusions, postulats, énoncés (de faits), énoncés (d'intentions), arguments, particularités
4.20 Recherche des relations	analyser, opposer, comparer, distinguer, déduire	relations, interrelations, pertinence, thèmes, évidence, erreurs, arguments, causes-effets, consistances, parties, idées, postulats
4.30 Recherche des principes d'organisation	analyser, distinguer, détecter, déduire	forme(s), modèle(s), but(s), point(s) de vue, techniques, biais, structure(s), thème(s), arrangement(s), organisation(s)
5.00 Synthèse		
5.10 Production d'une œuvre personnelle	écrire, raconter, relater, produire, constituer, transmettre, créer, modifier, documenter	structure(s), modèle(s), produit(s), performance(s), projet(s), travail, travaux, communications, effort(s), faits spécifiques
5.20 Élaboration d'un plan d'action	proposer, planifier, produire, projeter, modifier, spécifier	composition(s), plan(s), objectifs, spécifications, faits schématiques, opérations, manière(s), solution(s), moyens
5.30 Dérivation d'un ensemble de relations abstraites	produire, dériver, développer, combiner, organiser, synthétiser, classer, déduire, développer, formuler, modifier	phénomènes, taxonomies, concepts, schème(s), théories, relations, abstractions, généralisations, hypothèses, perceptions, manières, découvertes
6.00 Évaluation		
6.10 Critique interne	juger, argumenter, valider, évaluer, décider	exactitude(s), pertinence, erreurs, véracité, défauts, sophismes, précision, degré de justesse
6.20 Critique externe	juger, argumenter, considérer, comparer, opposer, standardiser, évaluer	fins, moyens, efficience, économie(s), utilité, alternatives, plans d'action, standards, théories, généralisations

Tableau 23
**LISTE DES VERBES COMPORTEMENTAUX
POUR LA TAXONOMIE COGNITIVE DE BLOOM
(Gronlund, 1970)**

Catégories cognitives	Verbes comportementaux
1. Connaissance	définir, décrire, identifier, désigner, énumérer, assortir, nommer, esquisser, reproduire, choisir, formuler
2. Compréhension	couvrir, défendre, distinguer, estimer, expliquer, donner de l'extension, généraliser, donner des exemples, impliquer, paraphraser, prédire, récrire, résumer
3. Application	changer, compter, démontrer, découvrir, manipuler, modifier, agir, prédire, préparer, présenter, relater, montrer, résoudre, employer
4. Analyse	analyser, faire un diagramme, différencier, discriminer, distinguer, identifier, illustrer, impliquer, esquisser, signaler, relater, choisir, séparer, subdiviser
5. Synthèse	ranger par catégories, combiner, composer, créer, concevoir, imaginer, expliquer, produire, modifier, organiser, planifier, remettre en ordre, récrire, résumer, dire, écrire
6. Évaluation	apprécier, estimer, comparer, conclure, faire contraster, critiquer, décrire, discriminer, expliquer, justifier, interpréter, relater, résumer, soutenir

Tableau 24
**LISTE DES VERBES COMPORTEMENTAUX
POUR LA TAXONOMIE COGNITIVE DE BURNS
(Burns, 1975)**

Catégories cognitives	Verbes comportementaux
1. Connaissance des a) faits b) noms c) dates d) événements e) parties f) concepts de niveau inférieur g) associations de niveau inférieur h) informations	abréger, accroître, ajuster, alléguer, allonger, « alphabétiser », annuler, arranger, arrêter, assembler, assortir, biffer, chasser, choisir, citer, cocher, conter, copier, couper, décrire, définir, démarrer, déplacer, désigner, diminuer, dire, diviser, donner, écrire, effacer, encercler, énoncer, enregistrer, épeler, esquisser, étiqueter, exclure, fournir, grouper, guider, identifier, imprimer, inclure, indiquer, informer, inscrire, insérer, joindre, localiser, marquer, mettre, montrer, nommer, noter, obtenir, offrir, omettre, orienter vers, permettre, piquer, placer, prendre, prononcer, raccourcir, raconter, réciter, relater, remettre, répéter, replacer, retourner, sélectionner, séparer, situer, souligner, tenir, toucher, transférer, trouver, vérifier
2. Compréhension des a) concepts de niveau supérieur b) compréhension c) relations complexes	appliquer, calculer, construire, critiquer, définir, démontrer, désigner, différencier, discriminer, distinguer, éditer, engendrer, estimer, évaluer, expliquer, confronter, rédiger un éditorial, formuler, intégrer, interpréter, planifier, prouver, résoudre, utiliser

Catégories cognitives	Verbes comportementaux
3. Opérations	
a) analyse	décomposer, désassembler, disséquer, diviser, examiner, extraire, prendre parti, rechercher, séparer, simplifier
b) synthèse (terme plus fort qu'association)	allier, assembler, compiler, compléter, composer, construire, créer, édifier, développer, façonner, faire, former un tout, intégrer, mélanger, mettre ensemble, produire, recombiner, reconstruire, remettre en ordre, réorganiser, restructurer, structurer, systématiser
c) classification (terme plus fort que connaissance)	arranger, assortir, cataloguer, choisir, classer, cocher, départager, faire succéder, grouper, identifier, isoler, modeler, ordonner, organiser, placer, rassembler, réarranger, regrouper, réordonner, répartir, répertorier, sélectionner
d) perception	comprendre, comprendre le but, donner la signification de, donner une explication écrite de, donner une signification à, expliquer oralement, illustrer la signification de, observer
e) réminiscence	décrire, définir, dépeindre, dresser, dire, écrire, exhiber, expliquer, exposer de nouveau, exprimer, illustrer, inscrire, montrer, rappeler, rapporter, récapituler, reconstruire, récrire, redire, reformuler, représenter, résumer, verbaliser
f) abstraction	figurer, représenter mentalement, spéculer
g) discrimination	comparer, découvrir, distinguer, opposer, reconnaître les différences, reconnaître les ressemblances
h) conception (terme moins fort que création)	conclure, construire mentalement, développer, échafauder, envisager, faire naître une idée, formuler, généraliser, imaginer, inférer, inventer, projeter mentalement
i) évaluation	analyser, apprécier, calculer le prix de, classer, décider, déterminer la valeur de, déterminer le prix de, estimer, noter, peser, ranger, rejeter
j) traduction	abréger, changer, condenser, convertir, déchiffrer, décrire, dépeindre, digérer, dilater, distiller, encoder, esquisser, exposer de nouveau, extraire, interpréter, mimer, modifier, paraphraser, recomposer, récrire, redire, reformuler, rendre, représenter schématiquement, résumer, retoucher, réviser, simplifier, simuler, substituer, transférer, transformer, transposer
k) création	composer, découvrir, développer, écrire, fabriquer, faire naître, inventer, rassembler
l) appréciation	approcher, inférer
m) prédiction	déduire, extrapoler, prédire, prévoir, projeter
n) association	assortir, combiner, enchaîner, grouper, joindre, rattacher, relier, réunir, unir
o) mesure	calculer, délimiter, déterminer, limiter, peser, quantifier
p) généralisation	postuler, supposer
4. Stratégies a) combinaisons b) modèles c) plans d) résolution de problèmes e) séries f) stratégies g) systèmes	confirmer selon un plan ou contrôler selon un plan ou des critères, découvrir en suivant un plan logique, élaborer selon un plan, éprouver, inventer, produire étape par étape, prouver étape par étape, tenter à titre d'expérience, vérifier selon un plan ou des critères

Le domaine affectif

Tableau 25
LISTE DES VERBES COMPORTEMENTAUX
POUR LA TAXONOMIE AFFECTIVE DE KRATHWOHL
(Metfessel, Michael et Kirsner, 1969)

Catégories affectives	Verbes	Objets
1.00 Réception		
1.10 Conscience	différencier, séparer, isoler, partager	vues, sons, événements, intentions, arrangements
1.20 Volonté de recevoir	accumuler, choisir, combiner, accepter	modèles, exemples, configurations, tailles, mètres, cadences
1.30 Attention dirigée ou préférentielle	choisir, répondre corporellement, écouter, contrôler	alternatives, réponses, rythmes, nuances
2.00 Réponse		
2.10 Assentiment	se conformer, suivre, confier, approuver	directions, instructions, lois, lignes de conduite, démonstrations
2.20 Volonté de répondre	offrir spontanément, discuter, pratiquer, jouer	instruments, jeux, œuvres dramatiques, charades, parodies
2.30 Satisfaction de répondre	applaudir, acclamer, passer ses loisirs à, augmenter	discours, pièces, présentations, ouvrages littéraires
3.00 Valorisation		
3.10 Acceptation d'une valeur	améliorer sa compétence en, augmenter des quantités de, renoncer, spécifier	membre(s) d'un groupe, production(s) artistique(s), productions musicales, amitiés personnelles
3.20 Préférence pour une valeur	assister, aider, encourager	artistes, projets, points de vue, arguments
3.30 Engagement	nier, protester, débattre, argumenter	déceptions, inconséquences, abdications, irrationalités
4.00 Organisation		
4.10 Conceptualisation d'une valeur	abstraire, comparer, discuter, théoriser	buts, codes, standards, paramètres
4.20 Organisation d'un système de valeurs	harmoniser, organiser, définir	systèmes, approches, critères, limites
5.00 Caractérisation par une valeur ou par un système de valeurs		
5.10 Disposition généralisée	réviser, changer, compléter, réclamer	plans, comportements, méthodes, effort(s)
5.20 Caractérisation	être bien évalué par ses pairs pour, être bien évalué par ses supérieurs pour, être bien évalué par ses subordonnés pour, éviter, diriger, résoudre, résister	humanitarisme, morale, intégrité, maturité, extravagances, excès, conflits, énormité(s)

Tableau 26
LISTE DES VERBES COMPORTEMENTAUX
POUR LA TAXONOMIE AFFECTIVE DE KRATHWOHL
(Gronlund, 1970)

Catégories affectives	Verbes comportementaux
1. Réception	demander, choisir, suivre, décrire, donner, soutenir, identifier, assigner, nommer, être dirigé vers, faire choix de, dresser, répliquer, employer
2. Réponse	répondre, aider, obéir, se conformer, discuter, accueillir, étiqueter, accomplir, pratiquer, présenter, lire, réciter, rapporter, donner son opinion, choisir, dire, écrire
3. Valorisation	compléter, décrire, différencier, expliquer, suivre, former, initier, inviter, s'associer, justifier, proposer, lire, donner son opinion, faire choix de, partager, étudier, faire
4. Organisation	adhérer, changer, organiser, combiner, comparer, compléter, défendre, expliquer, généraliser, identifier, intégrer, modifier, demander, ranger, préparer, relater, synthétiser
5. Caractérisation par une valeur ou par un système de valeurs	agir, discriminer, montrer, influencer, chercher à entendre, modifier, accomplir, pratiquer, proposer, qualifier, demander, revoir, résoudre, servir, employer, vérifier

Tableau 27
LISTE DES VERBES COMPORTEMENTAUX
POUR LA TAXONOMIE AFFECTIVE DE KRATHWOHL
(Burns, 1975)

Catégories affectives	Verbes comportementaux
1. Attitudes a) attitudes b) convictions c) croyances d) ressemblances e) intentions f) valeurs	Accepter, accumuler (information), adopter, affectionner, aimer, amorcer, apporter des réserves, assumer, avoir égard, chercher, choisir, compléter, conseiller, consoler, consulter, critiquer, défendre (des opinions), défier, demander, démontrer, désapprouver, détester, disputer, ennuyer, éprouver, évaluer, examiner, gronder, investiguer, joindre, juger, louer, obéir, offrir, organiser, partager, participer, permettre, persévérer, persister, plaider, prendre plaisir à, promouvoir, proposer, questionner, rassembler, rectifier, rejeter, répéter (une action), séduire, s'engager, s'informer, s'offrir, s'opposer, soumettre, soutenir, spécifier, suggérer, supposer, surveiller, tenter, tolérer, vérifier, voir la qualité ou la valeur
2. Appréciations a) estime b) sympathies c) valeurs	Plusieurs comportements d'appréciation et d'attitude sont semblables
3. Intérêts a) désirs b) impulsions c) motivations d) stimulants	Plusieurs comportements d'intérêt et d'attitude sont semblables

Le domaine psychomoteur

Tableau 28
LISTE DES VERBES COMPORTEMENTAUX
POUR LE DOMAINE PSYCHOMOTEUR
(Gronlund, 1970)

Assembler	Attacher	Peindre	Bâtir
Suivre	Sabler	Calibrer	Écraser
Scier	Changer	Serrer	Affiler
Nettoyer	Enfoncer	Placer	Composer
Chauffer	Coudre	Raccorder	Accrocher
Esquisser	Construire	Identifier	Commencer
Corriger	Repérer	Remuer	Créer
Faire	Employer	Combiner	Manipuler
Peser	Démonter	Réparer	Envelopper
Percer	Mélanger	Fixer	Clouer

Tableau 29
LISTE DES VERBES COMPORTEMENTAUX
POUR LA TAXONOMIE PSYCHOMOTRICE DE BURNS
(Burns, 1975)

Catégories psychomotrices	Verbes comportementaux
1. Mouvements sans objets ni outils a) actes b) actions c) déplacements d) habiletés e) mouvements	agiter, agripper, arracher, atteindre, bondir, brasser, cogner, courber, courir, donner un coup de pied, échanger, empoigner, épreindre, étreindre, faire le saut périlleux, frapper, gambader, glisser, grimper, incliner la tête, jeter, lancer, lever, marcher, marcher pas à pas, marcher à pas de cadence, nager, poursuivre, pousser, presser, ramper, rouler, s'agiter, saisir, s'appuyer, s'asseoir, sauter, sautiller, se balancer, se tenir debout, s'étirer, se tordre, se voûter, suivre, tapoter, tirer
2. Mouvements avec objets ou outils a) actes b) actions c) arts d) adresse e) habileté f) mouvements	attraper, bâtir, brasser, brosser, chauffer, chevaucher, ciseler, clouer, coller, colorer, compter, construire, copier, couper, couvrir, dactylographier, décaper, découvrir, dessiner, écrire, emballer, épingler, équarrir, esquisser, essuyer, estampiller, exposer, fondre, frapper du pied, graver, imprimer, jeter, lancer, lisser, manier le bâton, marteler, mélanger, mouler, patiner, peindre, perforer, piquer, poinçonner, pointiller, polir, raboter, rayer, rouler, sabler, scier, sculpter, secouer, tailler, tenir, tracer, verser

Il nous apparaît important de signaler au lecteur que la clarification et la formulation des divers niveaux d'objectifs ne sont pas choses faciles et qu'elles peuvent représenter un investissement substantiel en termes d'efforts, d'argent et de temps. L'évaluateur doit voir à ce que les différents niveaux d'objectifs soient bien formulés, s'assurer de leur pertinence et de leur validité respectives, et, enfin, s'assurer de leur cohérence et de leur congruence inter-niveaux.

◆ RÉFÉRENCES

Baker, R.L., Gerlach, V.S. (1971). *Constructing Objectives of Cognitive Behavior.* Dans *Instructional Product Development.* Toronto, Ont. Van Nostrand Reinhold. 26-64.

Birzéa, C. (1979). *Rendre opérationnels les objectifs pédagogiques.* Paris. PUF.

Bloom, B.S., Engelhart, M.D., Furst, E.J., Hill, W.H., Krathwohl, D.R. (1956). *Taxonomy of Educational Objectives: Handbook 1: Cognitive Domain.* New York, N.Y. McKay.

Burns, R.W. (1975). *Douze leçons sur les objectifs pédagogiques.* Montréal, Qc. Centre d'animation, de développement et de recherche en éducation.

Daigneault, A. (1973). *L'apprentissage par objectifs et l'élaboration du plan d'études.* Montréal, Qc. Association des institutions d'enseignement secondaire.

De Landsheere, V., De Landsheere, G. (1975). *Définir les objectifs de l'éducation.* Bruxelles. Éditions Georges Thone.

Deno, S.L., Jenkins, J.R. (1974). *Un modèle pour les objectifs pédagogiques: responsabilités et avantages.* Traduit par D. Morissette. Québec, Qc. Université Laval.

Girard, R. (1975). *Mesure fondée sur les objectifs.* Québec, Qc. Les Presses de l'Université Laval.

Gronlund, N.E. (1970). *Constructing Achievement Tests.* Englewood Cliffs, N.J. Prentice-Hall.

Gronlund, N.E. (1971). *Measurement and Evaluation in Teaching.* 2e éd. New York, N.Y. MacMillan.

Harrow, A.J. (1972). *A Taxonomy of the Psychomotor Domain: A Guide for Developping Behavioral Objectives.* New York, N.Y. McKay.

Klein, S.P., Burry, J., Churchman, D., Nadeau, M.A. (1971). *Evaluation Workshop 1: An Orientation.* Monterey, Calif. CTB/McGraw-Hill.

Krathwohl, D.R., Bloom, B.S., Masia, B.B., (1972). *Taxonomy of Educational Objectives, Handbook II: Affective Domain.* New York, N.Y. David McKay.

Mager, R.F. (1962). *Preparing Instructional Objectives.* Palo Alto, Calif. Fearon Press.

Metfessel, M.S., Michael, W.B. (1967). *A Paradigm Involving Multiple Criterion Measures for the Evaluation of the Effectiveness of School Programs. Educational and Psychological Measurement.* 27. 931-943.

Metfessel, N.S., Michael, W.B., Kirsner, D.A. (1969). *Instrumentation of Bloom's and Krathwohl's Taxonomies for the Writing of Educational Objectives. Psychology in the Schools.* VI (3). 227-231.

Nadeau, M.A. (1975). *Mesure et évaluation des objectifs pédagogiques.* Québec, Qc. Les éditions St-Yves.

Nadeau, M.A. (1976). *Évaluation continue: Modules de cours.* Québec, Qc. Université Laval.

Nadeau, M.A. (1981). *L'évaluation des programmes d'études: Théorie et pratique.* Québec, Qc. Les Presses de l'Université Laval.

Popham, J.W., Baker, E.L. (1971). *Establishing Instructional Goals.* Englewood Cliffs, N.J. Prentice-Hall

Popham, J.W. (1975). *Educational Evaluation.* Englewood Cliffs, N.J. Prentice-Hall.

Simpson, E.J. (1966). *The Classification of Educational Objectives, Psychomotor Domain.* Urbana, Ill. University of Illinois.

Sullivan, H.J. (1969). *Evaluation and Improved Learner Achievement.* Dans *AERA Monograph Series on Curriculum Evaluation. Vol. 3, Instructional Objectives.* Chicago, Ill. Rand McNally.

Walbesser, H.H. (1968). *Constructing Behavioral Objectives.* Maryland. The Bureau of Educational Research and Field Services. University of Maryland.

CHAPITRE 13

◆ LES INSTRUMENTS
◆ DE MESURE

LA VALEUR D'UN TEST EST FONCTION DE LA QUANTITÉ
ET DU COÛT DE L'INFORMATION QU'IL PERMET
DE RECUEILLIR ET SUR LAQUELLE SE BASENT
LES DÉCISIONS ÉDUCATIVES.
(S.F. Klein)

Si l'évaluation doit alimenter la prise de décision comme le prétendent certains auteurs (Provus, Alkin, Stufflebeam), il est dès lors évident que le preneur de décision doit compter sur une information de qualité et pertinente s'il veut que ses décisions soient les plus valables possibles. La qualité et la pertinence de l'information sont fonction de la qualité des instruments de mesure utilisés, d'une part, et de l'habileté et de l'expertise de l'utilisateur, d'autre part. Un mauvais instrument de mesure, même utilisé par un expert, ne peut produire de meilleurs résultats qu'un bon instrument mal utilisé.

La qualité d'une décision dépend beaucoup de la pertinence et de la valeur de l'information sur laquelle elle s'appuie. Celle-ci n'est jamais parfaite ni complète. Ses lacunes entachent la prise de décision d'une certaine incertitude.

La pertinence d'une décision est fonction de la qualité et de la quantité d'informations disponibles au bon moment. Ainsi, la décision d'acheter une automobile a une forte chance d'être une bonne décision si l'acquéreur dispose, avant de bâcler son achat, d'une information précise et objective sur le coût, la puissance, la résistance, la consommation d'essence, la valeur de rachat, etc., des marques disponibles. Cette information prend une importance encore plus grande si les possibilités sont nombreuses, à peu près équivalentes en apparence, mais différentes en réalité. La quantité et la qualité de données reçues en temps opportun maximisent la probabilité d'une bonne décision.

En éducation, le processus de décision repose sur la même base : l'éducateur pourra décider quel programme implanter, quel matériel didactique acheter, quel test administrer, etc., s'il dispose d'une information valide, fidèle et disponible en temps opportun, sur la valeur relative des diverses solutions possibles. Cette information est le seul moyen qui lui permette d'être raisonnablement certain de choisir la meilleure solution possible. La plupart du temps, elle doit lui parvenir rapidement car il est soumis à des contraintes rigides en temps et en disponibilité. Une information reçue en retard, tout comme une information insuffisante ou invalide, amène une décision qui risque fort d'être mauvaise ou tout au moins inappropriée.

Cette incertitude dans la prise de décision doit être réduite au minimum. Pour ce faire, nous devons nous baser sur une grande quantité d'informations et celles-ci doivent être d'une grande qualité. De plus, il nous faut attendre d'avoir en main toutes les informations, avant de nous attaquer à la prise de décision, et surtout ne considérer que les informations pertinentes.

En guise d'exemple, prenons un cas concret. Un des objectifs prioritaires d'un cours universitaire sur la confection des tests de rendement scolaire est le suivant: l'étudiant sera capable de confectionner des items de tests correspondant à des objectifs spécifiques donnés ou à des aspects importants du rendement scolaire.

L'information nécessaire à la prise de décision est la suivante: pour réaliser un tel objectif, est-il préférable de faire appel au cours magistral? à l'enseignement séquentiel? Pour guider celui qui doit décider (le professeur ou le directeur de programme), l'évaluateur doit cueillir et traiter l'information pertinente: choisir un instrument de mesure ou en confectionner un qui soit adapté à la situation (évaluation sommative de quatre méthodes différentes), administrer le test à des groupes différents mais équivalents d'étudiants, effectuer une analyse comparative des résultats et fournir aux gens concernés une information et des recommandations précises et adaptées. Également, l'évaluateur doit tenir compte des témoignages de personnes ressources, comme les professeurs qui auraient déjà enseigné en appliquant l'une ou l'autre des méthodes, des résultats obtenus antérieurement par divers étudiants à des mesures de rendement.

Il va de soi que l'information fournie est invalide si elle porte sur un sujet étranger à l'objet d'évaluation (sur l'habileté des élèves à passer des tests, par exemple), qu'elle n'est pas fidèle si l'évaluateur se limite à une étude de quelques jours ou de quelques aspects secondaires ou accidentels (la propreté de présentation des travaux, par exemple), et qu'elle devient inutile si l'évaluateur présente les résultats de son travail alors que la décision est déjà prise.

Il est deux autres facteurs auxquels nous devons nous reporter pour maximiser la validité de notre évaluation: les critères généraux préétablis (objectifs du ministère, de la commission scolaire, etc.) et notre propre philosophie de l'éducation (voir Tyler).

Lorsqu'un évaluateur se propose de mesurer l'atteinte des objectifs d'un programme scolaire, il dispose habituellement de toute une série d'instruments de mesure. Cependant, ces instruments n'ont ni les mêmes caractéristiques, ni les mêmes avantages ou inconvénients, ni les mêmes limites: certains peuvent s'avérer appropriés, d'autres inappropriés. Leur sélection ou leur confection est donc fonction des circonstances particulières de l'évaluation, du genre d'information que l'évaluateur doit fournir, et de la qualité et de la diversité des instruments disponibles ou possibles. Dans un cas, l'évaluateur aura recours à telle technique de mesure ; dans tel autre cas, il en préférera une autre.

Le genre et la qualité des données recueillies pour des fins d'évaluation dépendent :

- de la sorte d'instrument employé : objectif ou subjectif, standardisé ou pas, de performance maximale ou spécifique, normatif ou critérié,
- de la correspondance entre les objectifs à mesurer, d'une part, et les objectifs effectivement mesurés par l'instrument, d'autre part,
- des qualités propres à l'instrument de mesure : sa validité, sa fidélité,
- des conditions, maximales ou minimales, dans lesquelles la mesure est effectuée.

Le but du présent chapitre est de discuter de ces différents aspects et de fournir certaines réponses aux questions concernant les tests et autres instruments de mesure.

LA CLASSIFICATION DES TESTS

Définition

Le test de rendement scolaire est un instrument de mesure qui doit permettre à celui qui l'emploie de déterminer, globalement et analytiquement, jusqu'à quel point les sujets qui y sont soumis ont atteint les objectifs de l'enseignement auxquels on voulait les élever par l'intermédiaire d'un programme qui précisait ces objectifs.

Un test est une situation dans laquelle les directives, les conditions de passation et les procédures d'attribution des nombres sont rigoureusement établies et demeurent absolument les mêmes pour tous les sujets, tant au moment de l'administration que de la correction du test. En somme, tous les étudiants reçoivent des stimuli identiques et leurs réactions sont quantifiées sans qu'aucun ne soit favorisé ou défavorisé sur un autre plan que l'attribut traité. Tel ne serait pas le cas, par exemple, d'un étudiant qui verrait sa note diminuée à cause des fautes d'orthographe dans un test conçu pour ne vérifier que sa compréhension de la confection des tests. Il en serait de même d'un étudiant dont la note, dans un test d'intelligence, serait modifiée par son appartenance à tel milieu socio-économique. (C'est d'ailleurs cette influence qui peut faire douter des tests d'intelligence : sous cet aspect, ils ne seraient que partiellement des situations standardisées.)

Test standardisé et test non standardisé

Un test est standardisé lorsqu'il répond aux quatre conditions suivantes :
- tous les étudiants répondent aux mêmes questions,
- tous les étudiants reçoivent les mêmes instructions claires et précises,
- aucun étudiant ne profite d'avantages par rapport aux autres,
- un système prévu de correction s'applique uniformément, pour tous les étudiants.

Un test standardisé est donc un instrument de mesure qui a été confectionné selon des normes détaillées : chaque item a été retenu à la suite d'une analyse positive de son niveau de difficulté et de sa capacité de discrimination ; un manuel d'instructions accompagne tout test standardisé, précisant les conditions d'administration et de correction ; celui qui utilise un tel test dispose habituellement de normes qui permettent d'en interpréter les résultats.

Le test non standardisé correspond habituellement au test préparé par le professeur qui se propose de mesurer et d'évaluer l'apprentissage de ses étudiants. Contrairement à ceux du test standardisé, les items d'un tel test ne sont ordinairement pas sélectionnés sur la base de leurs indices de difficulté et de discrimination. De plus, cet instrument a une fidélité et une validité basées bien plus sur des opinions que sur une analyse statistique ; aucune norme ne permet d'interpréter les résultats d'étudiants qui seraient étrangers au groupe mesuré. Le test non standardisé est fait à la mesure des élèves d'une classe qui ont reçu le même enseignement, de la même façon.

On peut utiliser les tests standardisés pour établir le parallèle entre le rendement d'un individu ou d'un groupe et ses possibilités de succès, pour comparer la maîtrise de différentes habiletés ou différents aspects de sujets divers, pour évaluer et comparer, par rapport à un domaine commun, les positions relatives d'élèves venant de classes ou d'écoles différentes, et pour étudier l'évolution d'un élève sur une période de temps variable afin de déterminer si son progrès se maintient en deçà ou au-delà des attentes et des possibilités. De plus, ces tests s'avèrent des moyens utiles pour prédire les succès scolaires futurs.

Toutefois, les tests standardisés ont des limites. Ainsi, leurs normes ne peuvent être employées comme critères de rendement que si une analyse minutieuse de leurs contenus établit une correspondance exacte entre les objectifs mesurés par les tests et ceux qu'on se propose d'atteindre ou de mesurer. Les résultats de ces tests ne peuvent servir à classer les élèves ou à juger de l'efficacité d'un enseignement que si les tests couvrent tous les objectifs du programme et seulement ces objectifs.

Pour leur part, les tests non standardisés s'adaptent très bien aux situations particulières. Ils sont très flexibles sous les aspects de la longueur, de la fréquence, du contenu, de la forme et de l'objectif. On peut les utiliser pour déterminer jusqu'à quel point les étudiants ont maîtrisé une unité d'enseignement ou atteint les objectifs propres au groupe et aux individus, et enfin pour préparer le classement des élèves.

Toutefois, une attitude critique de la part des professeurs face à leurs tests leur permettra de faire coïncider ces derniers avec les objectifs des cours et de leur assurer une plus grande validité et fidélité.

Test de performance maximale et test d'inventaire spécifique

Le test d'inventaire spécifique est utilisé pour estimer certains traits de la personnalité d'un individu ou déterminer ce qu'il fait plutôt que ce qu'il est capable de faire. Ce genre de test ne sert pas à recueillir de l'information sur les caractéristiques intellectuelles ou sur les habiletés. Les tests de personnalité, d'intérêt et d'adaptation au milieu font partie de cette catégorie. Dans de tels tests, on demande aux étudiants de dire s'ils sont d'accord ou non avec une série d'énoncés, ou de traduire leurs sentiments face à une situation présentée, ou enfin d'indiquer leurs préférences parmi des items concernant, entre autres, des carrières.

Les réponses à de tels tests ne sont ni bonnes ni fausses, mais servent plutôt à caractériser un individu sous les aspects des attitudes, des intérêts et autres traits de personnalité. Par exemple, un résultat obtenu sur une échelle de personnalité peut être comparé à d'autres résultats obtenus par d'autres individus. Si le résultat coïncide avec un ensemble de résultats caractérisant un groupe de personnes, par exemple, des introvertis, l'individu est jugé être lui-même introverti. Toutefois, la façon d'évaluer ou d'interpréter les réponses d'un individu aux divers énoncés dépend de la théorie qui sous-tend la confection de l'instrument de mesure et, sur ce point, la subjectivité peut être très grande, d'autant plus que les opinions, même des spécialistes en mesure psychologique, divergent énormément (et s'opposent souvent) quand il s'agit de préciser ce qui est ou ce qui devrait être mesuré.

Il y a très peu d'entente sur la signification exacte de concepts tels que l'adaptation, la personnalité, le tempérament, les intérêts, les préférences, les valeurs, etc. Si bien qu'on ne sait jamais avec précision si on a réellement mesuré ce qu'on se proposait de mesurer. Ce genre de test doit donc être interprété avec beaucoup de prudence. Ainsi, il est difficile d'attribuer l'indécision ou l'hésitation des élèves face à des énoncés, soit à l'ambiguïté de l'expression écrite ou orale, soit à la personnalité du sujet. Inutile de dire que, dans de tels tests, les significations individuelles différentes que prennent les termes et les énoncés revêtent une importance capitale.

D'autre part, les tests à performance maximale exigent des sujets qu'ils fournissent un rendement maximum, qu'ils produisent le plus possible. On désire alors mesurer leurs capacités potentielles et réelles. Dans cette catégorie de tests, on retrouve les tests d'intelligence, d'aptitude et de rendement. Dans de telles épreuves, on présente aux étudiants un ensemble de problèmes à résoudre : l'exactitude des réponses fournies a une grande importance puisque les sujets sont mesurés d'après leurs bonnes réponses. Le résultat global sert à caractériser chaque individu, soit dans ses aptitudes, soit dans son intelligence ou dans son rendement. Trois composantes sont impliquées dans chaque résultat aux tests de performance maximale : l'habileté innée, l'habileté acquise et la motivation. Il n'y a toutefois aucun moyen de déterminer dans quelle proportion chacune de ces composantes influence le résultat.

Dans de tels tests, le problème de la compréhension de ce qui est mesuré est moins important ; les items sont rédigés de telle sorte que les étudiants ne disposant pas des aptitudes pertinentes sont bloqués par une ambiguïté externe, celle de leur incapacité. Un test de rendement sert plutôt à mesurer ses capacités intellectuelles ou le niveau qu'il peut atteindre théoriquement.

Dans un test d'inventaire spécifique, la mesure vise à attribuer à un individu un point précis sur une échelle continue, en fonction de sa façon de percevoir les situations, de réagir face à des principes ou de s'exprimer devant les événements courants.

Dans les tests de performance maximale, au contraire, la position est attribuée à l'individu en fonction de son habileté à résoudre les problèmes présentés.

Test objectif et test subjectif

Rigoureusement parlant, tous les tests sont plus ou moins subjectifs. Toutefois, il est devenu pratique courante de désigner les tests à correction objective sous l'expression abrégée « tests objectifs » et de nommer « tests subjectifs » les tests à réponse ouverte où le correcteur a à interpréter les symboles employés par les étudiants et où la correction a donc tendance à devenir subjective.

Les tests objectifs (ou à correction objective) sont des tests qui ne fournissent aucune possibilité, même à plusieurs correcteurs qui ne se sont pas concertés, d'en arriver à des décisions divergentes en ce qui concerne la véracité ou la fausseté des réponses aux items présentés. Contrairement aux tests subjectifs, le correcteur n'a pas à interpréter et à évaluer, sous forme de jugements personnels, les réponses données aux questions.

Les principaux avantages des tests objectifs sont les suivants : bien qu'ils soient pénibles et difficiles à préparer, ils deviennent relativement faciles à corriger avec précision; leur correction est objective et peut être réalisée par du personnel de bureau; ils contiennent un plus grand nombre d'items ou de questions, ce qui favorise habituellement leur fidélité et un meilleur échantillonnage des aspects à mesurer; pour une même qualité et une même quantité d'information, ils coûtent moins cher que les tests subjectifs.

Cependant, il arrive fréquemment que ces tests fassent appel à la mémorisation chez les étudiants. Ceci vient du fait qu'il est plus facile de rédiger des items portant sur des processus mentaux relativement élémentaires (connaissance et compréhension) que sur des processus mentaux plus complexes (analyse, synthèse et évaluation). De plus, l'étudiant étant obligé de choisir une bonne réponse parmi plusieurs possibilités, il peut arriver qu'on lui accorde des points pour une bonne réponse devinée. Cette éventualité devient d'autant plus probable que le nombre de possibilités présentées diminue (dans le test vrai-faux, par exemple).

Dans le cas des tests subjectifs, le correcteur doit faire appel régulièrement à des jugements personnels pour apprécier les réponses des étudiants. Ainsi, pour attribuer une note à un essai, le correcteur doit, pour chaque question, apprécier autant de réponses différentes qu'il y a d'élèves et déterminer leur degré de correspondance à une réponse qu'il considère comme idéale. Il est bien évident qu'une telle situation risque d'entacher les résultats d'une subjectivité qui en diminue la fidélité et la validité.

Les principaux avantages des tests subjectifs sont les suivants: ils sont relativement faciles et rapides à préparer et, à cet égard, ils constituent le seul moyen pour obtenir des données sur certains aspects des habiletés des étudiants: leur calligraphie, leur dextérité et leur prononciation, par exemple.

Toutefois, ils prennent beaucoup de temps à administrer, ils sont relativement pénibles et difficiles à corriger adéquatement, leurs résultats tendent à être imprécis et ils ne peuvent que difficilement mesurer plusieurs objectifs à la fois, à cause de leur échantillonnage réduit (nombre limité de questions).

Test normatif et test critérié

Une façon de classifier les tests, c'est de se reporter à la philosophie qui sous-tend leur construction et donc, implicitement, à la méthode appliquée dans la transmission des résultats. Sous cet angle, deux sortes de tests retiennent l'attention: les tests normatifs et les tests critériés.

Les tests normatifs (*norm referenced tests*) se proposent essentiellement de comparer la performance d'un étudiant avec celle d'autres étudiants: les résultats qu'il fournit n'indiquent donc qu'une performance relative à celle qui est obtenue par d'autres étudiants ayant passé le même test. Le test critérié (*criterion referenced test*) cherche essentiellement à mesurer la performance d'un étudiant face à un ensemble d'objectifs visés, sans tenir aucunement compte de la performance des autres étudiants.

Ainsi, la différence majeure entre ces deux sortes de mesures tient à l'information qu'elles donnent. Le test critérié donne une information qui porte sur la compétence d'un individu dans la maîtrise des objectifs d'un programme ; le test normatif en fournit une qui a trait à sa compétence par rapport à celle de tout un groupe d'individus.

Les tests normatifs remplissent une fonction importante dans l'évolution scolaire d'un étudiant. Ils fournissent une information nécessaire au processus de sélection et de prédiction du succès ultérieur. Ils sont efficaces quand on se propose de placer par ordre de connaissances ou d'habiletés, des étudiants ou groupes d'étudiants. De même, ils permettent de comparer les étudiants de diverses écoles. Par contre, les tests normatifs sont incapables de diagnostiquer la maîtrise d'une habileté particulière chez un étudiant.

Pour leur part, les tests critériés fournissent une bonne information sur la compétence d'un individu et sur l'efficacité relative d'un cours ou d'une séquence d'enseignement chez un groupe d'étudiants. Les tests critériés peuvent donc être utilisés pour classifier des étudiants, mais uniquement en rapport avec un niveau bas ou élevé d'habiletés fourni par des résultats qui sont inférieurs ou supérieurs à un critère établi. Ils peuvent donc renseigner sur le niveau absolu d'efficacité des élèves, plutôt que sur leur efficacité relative telle qu'elle est fournie par les tests normatifs.

De plus, ces tests ne fournissent aucun moyen valable qui permette de déterminer la signification exacte de l'atteinte de l'objectif : on ne peut dire si l'étudiant a atteint un objectif important, secondaire ou négligeable, mais on sait s'il l'a atteint ou non. Cette valeur ou importance de l'objectif doit donc précéder la confection et l'administration du test critérié.

De ces deux catégories de tests, les critériés sont les mieux adaptés à la mesure en éducation et, donc, à l'évaluation du rendement scolaire. En effet, il est plus important de connaître les étudiants qui ont maîtrisé, ou pas, telle série d'objectifs que de savoir qu'ils ont été plus ou moins forts que tel ou tel autre groupe de référence. Toutefois, l'évaluateur peut désirer discriminer les étudiants entre eux : c'est alors que les tests normatifs deviennent utiles.

LES CARACTÉRISTIQUES D'UN BON INSTRUMENT DE MESURE

Quelles sont les caractéristiques d'un bon instrument de mesure ? Qu'est-ce qui rend un test approprié pour une évaluation donnée ? Un évaluateur fera un meilleur choix s'il connaît les caractéristiques d'un bon instrument de mesure. Que ce soit pour la sélection d'un test standardisé ou pour la création d'un test maison, que celui-ci soit objectif ou subjectif, l'évaluateur devrait considérer chacune des caractéristiques suivantes :

- la validité,
- la fidélité,
- la commodité : facilité de confection, facilité de financement, facilité d'administration, facilité de correction, facilité d'interprétation,
- l'efficacité,
- la portée,
- la présentation,
- le réalisme.

La validité

La validité d'un test renvoie directement à la question suivante : le test mesure-t-il exactement les objectifs pédagogiques et réalise-t-il ainsi le but pour lequel il a été conçu ? Toute procédure visant à colliger de l'information sur la performance des étudiants est valide en autant qu'elle fournit l'information nécessaire et désirée. En conséquence, avant même de juger la validité d'un test, il importe de bien connaître les objectifs pédagogiques à mesurer.

La validité d'un test n'est pas absolue : en effet, un même test peut être tout à fait valide pour une situation particulière de mesure et complètement invalide pour une autre situation. Il est facile de concevoir qu'un test puisse être, à la fois, très approprié pour mesurer cinq objectifs du programme 412 de mathématique et complètement invalide pour apprécier la qualité de l'expression écrite des étudiants. Pour les fins de l'évaluation du rendement scolaire, un test est déclaré valide s'il mesure les objectifs en question et s'il constitue un échantillonnage représentatif des comportements possibles correspondant à ces objectifs.

Les bénéfices ou les données découlant de l'administration d'un test ne sont pas fonction uniquement du test lui-même, mais également des décisions qu'on envisage d'éclairer par ce moyen. S'il s'agit, dans un cas, de préparer des modifications mineures à certaines parties d'un programme d'enseignement, les implications et les besoins d'information ou de données diffèrent grandement d'une situation où il s'agirait de décider, par·exemple, du choix d'un nouveau programme. Cette emphase placée sur la préparation des décisions affecte la quantité et la qualité des données à recueillir et, par le fait même, le choix des instruments de mesure, selon le genre d'information qu'ils peuvent fournir. L'espèce de validité dont il est question ici ne peut s'exprimer en termes mathématiques ou de coefficient ; elle est déterminée davantage au titre d'appréciations subjectives basées sur la connaissance des faits entourant la mesure et sur les expériences antérieures.

Si l'administration d'un test n'augmente pas la probabilité de prendre des décisions plus appropriées, si les données qu'il fournit n'améliorent pas la qualité et (ou) la quantité de l'information pertinente à la décision, alors le test est soit inutile, soit invalide.

En résumé, un test donné, qu'il soit standardisé ou non, n'est valide, dans une perspective d'évaluation, que si :

— on y définit clairement les objectifs qu'il mesure,

— il contient un nombre suffisant et approprié d'items pour mesurer l'atteinte de ces objectifs par les étudiants,

— il fournit suffisamment de données de bonne qualité, propres à faciliter la prise de décision.

Nous avons employé jusqu'ici le concept de validité dans un sens abstrait. Mais il faut bien se rendre compte qu'il n'existe que pour autant que nous ayons un cadre de référence. Dire d'un test qu'il est valide ne signifie rien en soi. Un test n'est jamais complètement valide ou invalide. Il a un certain degré de validité, selon les conditions d'administration. Par exemple, si nous faisons passer un test nous pouvons calculer son degré de validité, mais le résultat obtenu n'a pas de valeur universelle. Si on fait passer le même test dans une pièce où il fait une chaleur épouvantable, à des étudiants moins brillants, le soir après la journée de travail, les résultats obtenus ne donneront pas la même validité au test.

Lorsque nous voulons estimer la validité d'un test, nous voulons savoir dans quelle mesure les résultats obtenus par des individus correspondent aux positions occupées par ces individus sur le continuum qui représente la variable mesurée. Il est évident que nous ne connaissons pas exactement la position occupée par les individus sur ce continuum idéal. Nous devons nous reporter à d'autres mesures effectuées sur la même variable. Nous comparons les résultats obtenus à ce test avec d'autres résultats en fonction d'un critère : par exemple, contenu, prédiction, etc. Selon le critère choisi, nous faisons appel à l'un ou à l'autre des différents types de validité que nous venons d'étudier.

La validité est traditionnellement représentée par un coefficient de corrélation, que l'on appelle dans ce cas le coefficient de validité. Celui-ci exprime la relation existant entre le résultat obtenu à un test et le résultat à un autre test pris comme témoin. Le coefficient de validité peut prendre diverses valeurs comprises entre 0 et 1. La valeur 1 signifie une validité parfaite, les résultats étant les mêmes d'un test à l'autre ; la valeur 0 indique qu'il n'y a aucun rapport entre les résultats d'un test et ceux d'un autre, c'est-à-dire que la validité est nulle.

En conclusion de cette discussion sur la validité, il nous semble intéressant de considérer le problème de l'interprétation des résultats. Quelle valeur doit atteindre le coefficient de validité pour que le test puisse être considéré comme valide ?

La réponse à cette question dépend de la situation dans laquelle il est calculé. Par exemple, les corrélations entre la mesure de l'intelligence d'un sujet au moyen d'un test et celle qui est basée sur les remarques du professeur se situent en général entre 0,30 et 0,50. Ce n'est pas un coefficient très élevé, numériquement, mais cela est considéré comme indiquant une assez bonne validité si on considère le fait que le professeur se base, pour fonder son jugement, sur des facteurs parfois autres que l'intelligence seule (par exemple, le travail de l'étudiant, son goût pour l'étude, etc.). Par contre, si nous voulons valider un test qui est censé mesurer le quotient intellectuel d'un élève en prenant comme témoin un test reconnu, le coefficient de validité devrait alors se situer, pour être considéré acceptable, entre 0,80 et 0,95.

Lors de l'interprétation d'un coefficient de validité, il faut donc tenir compte de la situation dans laquelle la corrélation a été déterminée. Plus les conditions dans lesquelles les résultats à comparer ont été recueillis sont similaires et les mesures fidèles, plus le coefficient de validité devrait être élevé. Dans un cas, 0,35 sera considéré comme suffisant pour dire d'une mesure qu'elle est valide, alors que, dans un autre cas, un coefficient de 0,65 ou 0,70 peut être jugé nécessaire.

La fidélité

Un instrument de mesure est fidèle pour autant que les résultats qu'il donne demeurent toujours les mêmes lorsqu'on l'applique aux mêmes étudiants ou à des étudiants équivalents, dans des conditions identiques. Il est évidemment inutile pour un professeur ou un évaluateur de mesurer le rendement scolaire ou tout attribut ou variable de la personne humaine, s'il ne peut compter sur un instrument de mesure fidèle (il pourrait mesurer fidèlement autre chose que ce que l'on se propose de mesurer); un manque de fidélité indique toujours que le test est médiocre.

La fidélité d'un test dépend souvent de la sorte d'items qui le compose (objectifs ou subjectifs, vrai-faux, réponse ouverte), des conditions qui accompagnent sa confection ou son administration, de la nature des objets de mesure et de la méthode appliquée lors de la correction des réponses ou de la transmission des résultats. Un professeur peut très bien confectionner un test fidèle s'il applique de bons principes de mesure et s'il structure des items en nombre suffisant.

Plusieurs facteurs favorisent la fidélité d'un test; en voici quelques-uns:

—   la clarté des items et des directives (l'ambiguïté étant un des pires ennemis de la mesure),

—   les conditions matérielles et psychologiques d'administration de la mesure,

- la représentativité du test ou le fait qu'il constitue un bon échantillonnage des comportements possibles,
- l'étendue ou la diversité des attributs mesurés (un test qui vise à mesurer des habiletés ou des caractéristiques très hétérogènes risque de n'avoir qu'une fidélité réduite),
- la précision de la correction (surtout subjective).

La commodité

Facilité de confection

Surtout dans la mesure du rendement scolaire, la plupart des tests sont rédigés par les professeurs. Même si une telle tâche n'est jamais facile, il est toutefois possible d'en faciliter la réalisation en optant pour une sorte de test qui correspond aux habiletés ou à l'expérience des professeurs, en exploitant le travail d'équipe et, surtout, en cumulant dans une banque d'items les réussites antérieures.

Un des grands avantages des objectifs spécifiques est précisément de faciliter la confection des tests. La tâche des professeurs devient donc plus aisée et mieux structurée si cette étape préalable a été franchie.

Facilité de financement

Le coût d'un test est un aspect important dans toutes les organisations scolaires, qu'il s'agisse par ailleurs de tests préparés par les professeurs ou par des équipes de spécialistes. Entrent alors en ligne de compte le temps de rédaction, la transcription, l'impression, les circonstances d'administration, la correction mécanographique et le traitement des données. Il faut inclure non seulement les coûts du matériel, mais également l'affectation des ressources humaines. Puis, le tout doit être placé en parallèle avec les données utiles recueillies à la suite du test, l'objectif étant de minimiser les coûts tout en maximisant les avantages.

Ainsi, il est avantageux d'employer des feuilles de réponses, afin que les questionnaires demeurent réutilisables, de constituer des banques d'items sur feuilles de huit et demi sur onze, permettant le montage des questionnaires plutôt que la transcription, de favoriser les échanges d'items entre professeurs d'un même cours, etc.

Même si le coût d'un test n'est pas le critère par excellence pour en déterminer le choix, il demeure important d'insister sur cet aspect, d'autant plus que la majorité des pédagogues ont une forte tendance à l'éviter. La qualité et (ou) la quantité des données utiles escomptées d'un test, aident à motiver et à doser les ressources humaines et matérielles qu'on peut y investir.

Facilité d'administration

Certaines sortes de tests, comme le test oral, font appel à des techniques spéciales ou très coûteuses à administrer ; d'autres exigent des opérations dispendieuses, comme le traitement des données par ordinateur ; d'autres enfin nécessitent une préparation spécialisée de la part des surveillants.

Un test qu'on se propose d'utiliser dans les classes régulières d'une école, à l'intérieur d'un programme de testing ou d'évaluation, devrait normalement être assez simple pour que tout professeur puisse l'administrer sans devoir subir un entraînement spécial.

De façon générale, un test répond à un tel critère lorsque :

—   il a un format simple et approprié,

—   il fait appel à un matériel simple, facile à trouver et à manipuler,

—   il comporte des directives claires et précises pour le surveillant et les étudiants,

—   il peut être administré par le professeur sans trop d'efforts ou de préparation immédiate.

Facilité de correction

Cet aspect prend d'autant plus d'importance que le test s'adresse à un plus grand nombre d'étudiants. À cela s'ajoute, surtout dans la mesure du rendement scolaire, le fait que la motivation des étudiants est plus grande si les résultats leur sont communiqués rapidement. Il faut donc une correction rapide et efficace.

La facilité de la correction d'un test dépend prioritairement de trois facteurs :

—   l'objectivité de la correction : le correcteur n'a pas à poser de jugements subjectifs sur les réponses,

—   l'exactitude de la grille de correction,

—   les directives de correction qui prévoient toutes les situations possibles (le fait, par exemple, qu'un étudiant fournisse deux réponses à un même item).

Facilité d'interprétation

Particulièrement lorsqu'il s'agit de sélectionner un test, le professeur ou l'évaluateur doit en vérifier les possibilités d'interprétation. Normalement, cette interprétation ne devrait nécessiter aucun recours à un psychologue ou à un autre spécialiste, ce qui dépend, en grande partie, de la valeur du manuel d'interprétation qui accompagne le test.

L'Association américaine des psychologues considère que les critères suivants sont nécessaires pour permettre l'interprétation des résultats d'un test :

— Le test, le manuel, les formules de compilation et tout le matériel d'accompagnement doivent contribuer à des interprétations correctes des résultats du test, de la part des utilisateurs ;

— Le manuel d'accompagnement doit donner, tout au moins implicitement, les buts du test et les situations où son application est recommandable ;

— Le manuel d'accompagnement doit indiquer les qualifications requises chez celui qui désire administrer et interpréter le test ;

— Dans le manuel, les énoncés traduisant la valeur relative des résultats ont une connotation quantitative ; ils doivent être rédigés avec autant de précision que les données le permettent. Si, par contre, certains énoncés n'ont pas été contrôlés par des données, le manuel doit l'indiquer clairement ;

— Les échelles utilisées pour transmettre les résultats doivent être soigneusement décrites dans le manuel ; elles doivent également favoriser une interprétation et une compréhension exactes des résultats, tant chez l'utilisateur que chez le sujet.

L'efficacité

Un test qui permet à l'étudiant de résoudre un plus grand nombre de questions par unité de temps est un test efficace. Par exemple, un test objectif qui contient cent items est plus efficace qu'un test à réponses ouvertes qui n'en contient que cinq, si d'autre part, ils vérifient tous deux l'atteinte des mêmes objectifs et prennent le même temps à administrer.

Si on doit mesurer un grand nombre d'étudiants ou si le questionnaire peut être réutilisé, le test objectif est sans doute le plus efficace, à cause de son objectivité, de sa facilité de correction et de l'étendue du contenu qu'il peut couvrir en relativement peu de temps. Si, par contre, on est obligé de préparer un test pour un nombre réduit d'étudiants et que le questionnaire ne peut d'aucune façon être réutilisé, il devient habituellement plus efficace d'utiliser le test à réponses ouvertes (problèmes à résoudre ou questions générales), parce qu'il coûte moins cher et qu'il est plus facile à rédiger.

Dans la plupart des cas, le test à correction subjective tend à être moins efficace que le test à correction objective, en partie parce qu'il amène les étudiants à prendre une part importante de leur temps d'examen pour rédiger leurs réponses : pour une même période de temps, les étudiants couvrent donc un contenu moins étendu que s'ils n'avaient qu'à lire comme c'est le cas dans le test à correction objective.

Par ailleurs, les questions objectives qui font appel à des données que l'étudiant doit interpréter (analyser, synthétiser, évaluer) ont tendance à être moins efficaces que les questions objectives portant sur la maîtrise de connaissances plus simples, en grande partie à cause de la difficulté que présente la confection d'un item qui porte sur un processus mental plus complexe.

La portée

Un programme d'évaluation ou un examen de rendement scolaire comporte, comme étape de planification, la spécification des objectifs à mesurer et des moyens envisagés pour que tous les élèves soient soumis exactement aux mêmes conditions.

C'est à ce moment que l'on vérifie la portée ou l'étendue de la matière couverte par le test ou les comportements échantillonnés. Les aspects suivants attirent alors l'attention :

- le test doit couvrir tous les objectifs dont on se propose de déterminer l'atteinte : ni plus, ni moins,
- le test doit inclure un nombre suffisant d'items pour que les divers comportements possibles soient bien représentés.

Cette adéquation entre la portée réelle d'un test et sa portée souhaitée est obtenue surtout grâce à la table de spécification que le professeur prépare avant de rédiger un test ou que le manuel d'accompagnement d'un test standardisé doit présenter.

La présentation

Il arrive fréquemment que les tests utilisés dans la mesure du rendement scolaire fournissent de piètres résultats à cause d'une mauvaise présentation. Parfois, ils font appel à un langage inapproprié au niveau des étudiants (des termes et des expressions inconnus des élèves des premières classes du primaire, par exemple). Plus souvent, des erreurs grossières sont commises dans la présentation matérielle : une reproduction floue, des lettres trop petites, des illustrations trop détaillées ou mal imprimées, des items trop rapprochés favorisant la confusion, des feuilles de réponses où les espaces réservés aux bonnes réponses sont difficiles à localiser, du papier glacé qui rend la lecture difficile par ses effets de mirage, des tests trop longs pour de jeunes élèves, etc.

A priori, ces détails et bien d'autres semblables paraissent insignifiants ; cependant, ils affectent parfois une forte proportion des résultats et causent de véritables problèmes lorsque vient le temps, pour le professeur ou l'évaluateur, d'interpréter les données de la mesure. Pour obtenir des résultats significatifs, qui représentent avec autant de précision que possible la performance réelle des étudiants, il est important d'apporter une attention particulière à tous ces petits détails. Car non seulement l'interférence causée par de tels éléments diminue la validité du test, mais elle produit des effets secondaires qui annulent parfois une bonne partie des avantages espérés : de la frustration, de l'anxiété et même de la colère surtout chez les étudiants et parfois même chez les professeurs lorsque le test vient de l'extérieur. La qualité, la validité et l'adéquation de l'information recueillie sont fonction d'un couplage judicieux des caractéristiques de l'instrument de mesure avec les caractéristiques de la clientèle visée.

Même lorsqu'il s'agit de tests publiés et disponibles sur le marché, la même attention s'impose. Bien des professeurs croient, tout à fait à tort, que les tests commercialisés sont a priori de bonne qualité. Nous espérons que l'examen, même superficiel, de certains de ces tests les a amenés à être prudents sous ce rapport.

Le réalisme

Ce dernier aspect concerne plus particulièrement le responsable de la sélection des tests et l'évaluateur. En effet, c'est à ce dernier que revient la tâche de sélectionner des instruments de mesure vraiment capables de fournir l'information sur l'atteinte des objectifs d'un programme scolaire ou social. C'est lui également qui doit analyser et synthétiser les données recueillies et, enfin, présenter au responsable de la prise de décision des informations valides et pertinentes sur les diverses possibilités.

Dans une situation idéale, l'évaluateur dispose des ressources nécessaires, des compétences obligatoires et d'un temps suffisant pour planifier la cueillette des données et pour colliger, analyser et transmettre les résultats. Toutefois, la réalité n'est pas toujours aussi simple : souvent, le budget disponible pour un programme d'évaluation est plutôt réduit, ce qui impose des contraintes sur le choix des instruments de mesure (soit dans leur achat, soit dans leur confection), sur le nombre et la diversité des spécialistes requis aux niveaux de l'administration, de la correction et de l'interprétation des tests, sur le temps-ordinateur alloué au traitement des données. Le temps constitue, dans la plupart des cas, une des contraintes les plus rigoureuses : il n'est pas toujours possible d'ajuster un calendrier de cueillette de données, particulièrement lorsque l'information doit être disponible à un moment déterminé. Surgissent alors des limites de temps pour développer les instruments de mesure, pour les administrer et les corriger, pour en interpréter les résultats et, enfin, pour communiquer les conclusions de l'évaluation aux gens responsables de la décision.

Le réalisme dans le choix des instruments de mesure, c'est ce qui fait que ces derniers collent à la réalité, s'adaptent aux situations particulières, aux contraintes. Ainsi, s'il faut recueillir rapidement les opinions des parents sur les objectifs d'un programme, l'évaluateur peut opter plutôt pour le questionnaire plutôt que pour l'entrevue individuelle ou en groupe, parce qu'il juge qu'il prend moins de temps et fournit des données plus valides à cause de l'anonymat des réponses. Si, toutefois, il juge que les réponses arriveront trop tard ou en nombre insuffisant au moment déterminé, il peut opter pour une rencontre de parents où le sujet sera présenté par un orateur et les opinions recueillies par le questionnaire.

Dans un autre cas, un évaluateur peut préférer un test d'intelligence conçu pour être administré à tout un groupe d'étudiants à la fois, plutôt qu'un test aux résultats supérieurs mais conçu pour une administration individuelle, parce que ce dernier prend trop de temps, coûte trop cher et nécessite une préparation spécialisée de la part des surveillants. Il arrive assez souvent qu'un évaluateur doive opter ainsi pour une démarche un peu moins valide, mais beaucoup plus réaliste.

Les deux cas précédents sont relativement simples; il n'en est pas toujours ainsi. Souvent, les problèmes sont nombreux et complexes, et il devient difficile de déterminer quelle solution est la meilleure dans telle situation donnée. L'évaluateur est alors en face de plusieurs possibilités et il est de sa compétence et de sa responsabilité de sélectionner les instruments de mesure les mieux adaptés à la situation et aux contraintes particulières. Tout ce qui a été dit dans le présent paragraphe et dans ceux qui le précèdent peut faciliter sa tâche sous ce rapport.

LES INSTRUMENTS DE MESURE

Nous n'avons pas l'intention de faire une étude poussée ni même une revue exhaustive des instruments de mesure que pourrait considérer un évaluateur; cela dépasserait le cadre du présent chapitre. Il nous semble cependant important et approprié d'isoler et de discuter brièvement certaines de ces approches de mesure fréquemment utilisées en éducation. Nous avons regroupé ces différentes approches sous les titres suivants: les tests de rendement scolaire, les tests de personnalité, les techniques sociométriques, les techniques projectives et les mesures non réactives.

Les tests de rendement scolaire

Un test de rendement scolaire est un instrument qui sert à mesurer la maîtrise, par un étudiant, d'une série d'objectifs spécifiques et (ou) sa compétence ou sa dextérité dans un domaine abordé à l'école.

Les instruments de mesure de rendement scolaire sont préparés soit par les professeurs, soit par les services régionaux de mesure et évaluation, soit par des firmes spécialisées. Sauf s'ils sont préparés par ces dernières, ils ne subissent que très rarement toutes les étapes rigoureuses de la standardisation. La plupart sont verbaux (par opposition aux tests qui demandent des réponses d'ordre psychomoteur) et empruntent la forme écrite. Longtemps, ils furent surtout subjectifs quoiqu'un nombre de plus en plus élevé de professeurs fasse appel aux tests objectifs. Enfin, ils sont parfois critériés, souvent normatifs.

Les tests objectifs

Un test objectif (ou mieux, à correction objective) est un test qui présente à l'étudiant une liste précise de réponses parmi lesquelles celui-ci choisit la bonne. De cette façon, les opinions et les jugements personnels du correcteur sont éliminés des opérations de correction. Il existe plusieurs types de tests à correction objective: choix de réponses, appariement, vrai-faux, réarrangement, à réponse courte et phrase à compléter.

Le test à choix de réponses

C'est une situation d'examen dans laquelle l'examinateur propose plusieurs réponses possibles. À l'aide d'un signe quelconque, le répondant choisit la ou les bonnes réponses parmi le choix proposé (habituellement quatre ou cinq possibilités).

Il existe plusieurs variantes du test à choix de réponses: *trouver la seule bonne réponse, trouver la meilleure réponse, trouver la seule réponse qui soit fausse, trouver toutes les bonnes réponses, trouver la réponse qui donne l'ordre exact d'une série d'énoncés, résoudre plusieurs items se rapportant tous à un même matériel présenté préalablement.*

L'appariement

Le test d'appariement est essentiellement une variante du test à choix de réponses, bien qu'il s'en distingue par plusieurs caractéristiques. Dans un tel test, on présente d'abord un ensemble-stimulus d'items puis, à chacun des éléments de cet ensemble, on demande à l'élève d'associer un élément pris dans un deuxième ensemble (l'ensemble réponse). Le tout forme ce qu'on appelle un exercice et tous les items qui en font partie renvoient à une même structure logique ou factuelle.

Parmi les variantes du test d'appariement, nous retrouvons *l'association simple, l'association multiple* et *la classification*.

Le test vrai-faux

Le test vrai-faux comprend un ensemble d'énoncés ou de propositions dont on demande à l'étudiant de reconnaître l'exactitude ou la fausseté.

Ce type de test offre les variantes suivantes: *la forme de base, la forme correction, la forme bon-mauvais, la forme à réponses pondérées.*

Le réarrangement

Dans ce type de test, on présente d'abord à l'étudiant une série d'énoncés (faits, événements, étapes) dans un ordre fixé au hasard, puis on lui demande de les placer dans un ordre conforme à un schème précis.

Il existe deux formes particulières du test de réarrangement : *la forme de base* et *la forme limitée par un choix de réponses*.

Le test à réponse courte

Dans un test de cette sorte, le professeur pose des questions très précises et les réponses sont très brèves (un mot ou une expression) et spécifiques. L'élève doit se rappeler les réponses et les écrire.

Ce test se présente selon deux variantes : *à réponse unique* et *à réponses multiples*.

La phrase à compléter

Dans le test de type complètement de phrase, on présente à l'étudiant une série d'énoncés dans lesquels on a omis un ou plusieurs termes importants. On demande à l'étudiant de trouver avec exactitude ces termes et de les écrire.

Les tests subjectifs

Un test subjectif (ou mieux, à correction subjective) est un test qui demande à l'étudiant d'exprimer la bonne réponse en ses propres mots. Ainsi, la correction d'un tel test demeure soumise à l'influence des opinions et jugements personnels du correcteur ; tout au moins y a-t-il place pour une interprétation subjective. Il existe deux types de test subjectif : le test oral et le test à réponse ouverte élaborée.

Le test oral

Dans un test oral, le professeur (ou les professeurs) et l'étudiant sont placés seuls l'un en face de l'autre. Le professeur pose des questions auxquelles l'étudiant doit répondre au meilleur de sa connaissance. Par la suite, le professeur mesure les réponses données et attribue une note en conséquence. Habituellement, cette note se traduit tout simplement par un jugement : succès ou échec.

Le test à réponse ouverte élaborée

Dans ce test, on présente à l'étudiant un certain nombre de questions pour lesquelles il doit présenter des réponses écrites plus ou moins extensives. L'étudiant doit construire des phrases, des paragraphes de différentes longueurs pour démontrer qu'il maîtrise les habiletés ou les connaissances mesurées. La caractéristique essentielle est que l'étudiant doit au moins écrire une phrase et que cette réponse est évaluée subjectivement par le professeur.

Le test psychomoteur

Ce type de test implique l'action physique plutôt que les mots. Il mesure l'habileté de l'étudiant à manipuler les objets ou encore sa coordination motrice plutôt que les symboles.

Les tests de personnalité

La personnalité inclut tous les comportements et caractéristiques d'un individu, son intelligence, ses connaissances, ses attitudes, ses intérêts et ses réactions à l'environnement. La personnalité, alors, est la totalité de toutes les qualités prises ensemble et dont les combinaisons donnent ce que l'individu pense, ressent, dit et fait.

Nous pouvons considérer deux approches fondamentales pour mesurer la personnalité et l'adaptation des individus. La première consiste à demander à l'individu lui-même ce qu'il pense, ressent, dit et fait, et est appelée « autorapport ». La deuxième consiste à demander à d'autres ce qu'ils savent de lui et est appelée « observation ». Ces deux méthodes sont très utilisées. Les inventaires de personnalité, les tests d'aptitudes, les tests d'intérêts, les échelles d'attitudes, les questionnaires et l'entrevue, sont des instruments d'autorapport, tandis que les dossiers anecdotiques, les échelles d'appréciation, les listes de vérification sont des exemples d'observation.

L'autorapport

L'inventaire de personnalité

Le test d'inventaire de personnalité mesure certaines variables ou certains attributs de la personnalité humaine, comme l'amabilité, la tolérance, l'intégrité, la loyauté, l'ambition, l'optimisme, la motivation, etc. Des questions sont posées à l'étudiant ou des problèmes lui sont présentés. Ses réponses ou ses réactions sont interprétées à la lumière des comportements prévus selon les traits de la personnalité.

Les tests de cette sorte sont excessivement nombreux et les formes adoptées varient énormément; certains portent sur des traits généraux, d'autres sur des attributs particuliers, certains sont objectifs, d'autres subjectifs, certains font appel à des techniques particulières, d'autres se donnent par écrit comme la majorité des tests scolaires.

L'inventaire d'intérêts

Le test d'inventaire d'intérêts est un instrument de mesure qui permet à une personne de noter ou d'indiquer, d'une façon organisée et structurée, ce qu'elle aime ou déteste (en somme, ses préférences) dans différentes situations, ses choix face à plusieurs activités possibles ou ses réactions aux particularités des gens qui l'entourent. Ces choix sont ensuite comparés à ceux d'autres personnes qui ont bien réussi dans des occupations particulières.

Le test d'aptitudes

Une aptitude est un ensemble de traits ou de caractéristiques de la personnalité qui présagent de la capacité d'un individu à acquérir une connaissance dans un domaine particulier ou à maîtriser une série donnée de comportements propres à une occupation précise. Le test d'inventaire d'aptitudes a pour but de mesurer chez une personne son habileté potentielle dans une activité spécialisée. Un tel test a donc une portée bien précise et insiste non pas sur ce qui a déjà été maîtrisé, mais sur ce qui peut être appris.

Le test d'aptitudes peut porter aussi bien sur les traits physiques que sur les traits psychologiques. Ce qui le caractérise, c'est l'aspect prédiction.

L'échelle d'attitudes

L'échelle d'attitudes est un instrument utilisé pour déterminer les opinions ou les croyances d'un étudiant face à des idées ou à des situations controversées ou prêtant à interprétation.

Il s'agit d'exploiter les idées ou les valeurs qu'un individu privilégie et même les sentiments qu'il ressent en présence d'un énoncé, d'une affirmation ou d'un fait.

Le questionnaire

Un questionnaire est un type d'autorapport contenant des questions auxquelles l'élève ou d'autres personnes doivent répondre de façon concise. Il est utilisé pour apprendre d'un individu son propre comportement typique.

L'entrevue

Lors d'une entrevue, des questions sont posées par un examinateur qui se propose d'obtenir des informations permettant de mieux comprendre et connaître divers traits de la personnalité du sujet.

L'entrevue se distingue de la simple conversation en ce qu'elle poursuit des objectifs propres et clairement définis, rattachés habituellement à la compréhension de comportements psychologiques chez un individu. Elle diffère de l'examen oral surtout au niveau de la procédure : l'examinateur peut plus facile-ment modifier ses questions et les orienter vers des aspects privilégiés pertinents aux objectifs poursuivis.

L'observation

L'échelle d'appréciation

L'échelle d'appréciation est un genre de test dans lequel on présente toute une série de comportements ou d'attributs possibles relatifs à un ou plusieurs aspects de l'activité humaine. On demande au sujet lui-même, ou à un observa-teur, d'apprécier sur un continuum la présence ou l'absence des caractéristiques propres à l'attribut ou au comportement.

Le dossier anecdotique

Un dossier anecdotique est une description objective et brève de quelques comportements ou actions particulières qui ont été observés. Une série de tels dossiers peut fournir des données valables sur le progrès de l'élève quant à la maîtrise de certains objectifs.

La liste de vérification

Dans la liste de vérification, on présente à un juge, à l'étudiant ou à l'observateur, une liste de comportements et (ou) de caractéristiques, et on lui demande de déterminer, en partant d'une performance établie, s'il y a absence ou présence de chacun d'eux.

En somme, la liste de vérification est identique à l'échelle d'appréciation, sauf que les catégories sont réduites à deux seulement : oui ou non.

Les techniques sociométriques

La mise en situation

Une mise en situation place le sujet dans une situation ressemblant à une situation-critère naturelle ou la simulant. La performance n'est pas évaluée en termes de connaissances mais en termes de variables émotionnelles, sociales, d'attitudes et autres traits de la personnalité.

Les jeux de rôle

Un jeu de rôle est un exercice de simulation dans lequel deux ou plusieurs individus, auxquels on a imposé des rôles précis, jouent des problèmes de situation personnels ou sociaux pendant quelques minutes. En étudiant les commentaires faits par les participants, l'évaluateur peut jauger, entre autres, les attitudes empathiques et les changements dans les attitudes durant les représentations successives.

Les techniques projectives

Ce sont des méthodes qui permettent à un sujet de réagir à des séries de stimuli, comme des dessins, des images, des cartons, des phrases incomplètes, etc. Ces techniques sont dites projectives à cause de l'hypothèse que, dans ces conditions de libre réponse, le sujet projette des manifestations, des caractéristiques de sa personnalité que l'on peut, par des méthodes appropriées, noter et interpréter pour obtenir une description de la structure de sa personnalité de base.

Les mesures non réactives

Ce sont des procédures de mesure qui consistent à recueillir de l'information à l'insu du ou des sujets concernés.

Les aspects suivants peuvent figurer dans cette catégorie : dossier des présences et des absences, dossier sur le prêt bibliothécaire, liste des actions disciplinaires, des abandons scolaires, des activités extrascolaires, dossier sur les retards, les citations, les honneurs, les prix, etc.

Comme nous pouvons le constater, les instruments de mesure pouvant être utilisés dans le cadre d'une évaluation de programme ne se limitent pas, comme plusieurs peuvent le penser, au test papier/crayon. Il est vrai que ce type de test, avec ses variantes vrai-faux, choix multiple, phrase à compléter, essai, constitue une procédure valable et pratique lorsqu'il s'agit d'évaluer l'atteinte d'objectifs du domaine cognitif. Cependant, même à ce niveau, l'évaluateur n'est pas limité au test papier/crayon ; il peut faire appel à des procédures différentes telles que les tests oraux, les travaux individuels, les travaux en équipe, la participation à des séminaires, etc. L'éventail des épreuves possibles pour mesurer l'atteinte d'objectifs du domaine cognitif n'est limité que par la créativité de celui qui les développe.

D'autre part, les objectifs éducatifs ne se prêtent pas tous au test papier/crayon. Ainsi, les objectifs faisant référence à des habitudes, à des comportements individuels et à des comportements sociaux, sont plus aisément évalués par l'intermédiaire d'instruments comme la grille d'observation. Par ailleurs, l'entrevue et le questionnaire sont des approches pouvant permettre la cueillette d'informations quant aux attitudes et aux intérêts. Les échelles d'attitudes peuvent également être utiles pour évaluer les objectifs du domaine affectif. Le dossier anecdotique peut servir à analyser certains comportements ou certaines actions de l'étudiant.

Enfin, les informations qu'un évaluateur veut recueillir par rapport à certaines variables, comme le comportement du maître en classe, son style d'enseignement, sa personnalité, peuvent être recueillies à l'aide d'instruments de mesure tels que l'observation, l'interview, le questionnaire ou les tests de personnalité, d'attitudes, etc.

Il est important de signaler que les instruments de mesure servant à des fins d'évaluation ne se limitent pas à ceux que nous venons de présenter; toute approche de mesure permettant la cueillette d'informations valides constitue une méthode adéquate. Il appartient à l'évaluateur de choisir ou de confectionner l'approche de mesure la plus approfondie pour une situation donnée.

Une préoccupation majeure doit cependant guider l'évaluateur responsable de la sélection ou de la confection d'un instrument de mesure, et ce, quel qu'il soit: il faut que l'instrument soit congruent (en relation directe) avec les objectifs poursuivis. Cela veut dire que l'évaluateur doit comparer les situations comprises dans l'instrument de mesure aux objectifs du cours ou du programme afin de déterminer si ces situations sont susceptibles de provoquer la manifestation des comportements visés.

◆ RÉFÉRENCES

Anastasi, A. (1957). *Psychological Testing*. New York, N.Y. McMillan.

Blood, D.E., Budd, W.C. (1972). *Educational Measurement and Evaluation*. New York, N.Y. Harper and Row.

Cronbach, L.J. (1960). *Essentials of Psychological Measurement*. New York, N.Y. Harper and Brothers.

Ebel, R.L. (1972). *Essentials of Educational Measurement*. Englewood Cliffs, N.J. Prentice-Hall.

Edwards, A.L. (1957). *Techniques of Attitudes Scale Construction*. New York, N.Y. Appleton.

Gronlund, N.E. (1968). *Constructing Achievement Tests*. Englewood Cliffs, N.J. Prentice-Hall.

Klein, S.P. (1971). *The Uses and Limitations of Standardized Tests in Meeting the Demands for Accountability. Evaluation Comment.* 2 (4).

Lindvall, C.M. (1967). *Measuring Pupil Achievement and Aptitude*. San Francisco, Calif. Harcourt, Brace and World.

Mehrens, W.A., Lehmann, I.J. (1969). *Standardized Tests in Education*. San Francisco, Calif. Holt, Rinehart and Winston.

Mehrens, W.A., Lehmann, I.J. (1973). *Measurement and Evaluation in Education and Psychology*. New York, N.Y. Holt, Rinehart and Winston.

Metfessel, N.S., Michael, W.B. (1967). *A Paradigm involving Multiple Criterion Measures for the Evaluation of the Effectiveness of School Programs. Educational and Psychological Measurement*. 27. 931-943.

Nadeau, M.A. (1971). *Selecting Appropriate Measurement Instruments*. Document non publié. Los Angeles, Calif. Center for the Study of Evaluation, UCLA.

Nadeau, M.A. (1975). *Mesure et évaluation des objectifs pédagogiques*. Québec, Qc. Les Éditions Saint-Yves.

Nadeau, M.A. (1981). *L'évaluation des programmes d'études : Théorie et pratique*. Québec, Qc. Les Presses de l'Université Laval.

Noll, V.H., Scannel, D.P. (1972). *Introduction to Educational Measurement*. Boston, Mass. Houghton Mifflin.

Nunnally, J.C. (1967). *Psychometric Theory*. New York, N.Y. McGraw-Hill.

Nunnally, J.C. (1972). *Educational Measurement and Evaluation*. New York, N.Y. McGraw-Hill.

Payne, D.A. (1974). *The Assessment of Learning: Cognitive and Affective*. Lexington, Mass. C.C. Heath.

Popham, J.W., Husek, T.R. (1969). *Implication of Criterion-Referenced Measurement. Journal of Educational Measurement*. 6 (1).

Popham, J.W. (1974). *Evaluation in Education: Current Applications*. Berkeley, Calif. McCutchan.

Popham, J.W. (1978). *Criterion-Referenced Measurement*. Englewood Cliffs, N.J. Prentice-Hall.

Thorndike, L. (1971). *Educational Measurement*. Washington, D.C. American Council on Education.

Wood, D.A. (1961). *Test Construction*. Colombus, Ohio. Merrill.

CHAPITRE 14

◆ LES MÉTHODES
◆ DE MISE
◆ EN PRIORITÉ

LES PRIORITÉS DOIVENT ÊTRE DÉTERMINÉES SUR LA BASE D'UNE
ANALYSE ET D'UNE INTERPRÉTATION PRUDENTES DE TOUTES
LES DONNÉES DISPONIBLES ET DE LEURS IMPLICATIONS.
(B.R. Witkin)

Nous avons vu dans le chapitre traitant de l'analyse de besoins que celle-ci est généralement constituée de quatre étapes : détermination du statut désiré, détermination du statut actuel, identification et analyse des écarts, et détermination de la priorité des besoins. Nous avons vu également que cette dernière étape est cruciale pour l'identification des besoins devant recevoir une attention particulière au niveau des ressources humaines, matérielles et financières.

Dans le présent chapitre, nous présentons certaines méthodes que l'évaluateur a à sa disposition pour réaliser la mise en priorité de besoins ; certaines font appel à un seul facteur alors que d'autres en utilisent deux ou plus, certaines utilisent une approche mathématique, d'autres une approche graphique, certaines sont simples et d'autres complexes.

La dernière étape du processus d'analyse de besoins, la mise en priorité des besoins, est particulièrement importante parce qu'elle demande que des jugements de valeur soient portés quant à la priorité que devrait recevoir chacun des besoins considérés.

La littérature nous indique qu'il existe de nombreuses méthodes de mise en priorité de besoins. Certaines sont simples et ne requièrent pas d'expertise particulière, alors que d'autres sont beaucoup plus sophistiquées et exigent des instruments plus complexes et un niveau d'expertise plus élevé ; certaines font usage d'une procédure graphique alors que d'autres font appel à un paradigme mathématique ; certaines déterminent l'ordre des besoins sur la base d'un seul facteur alors que d'autres utilisent deux facteurs ou plus ; certaines font usage d'échelles à catégories prédéterminées alors que d'autres ont recours à une échelle proportionnelle.

LES MÉTHODES À UN SEUL FACTEUR

Cette catégorie regroupe les méthodes qui utilisent un seul facteur pour la mise en priorité des besoins. Ce facteur est habituellement le niveau d'importance attribué aux énoncés de buts ou d'objectifs à poursuivre. Les méthodes ont typiquement pour but d'en déterminer l'importance et de les placer en ordre de priorité. Les méthodes considérées sont les suivantes : l'échelle à catégories prédéterminées (le questionnaire à une dimension ; le tri de cartes ; l'allocation budgétaire), l'approche des comparaisons par paire, l'estimation de l'amplitude.

Le questionnaire à une dimension et l'estimation de l'amplitude peuvent être utilisés avec un nombre illimité d'énoncés de buts ou d'objectifs. À l'opposé, le tri de cartes, l'allocation budgétaire et les comparaisons par paire supposent un nombre restreint d'énoncés.

Les échelles à catégories prédéterminées

La priorité des besoins repose souvent sur un seul ensemble de données, comme la détermination de l'importance des buts ou des objectifs, ou encore la désirabilité de programmes ou de services. La méthode la plus usuelle consiste à déterminer la priorité des besoins sur la base d'un questionnaire faisant usage d'échelles prédéterminées, utilisant la moyenne, la médiane ou le mode pour établir l'ordre des besoins, soit en mettant en ordre les moyennes de groupes d'énoncés, soit en mettant directement en ordre les énoncés eux-mêmes.

Le questionnaire à une dimension

Parmi les méthodes faisant usage de catégories prédéterminées, le questionnaire est de loin la plus utilisée. Cette méthode consiste essentiellement à présenter au répondant un ensemble d'énoncés de besoins potentiels accompagnés d'une échelle numérique de type Likert. Le répondant est invité à émettre un jugement reflétant l'importance relative qu'il accorde à chacun des énoncés de besoins en encerclant un chiffre de l'échelle utilisée. La moyenne arithmétique est par la suite calculée pour chacun des énoncés et les besoins sont alors placés par ordre décroissant d'importance.

Cette méthode a comme principal avantage d'être facile d'application et de simplifier le plus possible la mise en priorité.

Elle a par contre comme inconvénient d'imposer des catégories très strictes, ce qui oblige le répondant à choisir une catégorie sans pouvoir apporter

Tableau 30
**LA MISE EN PRIORITÉ SUR LA BASE
D'UNE SEULE DIMENSION**

But	Importance	Rang
A	3,1	2
B	4,2	1
C	1,6	3

de nuance. De plus, ce type d'échelle se situe à un niveau ordinal, ce qui limite les transformations mathématiques auxquelles on peut soumettre les données. Enfin, le fait d'offrir un nombre de catégories fixe peut affecter la validité des réponses.

Le tri de cartes

La méthode du tri de cartes représente une variante des échelles à catégories prédéterminées. Elle consiste à placer dans des catégories (habituelle-ment cinq) mutuellement exclusives, les énoncés de besoins potentiels. Le répondant est invité à juger de l'importance des besoins en plaçant chacun d'eux dans l'une ou l'autre des catégories. Cette méthode amène le répondant, par une procédure de choix forcés, à ne pas considérer tous les besoins comme impor-tants. Tout comme dans la méthode précédente, la moyenne arithmétique est calculée et les besoins sont placés selon leur ordre d'importance.

L'allocation budgétaire

La méthode d'allocation budgétaire (Witkin, 1984) est une méthode de choix forcé, car elle demande à chaque répondant d'attribuer à des besoins potentiels un certain nombre de points (représentant le plus souvent un montant d'argent) jusqu'à épuisement de la somme totale. La priorité des besoins est établie sur la base des sommes allouées à chacun des énoncés de besoins ; le besoin le plus prioritaire est celui qui reçoit le plus de points (en moyenne) et on lui attribue le rang 1.

Cette méthode présente l'avantage de forcer les répondants à penser aux priorités en termes concrets. Cela est davantage vrai lorsqu'ils doivent manipuler des montants d'argent et répartir des sommes différentes dans un processus de décision.

Cette méthode est plus facile d'application dans des analyses de besoins qui concernent les services plutôt que les objectifs à poursuivre.

L'approche des comparaisons par paires

Cette méthode à choix forcé, développée par Wickens (1980), exige du répondant qu'il compare chaque énoncé de besoin potentiel à chacun des autres énoncés et qu'il indique sa préférence. Il procède de la même façon pour toutes les paires possibles (tableau 31). La priorité des besoins est établie à partir de l'ordre de grandeur de leur poids respectif, celui-ci reflétant la préférence accor-dée. Sur la base du poids reçu (poids moyen), un rang est donc assigné à chaque énoncé.

Cette méthode présente l'avantage d'être plus discriminante que les échel-les à catégories prédéterminées et les résultats sont plus faciles à ordonner et à analyser que dans les échelles d'estimation de l'amplitude.

Tableau 31
LA MISE EN PRIORITÉ:
MÉTHODE DES COMPARAISONS PAR PAIRES

	Besoin		Poids	Rang
①①① 1 1 1 1 1 1 2 3 4 ⑤⑥⑦⑧⑨⑩	1	=	3	7
② 2 2 2 ②② 2 ② 3 ④⑤⑥ 7 8 ⑨ 10	2	=	4	6
3 3 ③ 3 3 ③③ ④⑤ 6 ⑦⑧ 9 10	3	=	3	7
4 4 ④ 4 ④④ ⑤⑥ 7 ⑧ 9 10	4	=	5*	3**
⑤⑤⑤ 5 ⑤ 6 7 8 ⑨ 10	5	=	8	1
⑥ 6 6 ⑥ 7 ⑧⑨ 10	6	=	5	3**
7 ⑦ 7 ⑧ 9 ⑩	7	=	3	7
⑧⑧ 9 10	8	=	7	2
⑨ 10	9	=	5	3
	10	=	2	10

* Nombre de fois que l'énoncé 4 a été choisi.
** Un même rang pour un même poids.

Par contre, elle est plus difficile à administrer que l'estimation de l'amplitude, car elle demande d'avoir en tête tous les items d'une liste. De plus, elle demande un nombre d'énoncés qui ne dépasse pas quinze.

L'estimation de l'amplitude

La méthode d'estimation de l'amplitude (Lodge, 1976) appliquée à la mise en priorité de besoins vient des échelles sensorielles développées en psychophysique. Cette méthode demande à chaque répondant de comparer chaque énoncé de besoin potentiel à un référent, auquel on attribue une valeur arbitraire faible ou modérée, et d'indiquer combien de fois il juge l'énoncé plus important ou moins important. Il n'y a pas de limite quant à la valeur maximale que le répondant peut attribuer, alors que la valeur minimale est égale à zéro. Les estimations sont converties en logarithmes, lesquels sont transformés en moyennes logarithmiques et finalement en moyennes géométriques (figure 7). Les valeurs scalaires de cette échelle de rapport peuvent être placées sur une courbe. L'ordre de priorité des besoins est établi sur la base de ces moyennes géométriques; l'énoncé ayant la plus haute valeur moyenne reçoit le rang de priorité 1.

Figure 7
ESTIMATION DE L'AMPLITUDE

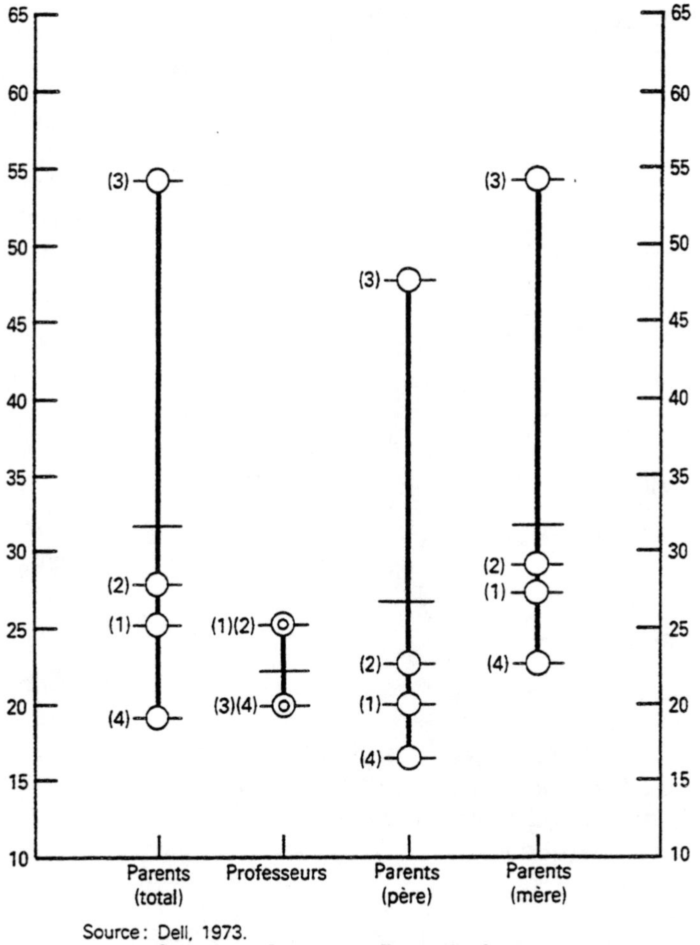

Source: Dell, 1973.
Note: Objectif VII: Science. (1): Terre; (2): Biologie;
(3): Biologie (drogue); (4): Sciences physiques.

Cette méthode est facile d'application et semble acceptable aux répondants. Comme elle utilise une échelle de rapport, elle offre une grande diversité d'interprétations des données. Elle fournit des résultats qui sont directement interprétables; elle permet de comparer les différents besoins entre eux; de comparer les résultats de différents sous-groupes par rapport à un ou plusieurs besoins. Elle offre une plus grande souplesse au répondant en ne le confinant pas à l'intérieur de catégories fixes et préétablies.

Comme inconvénient, signalons qu'elle demande des instruments plus complexes et qu'elle exige un traitement mathématique et statistique beaucoup plus poussé que les autres méthodes.

LES MÉTHODES À PLUS D'UN FACTEUR

Cette catégorie regroupe les méthodes qui utilisent plus d'un facteur pour la mise en priorité des besoins; les facteurs les plus usuels sont habituellement le niveau d'importance et le niveau d'atteinte des buts. Les modèles retenus sont les suivants : l'écart absolu, l'approche graphique (Hershkowitz; Opinion Research Corporation; Nadeau; APEX), les indices de priorité (CSE; Westinghouse Learning Corporation; Lane, Crofton et Hall; Neff).

La mise en rang d'écarts

Plusieurs analyses de besoins font usage de questionnaires, lesquels sont faits de telle façon qu'ils demandent au répondant de fournir une ou deux réponses pour chacun des énoncés présentés et les besoins prioritaires sont dérivés à partir de la comparaison de ces réponses.

Les méthodes faisant usage de la notion d'écart s'intéressent aux différences observées entre le « ce qui devrait être » et le « ce qui est ».

L'écart absolu

Les questionnaires d'opinions qui s'intéressent à la notion d'écart exigent au moins la considération de deux dimensions, à savoir le niveau d'importance attribué à un énoncé et le niveau de maîtrise du même énoncé. La moyenne des écarts est calculée pour chacun des énoncés de besoins potentiels et ceux-ci sont alors placés en ordre décroissant d'écart. Les écarts absolus observés permettent, sur la base de leur amplitude, la constitution d'une liste de besoins prioritaires (tableau 32).

L'avantage principal de cette approche réside dans sa simplicité; c'est probablement pourquoi elle est très utilisée.

Tableau 32
LA MISE EN PRIORITÉ: ÉCART ABSOLU

But	Importance	Atteinte	Différence	Rang
A	4,7	3,5	1,2	2
B	4,2	2,6	1,6	1
C	3,6	3,2	0,4	3

Le désavantage majeur de cette méthode est relié au fait qu'elle ne fournit pas d'indice ou de niveau critique des besoins. En outre, l'utilisation de catégories prédéterminées aurait pour effet d'affecter les réponses fournies.

Witkin (1984) considère cette méthode comme la moins valide et en fait la critique en soulignant: qu'il est illogique de soustraire une valeur relative à la maîtrise d'un but d'une valeur relative à l'importance de ce même but; qu'il est fallacieux de déterminer un ordre de priorité sur la base des écarts absolus observés, sans tenir compte de l'importance relative des buts; que l'approche n'est pas très significative lorsque les buts sont jugés importants, les écarts étant alors peu discriminants.

Les méthodes graphiques

L'approche Hershkowitz

Cette méthode graphique mise au point par Hershkowitz (1972) fait usage de ce que l'auteur appelle une « fonction critique », laquelle est basée sur deux facteurs utilisés dans un questionnaire à catégories prédéterminées, à savoir l'importance d'un énoncé de besoin et le niveau de maîtrise de ce même énoncé.

La méthode consiste essentiellement à placer dans un plan cartésien les énoncés de besoins potentiels, sur la base des valeurs moyennes qui leur ont été attribuées. L'ensemble du plan est divisé en quatre zones ou catégories de besoins en utilisant la moyenne des moyennes de chacun des facteurs pour déterminer ce que Hershkowitz appelle les « axes critiques » (figure 8). L'axe vertical représente l'atteinte et l'axe horizontal l'importance.

Les besoins que l'on peut qualifier de prioritaires se retrouvent tous dans le quadrant II; ils correspondent aux énoncés dont le score moyen, pour la dimension importance, est supérieur à la moyenne des moyennes d'importance et dont le score moyen, pour la dimension maîtrise, est inférieur à la moyenne des moyennes de maîtrise. Hershkowitz propose de mettre en rang de priorité les

Figure 8
L'APPROCHE HERSHKOWITZ

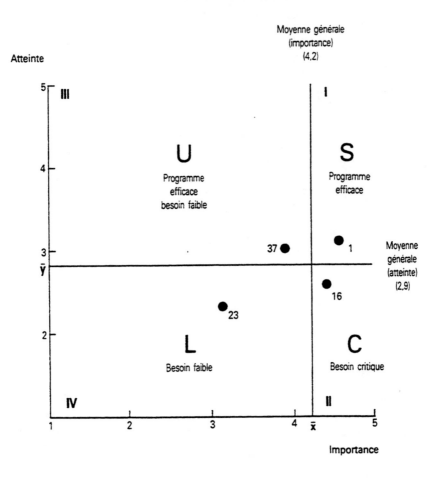

Source : Hershkowitz, 1973.

objectifs se retrouvant dans le quadrant II ; ces besoins sont prioritaires sur le plan de l'amélioration d'un programme ou d'un inventaire particulier. Les besoins du quadrant III pourraient recevoir une considération secondaire, pour une action future. Les besoins du quadrant I pourraient être retenus pour le maintien de l'excellence et finalement les besoins du quadrant IV pourraient être réexaminés pour des fins d'élimination.

Cette méthode présente les avantages suivants : elle prend en compte l'importance relative des besoins, elle semble mieux équilibrer la répartition des énoncés qui ont souvent tendance à se regrouper dans la partie supérieure du graphique, elle est relativement facile d'utilisation et elle permet de visualiser la distribution des besoins selon les deux dimensions retenues. Nadeau (1985) a développé un logiciel qui permet un traitement des données selon l'approche de Hershkowitz.

Parmi les désavantages, notons que la méthode ne fournit pas une liste hiérarchique de besoins mais plutôt des ensembles de besoins. De plus, la position des axes critiques étant fonction de la valeur moyenne des moyennes de chacun des facteurs, certaines moyennes indûment élevées ou basses peuvent amener des distorsions sur le plan de la priorité des besoins.

L'approche de l'Opinion Research Corporation

Cette approche propose une méthode graphique similaire à la précédente, à savoir une division de l'espace cartésien en quatre catégories, à cette différence près cependant que les quadrants sont délimités en fonction de seuils critiques prédéterminés. Ainsi, le seuil critique pour la dimension importance pourrait être de 60 % et le seuil critique pour le facteur atteinte pourrait être de 40 %. Les besoins prioritaires seraient ceux dont l'importance moyenne est supérieure à 60 % et dont le niveau de maîtrise est inférieur à 40 %.

Comme avantage, retenons que dans cette approche les catégories de besoins sont déterminées a priori. Comme désavantage, notons la part d'arbitraire dans la détermination des seuils critiques.

L'approche Nadeau

Cette approche développée par Nadeau (1983) est une méthode qui, contrairement à celle de Hershkowitz mais de façon similaire à l'approche de l'Opinion Research Corporation, utilise des catégories de besoins déterminées a priori. L'approche fait usage de la métrique de l'instrument pour déterminer les axes critiques ; en fait, le point milieu des classes adjacentes des échelles de mesure utilisées dans l'instrument d'enquête constitue les valeurs déterminant les axes critiques.

La mise en priorité des besoins se fait selon la procédure suivante :

— Comme la catégorisation des besoins est basée sur la métrique de l'instrument, les coordonnées déterminant les catégories varient suivant que l'instrument de mesure fait usage d'une échelle à 4,5 ou 6 éléments ;

— Les moyennes relatives au niveau d'importance et au niveau d'atteinte sont calculées pour chacun des énoncés ;

Figure 9
L'APPROCHE NADEAU

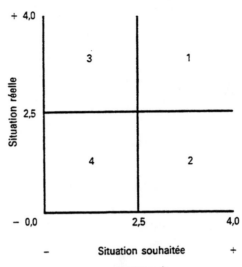

ÉCHELLE À
QUATRE ÉLÉMENTS

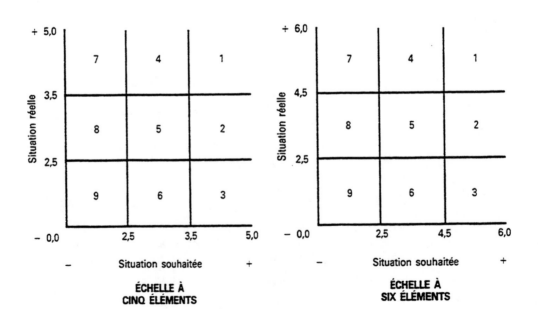

ÉCHELLE À
CINQ ÉLÉMENTS

ÉCHELLE À
SIX ÉLÉMENTS

– Ces moyennes sont ensuite comparées aux coordonnées déterminant les catégories de besoins, ce qui permet de distribuer les énoncés dans ces différentes catégories suivant qu'ils se situent en deçà ou au-delà de ces coordonnées.

Cette approche divise le plan cartésien en quatre ou en neuf catégories selon l'amplitude de l'échelle de mesure. Pour une échelle à quatre choix, le plan est divisé en quatre catégories, pour une échelle à cinq ou six choix, le plan est divisé en neuf catégories.

Cette approche présente les avantages suivants : les axes critiques ne sont pas influencés par les valeurs moyennes des facteurs importance et maîtrise ; les catégories sont déterminées a priori, ce qui laisse moins de place à la manipulation ; elle permet aussi de visualiser la distribution des besoins selon les dimensions retenues. Comme dernier avantage, notons que cette approche est disponible pour traitement et analyse sur micro-ordinateur (Apple, IBM/PC et Macintosh).

Parmi les désavantages notons : telle quelle, elle est d'une utilisation moins facile que les approches d'Hershkowitz et de l'Opinion Research Corporation (le traitement sur micro-ordinateur élimine ce problème) ; la détermination des axes critiques sur la base de la métrique de l'instrument comporte une part de subjectivité et d'arbitraire ; elle ne fournit pas une liste hiérarchique de besoins.

Le modèle APEX

Witkin et Richardson (1983) proposent un modèle graphique basé sur la notion d'écart, mais différent des précédents. Selon cette méthode, on retrouve en abscisse une division selon l'échelle de mesure utilisée et en ordonnée, les différents items du questionnaire (figure 10). Les valeurs moyennes (statut actuel et statut désiré), attribuées aux différents énoncés, sont utilisées pour dessiner sur le graphique des lignes horizontales illustrant les besoins. Le début de ligne correspond à la médiane des réponses relatives à la dimension « statut actuel » et la fin de ligne correspond à la médiane des réponses relatives à la dimension « statut désiré » ; une flèche orientée vers la gauche indique un énoncé dont l'atteinte est jugée plus grande que son importance ; un « X » indique que les deux facteurs ont la même valeur moyenne. Plus la ligne est longue, plus l'écart observé est grand et plus le besoin est important.

Parmi les avantages, retenons que le graphique rend plus facile la comparaison des items pour un groupe donné ou encore, la comparaison d'un item pour plusieurs groupes ; non seulement prend-elle en considération la dimension importance de l'énoncé, mais elle permet de la visualiser, ce qui permet d'ajouter une signification qualitative à un traitement quantitatif.

Parmi les désavantages, notons que cette approche ne fournit pas de liste hiérarchique de besoins.

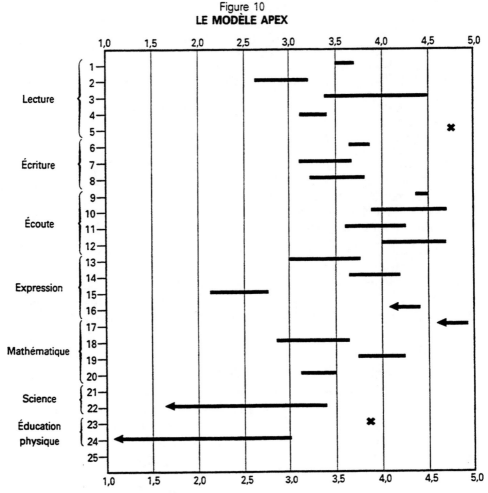

Figure 10
LE MODÈLE APEX

Source : Adaptation de Witkin et Richardson, 1983.

Autres approches graphiques

Gable *et al.* (1981) ont créé une méthode basée sur trois dimensions : *compétence actuelle, compétence souhaitée, importance des compétences*. Dans une matrice 2 × 2, une dimension (appelée *besoin*) représente l'écart entre les compétences *actuelle* et *souhaitée*, telles qu'elles sont estimées par les répondants, et l'autre dimension (appelée *priorité*) représente le niveau d'importance de ces compétences tel que jugé par des experts.

Les quatre cellules ainsi formées sont : 1) écart élevé, priorité élevée ; 2) écart élevé, faible priorité ; 3) écart faible, priorité élevée ; 4) écart faible, faible priorité. Les compétences qui se retrouvent dans la cellule 1 représentent les priorités auxquelles doit se greffer une formation sur le tas. Les compétences des cellules 2 et 3 doivent faire l'objet de discussions pour une inclusion possible dans le programme de formation.

Selon Witkin (1984), cette méthode utilise le facteur importance dans la détermination des priorités, ce qui a pour effet d'éviter de baser les décisions sur les simples écarts.

La réduction proportionnelle de l'erreur

Cette approche mise au point par Misanchuck (1982) se base sur la probabilité que se présenteront certaines combinaisons d'une distribution conjointe, et sur des tests de comparaison des prédictions et des observations.

Les indices de priorité

L'approche du CSE

Cette approche développée par Hoepfner *et al.* (1972) tient compte de trois facteurs dans la mise en priorité de besoins : l'importance du but (mesurée sur une échelle de perception), la performance des étudiants (mesurée à l'aide de tests standardisés, reliés aux objectifs et corrigés pour les conditions locales) et la probabilité d'augmenter l'utilité (mesurée par l'utilité et la probabilité d'améliorer la performance), le deuxième facteur servant dans le calcul du troisième. L'indice de priorité des besoins est calculé selon la formule suivante :

PRIORITÉ = IMPORTANCE × PROBABILITÉ D'AMÉLIORER L'UTILITÉ

À partir de ces valeurs d'indice, les énoncés sont placés en ordre décroissant, l'énoncé ayant le plus haut indice étant considéré comme le plus prioritaire.

L'approche de la Westinghouse Learning Corporation

La Westinghouse Learning Corporation (1973) a créé un indice de priorité de besoins qui repose sur trois facteurs. La procédure demande au répondant de porter trois jugements de valeur sur chacun des énoncés de besoins potentiels : son importance, le niveau d'atteinte et la responsabilité de l'école dans son atteinte.

L'indice de priorité P de besoin est calculé selon la formule suivante :

P = I × R/A

où :

P = priorité,
I = importance,
R = responsabilité,
A = niveau atteint.

Les énoncés sont placés en ordre décroissant d'indice de priorité, l'énoncé avec le plus haut indice étant considéré comme le plus prioritaire, alors que celui qui a le plus faible indice est considéré comme le moins important.

L'approche de Lane, Crofton et Hall

Lane, Crofton et Hall (1983) ont proposé une méthode de calcul d'un indice de priorité de besoins qui utilise deux facteurs : l'importance du but et l'écart entre le statut désiré et le statut actuel. La procédure fait usage d'échelles à neuf catégories et demande à chaque répondant d'émettre deux jugements sur chacun des énoncés de besoins potentiels, le premier portant sur l'importance de l'énoncé (I) et le second sur l'atteinte de ce même énoncé (A).

Les valeurs moyennes d'importance et d'atteinte sont calculées pour chacun des énoncés et sont ensuite intégrées dans la formule de priorité suivante :

PRIORITÉ = I × (I − A)

où :

I = importance,

A = atteinte.

On remarque que le facteur importance non seulement sert à estimer l'écart mais est également utilisé comme facteur de pondération. Comme dans les approches précédentes, les énoncés sont ensuite placés en ordre décroissant de priorité sur la base de la valeur des indices ainsi calculés. L'énoncé présentant le plus haut indice étant considéré comme le besoin le plus prioritaire.

Selon Witkin (1984), il semble que cette approche donne des résultats semblables à ceux obtenus par la méthode faisant usage de la simple notion d'écart. Witkin ajoute cependant que lorsqu'il s'agit d'établir des priorités et de regrouper les réponses de groupes différents, cet indice introduit une valeur d'amplitude que ne fournit pas la simple mise en rang des écarts.

L'approche de Neff

Neff (1973) a proposé une approche basée sur les rangs assignés aux énoncés de besoins potentiels sur les dimensions importance et atteinte. La procédure demande aux répondants de juger chacun des énoncés sur les deux dimensions d'intérêt, pour lesquelles les moyennes d'importance et d'atteinte sont ensuite calculées. Les énoncés reçoivent alors un rang pour l'importance et un rang pour l'atteinte sur la base des moyennes respectives. L'indice de priorité est ensuite calculé à partir de la formule suivante :

IPB = RANG (atteinte) − RANG (importance) + (n − 1) énoncés

où :

IPB = indice de priorité de besoin.

L'auteur ajoute la valeur « (n − 1) énoncés » pour que l'indice obtenu soit toujours positif.

Autres approches

Kemerer et Schroeder (1983) utilisent une procédure de mise en priorité qui incorpore des analyses qualitative et quantitative. Le cadre conceptuel possède trois niveaux : l'état des buts, l'état des attributs de chaque but et les indicateurs de chaque attribut. La procédure qualitative suit les étapes suivantes :

- La méthode des comparaisons par paire est utilisée pour déterminer le nombre de fois (exprimé en %) que chaque but est préféré à l'autre ;
- Les attributs de chacun des buts sont jugés afin de déterminer leur contribution proportionnelle à la définition du but ;
- Les indicateurs de chaque attribut sont jugés afin de déterminer leur contribution à la mesure de l'attribut.

Ces trois estimations sont ensuite combinées pour l'obtention d'une estimation qualitative.

La procédure quantitative demande deux estimations et suit les étapes suivantes :

- La détermination de l'écart actuel :

$$E.A. = \frac{\text{NIVEAU ACTUEL} - \text{NIVEAU SOUHAITÉ}}{\text{NIVEAU ACTUEL}} \times 100$$

- La détermination de l'écart prévu :

$$E.F.A. = \frac{\text{NIVEAU ACTUEL} - \text{NIVEAU PROJETÉ}}{\text{NIVEAU ACTUEL}} \times 100$$

- Les deux estimations sont ensuite combinées.

Les estimations qualitative et quantitative sont intégrées dans une matrice 2 × 2, l'axe vertical étant réservé à l'estimation qualitative et l'axe horizontal à l'estimation quantitative. Les besoins prioritaires se situent dans le quadrant ayant les estimations qualitative et quantitative les plus élevées. Lorsqu'une estimation est plus élevée que l'autre, la priorité est donnée à la dimension qualitative. Les indicateurs élevés qualitativement et faibles quantitativement sont prioritaires par rapport à ceux qui sont faibles qualitativement.

Kemerer et Schroeder ont testé le modèle et ont découvert que son utilisation donne lieu à un accord intergroupe très élevé. L'utilisation de la méthode des comparaisons par paire représente cependant un problème majeur lorsque le nombre d'énoncés augmente.

◆ **RÉFÉRENCES**

Alkin, M.C. (1969). *Evaluation Theory Development. Evaluation Comment.* 2 (1).

Anderson, S.B., Ball, S. (1978). *The Profession and Practice of Program Evaluation.* San Francisco, Calif. Jossey-Bass.

Archambeault, R.D. (1957). *The Concept of Need and its Relation to Certain Aspects of Educational Theory. Harvard Educational Review.* 27. 38-62.

Atkin, J.M. (1968). *Behavioral Objectives in Curriculum Design: A Cautionary Note. The Science Teacher.* 35. 27-30.

Atwood, H.M., Ellis, J. (1971). *The Concept of Need: An Analysis for Adult Education. Adult Leadership.* 19. 210-212. 244.

Beatty, P.T. (1976). *A Process Model for the Development of an Information Base for Community Needs Assessment: A Guide for Practitioners.* Communication présentée à la Seventeenth Annual Adult Education Research Conference. Toronto, Ont.

Beatty, P.T. (1981). *The Concept of Need: Proposal for a Working Definition. Journal of Community Development Society.* 12 (2). 39-46.

Bloom, B.S., Englehart, M.D., Furst, E.J., Hill, W.H., Krathwohl, D.R. (1956). *Taxonomy of Educational Objectives: Handbook 1: Cognitive Domain.* New York, N.Y. David McKay.

Bradshaw, J. (1974). *The Concept of Social Need. Ekistics 220.* 184-187.

Dell, D.L., Meeland, T. (1973). *Needs Assessment Scaling Procedures: Position Paper.* Menlo Park, Calif. Stanford Research Institute. May 15.

Dell, D.L. (1973). *Magnitude Estimation Scaling Procedures of Patron Assessment of School Objectives.* Menlo Park, Calif. Stanford Research Institute.

Dell, D.L. (1974). *Magnitude Estimation Scaling in Needs Assessment.* Menlo Park, Calif. Stanford Research Institute.

Dell, D.L. (1973). *Patron Assessment of School Objectives for M. School.* Menlo Park, Calif. Standford Research Institute. July 13.

English, F.W., Kaufman, R. (1975). *Needs Assessment: A Focus for Curriculum Development.* Washington, D.C. Association for Supervision and Curriculum Development.

Eastmond, J.N. Sr. (1974). *Needs Assessment: A Manual of Procedures for Educators.* Salt Lake City, Ut. Worldwide Education and Research Institute.

Frisbie, R.D. (1981). *Field Analysis: Something More than Needs Assessment.* Communication présentée à la rencontre annuelle de l'Evaluation Network/Evaluation Research Society. Austin, Tex.

Gable, R.K., Pecheone, R.L., Gillung, T.B. (1981). *A Needs Assessment Model for Establishing Personnel Training Priorities. Teacher Education and Special Education.* 4 (4). 8-14.

Gould, J., Kolb, W.L. (1964). *A Social Dictionary of the Social Sciences.* New York, N.Y. MacMillan.

Guba, E.G., Lincoln, Y.S. (1982). *The Place of Values in Needs Assessment. Educational Evaluation and Policy Analysis.* 4 (3). 311-320.

Harrow, A.J. (1972). *Taxonomy of the Psychomotor Domain: A Guide for Developping Behavioral Objectives.* New York, N.Y. McKay.

Hershkowitz, M. (1973). *A Regional ETV Network: Community Needs and System Structure.* Technical Report No 791. Prepared for Regional Education Service Agency of Appalachian Maryland. Silver Spring, Md. Operations Research.

Hoepfner, R., Bradley, P.A., Klein, S.P., Alkin, M.C. (1972). *A Guidebook for CSE/Elementary School Evaluation Kit: Needs Assessment.* Boston, Mass. Allyn and Bacon.

Houston, W.R. *et al.* (1978). *Assessing School/College/Community Needs.* Omaha, Nebr. The Center for Urban Education, The University of Nebraska at Omaha.

Husek, T., Sirotnik, K.A. (1967). *Item Sampling in Educational Research.* Occasional Report. No 2. Los Angeles, Calif. Center for Study of Evaluation, University of California.

Husek, T.R., Sirotnik, K.A. (1968). *Matrix Sampling in Educational Research: An Empirical Investigation.* Communication présentée à la rencontre annuelle de l'American Educational Research Association.

Kaufman, R.E., English, F.W. (1979). *Needs Assessment: Concept and Application.* Englewood Cliffs, N.J. Educational Technology.

Kaufman, R.A., Harsh, J.R. (1969). *Determining Educational Needs: An Overview.* California State Department of Education, Bureau of Elementary and Secondary Education, PLEDGE Conference.

Kaufman, R.E. (1972). *Educational System Planning.* Englewood Cliffs, N.J. Prentice-Hall.

Kaufman, R.E. (1982). *Identifying and Solving Problems: A System Approach.* (3e éd.) San Diego, Calif. University Associates.

Kemerer, R.W., Schroeder, W.L. (1983). *Determining the Importance of Community-Wide Adult Education Needs. Adult Education Quarterly.* 33 (4). 201-214.

Kimmel, W.A. (1977). *Needs Assessment: A Critical Perspective.* Washington, D.C. Office of Program Systems, Office of the Assistant Secretary for Planning and Evaluation, U.S. Department of Health, Education and Welfare.

Klein, S.P. (1971). *Choosing Needs for Needs Assessment.* Conférence présentée à l'American Educational Research Association Meeting. New York, N.Y.

Klein, S.P., Burry, J., Churchman, D., Nadeau, M.A. (1971). *Evaluation Workshop 1: An Orientation.* Monterey, Calif. CTB/McGraw-Hill.

Komisar, P. (1968). *Need and the Needs-Curriculum.* Dans B.O. Smith, R.H. Ennis (éd.) *Language and Concepts in Education.* Chicago, Ill. Rand McNally.

Krathwohl, D.R., Bloom, B.S., Masia, B.B. (1964). *Taxonomy of Educational Objectives, Handbook II: Affective Domain.* New York, N.Y. David McKay.

Lane, K.R., Crofton, C., Hall, G.J. (1983). *Assessing Needs for School District Allocation of Federal Funds.* Communication présentée à la rencontre annuelle de l'AERA. Montréal, Qc.

Lodge, M.B. (1981). *Magnitude Scaling: Quantitative Measurement of Opinions. Quantitative Applications in the Social Sciences.* Beverly-Hills, Calif. Sage.

Lord, F.M., Novick, M.R. (1968). *Statistical Theories of Mental Test Scores.* Reading, Mass. Addison-Wesley.

Mager, R.F. (1962). *Preparing Instructional Objectives.* Palo Alto, Calif. Fearon Publishers.

Maslow, A.H. (1954). *Motivation and Personality.* New York, N.Y. Harper and Row.

Mattimore-Knudson, R. (1983). *The Concept of Need: Its Hedonistic and Logical Nature. Adult Education.* 33 (2). 117-124.

Metfessel, N.S., Michael, W.B. (1967). *Paradigm Involving Multiple Criterion Measures for the Evaluation of the Effectiveness of School Programs. Educational and Psychological Measurement.* 27. 931-943.

Misanchuck, E.R. (1982). *Toward a Multi-Component Model of Educational and Training Needs.* Communication présentée à la rencontre annuelle de l'Association for Educational Communications and Technology. Dallas, Tex.

Monette, M.L. (1977). *The Concept of Educational Need: An Analysis of Selected Literature. Adult Education.* 27. 116-127.

Moroney, R.M. (1977). *Needs Assessment for Human Services.* Dans W.F. Anderson, B.J. Frieden et M.J. Murphy (éd.) *Managing Human Services.* Washington, D.C. International City Management Association.

Myers, E.C., Koenigs, S.S. (1979). *A Framework for Comparing Needs Assessment Activities.* Communication présentée à la rencontre annuelle de l'AERA. San Francisco, Calif.

Nadeau, M.A., Girard, R. (1975). *Rapport synthèse sur l'inventaire des besoins.* Québec, Qc. Polyvalente de Charlesbourg.

Nadeau, M.A. (1977). *L'analyse de besoins.* Texte non publié. Québec, Qc. Faculté des sciences de l'éducation, Université Laval.

Nadeau, M.A. (1981). *L'évaluation des programmes d'études: Théorie et pratique.* Québec, Qc. Les Presses de l'Université Laval.

Nadeau, M.A. (1985). *La mise en priorité de besoins.* Manuel d'accompagnement du logiciel « La mise en priorité de besoins » pour Apple, IBM/PC et compatibles, Macintosh. Québec, Qc.

Neff, J.L. (1973). *A Study of the Priorities of Goals and Needs in Two Selected School Districts.* Thèse de doctorat non publiée. Miami, Fla. Miami University.

Opinion Research Corporation (1972). *Goals for Elementary and Secondary Public Schools in New Jersey. A Survey Among New Jersey Residents.* Trenton, N.J. New Jersey State Department of Education.

Pelchat, J.B. (1973). *L'évaluation des besoins des A.D.P. dans le cadre d'un programme de formation en cours d'emploi.* Essai de maîtrise. Québec, Qc. Université Laval.

Popham, W.J. (1970). *Instructional Objectives Exchange Rationale Statement*. Los Angeles, Calif. Instructional Objectives Exchange.

Popham, W.J. (1975). *Educational Evaluation*. Englewood Cliffs, N.J. Prentice-Hall.

Rossi, P.H., Freeman, H.E., Wright, S.R. (1979). *Evaluation: A Systematic Approach*. Beverly Hills, Calif. Sage.

Rossi, P.H., Freeman, H.E. (1982). *Evaluation: A Systematic Approach*. Beverly Hills, Calif. Sage.

Roth, J.E. (1978). *Theory and Practice of Needs Assessment with Special Application to Institutions of Higher Learning*. Thèse de doctorat non publiée. Berkeley, Calif. Department of Education, University of California.

Rucker, W.R. (1969). *A Value-Oriented Framework for Education and the Behavioral Sciences. The Journal of Value Inquiry*. 3 (4).

Scallon, G., Masson, J.P. (1975). *Inventaire des besoins de perfectionnement et de formation en mesure et évaluation*. Québec, Qc. Faculté des sciences de l'éducation, Université Laval.

Scisson, E.H. (1982). *A Topology of Needs Assessment Definitions in Adult Education. Adult Education*. 33 (1). 20-28.

Shively, J.E. (1980). *Appalachia Educational Laboratory's Needs Assessment Design for Determining Short-Term R&D Service Agendas and a Long-Term Programmatic R&D Agenda*. Charleston, W.Va. Appalachia Educational Laboratory.

Sirotnik, K.A. (1974). *Matrix Sampling for the Practitioner*. Dans J.W. Popham (éd.) *Evaluation in Education: Current Applications*. Berkeley, Calif. McCutchan.

Sork, T.J. (1979). *Development and Validation of a Normative Process Model for Determining Priority of Need in Community Adult Education*. Communication présentée à l'Adult Education Research Conference. Ann Arbor, Mich.

Stephens, K.G. (1972). *A Fault-Tree Approach to Analysis of Educational Systems as Demonstrated in Vocational Education*. Thèse de doctorat non publiée. Department of Educational Administration, University of Washington.

Stufflebeam, D.L., McCormick, C.H., Brinkerhoff, R.D., Nelson, C.O. (1985). *Conducting Educational Needs Assessment*. Boston, Mass. Kluwer-Nijhoff.

Stufflebeam, D.L., Foley, W.J., Gephart, W.J., Guba, E.G., Hammond, R.L., Merriman, H.O., Provus, M.C. (1971). *Educational Evaluation and Decision-Making*. Itasca, Ill. F.E. Peacock.

Sweigert, R.L. (1969). *The First Step in Educational Problem-Solving. A Systematic Assessment of Student Benefit*. Sacramento, Calif. California State Department of Education, Bureau of Elementary and Secondary Education, PLEDGE Conference.

Tyler, R.W. (1950). *Basic Principles of Curriculum and Instruction*. Chicago, Ill. The University of Chicago Press.

Varenais, K. (1977). *Needs Assessment: An Exploratory Critique*. Washington, D.C. Office of Planning and Evaluation.

Westinghouse Learning Corporation (1973). *Westinghouse Survey*. Iowa City, Ia. Westinghouse Learning Corporation.

Wickens, D. (1980). *Games People Oughta Play: A Group Process for Needs Assessment and Decision-Making for Elementary and Secondary Schools. A Manual for the Facilitator*. Hayward, Calif. Office of the Alameda County Superintendant of Schools.

Witkin, B.R. (1975). *An Analysis of Needs Assessment Techniques for Educational Planning at State, Intermediate and District Levels*. Hayward, Calif. Office of the Alameda County Superintendant of Schools.

Witkin, B.R. (1977). *Needs Assessment Kits, Models and Tools. Educational Technology*. 17 (11). 5-18.

Witkin, B.R. (1978a). *Before You Do a Needs Assessment: Important First Questions*. Hayward, Calif. Office of Alameda County Superintendant of Schools.

Witkin, B.R. (1978b). *Needs Assessment Product Locator. Available Needs Assessment Products and How to Select them for Local Use*. Hayward, Calif. Office of the Alameda County Superintendant of Schools.

Witkin, B.R. (1984). *Assessing Needs in Educational and Social Programs*. San Francisco, Calif. Jossey-Bass.

Witkin, B.R., Richardson, J. (1983). *APEX Needs Assessment for Secondary Schools, Manual*. Hayward, Calif. Office of the Alameda County Superintendant of Schools.

Witkin, B.R., Stephens, K.G. (1973). *Solving Communication Problems in Organizations: A Workshop on Fault Tree Analysis*. Communication présentée à la rencontre annuelle de l'International Communication Association. Montréal, Qc.

Yuskiewicz, V.D. (1980). *Educational Needs Assessment: A Systematic Method for*

Determining Educational Need of Instructional Programs. Nazareth, Penn. Colonial Northampton Intermediate Unit.

CHAPITRE 15

◆ LES TECHNIQUES
◆ PARTICULIÈRES

L'ÉVIDENCE, EN ÉVALUATION, PEUT PROVENIR DE DIFFÉRENTES
SOURCES; L'IDENTIFICATION DE CELLES-CI N'EST LIMITÉE QUE
PAR L'IMAGINATION... DE L'ÉVALUATEUR.
(H. Grobman)

Pendant de nombreuses années, l'évaluation fut considérée comme une approche consistant à déterminer l'atteinte des objectifs d'un programme. Comme nous l'avons vu dans un chapitre précédent les récents modèles d'évaluation ne se limitent pas à cet aspect, mais tiennent compte d'un plus grand nombre de dimensions. En fait, certains modèles nous révèlent que les étapes d'un processus d'évaluation sont nombreuses et différentes les unes des autres, et qu'elles sont orientées vers des décisions différentes. Les théoriciens de l'évaluation, qui ont développé ces modèles, insistent sur le fait que l'évaluation doit s'intéresser tout autant aux objectifs d'un programme et à leur atteinte qu'aux variables de l'intrant et à celles du processus ou des transactions d'un programme. D'autres modèles, par contre, insistent sur le fait que les étapes d'un processus d'évaluation ne peuvent pas être déterminées à l'avance, que l'évaluation doit être vue comme un processus en émergence, que l'évaluateur doit s'intéresser davantage aux activités d'un programme qu'à ses objectifs, qu'il doit devenir partie intégrante du processus d'évaluation.

L'évaluateur qui s'engage dans des activités d'évaluation peut, s'il favorise l'approche formaliste, être appelé à intervenir au niveau d'une analyse de besoins, de la planification d'un programme, ou encore de sa certification. D'autre part, celui qui privilégie l'approche naturaliste est appelé à jouer le rôle d'agent de changement (Lincoln, 1986) et à s'engager dans des activités qu'il ne peut déceler à l'avance mais qui pourraient être de déterminer la valeur ou le mérite d'un objet d'évaluation (évaluation formative), ou encore de déterminer son impact (évaluation sommative). Dans chacun de ces cas, que l'approche soit formaliste ou naturaliste, les informations que l'évaluateur doit obtenir et fournir au preneur de décision (approche formaliste), ou qu'il doit présenter aux auditoires cibles (approche naturaliste) doivent être pertinentes et de qualité.

Les procédures et les techniques que l'évaluateur peut utiliser sont variées et il est important pour quiconque veut faire de l'évaluation de les connaître. Elles fournissent un cadre opérationnel qui permet la sélection, l'adaptation ou la fabrication d'instruments de mesure qui serviront à réaliser les opérations prévues. En somme, ces techniques deviennent ou constituent les outils de l'évaluation.

Le but du présent chapitre est de décrire certaines techniques et procédures qu'un évaluateur peut utiliser dans un processus d'évaluation. Les avantages, les utilisations et les limites de ces techniques sont discutés.

LES TECHNIQUES D'ENQUÊTE

L'évaluateur peut utiliser les techniques d'enquête pour recueillir des informations se rapportant à un groupe donné. Ces informations peuvent concerner trois grandes catégories de données :

- *les faits* du domaine personnel (âge, sexe, niveau d'instruction, revenu, etc.), du domaine environnemental (habitat, milieu socio-économique, etc.), du domaine du comportement (avoué ou apparent),
- *les opinions*, niveaux d'information, d'attente, de croyance, d'importance, etc.,
- *les attitudes* et les motivations, c'est-à-dire ce qui incite ou pousse à l'action, au comportement.

Nous regroupons sous cette appellation les techniques suivantes : l'observation, l'entrevue, le questionnaire et les échelles d'opinions.

L'observation

L'observation est une technique qui consiste à enregistrer aussi fidèlement que possible les faits que l'observateur voit et entend dans des situations concrètes déterminées à l'avance et reliées à une question. Nous pouvons distinguer deux formes majeures d'observation : structurée et non structurée. Dans l'observation structurée, les aspects ou dimensions à observer sont déterminés à l'avance et l'observateur ne prête attention qu'à ceux-ci. En somme, un plan précis d'observation et d'enregistrement est préparé avant de recueillir les données. Parmi les méthodes d'observation structurée nous retrouvons : la liste de vérification ou de pointage et l'échelle d'appréciation. Dans l'observation non structurée, l'observateur prête attention aux diverses facettes d'une situation donnée sans que celles-ci aient été déterminées à l'avance. En somme, l'observateur n'impose pas sa structure à la situation, mais il tente d'analyser les phénomènes qui se présentent. Sous cette appellation nous retrouvons le dossier anecdotique.

La liste de vérification ou de pointage

Cette technique consiste à présenter à un juge ou à un observateur une liste de caractéristiques et à lui demander d'indiquer la présence ou l'absence de chacune d'elles. Le juge ou l'observateur n'a rien à écrire, mais se contente de cocher les réponses sur une feuille-réponse préparée à cette fin. Cette technique suppose une définition explicite du comportement à l'étude.

Cette technique s'apparente à l'échelle d'appréciation sauf que les catégories se limitent à deux: oui et non, ou présence et absence, ou terminé et non terminé, etc.

Brandt (1972) distingue les listes « statiques » et les listes « dynamiques »; les listes statiques réunissent les informations telles que le sexe, la race, l'âge des sujets, les caractéristiques de contexte, alors que les listes dynamiques servent à noter les comportements.

Tableau 33
LISTE D'INVENTAIRE POUR L'IMPLANTATION D'UN PROGRAMME

I. Personnel

   A. Étudiants

      1. Ont-ils été assignés aux groupes comparatifs selon la procédure prévue?
      2. Possèdent-ils les préalables nécessaires pour aborder les apprentissages prévus au programme?

   B. Professeurs

      1. Ont-ils été assignés aux groupes comparatifs selon la procédure prévue?
      2. Possèdent-ils la formation voulue pour enseigner le programme?

II. Matériel et équipement

   A. Le matériel et l'équipement requis sont-ils utilisés au maximum?
   B. A-t-on utilisé des locaux supplémentaires?

III. Pédagogie

   A. Le contenu, la séquence d'enseignement et les méthodes sont-ils respectés?
   B. Le programme tel qu'il est vécu affecte-t-il d'autres programmes?

IV. Administration

   A. Le programme se déroule-t-il selon l'horaire prévu?
   B. Les rapports arrivent-ils à temps?
   C. Y a-t-il des problèmes de communication?

V. Évaluation

   A. Le schéma d'évaluation est-il réalisé comme prévu?
   B. Les données sont-elles recueillies, analysées et rapportées selon l'échéancier prévu?
   C. Y a-t-il lieu de modifier le schéma d'évaluation?

Source: Klein, S.P. *et al.*, 1971.

La technique de la liste de vérification présente les avantages suivants: elle est très pratique pour observer des comportements concrets, comme la manipulation d'appareils, elle est très pratique pour préparer des rapports diagnostiques, elle est facile à préparer et prend peu de temps à rédiger et à corriger; elle est peu coûteuse.

Par contre, elle peut devenir coûteuse si l'observateur ne peut observer qu'un sujet à la fois; elle n'est utile que pour un ensemble limité de situations, surtout celles où les comportements sont concrets et apparaissent en séquences.

L'échelle d'appréciation

C'est une technique qui consiste à demander à un observateur d'apprécier sur un continuum la présence ou l'absence des caractéristiques propres à un attribut ou à un comportement. On distingue *l'échelle descriptive (par catégories)*, qui présente une série de catégories parmi lesquelles l'observateur doit choisir celle qui décrit davantage la situation d'intérêt, *l'échelle numérique*, qui demande à l'observateur d'attribuer pour chaque caractéristique considérée un nombre (habituellement compris entre 1 et 5) qui corresponde à la réalité (la plupart du temps, on ajoute une définition pour chacun des nombres afin d'accroître la fidélité de l'appréciation), *l'échelle graphique*, dans laquelle les catégories sont définies verbalement mais dont les réponses sont indiquées sur des segments de droites qui représentent le continuum pour chaque caractéristique observée.

L'échelle d'appréciation présente les avantages suivants : elle est utile comme instrument de mesure, d'analyse de procédés, de produits, de diagnostic ; elle est surtout pratique lorsque la caractéristique à apprécier comporte plusieurs aspects différents, chacun d'eux pouvant correspondre à une des dimensions de l'échelle d'appréciation ; elle utilise souvent des catégories descriptives et spécifiques, ce qui a pour effet d'augmenter l'objectivité et la fidélité ; elle favorise une observation neutre et stucturée ; elle est relativement facile à confectionner.

Par contre nous notons les inconvénients suivants : le degré d'honnêteté et de conscience professionnelle de l'observateur peut biaiser les résultats ; certaines dimensions qu'on se propose d'observer demeurent souvent ambiguës ; les stéréotypes et l'effet de halo influencent les résultats.

L'observation participante

L'observation participante est une méthode inventée par Malinowski durant le premier conflit mondial et dont le but est de saisir le sens, l'orientation, la dynamique et la cohérence d'un ensemble social. Le principe de base de la méthode réside dans l'idée, pour le chercheur, de s'insérer dans un groupe, une communauté particulière, de se mêler à la vie de ce groupe, de cette communauté en y introduisant le minimum de perturbation, en dérangeant le moins possible. Il s'agit d'une démarche intensive plutôt qu'extensive pour la connaissance du réel. Selon Bogdan et Taylor (1975), l'observation participante représente une période d'interaction sociale intense entre le chercheur et les sujets dans leur milieu, période durant laquelle les données sont recueillies systématiquement et à l'aide de mesures non réactives. Pour la collecte des données, cette approche fait usage de l'observation pure, de l'analyse documentaire, des échanges informels ou semi-structurés, des entrevues avec les participants et d'autres moyens (rapports officiels, journaux, etc.). L'observateur s'immerge dans le milieu, dans la vie des gens, dans le vécu d'une situation qu'il veut comprendre. Il parle aux gens, partage avec eux des enjeux et des expériences. L'observateur doit consacrer énormément de son temps et de son énergie à observer dans le champ et à transcrire ses notes et observations.

On dit de l'observation participante qu'elle est une approche subjective basée sur une méthodologie douce. Comme le signale Fortin (1985), si l'idée de base est de s'intégrer dans la vie locale d'une communauté sans la perturber, cela ne veut pas dire que le chercheur le fait sans avoir de préoccupations et de questions en tête. La méthode suppose un plan, même provisoire; il faut énoncer des hypothèses, reconnaître et définir les dimensions, les lieux d'observation et les activités à observer. L'observateur ne pouvant tout prévoir, il lui faut être à l'écoute, disponible et ouvert.

Les éléments de l'observation participante seraient les suivants:

—   Sur la base d'un cadre théorique, reconnaître et circonscrire un champ d'intérêt, formuler des questions, des hypothèses. Le chercheur n'a besoin que d'hypothèses de travail, lesquelles sont importantes pour déterminer ce qu'il faut observer et enregistrer;

—   Poser les balises de l'observation en déterminant les lieux, les phénomènes, les activités, les comportements à observer, les personnes à interroger. Le choix de la situation doit se faire en fonction de sa pertinence sociale et théorique; la situation doit être délimitable en termes d'espace physique et social;

—   Prévoir un calendrier d'opérations afin de déterminer au moins les dates de début et de fin du projet. Les situations observées doivent être répétitives, afin de permettre un approfondissement des observations. La situation doit être accessible, ouverte à l'observateur participant, lequel doit pouvoir s'y déplacer avec aisance, sans déranger la « normalité » des choses;

—   Consigner tous les éléments observés et reliés de près ou de loin aux questions et aux hypothèses dans un carnet de bord et tenir celui-ci à jour. L'enregistrement des observations se fait en plusieurs étapes: les notes descriptives qui vont du repérage sur le vif au compte rendu exhaustif (notes cursives, compte rendu synthétique, compte rendu extensif, compte rendu signalétique), les notes analytiques (mémos, notes théoriques, journal de bord, notes de planification);

—   Analyser les données recueillies et consignées dans le carnet de bord, dans la perspective des questions, des hypothèses formulées au point de départ;

—   Rédiger un rapport.

Le carnet de bord est l'instrument privilégié de l'observation participante. Il doit être constamment mis à jour; on y garde la trace des aspects observés, des conversations entretenues, des critiques faites, etc.

Il n'est pas exclu que le chercheur fasse appel à d'autres méthodes telles que l'entrevue, le questionnaire, l'analyse documentaire.

L'entrevue

La technique de l'entrevue s'appuie sur le témoignage verbal des sujets pour obtenir de l'information quant à leurs expériences, leurs comportements, leurs habitudes. Lors d'une entrevue, des questions sont posées par un interviewer qui se propose d'obtenir des informations sur ce que les sujets savent, croient ou espèrent, ressentent ou souhaitent, projettent de faire ou ont fait, ainsi que sur les explications et les motifs qui appuient, expliquent ou justifient leurs comportements ou leurs croyances. L'entrevue permet une bonne communication des questions, grâce au fait que l'interviewer et le sujet sont face à face. D'autre part, l'interviewer est en position privilégiée pour observer le sujet et la situation à laquelle il réagit. On distingue l'entrevue stucturée et l'entrevue non structurée.

L'entrevue structurée

Dans l'entrevue structurée les questions auxquelles le sujet doit répondre sont déterminées à l'avance et leur ordre rigoureusement établi et suivi. La structuration peut porter autant sur les questions posées et leur séquence de présentation que sur les réponses attendues et exigées des sujets. À la limite, l'entrevue s'apparente à un inventaire qui pourrait alors être complété par écrit. Les questions peuvent être fermées (les réponses se limitent à des choix énoncés à l'avance) ou ouvertes (le sujet est libre de répondre comme il veut).

L'entrevue non structurée

Dans l'entrevue non structurée, ni les questions de l'interviewer, ni les réponses du sujet ne sont déterminées à l'avance. Le type de questions est laissé à la discrétion de l'interviewer. Les questions s'adaptent généralement aux réponses fournies. L'examinateur écoute et approuve plus qu'il ne contrôle et dirige.

L'entrevue présente un certain nombre d'avantages : elle est très flexible ; elle peut s'adapter à toutes sortes de situations et de sujets ; la présence de l'interviewer permet de s'assurer que les questions sont bien comprises ; elle permet une exploration en profondeur et admet, dans certains cas, les réponses libres ; les sentiments des répondants peuvent se révéler par leurs gestes, le ton de leur voix, etc.

Cependant, l'entrevue est très onéreuse en termes de temps et du nombre de personnes concernées ; les réponses sont souvent difficiles à synthétiser ; il est difficile de comparer les réponses fournies par différents sujets, car elles sont souvent interprétées subjectivement et diffèrent de l'un à l'autre.

Le questionnaire

Tout comme la technique d'entrevue, celle du questionnaire s'appuie sur le témoignage verbal des sujets. Elle a pour but d'obtenir des informations sur les expériences, les comportements et les habitudes des répondants. Ceux-ci doivent répondre par écrit aux mêmes questions, placées dans le même ordre et à partir des mêmes directives. L'information recueillie par le questionnaire se limite donc aux réponses écrites à des questions déterminées à l'avance.

Le questionnaire peut être composé de questions fermées (choix de réponses énoncées à l'avance), de questions ouvertes (le répondant est libre de s'exprimer comme il veut), de questions semi-ouvertes (une série de réponses est proposée, mais le répondant peut y ajouter des réponses de son choix).

Le questionnaire présente les avantages suivants : c'est un procédé qui, par sa caractéristique d'auto-administration, peut rejoindre un grand nombre de répondants ; le répondant peut garder l'anonymat, ce qui augmente la probabilité de réponses franches et honnêtes ; c'est un procédé économique qui ne requiert pas la présence d'un interviewer ; le plus souvent, le questionnaire est envoyé et revient par la poste ; il présente l'avantage d'être d'une grande flexibilité en termes de questions et de contenu couverts.

Parmi les inconvénients du questionnaire, nous retrouvons : le pourcentage de retour est souvent faible, ce qui rend la généralisation des résultats difficile ; la possibilité que les répondants ne comprennent pas les questions peut biaiser les résultats ; le nombre de questions est limité.

L'échelle d'opinions

Cette technique utilise certains aspects de la méthode d'échelonnement, mais elle ne peut être considérée comme donnant lieu à des échelles différentielles, additives ou cumulatives. L'objectif est d'avoir le point de vue du répondant ou son attitude à l'égard de l'objet en cause. Cette technique consiste à présenter aux répondants un ensemble d'énoncés reliés à un thème et à leur demander d'indiquer le degré d'accord ou de désaccord qu'ils manifestent à l'égard de chacun d'eux, ou encore le degré d'importance qu'ils leur accordent.

Nous regroupons sous cette appellation les techniques suivantes : l'échelle Likert, l'échelle de jugement comparatif, le tri de cartes (*Q sort*) et la sémantique différentielle.

L'échelle Likert

L'échelle Likert est un instrument utilisé pour déterminer les opinions, les réactions ou les croyances de personnes face à des idées ou à des situations controversées ou prêtant à interprétation.

Dans l'échelle Likert, qui est une forme de questionnaire, on présente aux répondants une série d'énoncés et on leur demande d'exprimer leur degré d'accord ou de désaccord face à chacun d'eux en employant l'un des échelons d'une série de réponses possibles et calibrées (par exemple, une échelle à cinq points allant de « très important » à « très peu important »).

Parmi les avantages, nous retrouvons : sa souplesse, qui lui permet de mesurer une foule de choses, l'anonymat des répondants, qui peut être facilement conservé, et un temps de réponse relativement court, si elle est bien faite.

Cette forme de questionnaire n'est cependant pas sans présenter certains inconvénients : les réponses peuvent refléter le désir de se conformer à la norme sociale, la contamination des questions les unes par les autres (effet de halo), l'ambiguïté du questionnaire peut amener des réponses non valides, le taux de réponses peut être faible, surtout si l'enquête est faite par la poste.

L'échelle de jugement comparatif

Cette technique développée par Thurstone constitue une approche de réponse à choix forcé dans laquelle on demande aux répondants, à qui on présente une série d'énoncés, de comparer chacun des énoncés à chacun des autres énoncés, selon toutes les combinaisons possibles, et d'indiquer dans chaque cas l'énoncé qu'ils jugent le plus important. Les données composites fournies par les répondants servent à classer les énoncés par ordre d'importance.

Cette technique est plus précise que la technique du tri de cartes ; elle peut s'appliquer à toutes sortes d'énoncés. Par contre, elle est plus longue d'application.

Le tri de cartes (*Q sort*)

Cette technique (Stephenson, 1953) consiste à fournir à des répondants une série de cartes sur lesquelles apparaissent des énoncés (des objectifs, par exemple) et à leur demander de les placer dans un certain nombre de catégories à partir d'un ensemble de règles prédéterminées.

On distingue deux types de tri de cartes : structuré et non structuré. Le premier demande aux participants de placer un certain nombre (fixé à l'avance) de cartes dans chaque catégorie, alors que le deuxième leur demande de les placer selon leurs propres perceptions, c'est-à-dire qu'ils n'imposent pas de limites quant au nombre de cartes qui peuvent apparaître dans une catégorie.

La procédure est généralement la suivante :

— préparer un ensemble d'énoncés et les imprimer sur des cartes,

— distribuer les énoncés au hasard et les remettre aux répondants,

— demander aux répondants de réaliser la tâche demandée en tenant compte des directives,

— recueillir les données et calculer les statistiques.

La sémantique différentielle

Cette technique (Osgood *et al.*, 1957) permet d'évaluer la compréhension subjective d'un concept par des répondants ou encore sert à mesurer la signification d'un objet pour un individu. Elle consiste à présenter un ou plusieurs concepts aux répondants et une série de couples d'adjectifs aux significations opposées. Les répondants indiquent leur choix, pour chaque couple, sur une échelle graduée unissant les adjectifs aux significations opposées.

Cette technique présente l'avantage de permettre de distinguer les diverses dimensions qui composent une attitude.

Les récits de vie

Cette technique consiste à consigner par écrit les événements qui composent la vie d'une personne, d'un groupe, d'un mouvement, afin de mieux le comprendre, le cerner. L'usage le plus courant consiste à illustrer une situation sociale ; un autre usage est la documentation d'une histoire orale. Cette technique peut, en outre, être utilisée en tant que discours autonome telle la narration ou la légende, ou encore elle peut être utilisée en pièces détachées.

Quoique l'approche biographique ne soit pas linéaire dans son déroulement, on identifie un certain nombre d'étapes par lesquelles le chercheur doit nécessairement passer. Ce sont : la problématique, la collecte des récits, la transcription et l'analyse/interprétation des données.

La problématique

Cette phase consiste à mettre en forme certaines hypothèses ou propositions, même provisoires, afin de donner une orientation à l'étude. C'est une grille de lecture du phénomène d'intérêt. Cette problématique doit permettre, entre autres, de cerner l'objet retenu, la population recherchée.

La collecte des récits

Une programmation stricte, précise et rigoureuse des activités n'est pas possible, le travail sur le terrain comporte des exigences que le chercheur doit respecter. Cette phase consiste à recueillir les données, les récits de vie soit d'une manière directe (autobiographie écrite ou enregistrée sans intervention d'un tiers) ou d'une manière indirecte (autobiographie écrite ou enregistrée en présence du chercheur).

Le nombre de récits à considérer, le nombre et le type de personnes à interroger, les périodes de vie à retenir, les thèmes à considérer, la vérification du discours du narrateur, sont autant de questions dont il faut tenir compte au point de départ. Ce sont aussi des questions qui demanderont des ajustements, de nouvelles réponses en cours de déroulement de l'étude.

La démarche étant tributaire des incertitudes du terrain, les questions de l'échéancier, des dates du début et de la fin de la collecte des données trouveront réponse sur le terrain.

La transcription

Les récits recueillis doivent être transcrits sous une forme lisible, « même au prix d'une perte d'information » (Bonnain et Fanch'Elegeot, cités dans Le Gall, 1985). Selon Le Gall (1985), la transcription est essentielle, même si elle isole l'énoncé transcrit des conditions de production.

Deux types de transcription : le premier consiste en une restitution fidèle des propos du narrateur et représente les éléments, les données brutes et de base de l'analyse ; le deuxième consiste à transmettre le récit de vie tel que l'a rédigé, élagué et explicité le chercheur.

Il est suggéré de transcrire les données brutes au fur et à mesure de leur production pour permettre au chercheur : d'orienter son action en fonction de ce qu'il découvre ; de retourner à son propre récit pour des fins de précision, de complément, de modification.

L'analyse/interprétation

Cette phase consiste pour le chercheur à retourner aux récits de vie recueillis afin d'en faire l'analyse et l'interprétation. Il fait alors usage de techniques comme l'analyse de contenu et de discours.

L'analyse de contenu

L'analyse de contenu est une méthode visant à découvrir la signification d'un message, que celui-ci soit un discours, un récit de vie, un article de revue, un écrit scientifique, etc. D'une façon plus particulière, c'est une méthode de classification ou de codification des éléments d'un message dans des catégories propres à mettre en évidence les différentes caractéristiques en vue d'en faire comprendre le sens.

Voici ce qu'en dit Kelly (1984) :

> L'analyse de contenu est souvent employée pour ajouter des informations à une étude ayant déjà appliqué des techniques d'observation directe (sondage, observation participante, simulation, etc.) ou pour permettre une validation supplémentaire de résultats déjà obtenus par d'autres techniques ou encore pour se substituer à diverses méthodes dans les cas où leur utilisation pourrait affecter la fiabilité des résultats.

L'analyse de contenu est une mesure non réactive, car, plutôt que d'observer *in situ* ce que les gens font ou encore de leur demander de parler d'eux-mêmes, elle propose une étude des communications produites par ces gens et une analyse de ces communications à partir d'une stratégie de vérification systématique.

L'analyse de contenu doit reposer sur des critères d'objectivité, de systématisation et de généralité ; objectivité pour permettre la reproduction de l'étude et assurer des résultats exempts de subjectivité ; systématisation dans l'utilisation de catégories permettant l'inclusion/exclusion de la façon la moins biaisée ; généralité pour assurer l'interconnexion des phénomènes.

L'analyse de contenu se fait généralement en six étapes : 1) lectures préliminaires et listes d'énoncés ; 2) choix et définition des unités de classification ; 3) processus de catégorisation et de classification ; 4) quantification et traitement ; 5) description scientifique ; 6) traitement des résultats.

Lectures préliminaires et liste d'énoncés

La première étape consiste à se familiariser avec le matériel faisant l'objet de l'analyse, en le lisant à plusieurs reprises. Cet exercice est entrepris dans le but de dégager le sens général du récit et de cerner des idées majeures propres à orienter le travail d'analyse.

Cette étape vise trois objectifs particuliers :

— avoir une vue d'ensemble du matériel, se familiariser avec ses singularités et appréhender les difficultés à surmonter,

— imaginer les unités de classification et les énoncés spécifiques,

— pressentir les thèmes ou les catégories significatives du matériel.

Le choix et la définition des unités de classification

Cette étape consiste essentiellement à dégager du matériel un certain nombre d'unités ayant un sens complet en elles-mêmes et qui deviendront ultérieurement les unités de classification. Elles peuvent être des « unités de numération » ou « unités d'enregistrement », lorsqu'il s'agit de procéder à des analyses quantitatives de contenu, ou encore des « unités de sens » ou « unités de contexte » ou « unités de signification », lorsqu'il s'agit de procéder à des analyses qualitatives de contenu.

Le processus de catégorisation et de classification

Cette étape consiste à regrouper en catégories ou thèmes tous les énoncés qui se rejoignent par le sens. La catégorie constitue un dénominateur commun d'un ensemble d'énoncés.

Selon L'Écuyer (1985), il existe trois types de catégories donnant lieu à trois modèles de classification :

— dans le modèle A, ou modèle ouvert, les catégories sont induites du matériel soumis à l'analyse de contenu,

— dans le modèle B, ou modèle fermé, les catégories sont prédéterminées et demeurent habituellement immuables,

— dans le modèle C, ou modèle mixte, on retrouve un certain nombre de catégories prédéterminées (qui peuvent être changées, modifiées, éliminées, nuancées...). Le modèle laisse de la place pour l'induction de catégories à partir du matériel.

Les catégories induites ou prédéterminées constituent les éléments de base de l'analyse de contenu. Comme la valeur de l'analyse repose sur les catégories, celles-ci doivent posséder un certain nombre de caractéristiques : exhaustivité et nombre restreint, pertinence, objectivité et rigueur de la définition, homogénéité, productivité, exclusivité.

La quantification et le traitement

Cette étape consiste à considérer les données consignées dans les différentes catégories et à dégager certaines statistiques telles que les fréquences, les pourcentages, etc., et à les soumettre à des analyses et à des tests statistiques.

La description scientifique

À cette étape-ci, essentiellement, il faut faire une description du matériel faisant l'objet de l'analyse de contenu, sur la base des analyses quantitative et qualitative, l'accent devant être mis sur cette dernière.

L'interprétation des résultats

Cette étape ne revêt pas toujours le même sens. Certains la considèrent comme reliée directement à l'analyse quantitative, d'autres la rattachent aux analyses quantitative et qualitative, d'autres encore la situent au-delà de ce qui est dit, en rapport avec des modèles existants ou encore avec le modèle à l'origine de la recherche elle-même.

L'analyse de contenu non seulement est une mesure non réactive et produit des résultats moins biaisés, mais elle aide à économiser temps et argent, permet de traiter une grande quantité de données, et ouvre la voie à l'étude d'archives et de communications.

Parmi ses faiblesses, on note la difficulté que représente la sélection des données de base et de leurs sources ; on note en outre un problème de fiabilité relié au processus de codage et au système de catégories déficient ; enfin, on relève un problème de validité relié à l'absence de procédures de validation.

LES TECHNIQUES DE COMMUNICATION

Il existe plusieurs techniques que l'évaluateur peut suggérer et utiliser pour générer des buts ou objectifs, pour mettre ces buts ou objectifs par ordre d'importance, pour déterminer les priorités et pour identifier les domaines critiques. Les techniques suivantes peuvent l'aider à réaliser l'une ou l'autre, ou plusieurs de ces activités : le groupe de discussion, la technique du groupe nominal, la technique de l'incident critique, la *fault-tree analysis*, la technique DELPHI, le dossier anecdotique, les archives scolaires.

Le groupe de discussion

Cette technique consiste à réunir un groupe d'individus dans un même lieu et à leur demander de s'exprimer sur un ou plusieurs thèmes donnés. Selon la nature et la diversité des thèmes traités et le nombre de participants, les échanges peuvent s'effectuer en atelier.

Parmi les avantages, nous retrouvons les suivants : les participants se sentent directement concernés ; l'approche est rapide et peut donner de bons résultats en très peu de temps.

Parmi les inconvénients de cette technique, notons qu'elle représente un investissement assez considérable de temps et d'énergie, pour des résultats quelquefois pauvres ; les discussions sont souvent monopolisées et influencées par les participants ayant de fortes personnalités ou considérés comme des sommités dans un domaine ; cette approche requiert la participation d'animateurs chevronnés ou d'experts dans le domaine étudié.

La technique du groupe de discussion peut gagner en efficacité si on prend soin de :

— spécifier le rôle du comité,

— déterminer les objectifs,

— utiliser une approche structurée,

— déterminer un échéancier et un emploi du temps précis,

— faire appel à un animateur chevronné.

La technique DELPHI

La technique DELPHI (Helmer, 1966) est une procédure pour obtenir et organiser les opinions d'experts sur des questions portant sur les probabilités d'apparition d'événements futurs. L'approche de Helmer repose sur l'idée que le jugement intuitif d'un groupe d'experts représente une source efficace de prédiction d'événements futurs. Elle est similaire à la technique précédente en ce qu'elle fait appel à des experts. Elle s'en distingue par l'utilisation d'une façon formelle des réponses écrites des participants, lesquels ne se rencontrent pas et ne se connaissent pas.

La technique DELPHI se caractérise par les trois composantes suivantes : l'anonymat, la rétroaction contrôlée et les statistiques de groupe. L'anonymat qui vise à éliminer l'influence de « ténors » est garanti par l'utilisation de réponses écrites des experts, qui ne se connaissent pas et qui ne se rencontrent pas. La rétroaction contrôlée, qui vise à réduire le « bruit » (théorie des systèmes), s'obtient par la conduite de l'exercice en une série d'étapes entre lesquelles les experts reçoivent un sommaire de l'étape précédente. L'utilisation de statistiques descriptives (habituellement la médiane et l'écart semi-interquartile), pour les réponses à chacune des questions, est une façon de réduire la pression du groupe vers la conformité.

Dans la technique DELPHI, on fait parvenir un premier questionnaire aux experts à qui on demande de répondre à une ou plusieurs questions précises. Dans ce premier questionnaire, on demande aux répondants de proposer des solutions à des problèmes précis. Il se présente souvent sous la forme d'une ou de questions ouvertes. Les questionnaires subséquents sont construits à partir d'une analyse des réponses recueillies dans le questionnaire précédent, et ce, en termes de convergence et de divergence. Lorsque des divergences se manifestent, on fournit aux répondants les éléments sur lesquels il y a divergence ainsi que les raisons évoquées par les experts. On leur demande alors de réexaminer leur position initiale et de la modifier, s'il y a lieu, et on les incite à préciser les motifs.

Cette procédure se répète jusqu'à ce que le consensus soit obtenu ou jusqu'à ce qu'il ne soit plus possible d'atteindre un meilleur consensus.

La technique DELPHI se déroule généralement selon les neuf étapes suivantes :

— détermination et formulation de la question à l'étude,

— sélection des experts,

— élaboration du premier questionnaire et envoi aux experts,

— analyse des réponses au premier questionnaire et préparation d'un sommaire,

— élaboration du second questionnaire et envoi aux experts,

— analyse des réponses au deuxième questionnaire et préparation d'un sommaire,

— élaboration du troisième questionnaire et retour aux experts,

— analyse et sommaire des réponses du troisième questionnaire,

— préparation du rapport final.

Figure 11
ÉTAPES DE LA TECHNIQUE DELPHI

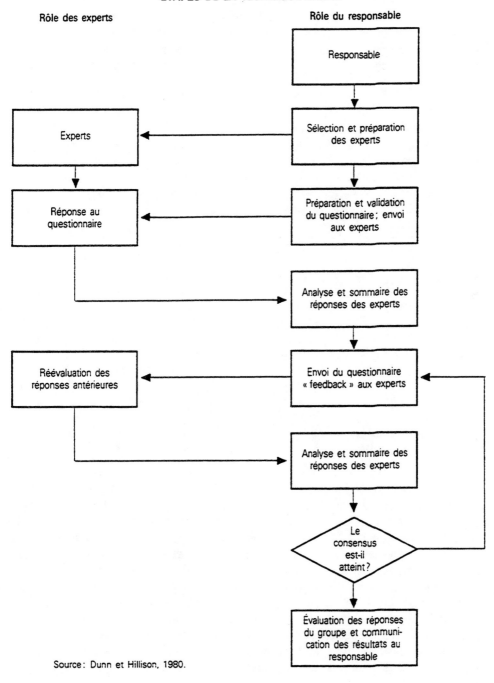

Source : Dunn et Hillison, 1980.

Cette technique est particulièrement avantageuse lorsqu'il s'agit de prédire des événements futurs ; elle est également utile lorsqu'une situation est tellement complexe qu'elle requiert l'opinion d'experts. Elle prévient les influences directes des sommités ou des fortes personnalités. Elle est plus rapide que la technique du comité de planification car elle demande aux participants de se concentrer immédiatement, uniquement et continuellement sur l'essentiel.

Selon Weaver (1971), même si la technique DELPHI fut développée d'abord pour des fins de prédiction du futur, son application en éducation semble davantage être utile :

— comme méthode pour étudier le processus de pensée utilisé dans la conception du futur, c'est-à-dire sur la façon dont les gens prennent conscience du futur,

— comme un outil pédagogique ou d'enseignement pouvant amener les gens à penser au futur d'une façon plus complexe qu'ils ne le font d'ordinaire,

— comme un outil de planification qui devrait aider à sonder les priorités perçues par les membres d'une organisation.

La technique du groupe nominal

Cette technique développée et mise au point en 1968 par Delbecq et Van de Ven (1971) consiste à regrouper un ensemble d'individus sans qu'il leur soit possible de communiquer entre eux, et ce, afin que chaque participant puisse s'exprimer sans subir de contrainte ou de pression des autres membres. C'est une technique de groupe, orientée vers la prise de décision et qui emprunte un certain nombre d'étapes formelles, successives et bien définies. Toute la communication se fait par l'intermédiaire d'un animateur qui, comme l'indique Ouellet (1985), assume un « leadership fonctionnel ». Dans sa forme originelle, la technique réunit cinq à dix participants, mais elle peut aussi s'accommoder de groupes beaucoup plus nombreux, pour autant qu'il y ait suffisamment de place et d'animateurs pour permettre le travail en petits groupes.

Cette technique comporte quatre étapes distinctes. À l'étape 1, il s'agit de préparer, de « préexpérimenter » et d'arrêter la question nominale qui sera soumise aux répondants. Le choix, de même que la formulation de cette question nominale, constitue la tâche la plus difficile à accomplir ; la question doit être suffisamment précise pour être comprise de tous les participants, mais elle doit être également suffisamment large pour favoriser l'émergence d'idées nombreuses et variées. On détermine également, à cette phase, les individus qui seront appelés à participer à titre d'experts, le niveau de spécificité des réponses, de même que le type de notation. L'étape 2 constitue la phase de préparation. Elle consiste à préparer les lieux physiques et à prévoir et préparer le matériel nécessaire au déroulement de la technique. La phase d'accueil constitue l'étape 3 ; elle consiste à accueillir les participants et à obtenir leur engagement, à leur exposer les buts de l'exercice, à leur indiquer les contraintes et les exigences de la technique, ainsi que les rôles respectifs de l'animateur et de chacun des participants. La dernière étape se subdivise en six parties: production de réponses par les participants (individuellement, par écrit et en silence) à la question nominale; cueillette et présentation visuelle des propositions (une à la fois, à tour de rôle, sans discussion); clarification des propositions soumises (précision, éclaircissement, aucune discussion); vote préliminaire sur l'importance des propositions (individuel et anonyme); discussion sur le vote préliminaire pour éliminer ou réduire les divergences (tels énoncés équivoques, échanges et discussions possibles); vote final qui consiste en la recherche d'un consensus quant à un ordre de priorité.

LES ÉTAPES DU PROCESSUS

1. À partir de la question nominale présentée par l'animateur et dans un temps limité, les participants sont invités à formuler par écrit et en silence toutes les opinions ou idées qu'ils peuvent avoir.

2. Chaque participant, à tour de rôle, est invité à communiquer l'opinion ou l'idée inscrite en tête de liste. L'animateur écrit celle-ci sur une feuille mobile exposée à la vue de tous. Le tour de table se poursuit tant et aussi longtemps qu'il y a des opinions ou des idées.

3. Une fois l'exercice d'expression des opinions ou des idées terminé, l'animateur passe à la phase de clarification des énoncés. Il s'agit à cette étape de vérifier si les participants donnent le même sens aux énoncés et s'ils les comprennent de la même façon.

4. La phase suivante consiste en un vote individuel et secret sur l'importance relative accordée aux énoncés. Ceux qui reçoivent le plus de voix sont considérés comme prioritaires.

5. La cinquième phase peut être consacrée à une discussion ouverte sur les énoncés et les résultats du vote.

6. La dernière phase est utilisée pour un deuxième et dernier vote. Tout comme à la quatrième étape, les énoncés qui reçoivent le plus de votes sont retenus comme prioritaires.

Les avantages de cette technique sont les suivants: elle peut faire appel à un grand nombre de participants; elle est peu coûteuse; elle force les participants à se concentrer sur le sujet traité; elle permet à chacun des membres de s'exprimer librement et conserve ainsi leur intérêt et leur motivation; elle favorise l'alternance du travail individuel et du travail de groupe; elle permet en outre de minimiser l'influence des leaders; elle dépersonnalise les discussions.

Nous pouvons signaler les inconvénients suivants : la rigueur et l'inflexibilité de la technique rendent difficiles les ajustements ou les changements en cours de route ; elle exige une certaine rigueur et une certaine tolérance à la frustration de la part des participants, ce qui demande un certain temps ; le temps de validation de la question nominale peut être long ; la technique ne favorise pas une réflexion poussée sur un sujet donné.

La technique de l'incident critique

Cette technique (Flanagan, 1954) nous permet de recueillir des observations sur des comportements, appelés incidents, qui favorisent ou empêchent l'atteinte des objectifs d'un système. L'observateur se limite à l'observation d'actions humaines dont les objectifs sont clairement compris.

L'approche consiste, dans un premier temps, à définir l'objectif qui a été atteint ou pas. Dans un deuxième temps, il s'agit de décrire les circonstances (le cadre de l'incident), de définir avec clarté et concision l'incident lui-même (comportement) et, enfin, de donner les raisons qui font que l'incident critique a favorisé ou gêné l'atteinte de l'objectif. Les données recueillies sont regroupées par catégories (comportements similaires), afin de déterminer les domaines ou les secteurs qui feront l'objet d'une analyse plus exhaustive.

Le principal avantage de cette technique est qu'elle s'appuie sur des faits concrets et réels.

Elle exige cependant des observateurs une habileté à décrire d'une façon claire et précise le contenu d'un incident. Les observations risquent d'être entachées de subjectivité et l'analyse des données peut être complexe.

La *fault-tree analysis*

Cette technique (Stephens, 1972 ; Witkin et Stephens, 1977) vise essentiellement à déceler les points faibles d'un système, avant que ceux-ci n'atteignent un seuil critique ou encore pour éviter qu'ils ne se reproduisent.

La procédure consiste, dans un premier temps, à préciser l'énoncé d'un événement non désiré et, par la suite, à décrire progressivement et d'une façon logique les multiples combinaisons qui contribuent ou qui peuvent contribuer à l'apparition de cet événement non désiré. Sur le plan graphique, l'analyse prend la forme d'une pyramide.

Cette technique est avantageuse en ce qu'elle permet d'identifier les interrelations entre les différents éléments d'un programme.

Sur le plan des désavantages, cette technique peut demander beaucoup de temps et elle nécessite la participation d'un expert.

Il existe d'autres techniques (Witkin, 1975) qui sont peut-être moins connues mais qui peuvent s'avérer utiles : les « assemblées de cuisine » (*speak-ups*), la technique de la charrette, les interviews focalisées, les télécommunications, les interviews téléphoniques, les *concerns conferences*, les conférences à sens inverse, les assemblées de délégués, les interviews de groupes d'intérêt, les mini-conférences, les séances publiques, le travail à domicile, etc.

Le dossier anecdotique

C'est une technique qui consiste à observer et à faire par écrit une description brève de comportements ou d'actions spécifiques. Le chercheur choisit habituellement les événements d'intérêt avant que ne débute l'observation. Les anecdotes sont des comptes rendus objectifs, rédigés une fois que l'incident a eu lieu, et elles couvrent une période de temps qui peut varier d'un incident à l'autre. Selon Selltiz *et al.* (1977), les anecdotes se prêtent à la classification et à la quantification, et peuvent être utiles à la vérification d'hypothèses, quoiqu'elles conviennent mieux à leur formulation.

Les archives scolaires

Il s'agit d'une technique qui consiste à consigner d'une façon systématique les informations relatives à la clientèle scolaire telles que la population scolaire, l'absentéisme, l'abandon, les feuilles de présence, les résultats scolaires, le prêt bibliothécaire, les actions disciplinaires, les permissions, les fiches du personnel professionnel non enseignant, les charges des professeurs, etc.

LES TECHNIQUES DE PLANIFICATION

L'évaluateur dispose d'un ensemble de techniques et de procédures qui lui permet d'aider le planificateur à choisir, adopter ou adapter une approche de programme, et à développer celui-ci, c'est-à-dire à déterminer le contexte du programme, le contenu, les activités, le matériel, la séquence.

Les techniques suivantes peuvent aider à réaliser l'une ou l'autre, ou plusieurs de ces activités : le consultant, la liste de contrôle, la matrice décisionnelle, le comité de planification, l'approche PERT, la technique DELPHI, les approches systémiques (PPBS, Programmation linéaire, Simulation, Analyse de système).

Le consultant

L'engagement d'un consultant est une approche très répandue. Le consultant peut s'avérer très utile car il possède généralement un niveau d'expertise élevé. Il apporte habituellement un élément critique au sein d'un groupe de travail ; il peut également parvenir à réduire les différences et les divergences d'opinions.

L'engagement d'un consultant externe peut représenter une économie d'argent appréciable compte tenu du fait qu'il est plus économique de faire appel à un expert pour une courte période de temps que d'engager quelqu'un ayant moins de qualifications sur une longue période. Cependant, il peut arriver que le consultant se limite à entériner les décisions des responsables.

La liste de contrôle

Une liste de contrôle (Edmunson *et al.*, 1931; Hoban, 1942) est un ensemble de dimensions à considérer pour évaluer les mérites relatifs de différents programmes ou des différentes composantes d'un programme. Des dimensions comme le coût et l'applicabilité se présentent souvent sous la forme de questions qui portent sur chacune des options. Le but premier est de s'assurer que les dimensions majeures soient examinées.

Tableau 34
LISTE DE CONTRÔLE POUR EXAMINER DIFFÉRENTS PROGRAMMES

Dimensions majeures	Échantillon de questions
1. Coûts à court terme	Quels sont les coûts immédiats en termes de: espace, installations, équipements, matériel, personnel, etc.?
2. Coûts à long terme	Quels coûts implique la reconduction du programme pour une autre année, pour une période de cinq ans?
3. Relations avec les objectifs	Le programme s'adresse-t-il aux objectifs les plus importants?
4. Succès ou échec potentiel	Quelles sont les chances du programme d'atteindre les objectifs?
5. Risques et conséquences possibles	Le programme risque-t-il d'interférer au niveau d'autres programmes? En cas d'échec, quelles sont les répercussions possibles?
6. Bénéfices marginaux	En cas de succès, le programme aura-t-il des effets sur d'autres apprentissages? Aura-t-il un effet sur le taux d'absentéisme, sur l'abandon scolaire?
7. Acceptation	Le programme est-il acceptable aux yeux des parents, des professeurs, des étudiants?
8. Aspect légal	Le programme va-t-il à l'encontre des lois existantes?
9. Évaluation	La collecte et l'analyse d'informations présentent-elles des difficultés?
10. Échéancier	Disposons-nous de suffisamment de temps pour développer et implanter le programme? Combien de temps demande-t-il au professeur? à l'étudiant? Respecte-t-il l'horaire?
11. Personnel	Disposons-nous du personnel nécessaire? Pouvons-nous engager d'autres personnes? Avons-nous besoin de consultants?
12. Espace	Disposons-nous de suffisamment d'espace? Est-il adéquat? Pouvons-nous en avoir davantage?
13. Matériel, équipement et installations	De quoi avons-nous besoin? Qu'est-ce qui est disponible? Est-ce adéquat?
14. Administration	Le programme présente-t-il des problèmes sur les plans logistique, communication, budget et temps?

L'avantage principal de cette approche réside dans le fait qu'elle concentre l'attention des planificateurs sur les aspects critiques d'un programme.

L'omission de certaines dimensions peut constituer une limite de cette technique. Un autre problème réside dans le fait qu'elle ne fournit pas une approche systématique du traitement des données.

La matrice décisionnelle

Cette approche consiste, dans un premier temps, à déterminer les options de programme et les dimensions sur la base desquelles ces programmes doivent être jugés. Dans un deuxième temps, il s'agit d'assigner un poids différentiel à chacune des dimensions, en fonction de leur importance relative. La troisième étape consiste à obtenir des informations relatives à chacune des options de programme par rapport aux dimensions, par l'intermédiaire d'une échelle d'appréciation. La quatrième étape consiste à calculer un score composite pour chacune des options de programme.

Un avantage de cette technique est qu'elle permet de déterminer la valeur globale de chacune des options. Les informations qu'elle génère sont généralement meilleures et plus complètes que celles qui sont obtenues par l'intermédiaire de la liste de contrôle ou encore par les opinions d'experts. Cette technique est également plus facile à utiliser que certaines autres plus sophistiquées.

Le principal désavantage réside dans le fait qu'il faut élaborer un ensemble de règles de décision qui sont souvent arbitraires. Il est difficile de s'assurer ou de vérifier la validité des informations obtenues. Il est aussi possible que certaines dimensions importantes soient omises.

L'approche PERT

L'approche PERT (*Program Evaluation and Review Technique*, Cook, 1966) est une technique graphique pour décrire les opérations d'un projet. Elle ressemble à une carte routière illustrant les différentes étapes d'un projet, les activités à accomplir et les estimations du temps de réalisation (figure 12).

Les objectifs d'un projet constituent le point de départ. La première étape vise à développer une structure analytique qui consiste à subdiviser un projet global en éléments plus petits et plus faciles à gérer. Le processus de subdivision et de classification se poursuit jusqu'à ce que le niveau de détail désiré soit atteint. La deuxième étape consiste à développer le réseau, lequel montre le plan déterminé pour atteindre les objectifs du projet, les interrelations et les interdépendances entre les éléments du projet et les priorités. En somme, c'est la représentation graphique d'un plan de projet. La troisième étape consiste à estimer le temps nécessaire pour franchir chaque étape ; habituellement, on fait trois estimations de temps : le temps jugé le plus probable, le temps jugé le plus

Figure 12
L'APPROCHE PERT

Structure analytique

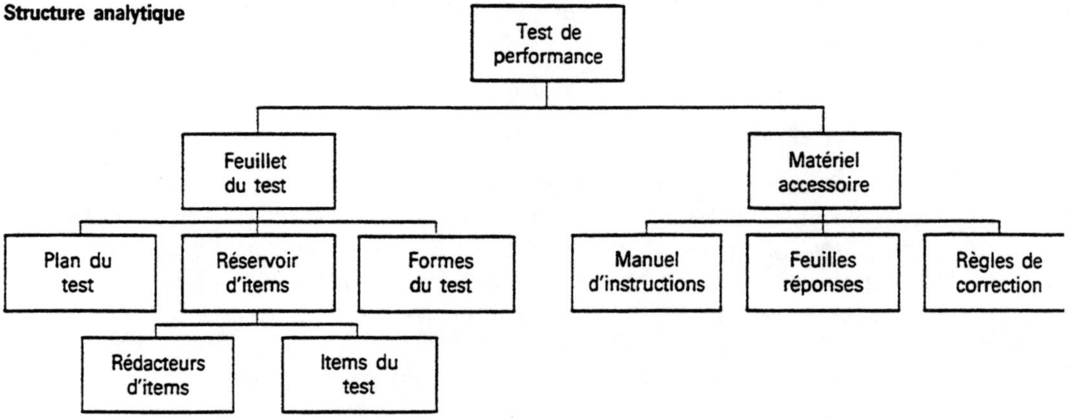

Réseau

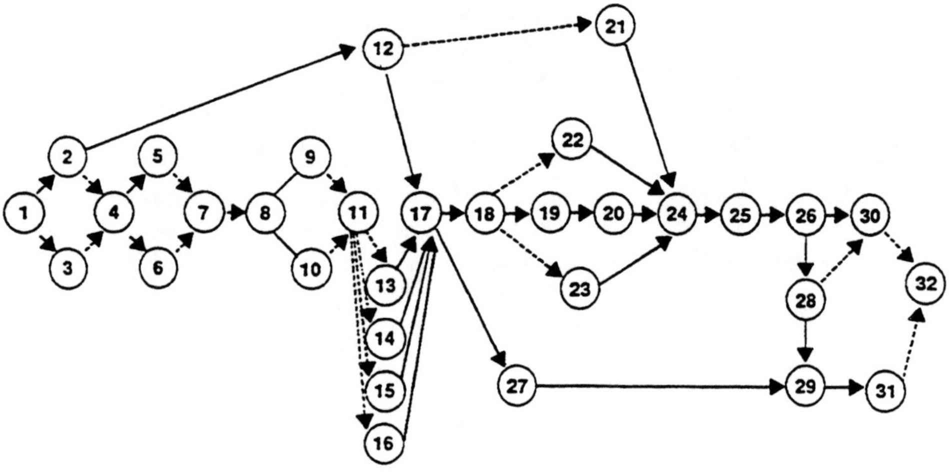

Liste des étapes

1. Début: devis
2. Début: plan de l'échantillonnage
3. Fin: but
4. Début: objectifs/contenu
5. Fin: objectifs
6. Fin: contenu
7. Fin: plan du test
8. Fin: sélection des rédacteurs
9. Fin: items
10. Fin: révision des items
11. Début: assemblage du test
12. Début: sélection de l'échantillon pour l'essai

13. Début: directives aux étudiants
14. Début: directives aux administrateurs
15. Début: feuilles de réponses
16. Début: règles de correction
17. Début: essai
18. Début: analyse statistique
19. Début: révision des items
20. Début: forme finale du feuillet de test
21. Début: échelle des normes
22. Début: révision des directives aux étudiants

23. Début: révision des directives aux administrateurs
24. Début: administration des normes
25. Début: analyse statistique
26. Début: révision de la forme finale du feuillet du test
27. Fin: manuel
28. Fin: données normatives
29. Fin: brouillon préliminaire
30. Fin: feuillet du test
31. Fin: manuel
32. Fin: projet

Source: Cook, 1966.

favorable et le temps jugé le moins favorable. Ces estimations servent à calculer des statistiques descriptives: moyennes et écarts types.

L'organisation logique et temporelle des étapes d'un projet constitue l'avantage majeur de la technique PERT.

Son principal inconvénient réside dans la faible considération de l'élément coût.

La technique DELPHI

La technique DELPHI, vue précédemment, peut également être utilisée comme technique de planification.

Le comité de planification

Les caractéristiques du comité de planification s'apparentent à celles du groupe de discussion vu précédemment.

Les approches systémiques

Certaines autres approches peuvent être utilisées: la programmation linéaire (Banghart, 1969), le PPBS (*Program Planning and Budgeting Systems*, Hartley, 1968) et l'analyse de système (Alkin et Bruno, 1970).

Le présent chapitre a considéré un certain nombre de techniques que l'évaluateur peut utiliser pour mener à bien une étude évaluative. Le lecteur doit être conscient que cet ensemble de techniques n'est pas exhaustif, mais celles que nous avons vues ici sont certainement les plus connues et les plus accessibles.

Le lecteur aura compris que la classification (communication, enquête, planification) est artificielle et qu'elle ne fut utilisée que dans le but de faciliter l'organisation et la présentation des éléments du chapitre. En fait, certaines de ces techniques pourraient êtres classées dans plus d'une catégorie, comme la technique DELPHI ou encore l'approche PERT.

Le choix de l'une ou l'autre de ces techniques dépend d'un certain nombre de conditions, comme le temps et les ressources disponibles, le degré d'expertise eu égard à la technique, les contraintes imposées par le système, etc.

◆ **RÉFÉRENCES**

Adelson, M., Alkin, M.C., Carey, C., Helmer, O. (1967). *Planning Education for the Future. American Behavioral Scientist*, 10 (7).

Alkin, M.C., Bruno, J.E. (1970). *Social and Technological Change: Implications for Education*. Eugene, Oreg. University of Oregon, Center for the Advanced Study of Educational Administration, System Approach to Educational Planning.

Banghart, F.W. (1969). *Educational Systems Analysis*. London, England. Collier-McMillan.

Bogdan, R., Taylor, S.J. (1975). *Introduction to Qualitative Research Methods: A Phenomenological Approach to the Social Sciences*. New York, N.Y. John Wiley.

Borich, G.D. (1974). *Evaluating Educational Programs and Products*. Englewood Cliffs, N.J. Educational Technology.

Brandt, R.M. (1972). *Studying Behavior in Natural Settings*. New York, N.Y. Holt.

Chalifoux, J.J. (1984). *Les histoires de vie*. Dans B. Gauthier (éd.) *Recherche sociale: De la problématique à la collecte des données*. Québec, Qc. Les Presses de l'Université du Québec.

Cook, D.L. (1966). *Program Evaluation and Review Technique: Applications in Education*. Washington, D.C. U.S. Office of Education.

Delbecq, A.L., Van de Ven, A. (1971). *A Group Model for Problem Identification and Program Planning. Journal of Applied Behavioral Science*. 7. 466-492.

Deslauriers, J.P. (1985). *La recherche qualitative: Résurgence et convergences*. Collection Renouveau Méthodologique. Chicoutimi, Qc. Groupe de recherche et d'intervention régionales (GRIR), Université du Québec à Chicoutimi.

Dunn, M., Hillison, W. (1980). *The DELPHI Technique Adapted for the Management Accountant. Cost and Management*. 54. 32-36.

Edmunson *et al.* (1931). *The Textbook in American Education*. Thirtieth Yearbook of the National Society for the Study of Education. Part II. Bloomington, Ill. Public School Company.

Fitz-Gibbon, C. Morris, L.L. (1978). *Evaluator's Handbook*. Beverley Hills, Calif. Sage.

Flanagan, J.C. (1954). *The Critical Incident Technique. Psychological Bulletin*. 51. 327-358.

Fortin, A. (1985). *L'observation participante: Au cœur de l'altérité*. Dans J.D. Deslauriers (éd.) *La recherche qualitative: Résurgence et convergences*. Chicoutimi, Qc. GRIR, Université du Québec à Chicoutimi.

Gordon, T.J., Helmer, O. (1966). *Social Technology*. New York, N.Y. Basic Books.

Hartley, H.J. (1968). *Educational Planning-Programming-Budgeting: A Systems Approach*. Englewood Cliffs, N.J. Prentice-Hall.

Helmer, D. (1966). *Social Technology*. New York, N.Y. Basic Books.

Hoban, C.F. (1942). *Focus on Learning*. Washington, D.C. American Council on Education.

Javeau, C., (1971). *L'enquête par questionnaire: Manuel à l'usage du praticien*. Bruxelles, Belgique. Éditions de l'Institut de Sociologie de l'Université Libre de Bruxelles.

Kelly, M. (1984). *L'analyse de contenu*. Dans B. Gauthier (éd.). *Recherche sociale: De la problématique à la collecte des données*. Québec, Qc. Les Presses de l'Université du Québec.

Kerlinger, F. (1964). *Foundations of Behavioral Research*. New York, N.Y. Holt, Rinehart and Winston.

Klein, S.P., Burry, J., Churchman, D., Nadeau, M.A. (1971). *Evaluation Workshop 1: An Orientation*. Monterey, Calif. CTB/McGraw-Hill.

Laperrière, A. (1984). *L'observation directe*. Dans B. Gauthier (éd.). *Recherche Sociale: De la problématique à la collecte des données*. Québec, Qc. Les Presses de l'Université du Québec.

L'Écuyer, R. (1985). *L'analyse de contenu*. Dans J.P. Deslauriers (éd.) *La recherche qualitative: Résurgence et convergences*. Chicoutimi, Qc.: GRIR. Université du Québec à Chicoutimi.

Le Gall, D. (1985). *Les récits de vie: Approcher le social par la pratique individuelle*. Dans J.P. Deslauriers (éd.) *La recherche sociale: Résurgence et convergences*. Chicoutimi,

Qc. GRIR. Université du Québec à Chicoutimi.

Lincoln, Y.S. (1986). *Program Evaluation in the Year 2000: Problems and Solutions.* Conférence présentée au Congrès « L'évaluation: Défis des années 80 » dans le cadre de l'ACFAS. Montréal, Qc.

Nadeau, M.A. (1971). *Selecting Appropriate Measurement Instruments.* Document non publié. Center for the Study of Evaluation, Université de Californie à Los Angeles.

Nadeau, M.A. (1981). *L'évaluation des programmes d'études: Théorie et pratique.* Québec, Qc. Les Presses de l'Université Laval.

Nadeau, M.A. (1982). *La technique DELPHI: Une technique utile. Monographie en mesure et évaluation.* 1 (5). Québec, Qc. Département de mesure et évaluation. Université Laval.

Nunnally, J.C. (1967). *Psychometric Theory.* New York, N.Y. McGraw-Hill.

Osgood, C.E., Succi, G.J., Tannenbaum, P.H. (1967). *The Measurement of Meaning.* Chicago, Ill. University of Illinois Press.

Ouellet, F. (1985). *L'utilisation du groupe nominal dans l'analyse des besoins.* Dans J.P. Deslauriers (éd.) *La recherche qualitative: Résurgence et convergences.* Chicoutimi, Qc. GRIR. Université du Québec à Chicoutimi.

Popham, J.W. (1974). *Evaluation in Education: Current Applications.* Berkeley, Calif. McCutchan.

Popham, J.W. (1975). *Educational Evaluation.* Englewood Cliffs, N.J. Prentice-Hall.

Rossi, P.H. Freeman, H.E., Wright, S.R. (1979). *Evaluation: A Systematic Approach.* Beverly Hills, Calif. Sage.

Selltiz, C., Wrightsman, L.S., Cook, S.W. (1977). *Les méthodes de recherche en sciences sociales.* Traduit par D. Bélanger, Montréal, Qc. Les Éditions HRW.

Spradley, J.P. (1980). *Participant Observation.* New York, N.Y. Holt, Rinehart and Winston.

Stephens, K.G. (1972). *A Fault-Tree Approach to Analysis of Educational Systems as Demonstrated in Vocational Education.* Thèse de doctorat non publiée, Department of Educational Administration, University of Washington.

Stephenson, W. (1953). *The Study of Behavior.* Chicago, Ill. University of Chicago Press.

Weaver, W.T. (1971). *The DELPHI Forecasting Method. Phi Delta Kappa.* 52 (5). 267-273.

Witkin, R.B. (1975). *Communication Strategies in Public Policy Decision Making: An Analysis of Processes in Major Needs Assessment Models from a System Point of View.* Communication présentée à la rencontre annuelle de l'International Communication Association. Chicago, Ill.

Witkin, B.R., Stephens, K.G. (1977). *Fault-Tree Analysis: A Management Science Technique for Educational Planning and Evaluation.* Technical Report No 2. Hayward, Calif. Alameda County School Department.

Worthen, B.R., Sanders, J.R. (1973). *Educational Evaluation Theory and Practice.* Worthington, Ohio. C.A. Jones.

Torgeson, W.S. (1958). *Theory and Methods of Scaling.* New York, N.Y. John Wiley.

Yin, R.K. (1984). *Case Study Research: Design and Methods.* Beverly Hills, Calif. Sage.

CHAPITRE 16

◆ LES TECHNIQUES
◆ STATISTIQUES

Les techniques statistiques ne peuvent compenser
une évaluation mal planifiée et mal conduite.
(R.M. Wolfe)

Il est important de souligner, avant de discuter des considérations à apporter dans le choix des techniques statistiques pour des fins d'évaluation, que celles-ci ne sont pas des outils magiques pouvant compenser pour une étude inadéquate. Aucune manipulation statistique, quelque sophistiquée qu'elle soit, ne peut rendre valides les données d'un test qui n'est pas lui-même valide; aucune manipulation statistique ne peut rendre pertinentes des informations qui ne le sont pas.

Les données que l'évaluateur recueille par l'intermédiaire des instruments et des techniques de mesure se présentent rarement, sinon jamais, sous une forme suffisamment précise et concise pour permettre une analyse et une interprétation évidente et, par voie de conséquence, pour pouvoir tirer des conclusions immédiates et faire un rapport circonstancié. Pour pouvoir être utiles, ces observations doivent subir un traitement statistique approprié. L'évaluateur qui a la responsabilité de traiter et d'analyser les données recueillies a un certain nombre de tâches à réaliser avant de choisir les techniques statistiques appropriées à son analyse. Il doit tout d'abord identifier et classifier chacune des variables intervenant dans l'étude. Il lui faut ensuite déterminer, pour chacune d'elles, le type d'échelle à laquelle elle appartient et vérifier si la distribution des résultats correspond à celle qui est exigée par la technique particulière qu'il entend utiliser.

LA CLASSIFICATION DES VARIABLES

La première tâche de l'évaluateur consiste à identifier et à classifier les variables d'importance en tenant compte du statut de chacune d'elles. Cette liste doit inclure toutes les variables jugées importantes: les résultats à des tests de rendement, les résultats à des tests d'attitudes, à des échelles d'opinions, à des questionnaires, à des observations; ces résultats peuvent provenir des professeurs, des parents, des étudiants ou de toute autre personne. De plus, les informations telles que l'appartenance à un groupe ou les variables factuelles telles que l'âge, le sexe, etc., doivent également être listées.

Une fois la liste complétée, l'évaluateur doit procéder à la classification de ces variables selon les catégories suivantes : variable(s) indépendante(s), variable(s) dépendante(s), variable(s) contrôle(s). Une variable indépendante renvoie à la variable traitement qui est présumée être à l'origine des changements observés. Celle-ci peut être un nouveau programme de mathématiques ou une nouvelle méthode d'enseignement, ou encore un matériel pédagogique quelconque. Il peut y avoir une ou plusieurs variables indépendantes.

Une variable dépendante est une variable influencée par la variable traitement ou la variable indépendante. Les résultats aux tests de rendement, aux tests d'attitudes, les opinions, sont des exemples de variables dépendantes. Il peut y avoir une ou plusieurs variables dépendantes. Une variable contrôle renvoie à une information recueillie avant que la variable traitement ne soit mise en application. Les informations qui apparaissent dans les dossiers scolaires, telles que le quotient intellectuel, le sexe, le milieu socio-économique, les résultats scolaires des années antérieures, etc., sont des exemples de ce type de variables. Ces variables sont importantes car elles peuvent être utilisées comme facteurs de variation dans les analyses de covariance.

LES ÉCHELLES DE MESURE

La sélection d'une technique statistique ne peut être indépendante des caractéristiques propres des variables mesurées ; en somme, le niveau de mesure, ou échelle, relatif à chacune des variables considérées constitue l'information de base essentielle au choix d'une technique statistique. Cette deuxième tâche de l'évaluateur consiste à déterminer pour chacune des variables en cause le type d'échelle de mesure : nominale, ordinale, d'intervalles ou de rapport. L'échelle de mesure est déterminée par un ensemble de règles qui régissent le processus d'attribution des valeurs à la qualité faisant l'objet de la mesure. Ce système, développé par Stevens (1946), demeure le plus utilisé pour classifier les données provenant de l'application d'instruments de mesure éducationnels. Les distinctions apportées par Stevens sont importantes parce qu'elles nous permettent de concevoir les limites qu'elles imposent sur le plan des transformations arithmétiques possibles que peuvent subir les données recueillies à l'aide de ces échelles, d'une part, et les contraintes qu'elles imposent sur le choix des techniques statistiques, d'autre part.

L'échelle nominale

L'échelle nominale est le type le plus simple. Elle est caractérisée par l'utilisation de nombres qui n'ont aucune signification quantitative ou hiérarchique entre eux, mais qui sont utilisés pour marquer les différentes catégories d'objets et de sujets. Il n'existe aucune relation d'ordre entre les catégories ; une catégorie ne peut être considérée comme « meilleure » ou « plus grande » qu'une autre. C'est uniquement pour une raison de commodité que des nombres sont attribués à des catégories nominales. Les propriétés du système des nombres réels, telles l'addition, la multiplication, etc., ne peuvent s'appliquer à ce type d'échelle.

Les seules statistiques possibles sont: *la fréquence* de cas dans chaque catégorie, *le mode* (la catégorie la plus nombreuse) et, sous certaines conditions, *le coefficient de contingence*.

Le sexe, l'état civil, le diplôme scolaire, l'appartenance à une religion ou à une autre, l'appartenance à un groupe traitement ou à un groupe contrôle, sont des exemples de variables pouvant être traitées comme des échelles nominales.

L'échelle ordinale

Dans le cas de l'échelle ordinale, les valeurs numériques utilisées indiquent l'ordre des sujets ou des objets quant à la qualité mesurée. Lorsque nous connaissons leurs positions sur une échelle ordinale, on peut caractériser les interrelations uniquement en termes de plus grand, de plus petit ou d'égal. On ne peut rechercher des différences autres que celles qui sont relatives au rang. Toute transformation qui laisse invariant l'ordre des sujets ou des objets est acceptée (transformation monotone). On peut calculer les statistiques suivantes: *la médiane, les centiles, la corrélation de rang*. On peut également utiliser plusieurs tests *non paramétriques*.

Le classement des élèves, le rang de naissance, l'année-degré, le rang cinquième, sont des exemples de variables qui peuvent être traitées en échelles ordinales.

Tableau 35
LES ÉCHELLES DE MESURE

Échelle	Opérations	Statistiques	Exemples
Nominale	Détermination de l'égalité	Fréquence Mode Coefficient de contingence	Sexe État civil Diplôme Religion
Ordinale	Détermination de la supériorité, de l'infériorité, de l'égalité	Médiane Centile Corrélation de rang Statistiques non paramétriques	Classement en rang Rang de naissance Année-degré Rang cinquième
D'intervalles	Détermination de l'égalité des intervalles ou des différences	Moyenne Écart type Corrélation de Pearson Anova Manova	Température Q.I. Rendement scolaire
De rapport	Détermination de l'égalité des proportions	Moyenne géométrique Coefficient de variation	Distance Pesanteur

L'échelle d'intervalles

L'échelle d'intervalles, comme l'échelle ordinale, permet d'ordonner les sujets ou les objets quant à la qualité mesurée mais, en plus, elle fournit de l'information quant à la grandeur de la différence entre ceux-ci. Elle suppose l'existence d'unités de mesure égales sur l'échelle. Toute transformation linéaire est tolérée. Les statistiques applicables sont les suivantes : *la moyenne, l'écart type, la corrélation de Pearson*. On peut également utiliser plusieurs approches statistiques telles *l'analyse de la variance simple, de la variance multiple*. La température, le quotient intellectuel, le rendement scolaire, sont des exemples de variables qui peuvent être considérées comme des échelles d'intervalles.

L'échelle de rapport

L'échelle de rapport, en plus de posséder les caractéristiques de l'échelle d'intervalles, implique l'égalité des proportions. L'idée de proportions suppose l'existence d'une valeur de zéro absolu. Ce type d'échelle admet toutes les transformations possibles et toutes les statistiques s'appliquent.

La distance, la pesanteur, sont des exemples de ce type d'échelle. Cependant, les diverses variables considérées dans les sciences humaines ne conviennent pas à ce type d'échelle.

Cette classification en quatre échelles occasionne certains problèmes. Tout d'abord, l'échelle nominale ne correspond pas à la définition de mesure implicitement retenue par la majorité des gens. Pour ces derniers, le fait de différencier entre un garçon et une fille, même si parfois l'opération peut s'avérer difficile pour un observateur externe, ne constituera jamais une mesure. Même le fait d'attribuer la valeur numérique 0 à la catégorie femme et la valeur 1 à la catégorie homme (ou vice versa) et d'en faire le décompte ne leur apparaîtra pas davantage comme une mesure. Ils appelleraient ce processus de la classification ou de la différenciation, mais certes pas de la mesure. Même implicitement et a priori, les gens perçoivent que la mesure implique une variable continue. Le sexe, par contre, est une variable que l'on qualifie de dichotomique.

La seconde difficulté, avec cette classification, c'est qu'elle place les résultats des tests psychologiques et de rendement scolaire dans une espèce d'incertitude quant aux traitements mathématiques justifiés. La question fondamentale qui surgit toujours est la suivante : À quelle échelle les résultats des tests appartiennent-ils réellement ? À l'échelle ordinale ? À l'échelle d'intervalles ?

Ceux qui optent pour l'échelle la plus parfaite possible, en l'occurrence l'échelle de rapport, affirment que les nombres fournis par les tests de rendement ont effectivement un point zéro, sinon absolu, tout au moins logique : un résultat nul pour les questions posées. De plus, ils allèguent que l'unité employée a une signification univoque tout au long de l'échelle : le nombre 55, par exemple, signifie un item de plus de réussi que ce que représente le nombre 54. Il en est de même pour 56 par rapport à 55, etc.

C'est sur ce point qu'interviennent les opposants à l'échelle de rapport pour critiquer ce qui, pour eux, n'est qu'une uniformité apparente des unités. Car, pour eux, le nombre 55 obtenu par un étudiant ne représente pas du tout le nombre 54 obtenu par un autre étudiant auquel nombre s'ajoute un item supplémentaire réussi. Il représente plutôt un ensemble de 55 items réussis, comparativement à un autre ensemble où 54 items, regroupés différemment, ont été réussis. Ces deux exemples peuvent, à la limite, donner une intersection vide. Seules les sommes d'items réussis peuvent être comparées, ce qui ne fournit que de piètres renseignements, d'autant plus que, non seulement on ignore ce qu'elles représentent, mais les difficultés variables des items ajoutent des variations dans les unités : dans un test de 100 questions, il est normalement plus facile de passer de 50 à 51 succès que de passer de 98 à 99. Pour toutes ces raisons et d'autres semblables, certains pédagogues-mathématiciens soutiennent que les résultats obtenus aux différents tests en éducation ne peuvent que faire partie de l'échelle ordinale.

Cette conclusion est douloureuse pour l'évaluateur car, s'il l'accepte, cela signifie qu'il doit éliminer la plupart de ses calculs favoris sur les résultats des tests. De toutes les restrictions, la pire est sans doute celle qui rend impossible le calcul de la moyenne et de l'écart type. Celle-là, il ne peut pas l'accepter. Il affirme que personne ne peut l'empêcher de réaliser ce qu'il fait depuis des années et il continue à calculer les moyennes et les écarts types comme s'il n'avait jamais entendu parler de la différence entre les échelles ordinale et d'intervalles.

Quelle position prendre face à une telle alternative ? Nous croyons que l'évaluateur a tout à fait tort d'effectuer ces calculs. Cette situation et les doutes qu'elle engendre est un des nombreux exemples du fait suivant : souvent, il faut biaiser avec les vérités mathématiques pour les adapter aux vérités empiriques. On s'aperçoit une fois de plus que ce n'est que par une heureuse coïncidence (très rare, hélas !) que le monde des mathématiques correspond exactement au monde de la réalité empirique. Même lorsque ces deux mondes se recouvrent, les frontières restent imprécises. Dans le cas présent, les résultats des tests ne coïncident parfaitement ni avec l'une, ni avec l'autre des deux classifications : ils n'appartiennent pas entièrement à l'échelle ordinale tout comme l'échelle d'intervalles ne s'adapte que partiellement à leurs propriétés. Nous ne pouvons évidemment pas en faire porter le tort sur les résultats des tests : ce serait plutôt à la classification des mesures de s'adapter à la réalité. Mais cette classification s'adapte très bien aux mesures physiques, très nombreuses dans les sciences naturelles, là où les unités sont vraiment d'égale grandeur tout au long des échelles. La longueur, le poids, la vitesse et la pression sont des concepts plus clairs et précis que les concepts d'intelligence, d'aptitude et de rendement scolaire. On peut même se demander s'il est juste de ne parler que d'une seule variable dans le cas du rendement : ne s'agirait-il pas plutôt d'une simplification permettant tout simplement le traitement simultané d'une foule de variables unitaires qu'il serait très difficile, par ailleurs, de traiter séparément ?

Quoi qu'il en soit, l'évaluateur doit travailler avec les instruments dont il dispose. Ce qui précède le met en garde, toutefois, contre les généralisations trop rapides et les jugements a priori. L'évaluation des données mathématiques s'avère d'une importance cruciale. En éducation, la quantification des variables n'est qu'une étape : la « qualification » de ces quantités en est une autre. Ce n'est que lorsque ces deux opérations sont harmonieusement agencées que l'information peut vraiment diminuer l'incertitude des décisions et ainsi augmenter les chances de succès de ces dernières.

Cependant, nous considérons le rendement scolaire comme étant une variable continue soumise à la mesure. Les résultats obtenus par cette mesure seront placés dans l'échelle ordinale ou d'intervalles, selon les procédures employées pour les obtenir. Si les mesures sont réalisées par des tests d'observation, elles appartiendront à l'échelle ordinale. Si, par contre, elles sont obtenues à la suite de tests écrits ou oraux, elles relèveront de l'échelle d'intervalles et pourront subir les traitements mathématiques correspondants.

LA DISTRIBUTION DES RÉSULTATS

L'évaluateur qui entend utiliser une technique statistique particulière pour analyser certaines données doit s'assurer que celles-ci rejoignent ou respectent les postulats de base de ladite technique. Par exemple, l'évaluateur qui veut utiliser l'analyse de la variance, doit s'assurer que les résultats obtenus quant à la variable dépendante forment une distribution sensiblement normale ; l'évaluateur qui entend utiliser le coefficient de corrélation de Pearson doit s'assurer que la distribution bivariée des résultats est linéaire, ce qui suppose que chacune des variables en cause se distribue normalement dans la population. L'évaluateur peut acquérir une connaissance de la distribution des résultats des variables considérées en ayant recours à des informations de base sur ces données ; pour ce faire, il peut utiliser les statistiques de base telles les mesures de tendance centrale et de dispersion et (ou) avoir recours à des représentations graphiques ou visuelles des données à l'aide de l'histogramme, du diagramme de dispersion ou autres.

La considération de la distribution des résultats devrait permettre à l'évaluateur de faire un choix plus judicieux des techniques statistiques, d'obtenir des informations statistiques non distortionnées et de pouvoir mieux interpréter les résultats de son analyse.

L'évaluateur dispose d'un grand nombre de techniques statistiques. Certaines d'entre elles peuvent être utilisées pour résumer les données obtenues ; d'autres peuvent servir à déterminer l'importance des différences de performance entre des groupes ; et, enfin, un certain nombre de techniques servent à déterminer le degré de relation existant entre deux variables ou plus.

Parmi les techniques statistiques qui servent à résumer un ensemble de données, on distingue les mesures de tendance centrale, le mode, la moyenne arithmétique et la médiane, qui servent à caractériser par une valeur unique ce qui est typique d'un groupe, et les mesures de dispersion, l'étendue simple, l'écart type, l'écart semi-interquartile, qui servent à indiquer la variation des résultats à l'intérieur d'un groupe. On peut également avoir recours au test de dissymétrie pour déterminer le degré de déviation de la distribution des résultats par rapport à une distribution normale, ou encore utiliser le test de « kurtose » pour déterminer le degré d'aplatissement de la courbe des résultats. L'ensemble de ces techniques porte le nom de statistiques descriptives.

D'autre part, les techniques qui servent à comparer, sur une variable quelconque, les performances de groupes différents, sont fort nombreuses. Parmi elles, on en retrouve qui supposent ou postulent une certaine distribution des résultats, telles que le test t, l'analyse de la variance, de la covariance, alors que d'autres ne supposent pas de distribution particulière des résultats, telles que le khi-carré, le Kolmogorov-Smirnov ou le test U de Mann-Whitney. Les premières portent le nom de « techniques paramétriques », alors que les secondes sont appelées « techniques non paramétriques ».

De plus, lorsque ces techniques ne considèrent qu'une variable dépendante, elles portent le nom d'« approches univariées », alors que lorsqu'elles considèrent deux variables dépendantes ou plus, elles s'appellent « approches multivariées ». L'analyse de la variance et l'analyse de la covariance sont des exemples d'approches univariées, alors que l'analyse de la variance multiple et l'analyse de fonctions discriminantes multiples sont des approches multivariées.

L'ensemble de ces techniques portent le nom de statistiques d'inférence parce qu'elles servent, en recherche expérimentale, à formuler et à évaluer des généralisations faites à partir des données recueillies.

Enfin, les techniques qui servent à déterminer les relations entre des ensembles de variables portent généralement le nom de techniques de corrélation. Certaines de ces techniques, comme le r de Pearson, supposent que les résultats épousent une certaine distribution alors que d'autres, comme le coefficient êta^2, ne supposent aucune distribution particulière. De plus, certaines techniques de corrélation se limitent à deux variables, comme le r tétrachorique, alors que d'autres, comme la corrélation canonique, considèrent plus de deux variables à la fois.

LE CHOIX D'UNE TECHNIQUE STATISTIQUE

Comme nous l'avons vu, trois considérations majeures doivent présider au choix d'une technique statistique appropriée : le nombre de variables-traitement (indépendantes) et de variables dépendantes ; le type d'échelle de mesure utilisé pour chacune des variables ; la nature de la distribution des résultats. Les pages qui suivent présentent deux procédures que l'évaluateur peut utiliser pour sélectionner la ou les techniques appropriées à ses données. La première procédure est synthétique et résume les techniques statistiques sous forme de tableaux qui tiennent compte des dimensions variables indépendante et dépendante et types d'échelles de mesure. La deuxième procédure est analytique et conduit, par une série d'étapes progressives, au choix d'une technique statistique ; elle se présente sous la forme d'un arbre de décision.

Notre intention n'est pas d'inclure, dans l'une ou l'autre des procédures décrites, toutes les statistiques utiles pour des fins d'analyse de données. Notre intention est plutôt de fournir et de distinguer d'une façon fonctionnelle les techniques statistiques les plus usuelles.

Nous invitons l'évaluateur à être prudent dans l'utilisation de l'une ou l'autre de ces approches car elles ignorent l'influence que peuvent exercer les données pondérées, les petits échantillons, les échantillons complexes et le hasard dans l'établissement d'un modèle et, par conséquent, ignorent les problèmes qui peuvent en résulter sur le plan de l'analyse des données.

Ces approches ne traitent pas de la justesse des valeurs obtenues comme valeurs estimées des paramètres de la population ; ces valeurs obtenues peuvent, comme on le sait, sous-estimer les valeurs d'ensemble (paramètres). Généralement, les biais sont de peu d'importance et il est même possible d'y apporter des correctifs.

Ces approches ne traitent pas des méthodes visant à établir un intervalle de confiance pour une statistique, pas plus qu'elles ne traitent de la question des transformations mathématiques des données.

Enfin, il est important de signaler que ces approches ne traitent pas du respect des postulats de base de chacune des techniques statistiques.

L'approche synthétique

Les tableaux 36 et 37 devraient aider l'évaluateur à sélectionner la technique statistique dont il a besoin pour traiter les données recueillies.

Le tableau 36 énumère les techniques statistiques dont l'évaluateur peut disposer dans les situations où il y a une variable dépendante ou plus. Ce tableau nous révèle que, dans le cas où l'évaluateur ne dispose que d'une seule variable dépendante, les statistiques se limitent à des descriptions simples des données. Par contre, lorsque l'évaluateur dispose de deux variables dépendantes ou plus, il peut utiliser, en plus de ces statistiques descriptives, des tests statistiques non paramétriques ou des mesures d'association.

Tableau 36
TECHNIQUES STATISTIQUES POUR LES SITUATIONS OÙ IL N'EXISTE PAS DE GROUPE CONTRÔLE, EN TENANT COMPTE DU NOMBRE ET DU TYPE D'ÉCHELLES DE MESURE

Une variable			Deux variables ou plus		
Nominale	**Ordinale**	**Intervalles**	**Nominales**	**Ordinales**	**Intervalles**
Mode Fréquence relative de la valeur modale Fréquences absolues	Médiane Déviation inter-quartile Pourcentages Fréquences absolues Centiles	Moyenne Médiane Écart type Étendue simple Test de dissy-métrie Test de kurtose Fréquences relatives Fréquences absolues Centiles	Test de McNemar Q de Yule Phi (ϕ) Test exact de Fisher Q de Cochran Tau b de Goodman et Kruskall Lambda asymétrique Coefficient de concordance de Scott Coefficient de concordance de Cohen Coefficient de contingence V de Cramer Lambda symétrique	D de Somers Rhô de Spearman Tau a, tau b ou tau c de Kendall Gamma de Goodman et Kruskall d de Kim	A de Robinson Coefficient de corrélation intra-classe Coefficient de concordance de Krippendorf r de Pearson r bisérial r point-bisérial r tétrachorique r phi

Le tableau 37 présente les techniques statistiques que l'on peut employer dans des situations où il existe au moins deux groupes de comparaison et où on dispose d'une ou de plusieurs variables dépendantes. Dans ce tableau les variables indépendantes apparaissent sur la dimension horizontale avec les divisions « une » et « deux ». De plus, chacune de ces divisions est subdivisée selon les trois échelles de mesure : nominale, ordinale et d'intervalles. Verticalement, nous retrouvons les variables dépendantes qui se subdivisent selon les mêmes dimensions.

Pour déterminer la technique statistique appropriée pour une situation donnée, il s'agit de connaître les caractéristiques des dimensions « variable dépendante » et « variable indépendante », et de trouver la case joignant ces deux dimensions ; celle-ci synthétise les techniques disponibles.

Il est important de signaler que le tableau 37 comprend certaines procédures générales, comme l'analyse de la variance ou encore l'analyse de la covariance. Comme il existe plusieurs formes d'analyse de la variance ou de la covariance,

Tableau 37
TECHNIQUES STATISTIQUES POUR LES SITUATIONS OÙ UNE DISTINCTION EST ÉTABLIE ENTRE VARIABLE DÉPENDANTE ET VARIABLE INDÉPENDANTE, EN TENANT COMPTE DU NOMBRE ET DU TYPE D'ÉCHELLES DE MESURE

| | | | Variables indépendantes | | | | | |
| | | | Une variable | | | Deux variables ou plus | | |
			Nominale	Ordinale	Intervalles	Nominales	Ordinales	Intervalles
Variables dépendantes	Une variable	Nominale	Khi-carré (indépendance) Coefficient de contingence Q de Cochran Test exact de Fisher Test de McNemar		Analyse de la variance Analyse de la covariance	Thêta de Messenger Tables multi-dimension-nelles de contingence	Thêta de Messenger	Analyse discriminante multiple
		Ordinale	Test du signe D de Somers Test de Friedman Kruskall-Wallis Test de la médiane U de Man-Witney Kolomogorov-Smirnov Test des séquences	Rhô de Spearman Corrélation de rang de Kendall		Analyse de variance à deux dimensions de Friedman		Analyse de régression multiple
		Intervalles	Êta^2 Oméga^2 Coefficient de corrélation intra-classe Epsilon^2 Analyse de variance Analyse de covariance	Analyse de la variance Analyse de la covariance	Bêta b Bêta curvilinéaire b curvilinéaire Analyse de régression	Analyse de variance Analyse de covariance		Corrélation partielle

		Variables indépendantes					
		Une variable			Deux variables ou plus		
		Nominale	Ordinale	Intervalles	Nominales	Ordinales	Intervalles
Variables dépendantes — Deux variables ou plus	Nominales	Khi-carré (in-dépendance) Coefficient de contingence Test exact de Fisher Test de McNemar		Analyse de variance Analyse de covariance			Analyse dis-criminante multiple
	Ordinales	Test du signe D de Somers Test de Fried-man Kruskall-Wallis Test de la médiane U de Mann-Witney Kolomogorov-Smirnov Test des sé-quences					
	Intervalles	Analyse de variance mul-tiple Analyse de covariance multiple Analyse dis-criminante multiple		Analyse de régression multiple	Analyse de variance Analyse de covariance		

l'évaluateur doit alors déterminer la procédure particulière qu'il entend utiliser. Dans certains cas, le tableau 37 énumère des techniques statistiques très précises comme le êta^2, par exemple.

D'autre part, à cause de la nature hiérarchique des échelles de mesure, il faut se rappeler qu'une variable décrite comme une échelle d'intervalles peut être traitée à l'aide des techniques statistiques propres aux échelles ordinale et nominale, et aussi qu'une variable décrite comme une échelle ordinale peut être analysée à l'aide des techniques statistiques propres à l'échelle nominale. Cependant, bien que les données d'une échelle d'intervalles puissent être analysées par les techniques appropriées aux autres échelles, les données des échelles ordinale et nominale ne peuvent être analysées par les techniques propres à l'échelle d'intervalles.

Il est important aussi de se rappeler qu'on peut parfois considérer une échelle nominale ou une échelle ordinale comme suffisante pour satisfaire à la définition d'une échelle d'intervalles. Par conséquent, les techniques statistiques propres à cette dernière peuvent dès lors s'appliquer.

Il est également possible de procéder à la transformation des données, à l'aide de logarithmes, de la mise en rang, etc., pour simplifier l'analyse ou encore pour faire en sorte que les données respectent certains postulats. Par exemple, il est possible de transformer des résultats de façon telle que les résultats transformés correspondent à une courbe normale ou encore qu'ils soient en relation linéaire avec ceux d'une autre variable. Ces transformations peuvent rendre possible l'utilisation de certaines techniques statistiques qui autrement ne pourraient pas être employées. De plus, les techniques statistiques apparaissant au tableau 37 peuvent également être utilisées dans des situations où il existe au moins deux groupes de comparaison.

L'approche analytique

L'approche analytique vise à résumer d'une façon séquentielle les décisions qu'un évaluateur doit prendre lorsqu'il procède au choix d'une technique statistique pour une analyse de données à partir d'un large éventail de techniques disponibles. Cette approche peut être utile car elle présente une vue d'ensemble systématique et condensée de plusieurs statistiques fréquemment utilisées.

Afin d'aider l'évaluateur, nous procédons par une série séquentielle de questions et de réponses qui l'amènent graduellement au choix d'une technique statistique appropriée pour l'analyse de ses données. Nous appelons cette approche « arbre de décisions » (figure 13).

L'approche analytique débute avec la question : « Combien y a-t-il de variables en jeu dans le problème ? » Il s'agit alors de sélectionner l'une des réponses suggérées et de poursuivre le long de l'arbre de décisions. Ce cheminement amènera l'évaluateur à une case dans laquelle se trouve une technique, une mesure ou un test statistique approprié.

Chaque case contient, de façon générale, une mesure statistique (ligne continue) et un test statistique (ligne pointillée). Parfois, plusieurs mesures ou tests sont inclus dans une même case. Ils sont alors considérés comme équivalents, d'un point de vue fonctionnel, bien que les commentaires qui les accompagnent peuvent amener l'évaluateur à préférer l'un à l'autre. Quelquefois, on suggère une mesure sans qu'un test statistique soit proposé; dans un tel cas, aucun test ne nous apparaissait approprié. Parfois aussi, on a le phénomène inverse, à savoir un test sans mesure correspondante.

Certains embranchements de l'arbre de décisions se terminent par des cases vides; dans un tel cas il ne semble pas y avoir de technique appropriée. L'évaluateur doit alors trouver une autre séquence au niveau de l'arbre de décisions, ou encore, consulter une autre source d'information.

Pour plusieurs situations d'analyse, il peut exister des options de décisions quant à la nature des variables, des relations et des objectifs de l'analyse; cela a pour effet d'offrir plusieurs possibilités de cases finales. L'évaluateur doit se rappeler qu'il lui est toujours possible d'utiliser, comme nous l'avons dit précédemment, des mesures ou des tests qui sont adéquats à un niveau de mesure moins élevé; l'évaluateur peut aussi utiliser des techniques prévues pour des situations où le postulat d'« additivité » ne tient pas dans des cas où les variables forment effectivement un système additif. L'évaluateur doit se rappeler qu'on peut parfois considérer une échelle nominale comme une échelle d'intervalles.

Figure 13
L'ARBRE DE DÉCISIONS : QUESTIONS ET RÉPONSES CONDUISANT AUX STATISTIQUES OU AUX TECHNIQUES STATISTIQUES APPROPRIÉES

POINT DE DÉPART

Combien y a-t-il de variables en jeu dans le problème ?

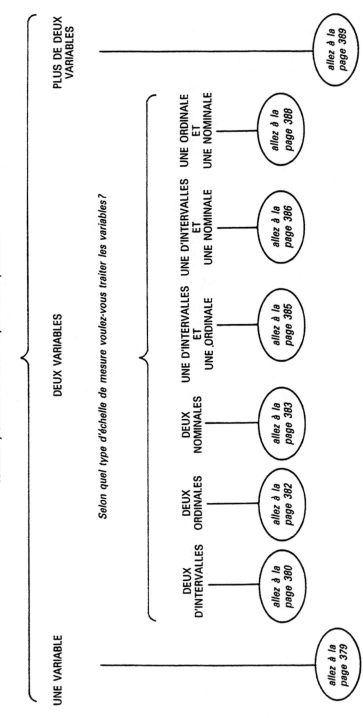

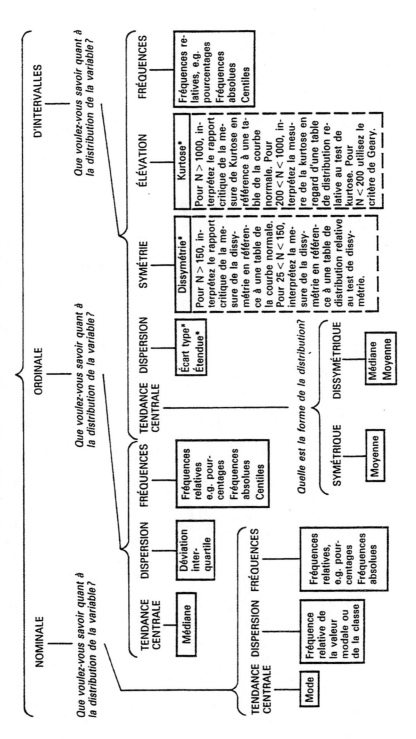

Une variable

Selon quel type d'échelle de mesure voulez-vous traiter la variable?

NOMINALE

Que voulez-vous savoir quant à la distribution de la variable?

TENDANCE CENTRALE | DISPERSION | FRÉQUENCES

Mode

Fréquence relative de la valeur modale ou de la classe

Fréquences relatives, e.g. pourcentages / Fréquences absolues

ORDINALE

Que voulez-vous savoir quant à la distribution de la variable?

TENDANCE CENTRALE | DISPERSION | FRÉQUENCES

Médiane

Déviation inter-quartile

Fréquences relatives e.g. pourcentages / Fréquences absolues / Centiles

Que voulez-vous savoir quant à la distribution de la variable?

TENDANCE CENTRALE | DISPERSION | SYMÉTRIE | ÉLÉVATION

Écart type* / Étendue*

Dissymétrie*

Pour N > 150, interprétez le rapport critique de la mesure de la dissymétrie en référence à une table de la courbe normale. Pour 25 < N < 150, interprétez la mesure de la dissymétrie en référence à une table de distribution relative au test de dissymétrie.

Kurtose*

Pour N > 1000, interprétez le rapport critique de la mesure de Kurtose en référence à une table de la courbe normale. Pour 200 < N < 1000, interprétez la mesure de la kurtose en regard d'une table de distribution relative au test de kurtose. Pour N < 200 utilisez le critère de Geary.

Quelle est la forme de la distribution?

SYMÉTRIQUE | DISSYMÉTRIQUE

Moyenne

Médiane / Moyenne

D'INTERVALLES

Que voulez-vous savoir quant à la distribution de la variable?

FRÉQUENCES

Fréquences relatives, e.g. pourcentages / Fréquences absolues / Centiles

* Estimateur biaisé.

Deux variables considérées comme des échelles d'intervalles

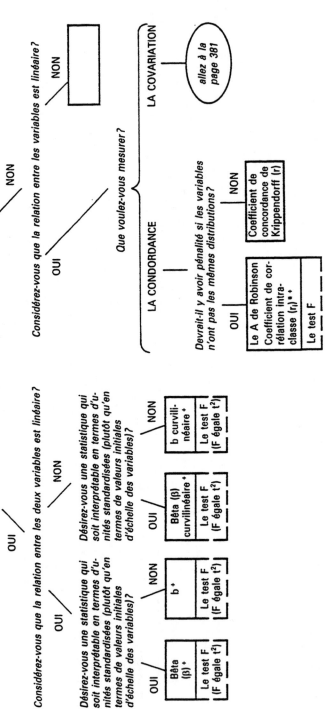

Faites-vous une distinction entre une variable dépendante et une variable indépendante ?

OUI / NON \

Considérez-vous que la relation entre les deux variables est linéaire ?

OUI / NON \

Désirez-vous une statistique qui soit interprétable en termes d'unités standardisées (plutôt qu'en termes de valeurs initiales d'échelle des variables) ?

OUI / NON \

Bêta (β) +
Le test F (F égale t²)

b +
Le test F (F égale t²)

Désirez-vous une statistique qui soit interprétable en termes d'unités standardisées (plutôt qu'en termes de valeurs initiales d'échelle des variables) ?

OUI / NON \

Bêta (β) curvilinéaire +
Le test F (F égale t²)

b curvilinéaire +
Le test F (F égale t²)

Considérez-vous que la relation entre les variables est linéaire ?

OUI / NON \

Que voulez-vous mesurer ?

LA CONDORDANCE

LA COVARIATION

allez à la page 381

Devrait-il y avoir pénalité si les variables n'ont pas les mêmes distributions ?

OUI / NON \

Le A de Robinson
Coefficient de corrélation intra-classe (rᵢ) * +
Le test F

Coefficient de concordance de Krippendorff (r)

* Estimateur biaisé.
+ Les postulats utilisés pour faire les inférences basées sur des techniques utilisant une ou plusieurs variables traitées selon une échelle d'intervalles (en particulier quand la variable ainsi mesurée est une variable dépendante) sont les trois suivants : (1) on considère les observations comme indépendantes, c'est-à-dire que la sélection d'un cas pour fins d'inclusion dans un échantillon donné n'affecte pas les chances d'un autre cas d'y être inclus et la valeur d'une variable pour un cas donné n'affecte en aucune manière la variable

pour un autre cas ; (2) les observations sont faites sur une population considérée comme normalement distribuée en ce qui concerne la (les) variable(s) mesurée(s) selon une échelle d'intervalles ; (3) si plus d'une variable est impliquée, on considère que la (les) variable(s) mesurée(s) sur une échelle d'intervalles a (ont) une (des) variance(s) égale(s) à l'intérieur des catégories de l'autre ou des autres variables, c'est-à-dire qu'il y a homogénéité de la variance. On postule aussi quelquefois une normalité bivariée ou multivariée.

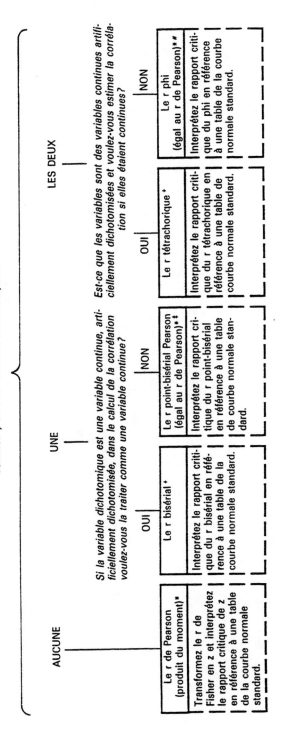

Deux variables considérées comme des échelles d'intervalles (suite)

Deux échelles d'intervalles; on ne fait aucune distinction entre une variable dépendante et une variable indépendante; la relation est linéaire et on veut mesurer la covariation

Combien y a-t-il de variables dichotomiques?

AUCUNE

UNE

LES DEUX

Le r de Pearson (produit du moment)*
Transformez le r de Fisher en z et interprétez le rapport critique de z en référence à une table de la courbe normale standard.

Si la variable dichotomique est une variable continue, artificiellement dichotomisée, dans le calcul de la corrélation voulez-vous la traiter comme une variable continue?

OUI

Le r bisérial⁺
Interprétez le rapport critique du r bisérial en référence à une table de la courbe normale standard.

NON

Le r point-bisérial Pearson (égal au r de Pearson)*‡
Interprétez le rapport critique du r point-bisérial en référence à une table de courbe normale standard.

Est-ce que les variables sont des variables continues artificiellement dichotomisées et voulez-vous estimer la corrélation si elles étaient continues?

OUI

Le r tétrachorique⁺
Interprétez le rapport critique du r tétrachorique en référence à une table de courbe normale standard.

NON

Le r phi (égal au r de Pearson)*#
Interprétez le rapport critique du phi en référence à une table de la courbe normale standard.

* Estimateur biaisé.

+ Les coefficients de corrélation bisérial et tétrachorique présupposent la normalité des distributions des variables continues qui ont été dichotomisées. L'erreur d'échantillonnage est d'autant plus grande que les répartitions à l'intérieur des dichotomies sont extrêmes. Nunnally (1967, pp. 123-234) nous informe des mauvais usages possibles de ces coefficients.

‡ Le r de Pearson dans ce cas est mathématiquement équivalent au r point-bisérial; les tests sont presque équivalents.

Le r de Pearson dans ce cas est mathématiquement équivalent au phi; les tests sont presque équivalents.

Deux variables considérées comme des échelles ordinales

Comment considérez-vous la relation entre les variables?

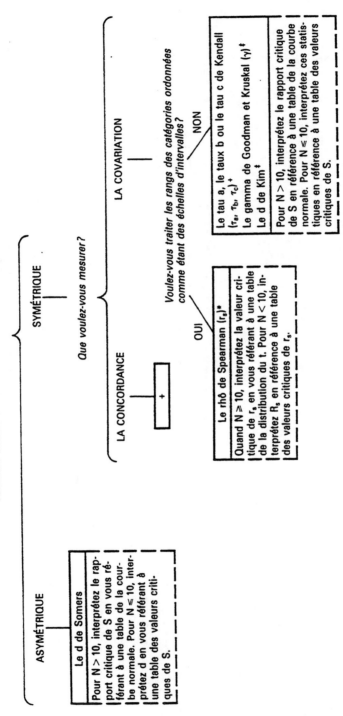

Que voulez-vous mesurer?

SYMÉTRIQUE

ASYMÉTRIQUE

LA CONCORDANCE

LA COVARIATION

Voulez-vous traiter les rangs des catégories ordonnées comme étant des échelles d'intervalles?

Le d de Somers

Pour N > 10, interprétez le rapport critique de S en vous référant à une table de la courbe normale. Pour N ≤ 10, interprétez d en vous référant à une table des valeurs critiques de S.

OUI

Le rhô de Spearman (r_s)*

Quand N ≥ 10, interprétez la valeur critique de r_s en vous référant à une table de la distribution du t. Pour N < 10, interprétez R_s en référence à une table des valeurs critiques de r_s.

NON

Le tau a, le taux b ou le tau c de Kendall (τ_a, τ_b, τ_c) +

Le gamma de Goodman et Kruskal (γ) ‡

Le d de Kim ‡

Pour N > 10, interprétez le rapport critique de S en référence à une table de la courbe normale. Pour N ≤ 10, interprétez ces statistiques en référence à une table des valeurs critiques de S.

* Estimateur biaisé.
+ Les données peuvent être transformées en rangs et on peut utiliser le r_i (interclasse) ou le r de Krippendorff. Voir page 380.
‡ Toute proportion gardée, ces statistiques diffèrent dans leur manière de traiter les paires de cas qui tombent dans une même catégorie de l'une ou des 2 variables. Sauf dans les cas extrêmes (i.e. lorsqu'une ou l'autre des statistiques est égale à 0 ou 1) la valeur absolue de gamma (γ) sera la plus haute des 5 statistiques, tau a (τ_a) sera la plus petite et tau b (τ_b), tau c (τ_c) et le « d » de Kim prendront des valeurs intermédiaires. Cet ordre est dû au fait que le gamma (γ) ignore les rangs égaux (quand ils sont présents dans les données et c'est le cas habituellement), tandis que les 4 autres statistiques pénalisent en cas de telles égalités en ce sens qu'elles réduisent la valeur absolue de la statistique obtenue. Contrairement au tau b et au d de Kim, le tau c peut atteindre ± 1 même si les 2 variables n'ont pas le même nombre de catégories. S'il n'existe pas de rangs égaux à l'une et l'autre des variables, les 5 mesures sont identiques. Voir Goodman et Kruskal (1954), Kendall (1970). Kendall et Stuart (1961), Stuart (1953) et Kim (1971).

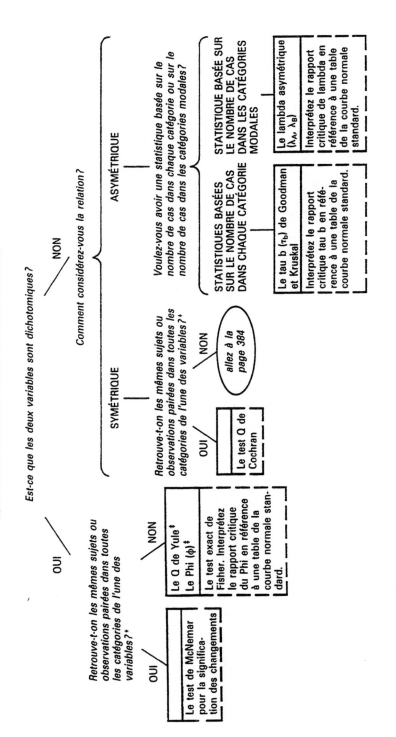

Deux variables considérées comme des échelles nominales

+ On l'exprime parfois ainsi: « Est-ce que les échantillons sont en relation ? » (Siegel, 1956, pp. 61-62).
‡ Dans ce cas, le Q de Yule est équivalent au gamma (γ) et le Phi est équivalent au r de Pearson. En général, le Q sera plus élevé en valeur absolue que le Phi parce que le Q ignore les paires qui tombent dans une même catégorie d'une ou des deux variables.

Deux variables considérées comme des échelles nominales (suite)

Deux échelles nominales: au moins une des deux variables n'est pas dichotomique. La relation est considérée comme étant symétrique; les mêmes sujets ou observations pairées n'apparaissent pas dans toutes les catégories de l'une des variables.

Que voulez-vous mesurer?

LA CONCORDANCE

Devrait-il y avoir pénalité si les variables n'ont pas la même distribution?

OUI

| Le coefficient de con-cordance de Scott (π) |

NON

| Les coefficients de concordance de Cohen (K's) |

Interprétez le rap-port critique de K's de Cohen en référen-ce à une table de la courbe normale stan-dard.

LA COVARIATION

Voulez-vous une statistique qui soit basée sur le nombre de cas dans chaque catégorie ou sur le nombre de cas dans les catégories modales?

STATISTIQUE BASÉE SUR LE NOMBRE DE CAS DANS CHAQUE CATÉGORIE

Voulez-vous une statistique dont la valeur limite supérieure varie selon le nombre de caté-gories et qui peut être infé-rieure à 1,0?

OUI

| Le coefficient de contingence (C) |
| Khi-carré (X^2) |

NON

| Le V de Cramer |
| Khi-carré (X^2) |

STATISTIQUE BASÉE SUR LE NOMBRE DE CAS DANS LES CATÉGORIES MODALES

| Lambda symétrique (λ_{AB}) |

Interprétez le rapport criti-que de lambda en référen-ce à une table de la courbe normale standard.

Deux variables : une échelle d'intervalles et une échelle ordinale

Voulez-vous traiter l'échelle ordinale comme une échelle d'intervalles (on postule alors que la variable se distribue normalement dans la population)?

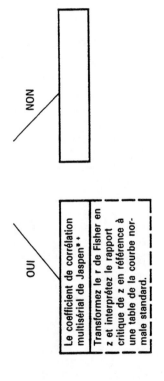

OUI

Le coefficient de corrélation multisérial de Jaspen*⁺

Transformez le r de Fisher en z et interprétez le rapport critique de z en référence à une table de la courbe normale standard.

NON

* Estimateur biaisé.
+ L'approche de Jaspen a pour effet de normaliser la variable ordinale au moment du calcul de la corrélation. Le coefficient de Jaspen est la corrélation du produit des moments entre la variable « d'intervalles » et la variable « ordinale » normalisée. La valeur de cette statistique est dépendante du postulat de normalité.

Deux variables : une échelle d'intervalles et une échelle nominale

Est-ce que la variable dépendante est traitée comme une échelle d'intervalles ?

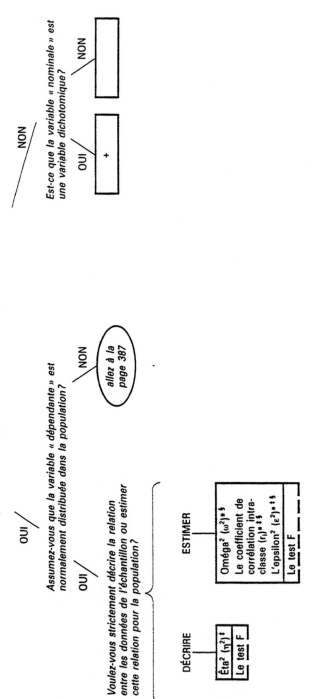

OUI

Assumez-vous que la variable « dépendante » est normalement distribuée dans la population ?

OUI

NON

*allez à la
page 387*

Voulez-vous strictement décrire la relation entre les données de l'échantillon ou estimer cette relation pour la population ?

DÉCRIRE

Êta² (η²)‡
Le test F

ESTIMER

Oméga² (ω²)*§
Le coefficient de corrélation intra-classe (rᵢ)*‡§
L'epsilon² (ε²)*‡§
Le test F

NON

Est-ce que la variable « nominale » est une variable dichotomique ?

OUI

+

NON

---

* Estimateur biaisé.

+ La variable « nominale » dichotomique rencontre les caractéristiques d'une échelle d'intervalles. Voir page 380.

‡ Les postulats de la note + (p. 380) peuvent s'appliquer.

§ L'oméga² s'applique au modèle à effets fixes et le coefficient de corrélation intraclasse s'applique au modèle à effets aléatoires. Conséquemment, on devrait utiliser l'oméga² si on veut limiter les inférences aux catégories spécifiques de la variable « nominale » qui apparaissent dans les données, alors qu'on devrait utiliser le coefficient de corrélation intraclasse si l'on considère les catégories particulières apparaissant dans les données comme constituant un échantillon aléatoire d'un ensemble plus grand de catégories potentielles et que l'on veut faire des inférences relatives à cet ensemble de catégories potentielles (Voir Hays, 1973, page 525 ; Hays identifie la corrélation intraclasse par p_i plutôt que par r_i). Dans la plupart des cas, l'utilisation du modèle à effets fixes est plus appropriée (i.e. oméga²). L'epsilon² de Kelley est utilisé exactement dans le même but que l'oméga² de Hays mais les procédés de calcul diffèrent légèrement. L'epsilon² de Kelley est équivalent au êta² une fois celui-ci ajusté en fonction des degrés de liberté. Voir Glass et Hakstian (1969), Kelly (1935) et Haus (1973, page 485).

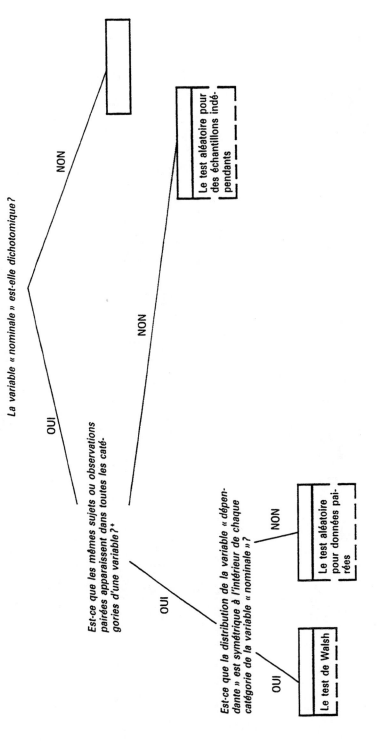

Deux variables : une échelle d'intervalles et une échelle nominale (suite)

La variable dépendante réfère à l'échelle d'intervalles
et on ne postule pas que celle-ci se distribue normalement dans la population.

La variable « nominale » est-elle dichotomique ?

NON

OUI

NON

*Est-ce que les mêmes sujets ou observations
pairées apparaissent dans toutes les catégories d'une variable ? [+]*

Le test aléatoire pour
des échantillons indé-
pendants

NON

*Est-ce que la distribution de la variable « dépen-
dante » est symétrique à l'intérieur de chaque
catégorie de la variable « nominale » ?*

OUI

Le test aléatoire
pour données pai-
rées

OUI

Le test de Walsh

[+] On l'exprime parfois ainsi : « Est-ce que les échantillons sont en relation ? »
(voir Siegel, 1956, pp. 61-62).

388

Deux variables: une échelle ordinale, une échelle nominale

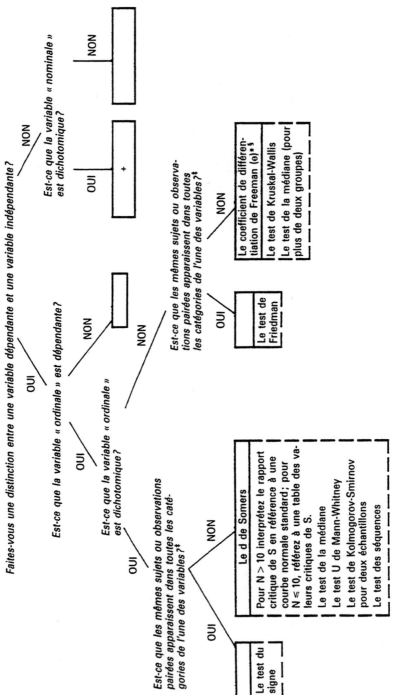

Faites-vous une distinction entre une variable dépendante et une variable indépendante?

OUI

NON

Est-ce que la variable « ordinale » est dépendante?

Est-ce que la variable « nominale » est dichotomique?

OUI

NON

OUI

NON

+

NON

Est-ce que la variable « ordinale » est dichotomique?

Est-ce que les mêmes sujets ou observations pairées apparaissent dans toutes les catégories de l'une des variables?[‡]

OUI

NON

Est-ce que les mêmes sujets ou observations pairées apparaissent dans toutes les catégories de l'une des variables?[‡]

Le test du signe

Le d de Somers

OUI

NON

Pour $N > 10$ interprétez le rapport critique de S en référence à une courbe normale standard; pour $N \leqslant 10$, référez à une table des valeurs critiques de S.

Le test de la médiane

Le test U de Mann-Whitney

Le test de Kolmogorov-Smirnov pour deux échantillons

Le test des séquences

Le test de Friedman

Le coefficient de différentiation de Freeman (θ)*[§]

Le test de Kruskal-Wallis

Le test de la médiane (pour plus de deux groupes)

---

* Estimateur biaisé.

† La variable « nominale » peut être traitée comme une échelle ordinale (dans un tel cas, allez à la page 382) ou comme une échelle d'intervalles (dans ce cas, allez à la page 385).

‡ On l'exprime parfois ainsi: « Est-ce que les échantillons sont en relation? » (voir Siegel, 1976, pp. 61-62).

§ Ce coefficient ordonne implicitement les catégories nominales. Pour N catégories nominales données, il y a N! valeurs pour le d de Somers. Le thêta de Freeman est égal à la valeur la plus élevée de d.

Plus de deux variables

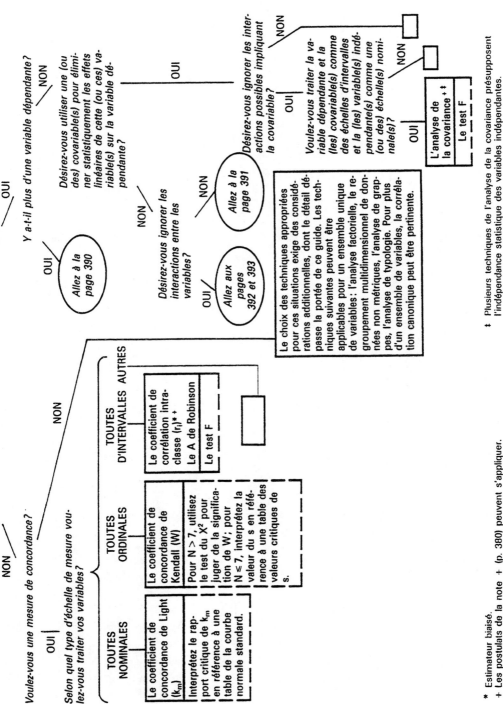

Faites-vous une distinction entre les variables dépendantes et indépendantes?

NON — OUI

Voulez-vous une mesure de concordance?

OUI — *Selon quel type d'échelle de mesure voulez-vous traiter vos variables?*

NON

TOUTES NOMINALES	TOUTES ORDINALES	TOUTES D'INTERVALLES	AUTRES
Le coefficient de concordance de Light (k_m)	Le coefficient de concordance de Kendall (W)	Le coefficient de corrélation intra-classe (r_i)*⁺	
Interprétez le rapport critique de k_m en référence à une table de la courbe normale standard.	Pour N > 7, utilisez le test du X^2 pour juger de la signification de W; pour N ≤ 7, interprétez la valeur du s en référence à une table des valeurs critiques de s.	Le A de Robinson	
		Le test F	

Y a-t-il plus d'une variable dépendante?

OUI — NON

Allez à la page 390

Désirez-vous utiliser une (ou des) covariable(s) pour éliminer statistiquement les effets linéaires de cette (ou ces) variable(s) sur la variable dépendante?

NON — OUI

Désirez-vous ignorer les interactions entre les variables?

OUI — *Allez aux pages 392 et 393*

NON — *Allez à la page 391*

Désirez-vous ignorer les interactions possibles impliquant la covariable?

OUI — *Allez à la page 391*

NON

Voulez-vous traiter la variable dépendante et la (les) covariable(s) comme des échelles d'intervalles et la (les) variable(s) indépendante(s) comme une (ou des) échelle(s) nominale(s)?

OUI

L'analyse de la covariance*⁺‡

Le test F

NON

Le choix des techniques appropriées pour ces situations exige des considérations additionnelles, dont le détail dépasse la portée de ce guide. Les techniques suivantes peuvent être applicables pour un ensemble unique de variables: l'analyse factorielle, le regroupement multidimensionnel de données non métriques, l'analyse de graphes, l'analyse de typologie. Pour plus d'un ensemble de variables, la corrélation canonique peut être pertinente.

* Estimateur biaisé.
+ Les postulats de la note + (p. 380) peuvent s'appliquer.
‡ Plusieurs techniques de l'analyse de la covariance présupposent l'indépendance statistique des variables indépendantes.

Plus de deux variables (suite)

On fait une distinction entre des variables dépendantes et indépendantes ; il y a plus d'une variable dépendante.

Désirez-vous ignorer les interactions possibles entre les variables ?

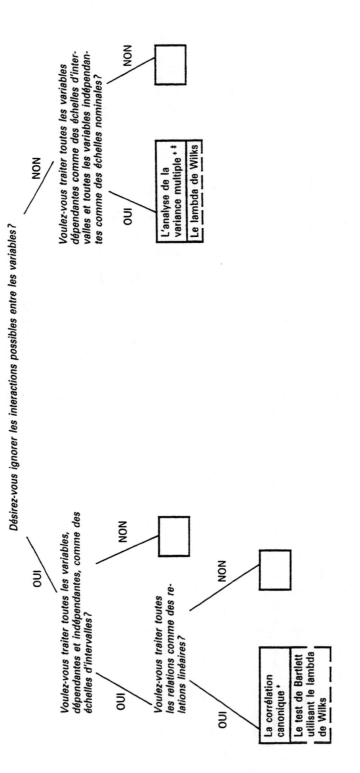

Voulez-vous traiter toutes les variables dépendantes comme des échelles d'intervalles et toutes les variables indépendantes comme des échelles nominales ?

OUI — L'analyse de la variance multiple [+] [‡] / Le lambda de Wilks

NON

NON

OUI

Voulez-vous traiter toutes les variables, dépendantes et indépendantes, comme des échelles d'intervalles ?

NON

OUI

Voulez-vous traiter toutes les relations comme des relations linéaires?

NON

OUI — La corrélation canonique [+] / Le test de Bartlett utilisant le lambda de Wilks

+ Les postulats de la note + (p. 380) peuvent s'appliquer.
‡ Quelques techniques d'analyse de la variance multiple présupposent l'indépendance statistique des variables indépendantes.

Plus de deux variables (suite)

On fait une distinction entre des variables dépendantes et indépendantes.
Il y a une variable dépendante, aucune covariable,
et nous considérons les interactions possibles entre les variables.

*Voulez-vous faire dégager une hiérarchie des relations les plus significatives
ou voulez-vous vérifier un ensemble spécifique de relations pré-établies?*

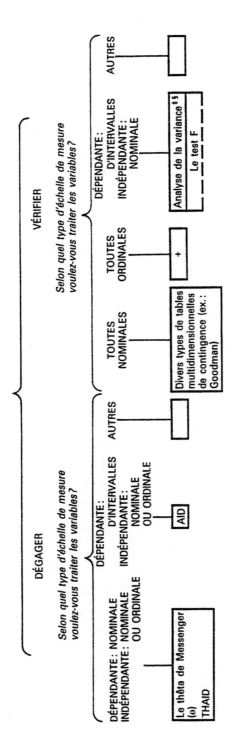

DÉGAGER

*Selon quel type d'échelle de mesure
voulez-vous traiter les variables?*

DÉPENDANTE: NOMINALE
INDÉPENDANTE: NOMINALE OU ORDINALE
— Le thêta de Messenger (θ) / THAID

DÉPENDANTE: D'INTERVALLES
INDÉPENDANTE: NOMINALE OU ORDINALE
— AID

AUTRES

VÉRIFIER

*Selon quel type d'échelle de mesure
voulez-vous traiter les variables?*

TOUTES NOMINALES — Divers types de tables multidimensionnelles de contingence (ex.: Goodman)

TOUTES ORDINALES — +

DÉPENDANTE: D'INTERVALLES
INDÉPENDANTE: NOMINALE — Analyse de la variance ‡§ / Le test F

AUTRES

+ La mise au point de coefficients aptes à mesurer l'association multiple ou partielle entre des mesures ordinales a toujours posé des difficultés. La littérature suggère un certain nombre de propositions à cet effet et présente en outre des critiques pertinentes de la plupart d'entre elles. Kendall, Davis, Somers, Hawkes, Lyons, Morris et Boyle ont tous proposé des techniques statistiques relatives à cette question en ayant soin le plus souvent d'y joindre une critique de la technique proposée par un ou plusieurs auteurs. C'est ainsi que Somers critique l'approche de Davis, que Reynolds critique la proposition de Hawkes, que MacDonald s'en prend à la fois à la technique de Lyons et à celle de Boyle, enfin que Lyons, Carter, Werts et Linn rejettent la proposition de Boyle (bien que Werts et Linn devaient reconnaître ultérieurement l'absence du bien-fondé de leur critique). Le problème demeure également posé dans le contexte des analyses multivariées portant sur des mesures ordinales. On peut lire des discussions sur cette question chez les auteurs ci-après énumérés: Boyle (1970), Davis (1967), Hawkes (1971 et 1973), Kendall (1970), Lyons (1971), Lyons et Carter (1971), MacDonald (1973), Morris (1970), Reynolds (1973), Somers (1968), et Werts et Linn (1971 et 1972).

‡ Les postulats de la note + (p. 380) peuvent s'appliquer.

§ Plusieurs techniques de l'analyse de la variance présupposent l'indépendance statistique des variables indépendantes.

Plus de deux variables (suite)

On fait une distinction entre des variables dépendantes et indépendantes. Il y a une variable dépendante, aucune covariable, et les interactions possibles entre les variables peuvent être ignorées.

Selon quel type d'échelle de mesure voulez-vous traiter votre variable dépendante?

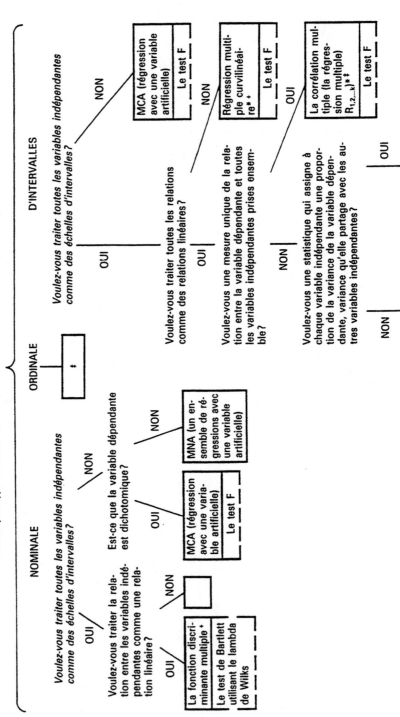

Voulez-vous une statistique qui soit inter-prétable en termes d'unités standardisées plutôt qu'en termes de valeurs d'échel-le(s) initiale(s)?

OUI

Bêta (β)
Le test F
(F égale t²)

NON

b⁺
Le test F
(F égale t²)

OUI

NON

Voulez-vous une statistique qui mesure la proportion additionnelle de la variance totale de la variable dépendante attribuable à chaque variable indépen-dante, au-delà et en deçà de ce que les autres varia-bles indépendantes peuvent expliquer?

OUI

La corrélation partiel-le² (Part corrélation)
(r²₁(2,3,...,k))*⁺

Le test F
(F égale t²)

NON

Voulez-vous une statistique qui mesure la proportion additionnelle de la variance totale de la variable dé-pendante attribuable à chaque variable indépendante, au-delà et en deçà de ce que les autres variables in-dépendantes peuvent expliquer (cette proportion est relative à la proportion de la variance de la variable dépendante non expliquée par les autres variables in-dépendantes)?

OUI

La corrélation partielle²
(r²₁2,3,...,k))*⁺

Transformez le r de Fisher en z et interprétez le rap-port critique de z en ré-férence à une table de la courbe normale standard.

Le test F (F égale t²)

NON

* Estimateur biaisé.
‡ Voir la note + de la page 391.
+ Les postulats de la note + (p. 380) peuvent s'appliquer.

Source: Andrews, F.M. et al. (1974). *Guide pour la sélection de techniques statistiques appropriées à l'analyse de données en sciences sociales.* Traduit par M.A. Nadeau et J.P. Voyer. Ann Arbor. Mich. Survey Research Center, Institute for Social Research, University of Michigan.

LES TROUSSES STATISTIQUES

L'évaluateur qui doit traiter ses données dispose d'un ensemble intéressant de programmes statistiques informatisés. Ces programmes, et ils sont nombreux, se retrouvent dans différentes trousses statistiques telles qu'Osiris, BMD, SUPAC, SPSS, MULTIVARIANCE. Plusieurs des statistiques et des techniques apparaissant dans les procédures synthétiques et analytiques précédemment décrites sont traitées par un ou plusieurs programmes Osiris III et (ou) SPSS. Nous avons repéré, lorsque c'était possible, un programme Osiris III et un programme SPSS pour chacun des éléments considérés. Lorsque plusieurs programmes sont disponibles pour une même statistique, nous suggérons alors le ou les programmes les plus utilisés.

Nous terminons ce chapitre en attirant l'attention du lecteur sur un certain nombre de considérations importantes.

Alors que nous avons insisté dans les premiers chapitres sur le fait que l'évaluation est orientée vers la prise de décision et que la recherche vise la généralisation des résultats, le lecteur peut s'étonner de constater que les techniques statistiques d'inférence (univariées et multivariées), davantage utilisées pour des études de généralisation, puissent quand même être suggérées pour des études évaluatives. Nous insistons encore sur le fait que l'évaluateur ne peut prétendre généraliser les résultats obtenus dans une commission scolaire particulière à l'ensemble du réseau ; nous affirmons cependant qu'il lui est quand même possible de procéder à une certaine forme de généralisation. Par exemple, il ne viendrait sûrement pas à l'esprit d'un évaluateur averti de conclure, à la suite d'une étude évaluative, que le matériel pédagogique qui s'est révélé le plus efficace pour une commission scolaire donnée se révélerait également le plus efficace dans toutes les commissions scolaires du territoire ou de la province concernée. Les caractéristiques des résultats obtenus et leur analyse pourraient cependant l'amener à affirmer ou à conclure que ce matériel, supérieur aux autres dans un contexte donné, le sera également l'année suivante, ou encore qu'il aura le même impact auprès des futurs étudiants de cette commission scolaire. C'est là une inférence possible au niveau d'une étude évaluative.

L'évaluateur intéressé à ce type d'inférence doit voir à ce que les résultats obtenus, et qui semblent favoriser un matériel pédagogique, ou une approche d'enseignement, ou toute autre variable à l'étude, ne soient pas attribuables au seul hasard. En somme, l'évaluateur est intéressé, dans ce contexte, à réduire la probabilité qu'un tel événement puisse être attribuable au simple hasard. C'est à ce niveau que les statistiques dites inférentielles se révèlent les plus intéressantes et les plus puissantes. Comme nous l'avons dit précédemment, l'évaluateur peut être appelé, par la structure de l'étude, à comparer différentes options d'actions éducatives, ou encore différents matériels pédagogiques, et par conséquent il peut être intéressé à savoir si les différences observées sont statistiquement significatives. Si, dans les faits, ces différences se présentent comme statistiquement significatives, il pourrait alors conclure à la supériorité d'une approche, ou d'un matériel pédagogique et inférer que les mêmes effets se produiraient pour une clientèle future. Par contre, des différences non significatives l'amèneraient à des conclusions différentes.

Il est important de signaler au lecteur que la plupart des tests statistiques qui servent à déterminer le degré de signification des différences sont particulièrement sensibles au nombre de sujets composant l'échantillon à l'étude, et ce, pour des raisons de stabilité des résultats. En fait, plus le nombre de sujets est grand, plus la stabilité des résultats est grande et, par conséquent, moins grande est la probabilité que ces résultats observés puissent être attribuables à l'effet du simple hasard. Cependant, nous constatons dans certaines circonstances que des résultats sont significatifs, statistiquement parlant, mais de peu de valeur pratique. Cela veut dire concrètement qu'une différence même infime pourrait être statistiquement significative, si le nombre de sujets composant l'échantillon à l'étude est suffisamment grand. Il n'est donc pas suffisant pour un évaluateur de se confiner au degré de signification statistique des résultats.

L'évaluateur qui doit analyser et interpréter des résultats doit certes se préoccuper de leur signification statistique, mais il doit aussi s'interroger sur leur signification pratique. Il doit être particulièrement sensible au fait que l'on ne peut établir une relation d'égalité entre les significations statistique et pratique des résultats. Il doit de plus se rappeler que l'établissement d'un niveau de signification ou de probabilité (p 0,05 ou p 0,01) ne résout en rien le problème de la signification pratique des résultats d'une étude.

◆ RÉFÉRENCES

Andrews, F.M., Messenger, R.C. (1973). *Multivariate Nominal Scale Analysis.* Ann Arbor, Mich. Institute for Social Research, The University of Michigan.

Andrews, F.M., Klem, L., Davidson, T.N., O'Malley, P.M. (1978). *Guide pour la sélection des techniques statistiques appropriées à l'analyse de données en sciences sociales.* Traduit par M.A. Nadeau, J.P. Voyer. Québec, Qc. Faculté des sciences de l'éducation, Université Laval.

Andrews, F.M., Morgan, J.N., Sonquist, J.A., Klem, L. (1973). *Multiple Classification Analysis.* 2e édition. Ann Arbor, Mich. Institute for Social Research, The University of Michigan.

Blalock Jr, H.M. (1960). *Social Statistics.* New York, N.Y. McGraw-Hill.

Bock, R.D., Haggard, E.A. (1968). *The Use or Multivariate Analysis of Variance in Behavioral Research.* Dans D.K. Whitla (éd.) *Handbook of Measurement and Assessment in Behavioral Sciences.* Reading, Mass. Addison-Wesley.

Boyle, R.P. (1970). *Path Analysis and Ordinal Data. American Journal of Sociology.* 75. 460-480.

Cohen, J. (1960). *A Coefficient of Agreement for Nominal Scales. Educational and Psychological Measurement.* 37-46.

Cohen, J. (1968). *Weighted Kappa: Nominal Scale Agreement with Provision for Scaled Disagreement or Partial Credit. Psychological Bulletin.* 70. 213-220.

Cooley, W.W., Lohnes, P.R. (1971). *Multivariate Data Analysis.* New York, N.Y. Wiley.

D'Agostino, R.B. (1970). *Simple Compact Test of Normality: Geary's Test Revisited. Psychological Bulletin.* 74. 138-140.

Davis, J.A. (1967). *A Partial Coefficient for Goodman and Kruskal's Gamma. Journal of the American Statistical Association.* 62. 189-193.

Drapper, N.R., Smith, H. (1966). *Applied Regression Analysis.* New York, N.Y. Wiley.

Ezekiel, M., Fox, K.A. (1959). *Methods of Correlation and Regression Analysis.* New York, N.Y. Wiley.

Fleiss, J.L., Cohen, J., Everitt, B.S. (1969). *Large Sample Standard Errors of Kappa and Weighted Kappa. Psychological Bulletin.* 72. 323-327.

Glass, G.V., Hakstian, A.R. (1969). *Measures of Association in Comparative Experiments: Their Development and Interpretation. American Educational Research Journal.* 6. 403-414.

Glass, G.V., Stanley, J.C. (1970). *Statistical Methods in Education and Psychology.* Englewood Cliffs, N.J. Prentice-Hall.

Goodman, L.A. (1972). *A general Model for Analysis of Surveys. American Journal of Sociology.* 77. 1035-1086.

Goodman, L.A., Kruskal, W.H. (1954). *Measures of Association for Cross Classification. Journal of the American Statistical Association.* 49. 732-764.

Goodman, L.A., Kruskal, W.H. (1963). *Measures of Association for Cross Classification III: Approximate Sampling Theory. Journal of the American Statistical Association.* 58. 310-364.

Goodman, L.A., Kruskal, W.H. (1972). *Measures of Association for Cross Classification IV: Simplification of Asymptotic Variances. Journal of the American Statistical Association.* 67. 415-421.

Guilford, J.P. (1965). *Fundamental Statistics in Psychology and Education.* New York, N.Y. McGraw-Hill.

Harsbarger, T.R. (1971). *Introductory Statistics: A Decision Map.* New York, N.Y. Macmillan.

Hawkes, R.K. (1971). *The Multivariate Analysis of Ordinal Measures. American Journal of Sociology.* 76. 908-926.

Hawkes, R.K. (1973). *Reply to Reynolds. American Journal of Sociology.* 78. 1516-1521.

Hays, W.L. (1973). *Statistics for the Social Sciences.* 2e édition. New York, N.Y. Holt, Rinehart and Winston.

Kirk, R.E. (1968). *Experimental Design: Procedures for the Behavioral Sciences.* Belmont, Calif. Brooks/Cole.

Marascuilo, L.A., McSweeney, M. (1967). *Nonparametric and Distribution-Free*

Methods for the Social Science. Monterey, Calif. Brooks-Cole.

McNemar, Q. (1969). *Psychological Statistics.* 4ᵉ édition. New York, N.Y. Wiley.

Messenger, R.C., Mandell, L.M. (1972). *A Modal Search for Predictive Nominal Scale Analysis. Journal of the American Statistical Association.* 67. 768-772.

Morgan, J.N., Messenger, R.C. (1973). *Thaid: A Sequential Analysis Program for the Analysis of Nominal Scale Dependent Variables.* Ann Arbor, Mich. Institute for Social Research, The University of Michigan.

Morris, R.M. (1970). *Multiple Correlation and Ordinally Scaled Data. Social Forces.* 48. 299-311.

Nunnally, J.C. (1967). *Psychometric Theory.* New York, N.Y. McGraw-Hill.

Overall, J.E., Klett, C.J. (1972). *Applied Multivariate Analysis.* New York, N.Y. McGraw-Hill.

Reynolds, H.T. (1973). *On Multivariate Analysis of Ordinal Measures. American Journal of Sociology.* 78. 1513-1516.

Robinson, W.S. (1957). *The Statistical Measurement of Agreement. American Sociological Review.* 22. 17-25.

Siegel, S. (1956). *Nonparametric Methods for the Behavioral Sciences.* New York, N.Y. McGraw-Hill.

Snedecor, G.W., Cochran, W.G. (1967). *Statistical Methods.* 6ᵉ édition. Ames, Ia. The Iowa State University Press.

Somers, R.H. (1962). *A New Asymetric Measure of Association for Ordinal Variables. American Sociological Review.* 27. 799-811.

Somers, R.H. (1968). *An Approach to the Multivariate Analysis of Ordinal Data. American Sociological Review.* 33. 971-977.

Sonquist, J.A., Baker, E.L., Morgan, J.N. (1974). *Searching for Structure.* Édition revue et corrigée. Ann Arbor, Mich. Institute for Social Research, The University of Michigan.

Stevens, S.S. (1946). *On the Theory of Scales of Measurement. Science.* 103. 667-680.

Tatsuoka, M.M. (1971). *Multivariate Analysis: Techniques for the Education and Psychological Research.* New York, N.Y. John Wiley.

Winer, B.J. (1971). *Statistical Principes in Experimental Design.* New York, N.Y. McGraw-Hill.

Wolf, R. (1974). *Data analysis and Reporting Considerations in Evaluation.* Dans J.W. Popham (éd.) *Evaluation in Education: Current Applications.* Berkeley, Calif. McCutchan.

Dans cette troisième partie, nous avons voulu informer le lecteur sur un certain nombre de techniques et de méthodes que les spécialistes en évaluation de programme jugent non seulement utiles mais essentielles à l'évaluateur. Le lecteur a pu constater, à la lecture du texte, que l'évaluateur n'est pas démuni à ce niveau. En fait, il dispose d'un éventail intéressant et varié de techniques et de méthodes parmi lesquelles il peut sélectionner celles qui conviennent à son étude.

Les objectifs poursuivis dans le cadre de ce volume nous ont amené à imposer une certaine limite quant à la longueur du texte et, par conséquent, à faire une présentation brève des techniques et des méthodes composant ce support technique. Cependant, les informations fournies, quant aux caractéristiques et aux limites de ces techniques et méthodes, ainsi que la discussion des problèmes inhérents à celles-ci, nous apparaissent suffisantes pour que le lecteur ait une connaissance et une compréhension assez précise de l'utilisation que l'on peut en faire ainsi que de leur mode de fonctionnement respectif. Nous rappelons au lecteur que l'utilisation pratique de ces méthodes et techniques exige un degré de maîtrise et d'expertise qui dépasse le simple stade de la connaissance ou même celui de la compréhension.

Nous invitons le lecteur désireux d'approfondir ses connaissances dans ce domaine à consulter les sources bibliographiques présentées à la fin de chaque chapitre.

CONCLUSION

◆

Tout au long de cet ouvrage nous avons insisté sur le fait que l'évaluation s'intéresse fondamentalement à la détermination de la valeur d'un phénomène éducatif, que ce soit une intervention pédagogique, un matériel didactique ou encore un programme d'études. Nous avons également insisté sur le fait que l'évaluation a pour but d'améliorer et non de prouver. Nous avons souligné les dimensions de ponctualité et d'immédiateté du processus d'évaluation et nous avons mis en évidence sa dimension pratique et son caractère d'utilité sociale.

Nous avons voulu brosser un tableau global et relativement complet du domaine de l'évaluation de programme. Nous avons tenté de décrire les bases méthodologiques de cette approche, de mettre en évidence ses différentes facettes, de souligner les interventions les plus fréquentes et les plus cruciales de l'évaluateur, et de décrire les méthodes et les techniques nécessaires à sa réalisation.

D'une façon plus particulière, dans la première partie, nous avons tenté de mettre en évidence les racines historiques de cette approche, de souligner l'apport des nombreuses disciplines qui ont contribué à son émergence et de montrer l'influence des facteurs sociaux qui ont marqué son développement. Nous avons de plus voulu établir des distinctions de base entre l'évaluation de programme et les approches recherche, mesure et accréditation afin de faire ressortir les caractéristiques propres de la première, de considérer certains problèmes inhérents à la mise en place d'un processus d'évaluation et de décrire certaines stratégies propres à contrer ces problèmes. Nous avons par la suite fait une comparaison des approches *formaliste* et *naturaliste*, et la description d'un certain nombre de modèles propres à chacun de ces paradigmes. Nous avons enfin présenté les résultats de travaux du Joint Committee et de l'Evaluation Research Society sur les standards de l'évaluation.

Dans la deuxième partie, nous avons tracé un portrait type de l'évaluateur selon une approche formaliste, et ce, à chacune des étapes du processus d'évaluation d'un programme. Nous avons cerné un certain nombre de dimensions qui doivent plus particulièrement retenir notre attention : la définition de la problématique d'un programme, le choix et l'application d'une stratégie d'analyse de besoins, dans une première étape ; la clarification des objectifs d'un programme et la comparaison des stratégies de programme, à l'étape planification ; l'élaboration d'un schéma d'évaluation, l'identification des dimensions critiques à évaluer et la cueillette des informations, au niveau de l'implantation ; la cueillette des informations, le traitement et l'interprétation des données, à l'étape amélioration du programme ; l'analyse, la description du ou des programmes, l'élaboration et l'application d'un schéma d'évaluation, et le traitement et l'interprétation des données, lors de l'étape certification du programme.

Dans la troisième partie, nous avons décrit certaines méthodes et techniques susceptibles d'être utilisées par l'évaluateur. Nous avons traité de la notion d'objectif en mettant en évidence les origines, les distinctions de base, la formulation et la description de taxonomies. Un chapitre fut consacré à la description de techniques d'enquête, de planification et de communication ; un autre, aux différentes méthodes dont dispose l'évaluateur pour procéder à la mise en priorité de besoins. Les instruments de mesure occupent une place importante dans cette partie : nous y avons discuté de leur sélection, de leur classification et des caractéristiques d'un bon instrument, et décrit un certain nombre d'entre eux. La troisième partie se termine par des considérations sur les techniques statistiques : classification des variables, échelles de mesure, distribution des résultats et sélection des techniques statistiques.

La lecture de cet ouvrage a certainement convaincu le lecteur de l'ampleur et de la complexité du domaine de l'évaluation de programme. La description des différents modèles d'évaluation souligne d'une façon très évidente la multiplicité des facettes à considérer dans un tel processus. La description des interventions de l'évaluateur à chacune des étapes d'une approche formaliste met en évidence le rôle du spécialiste dans la reconnaissance et le contrôle des dimensions clés du processus. La description des méthodes et des techniques fournit une indication quant au type d'expertise attendu de l'évaluateur.

L'approche évaluation de programme ne constitue pas la solution miracle à tous les maux et problèmes qui affligent le domaine des programmes. Elle ne représente pas non plus une panacée dont la seule présence permettrait d'éliminer les difficultés inhérentes à l'évaluation de la valeur et de l'impact de ces programmes. Il ne faut pas perdre de vue que ces activités prennent place dans des conditions parfois difficiles, dans des milieux souvent réfractaires, et qu'elles supposent des tâches complexes. Il ne faut pas croire non plus que les interventions professionnelles et les propos de l'évaluateur vont être acceptés d'emblée ; l'amélioration de l'éducation n'est pas toujours le motif qui incite les professionnels à faire appel à un évaluateur. L'avantage principal de cette approche réside dans le fait qu'elle s'inscrit dans un processus de changement qui exige : une clarification des objectifs d'un programme ; une identification ainsi qu'une analyse comparée des moyens à mettre en œuvre pour atteindre les objectifs ; un contrôle formel et continu des variables en cause ; une analyse des effets à court et à long terme d'un programme. L'approche présente cependant un certain nombre d'inconvénients : l'évaluation d'un programme d'études implique des coûts élevés ; la variable temps est une dimension critique de ce processus ; le niveau d'expertise exigé fait que les spécialistes en évaluation de programme se font rares.

QUELQUES BESOINS À COMBLER

Les différents chapitres de ce volume contiennent, en substance, les dimensions essentielles et vitales de l'évaluation de programme. Ils mettent en évidence les possibilités réelles et les promesses qu'offre cette approche pour le développement et l'amélioration des programmes. Cependant, cette approche n'atteindra son véritable potentiel et, partant, n'améliorera les pratiques que si les théoriciens et les praticiens tentent de combler un certain nombre de lacunes particulièrement importantes. Dans ces dernières pages, nous tenterons d'isoler et d'étudier certaines de ces lacunes ; celles-ci concernent la méthodologie et la pratique de l'évaluation, et la formation des évaluateurs.

Sur le plan de la méthodologie

Nous avons souligné le fait que l'évaluateur dispose d'un éventail imposant de modèles, de techniques, de méthodes qui peuvent l'aider à entreprendre et à réaliser une étude évaluative. Un des problèmes majeurs auquel il est confronté, c'est qu'il ne possède pas d'informations précises et factuelles quant à la valeur relative de ces modèles. Par exemple, on sait peu de choses quant à leur efficacité et à la validité des éléments qui les constituent. Aucune donnée n'existe quant à la valeur comparée des diverses approches d'analyse de besoins et aux méthodes suggérées pour déterminer la priorité des buts et des objectifs.

Le domaine y gagnerait en clarté et en précision si des informations de cette nature étaient disponibles. Ces quelques exemples illustrent bien la nécessité d'entreprendre des études systématiques à ce chapitre.

Il y aurait lieu également d'entreprendre une analyse des techniques et des méthodes utilisées dans d'autres domaines afin d'identifier, éventuellement, celles qui pourraient être utiles en évaluation de programme. Parmi les disciplines qui présentent un intérêt, mentionnons la psychologie, les sciences sociales, les sciences politiques, l'administration, l'économique.

Sur le plan de la pratique

On aurait avantage à faire appel à l'évaluateur au tout début d'un programme, c'est-à-dire dans ses phases préliminaires, comme l'analyse de besoins et la planification ; les programmes y gagneraient beaucoup en qualité. Trop souvent, hélas ! on fait appel à l'évaluateur alors que le programme en est à la phase implantation, ce qui veut dire que les objectifs du programme ou du projet sont déjà définis, du moins implicitement, et que le plan d'action, pour atteindre ces objectifs, est déjà déterminé.

Il arrive fréquemment que des décisions soient prises avant même que les informations, qui pourraient changer leur nature, ne soient disponibles. Il est vrai cependant que le preneur de décision ne peut retarder indéfiniment une prise de décision sous prétexte qu'il ne possède pas toutes les informations requises. Il est également vrai qu'il ne devrait pas prendre de décision en l'absence d'informations pertinentes. Il est parfois préférable de retarder la prise d'une décision afin de disposer de plus d'informations.

Il est nécessaire d'adapter un modèle ou une approche d'évaluation à la réalité particulière que constitue le milieu du programme ou du projet faisant l'objet d'une évaluation. Le modèle le plus sophistiqué, les instruments de mesure les plus valides et adéquats peuvent se révéler de peu d'utilité si les ressources monétaires ne permettent pas leur utilisation.

Il est fondamental, pour assurer la réussite d'un projet, que l'évaluateur travaille en étroite collaboration non seulement avec le responsable d'un projet mais aussi avec les différents auditoires concernés par l'évaluation. L'évaluateur ne peut se permettre une attitude aussi impartiale, neutre et objective que le chercheur, mais il doit tenir compte du milieu dans lequel s'insère le projet et des gens qui œuvrent. Il doit réaliser que le preneur de décision est soumis à des pressions politiques de tous ordres et à des contraintes quelquefois énormes.

Sur le plan de la formation des évaluateurs

Le recrutement de spécialistes en évaluation de programme représente un problème fort important. Alors que les responsables des programmes aux divers paliers du système éducatif sont convaincus du bien-fondé et de la valeur de l'évaluation comme approche méthodologique, d'une part, et que d'importantes sommes d'argent sont investies dans des projets, d'autre part, on constate et on déplore une pénurie, pour ne pas dire une absence quasi totale, d'évaluateurs qualifiés.

Les personnes qui exercent présentement le rôle d'évaluateur se recrutent principalement parmi deux catégories de professionnels. La première catégorie est composée de personnes qui ont reçu une formation en méthodologie de la recherche, en mesure et évaluation, et en statistiques. Ces personnes possèdent pour ainsi dire peu ou pas de formation en évaluation de programme. Les propos présentés au chapitre 2 devraient nous convaincre qu'un bon chercheur ne fait pas nécessairement un bon évaluateur. La seconde catégorie est constituée de praticiens qui ont été mutés à des postes d'évaluateurs. Ces personnes ne possèdent habituellement pas de notions relatives à cette discipline et, bien souvent, n'ont pas de formation en méthodes quantitatives. Le milieu de l'enseignement est certes justifié de faire appel à de telles personnes, compte tenu du fait qu'il existe très peu de spécialistes en évaluation de programme, mais encore faudrait-il leur offrir une formation d'appoint dans le domaine.

La situation actuelle permet de déceler un urgent besoin à ce niveau. Pour le combler, il y aurait lieu de développer des programmes de formation de spécialistes en évaluation de programme. Les universités, et en particulier les facultés des sciences de l'éducation, devraient y accorder une attention toute spéciale. Il est vrai que la majorité de ces facultés offrent un cours d'introduction à l'évaluation mais, à notre connaissance, il existe très peu de programmes universitaires spécifiquement orientés vers la formation d'évaluateurs. Il nous semble impérieux que des efforts sérieux soient consacrés à la mise sur pied de tels programmes, lesquels devraient, à notre avis, s'intéresser à deux types de formation; l'un devrait viser la formation de spécialistes en évaluation de programme, l'autre devrait s'adresser à ceux qui, dans le milieu, exercent un rôle d'évaluateur sans avoir été formés dans cette discipline. Il nous apparaît nécessaire d'insister sur le fait que la formation de ces spécialistes doit être axée sur la théorie et sur la pratique; la théorie peut être acquise par des cours, des séminaires, des lectures et des études de cas, alors que la pratique ne peut être acquise que par la confrontation à des problèmes réels, c'est-à-dire par des stages pratiques.

LE FUTUR DE L'ÉVALUATION DE PROGRAMME

Il nous semble nécessaire de nous interroger sur le domaine en cause, son impact, ses réalisations et son devenir. Malgré un tableau, somme toute, positif, l'évaluation ne semble pas franchir la rampe, rejoindre les préoccupations des gens. Selon Madaus *et al.* (1984), le développement de l'évaluation a produit des résultats mitigés; ainsi, malgré tous les efforts déployés pour l'amélioration des méthodes et des approches, pour le développement de nouvelles techniques, pour l'amélioration des échanges et de la communication entre les principaux promoteurs, la pratique de l'évaluation ne semble pas avoir changé grand-chose dans la grande majorité des situations.

D'autre part, la création de nouvelles organisations professionnelles a eu pour effet d'accroître la communication ; celle-ci est davantage présente et de meilleure qualité, mais elle laisse également place à beaucoup de bavardage (Cronbach *et al.*, 1980). La présence de ces organisations professionnelles a eu pour effet de réduire la fragmentation, mais il subsiste encore des divisions très grandes entre les diverses organisations intéressées à l'évaluation de programme.

En outre, des progrès ont été réalisés au chapitre de la formation et de la certification des évaluateurs, afin que les institutions soient mieux servies, mais la formation semble le plus souvent étroite, restreinte et dogmatique.

Les commanditaires, les bailleurs de fonds se plaignent du peu d'utilité des résultats de l'évaluation alors que les évaluateurs ont le sentiment de n'inspirer aucun respect, de n'être pas perçus comme des professionnels très utiles ou très en vue ; ils se plaignent que leur travail n'est pas pris au sérieux, n'est pas reconnu ou tout simplement n'est pas connu.

Nous pouvons déceler de nombreuses raisons pour expliquer les difficultés de l'évaluation de programme et son incapacité à franchir la rampe. Déjà en 1969, Guba parlait de l'inadéquation méthodologique des modèles, de la non-considération du contexte socio-politique, de l'absence de la dimension valeur, de la partialité et de l'injustice de la démarche, du manque de réalisme dans le choix des critères d'évaluation et de l'instrumentation, et de l'inutilité de la démarche.

Stufflebeam, en 1971, énumérait un certain nombre de raisons qu'il appelait « les symptômes de la maladie » pour expliquer la non-utilisation de l'évaluation : l'évitement, l'anxiété, l'immobilisme, le scepticisme, l'absence de lignes directrices, le mauvais conseil, les éléments manquants.

Traçant un tableau des critiques adressées à l'évaluation, Weiss (1983) parle de l'étroitesse des études évaluatives, de l'irréalisme dans le choix des instruments de mesure, de la non-pertinence des données recueillies, de l'injustice dans le choix des questions et de l'inutilité de la démarche.

Le futur de l'évaluation de programme repose sur son utilité, sur sa capacité à faire ses preuves ; sinon il vaudrait mieux la mettre au rancart. Elle doit être utile aux concepteurs de programme et à ceux qui les implantent autant qu'à ceux qui en sont les bénéficiaires. Des efforts doivent être déployés pour que l'évaluation réponde aux besoins de la société, de ses institutions et de ses citoyens, plutôt que l'inverse (Kaplan, 1964).

Réduire les craintes

La crainte de l'évaluation semble être une réaction naturelle. Le praticien et... l'évaluateur manifestent de l'anxiété, le second à cause des erreurs qui peuvent résulter de l'application du processus d'évaluation et le premier à cause de la dimension jugement de valeur. L'évaluation implique un jugement, en termes de bon/mauvais, bien/mal, et la menace d'un jugement peut créer une réaction de peur, non seulement d'être jugé mais de l'être d'une façon inappropriée ou injuste, d'une façon malhonnête. Il existe en outre des peurs reliées à l'*utilisation abusive* qui peut être faite des données et à la *mauvaise utilisation* des informations. Ajoutons à cela la peur que provoque l'évaluation utilisée comme moyen de *contrôle* ou comme exercice de l'autorité.

Il est important d'éliminer ou de réduire ces craintes entretenues au sujet de l'évaluation; en ce sens il est nécessaire de faire comprendre que l'évaluation formelle, systématique, scientifique (mais non expérimentale) représente une façon (parmi d'autres) d'appréhender la réalité et qu'elle est différente des activités informelles d'évaluation, qu'elle a son propre langage, ses perspectives particulières, ses règles et ses procédures, ses normes et ses valeurs.

Il est important de faire comprendre que l'évaluation n'est intrinsèquement ni bonne ni mauvaise; elle « est », tout simplement. C'est l'utilisation que l'on en fait qui fait qu'elle peut être jugée bonne ou mauvaise.

Mais, plus important encore pour réduire les craintes, il est nécessaire d'exposer et de faire partager aux praticiens et aux différents auditoires concernés, les buts et les objectifs de l'évaluation, de définir le rôle et de clarifier le statut de l'évaluateur, de favoriser et d'entretenir la participation et la collaboration des gens concernés par l'évaluation.

Favoriser l'utilité sociale

En tant que scientifiques, les évaluateurs ont souvent mis toutes leurs énergies au profit de la *vérité scientifique* au détriment de l'utilité sociale. Ils sont alors coupables de ce que Guba (1969) appelle le *syndrome PDS*, c'est-à-dire du *pas de différence significative*, l'évidence, donc, de l'inefficacité d'un traitement (programme) après comparaison des effets de ce « traitement » avec ceux d'un autre. Cela tient au fait que beaucoup d'évaluateurs ont appliqué et appliquent encore les critères et les méthodes de la recherche empirique traditionnelle à des problèmes qui demandent une approche évaluative. L'évaluation ne peut respecter les conditions essentielles et idéales qu'exige la recherche telles que l'équivalence des groupes de comparaison, des données indépendantes du contexte, et le contrôle et la non-intervention au niveau des variables.

L'application d'un paradigme de recherche dans un contexte évaluatif serait une des principales sources des malaises qui affectent l'évaluation et une des causes de ses nombreux échecs (Nadeau et Hurteau, 1987; Guba, 1969; Stufflebeam et Webster, 1980). Pour emprunter une expression de Worthen et Sanders (1973), l'évaluation, tout comme la recherche, est une forme d'*investigation contrôlée*; à ce titre elle doit en avoir les propriétés, mais il faut reconnaître que ses buts, ses clients et ses résultats ne sont pas ceux que vise la recherche.

La qualité scientifique d'une évaluation ne doit pas constituer le standard le plus important et auquel il faut adhérer à tout prix; une bonne évaluation doit être compréhensible, correcte, complète et crédible pour tous les auditoires concernés. En ce sens, il peut être même nécessaire et important de sacrifier la « vérité scientifique » au profit de « l'utilité sociale ».

Il est important de véhiculer l'idée que l'excellence en évaluation ne réside pas nécessairement et uniquement dans cette capacité de dégager ou d'exprimer un consensus; qu'elle consiste aussi et peut-être davantage à favoriser l'expression de pensées divergentes et la manifestation ainsi que la confrontation de systèmes de valeurs différents. Il est important de convaincre les auditoires concernés qu'il est fallacieux de croire et de laisser croire que l'évaluation peut produire des réponses univoques et convaincantes propres à éliminer toute controverse; quiconque entretient cette idée risque de décevoir et d'être déçu. Selon Guba et Lincoln (1981), et Lincoln (1987), qui parlent de la quatrième génération d'évaluateurs, ceux-ci ne peuvent plus se contenter d'être des techniciens, des descripteurs et même des juges; ils doivent en plus devenir des agents de changement et des négociateurs.

Freiner la folie des méthodes

Cette recherche de la « vérité scientifique » et son engagement se traduisent par ce que Patton (1984) appelle *la folie des méthodes*. Celle-ci se manifeste lorsque la considération des méthodes et des procédés de mesure domine le processus d'évaluation et que celui-ci est relégué au second rang; lorsque les moyens deviennent des fins et lorsque la technique devient plus importante que l'information qu'elle produit; lorsque l'information produite est plus importante que les questions auxquelles elle se rattache. La problématique et le débat entourant la distinction et l'utilisation des méthodes quantitative et qualitative ne sont pas étrangers à cette « folie des méthodes ».

Il faut freiner la folie des méthodes, celles-ci n'étant ni bonnes, ni mauvaises. Elles doivent être considérées et jugées dans le contexte particulier de leur utilisation, quant à leur capacité de dégager des questions pertinentes et valides, d'une part, et de favoriser la collecte de données nécessaires à la résolution de problèmes, d'autre part.

Il est nécessaire que le domaine de l'évaluation puisse se caractériser par la tolérance vis-à-vis des méthodes, la préoccupation majeure ne devant pas être de recueillir des données selon les préceptes d'un paradigme ou d'un autre, mais bien de trouver des méthodes appropriées aux problèmes et aux situations. Les formules passe-partout qui ont prévalu pendant si longtemps ne sont plus applicables de nos jours et les évaluateurs doivent comprendre qu'il leur faut adapter leurs méthodes aux caractéristiques locales. Il faut favoriser l'utilisation de méthodes variées ; par exemple, combiner l'utilisation des approches qualitative et quantitative, des mesures objectives et subjectives, des mesures réactives et non réactives. Il faut convaincre que l'objectivité de l'information ne réside pas dans les méthodes, ni dans la façon de les construire, ni dans la façon d'y répondre, mais bien dans la façon de codifier les informations obtenues. Il faut convaincre enfin que les méthodes doivent être au service de l'évaluateur et non l'inverse.

Favoriser le partage des responsabilités

Pour des raisons de validité, de fiabilité et d'objectivité, les évaluateurs ont de tout temps exercé un *contrôle sur l'évaluation*, et ce, de façon presque absolue ; dans cette optique, les groupes concernés se retrouvent immanquablement, à la fin du processus, devant un fait accompli, c'est-à-dire devant un choix à faire parmi un ensemble d'options déterminées par quelques privilégiés, quelques « initiés ». Les évaluateurs chercheraient l'expression d'un consensus plutôt que la manifestation de la diversité d'opinions et de valeurs, et, par conséquent, l'information utilisée et véhiculée ne représenterait le plus souvent qu'un seul système de valeurs, qui pour certains groupes ayant des intérêts en jeu pourrait être jugé inacceptable ou irrecevable. Beaucoup d'experts croient que l'évaluation de programme doit se faire sur la base d'un système de valeurs unique, comme s'il n'y avait qu'une seule façon de juger de la valeur des programmes.

L'évaluateur et le preneur de décisions ne peuvent plus exercer un contrôle absolu et avoir un droit exclusif sur le processus. Pour une évaluation équitable et, comme le souligne Lincoln (1987), « politiquement viable », l'évaluateur doit accepter de céder une partie du contrôle qui lui était traditionnellement dévolu. Il est nécessaire que l'évaluateur, les individus et les groupes ayant des intérêts en jeu puissent collaborer et participer à chacune des étapes du processus d'évaluation, et ce, sur tous les plans (contenu, information et méthode). Dans *Les dix commandements de l'avenir*, Naisbitt (1984), parlant du principe de la démocratie de participation, insiste sur le fait que « ceux dont l'existence risque d'être affectée par une décision doivent faire partie intégrante du processus décisionnel ».

Nous croyons que l'évaluation doit être mise ou ramenée à l'échelle humaine. Cette approche aura une influence et une utilisation plus grande lorsqu'elle surgira de l'intérieur des organismes ou des entreprises, lorsque sa nécessité se fera sentir à la base, lorsqu'elle sera réclamée par la base, plutôt qu'imposée par un pouvoir ou une instance centrale, lorsqu'elle sera partagée et vécue par les différents acteurs.

Favoriser une formation plus étendue

Les efforts consacrés à la formation et à la certification des évaluateurs font que le milieu et les institutions disposent de personnes plus qualifiées. Cependant, certains craignent que la « professionnalisation » de l'évaluation aboutisse à la mise sur pied d'un club étroit et exclusif (Stake, 1981). Par ailleurs, la formation des évaluateurs serait fortement axée sur l'une ou l'autre des approches méthodologiques, ce qui aurait pour effet de restreindre et de polariser la formation, d'une part, et d'encourager le dogmatisme méthodologique, d'autre part.

Sur ce plan, il nous faut former des évaluateurs capables d'excellence, c'est-à-dire capables de choisir et d'utiliser des méthodes appropriées aux contextes, capables de s'adapter et d'adapter leurs méthodes d'investigation aux situations, aux contextes et aux besoins. Il faut éviter de prêcher et d'entretenir le dogmatisme en ayant des programmes de formation et des formateurs qui, non seulement informent, mais forment les candidats sur les différentes façons de faire ; qui forment des évaluateurs capables de choisir, d'adopter et d'utiliser une panoplie de méthodes, des évaluateurs capables également de les adapter à la problématique en cause, aux buts de l'investigation, au type et à la quantité d'information à recueillir, aux différents auditoires devant être servis, et aux contraintes et caractéristiques du milieu ; des évaluateurs conscients des réalités socio-politiques auxquelles ils seront confrontés et avec lesquelles ils devront composer. La pratique de l'évaluation demande des évaluateurs capables de créativité, de flexibilité, d'attention dirigée et de sensibilité.

Comme le souligne à juste titre Naisbitt, « le spécialiste vite dépassé, est en train de disparaître de la scène... pour laisser la place au généraliste qui, lui, s'adapte et se renouvelle ».

Combattre le dogmatisme

Les évaluateurs font souvent preuve de *dogmatisme*, en déclarant ou en manifestant une allégeance idéologique inconsidérée à l'un ou l'autre des paradigmes naturaliste et formaliste. Comme le soulignent Reichardt et Cook (1985), le débat actuel entretient le mouvement du pendule qui va d'un extrême à l'autre, sur le plan des méthodes mais aussi sur le plan du degré de satisfaction. Nous reprenons les propos de Madaus et McDonagh (1982) pour qui ce phénomène de polarisation représente une faiblesse et un danger pour l'évaluation : « Dans les deux cas, l'évaluateur, s'il n'est pas prudent, pourrait devenir une sorte de prêtre qui met en garde et donne des avis mais n'en accepte pas, un prêtre qui prêche d'une main au nom de la science et, de l'autre, par l'intermédiaire d'une personnalité charismatique. »

Il faut éviter que le phénomène de polarisation ou d'allégeance idéologique puisse prendre place et affecter autant la formation des évaluateurs que leurs pratiques. En accord avec House (1984a), Cronbach *et al.* (1980), et Patton (1984), il nous faut privilégier une approche plus éclectique. Selon Cronbach, « l'évaluateur serait avisé de ne déclarer allégeance ni à la méthodologie *quantitative-scientifique-sommative* ni à la méthodologie *qualitative-naturaliste-descriptive* ». Comme le souligne Paquay (1985), « plutôt que de prendre position pour un paradigme ou l'autre, il faudrait articuler des informations recueillies et produites par des approches diversifiées et complémentaires ». Nous reprenons les propos de De Landsheere qui en 1979 disait : « Nous sommes arrivés dans une période de transition, caractéristique de l'histoire de pratiquement toutes les sciences, c'est-à-dire au moment du difficile passage du scientisme au relativisme.

L'évaluation doit en outre devenir multidisciplinaire en favorisant l'intervention combinée de disciplines telles l'éducation, l'administration, la sociologie, la psychologie, l'économique, les sciences politiques, etc., afin de pouvoir développer et visionner l'éventail complet de la théorie de l'évaluation et de ses pratiques. Elle doit promouvoir le partage des méthodes et des perspectives à travers la pratique évaluative, afin de favoriser tant l'expression des options méthodologiques que les rôles sociaux.

Comme dernière considération, il nous semble important d'insister sur le fait que le futur et, par conséquent, la survie de l'évaluation comme approche méthodologique dépendent en grande partie de ses spécialistes, de leur volonté et de leur désir de concertation et de collaboration, de leur capacité d'oublier leurs querelles philosophiques et méthodologiques, de leurs efforts pour éliminer du discours et de la pratique le dogmatisme paradigmatique, de leur capacité de se mettre à l'écoute des auditoires concernés et de leur volonté de partager avec eux « leur pouvoir ». La survie de l'évaluation dépend également du désir et de la volonté du milieu et des organismes de s'ouvrir à l'évaluation, d'accepter que celle-ci ne soit plus la responsabilité exclusive du preneur de décision et de l'évaluateur, d'accepter et de rechercher la diversité d'expression et d'opinion, plutôt que l'illusion d'un consensus, et de favoriser et d'entretenir ce que Naisbitt appelle « une démocratie de participation ».

◆ RÉFÉRENCES

Borich, G.D., Jemelka, R.P. (1982). *Programs and Systems: An Evaluation Perspective.* New York, N.Y. Academic Press.

Cronbach, L.J., Ambron, S.R., Dornbusch, S.M., Hess, R.D., Hornik, R.C., Phillips, D.C., Walker, D.E., Weiner, S.S. (1980). *Toward Reform of Program Evaluation.* San Francisco, Calif. Jossey-Bass.

De Landsheere, G. (1979). *Pourquoi la recherche en éducation.* Dans *Éducation et recherche.* Société suisse pour la recherche en éducation.

Guba, E.G. (1969). *The Failure of Educational Evaluation. Educational Technology.* (9). 29-38.

Guba, E.G. (1978). *Metaphor Adaptation Report: Investigation Journalism.* Research on Evaluation Project, Portland, Oreg. Northwest Regional Education Laboratory.

Guba, E.G., Lincoln, Y.S. (1981). *Effective Evaluation.* San Francisco, Calif. Jossey-Bass.

House, E.R. (1984a). *The Politics of Educational Innovation.* Beverly Hills, Calif. McCutchan.

House, E.R. (1984b), *Reflexions on Evaluation. Evaluation News Quarterly Bulletin.*

Hurteau, M., Nadeau, M.A. (1987). *Distinctions de base: Évaluation de programme, recherche évaluative et recherche. Revue canadienne de psycho-éducation.* 16 (2).

Kaplan, A. (1964). *The conduct of Inquiry.* San Francisco, Calif. Chandler.

Lincoln, Y.S. (1986) *Program Evaluation in the Year 2000: Problems and Solutions.* Conférence présentée au congrès « L'évaluation: défis des années 80 », dans le cadre de l'ACFAS. Montréal, Qc.

Lincoln, Y.S. (1987). *L'évaluation de programme en l'an 2000: Problèmes et solutions.* Dans M.A. Nadeau et M. Hurteau (éd.) *L'évaluation: défis des années 80.* Monographie en mesure et évaluation. Québec, Qc. Département de mesure et évaluation, Université Laval.

Madaus, G.F., Scriven, M., Stufflebeam, D.L. (1983). *Evaluation Models: Viewpoints on Educational and Human Services Evaluation.* Boston, Mass. Kluwer-Nijhoff.

Madaus, G.F., McDonagh, J.T. (1982). *As I Roved Out: Folksong Collecting as a Metaphor for Evaluation.* Dans N.L. Smith (éd.) *Communicating in Evaluation: Alternative Forms of Representation.* Beverly Hills, Calif. Sage.

Nadeau, M.A. (1981). *L'évaluation des programmes d'études: Théorie et pratique.* Québec, Qc. Les Presses de l'Université Laval.

Nadeau, M.A. (1987). *L'évaluation des programmes: Bilan et perspectives.* Communication présentée dans le cadre des « Sessions/carrefours ». Orléans, France.

Nadeau, M.A., Hurteau, M. (éd.) (1987). *L'évaluation: Défis des années 80.* Monographie en mesure et évaluation. Québec, Qc. Département de mesure et évaluation, Université Laval.

Naisbitt, J. (1984). *Les dix commandements de l'avenir.* Traduit par G. Piloquet. Paris, France et Montréal, Qc. Sand-Primeur.

Paquay, L. (1985). *Les axes paradigmatiques des recherches relatives au développement et à l'évaluation des innovations scolaires. Une revue de leur évolution depuis 20 ans.* Louvain, Belgique. Université catholique de Louvain, Laboratoire de pédagogie expérimentale.

Patton, M.Q. (1984) *Sneeches, Zax and Empty Pants: Alternative Approaches to Evaluation.* Washington, D.C. U.S. Department of Education, National Institute of Education.

Reichardt, C.S., Cook, T.D. (1985). *Beyond Qualitative versus Quantitative Methods.* Dans T.D. Cook, C.S. Reichardt (éd.) *Qualitative and Quantitative Methods in Evaluation Research.* 5e édition. Beverly Hills, Calif. Sage.

Stake, R.E. (1981). *Setting Standards for Educational Evaluators. Evaluation News.* 2 (2). 148-152.

Stufflebeam, D.L., Foley, W.J., Gephart, W.J., Guba, E.G., Hammond, R.L., Merriam, H.O., Provus, M.C. (1971). *Educational Evaluation and Decision Making.* Itasca, Ill. Peacok.

Stufflebeam, D.L., Webster, W.J. (1980). *An Analysis of Alternative Approaches to*

Evaluation. Educational Evaluation and Policy Analysis. 2 (3). 5-20.

Weiss, C.H. (1983). *The Stakeholder Approach to Evaluation: Origins and Promise.* Dans A.S. Bryk (éd.) **Stakeholder-Based Evaluation: New Directions for Program Evaluation.** 17. 3-14.

Worthen, B.R., Sanders, J.R. (1973). *Educational Evaluation: Theory and Practice.* Worthington, Ohio. Jones.

Worthen, B.R. (1975). *Competencies for Educational Research and Evaluation.* **Educational Researcher.** 4 (1). 13-16.

ÉPILOGUE

◆

Bien que la recherche évaluative ne soit pas une approche récente, sa croissance vigoureuse et constante fait qu'elle peut exercer une influence considérable dans l'étude des problèmes sociaux. Quoiqu'il soit utopique de croire que les études évaluatives puissent éliminer toutes les faiblesses des programmes existants ou encore tous les problèmes d'ordre politique et d'ordre conceptuel qui s'y rattachent, l'évaluation adéquate des programmes existants et des programmes nouveaux peut constituer un facteur important de changement social et d'amélioration des conditions de vie et d'environnement des membres de la société. (F.G. Caro, 1971.)

LEXIQUE

ACCRÉDITATION : Reconnaissance officielle, par un organisme compétent, après évaluation, de la valeur des objectifs d'une institution et des moyens qu'elle prend pour les atteindre.

AFFECTIF : Relié aux attitudes, dispositions, motivations, préférences, goûts ou valeurs.

ALGORITHME : Ensemble de règles qui définissent une séquence d'opérations représentant un système réel.

ALTERNATIVE DE DÉCISIONS : Un ensemble de réponses possibles à une situation décisionnelle.

AMÉLIORATION (Programme) : Processus qui a pour but : 1) de vérifier l'atteinte des objectifs, tant intermédiaires que terminaux, d'un programme ; 2) d'établir les relations pouvant exister entre les caractéristiques du programme implanté et les résultats produits ; 3) d'apporter les correctifs jugés nécessaires.

ANALYSE DE BESOINS (Programme) : Processus empirique et de jugement qui a pour but : 1) d'identifier l'ensemble complet des buts éducatifs ; 2) d'établir un ordre de priorité parmi ceux-ci.

ANALYSE DE CONTENU : 1) Méthode visant la description objective, systématique et habituellement quantitative des diverses caractéristiques de la communication verbale. 2) Processus qui, à partir d'un système de classification simple et économique, consiste à reconnaître et à lister les idées,

les émotions, les références personnelles et autres expressions contenues dans une variété de sources d'information.

ANALYSE COÛT/BÉNÉFICE : Analyse qui consiste à mettre en relation les coûts d'un programme (ou d'un résultat) et les bénéfices prévus résultant du succès éventuel de celui-ci.

APPROCHE SYSTÉMIQUE : Processus par lequel : 1) les besoins sont identifiés ; 2) les problèmes sont sélectionnés ; 3) les éléments nécessaires à la solution des problèmes sont identifiés ; 4) les solutions sont choisies parmi les options ; 5) les méthodes et les moyens sont développés et mis en application ; 6) les résultats sont évalués ; 7) le projet ou le programme est revu en tout ou en partie afin de combler les besoins.

AUDITOIRES : Les personnes qui, dans leur prise de décisions, sont guidées par l'évaluation, et celles qui ont des enjeux dans l'évaluation.

BESOIN : 1) Quelque chose ou une condition sans laquelle l'état d'un individu (ou d'un groupe) est considéré comme moins que satisfaisant. 2) Un écart mesurable entre un état actuel et un état souhaité.

BUT : Terme général qui englobe tous les types d'objectifs.

BUT D'UN PROGRAMME : Énoncé dont la formulation présente d'une façon générale ce vers quoi tend l'enseignement. Par exemple : « Acquérir et développer des habiletés spécifiques à l'utilisation de sa langue maternelle. »

BUT D'UN SYSTÈME : Énoncé qui fait état de l'éducation vue dans un contexte scolaire. Par exemple : « Le niveau primaire vise à assurer à l'enfant le développement des apprentissages fondamentaux nécessaires au développement intellectuel, à l'intégration de l'expérience et à l'insertion sociale. »

CERTIFICATION (Programme) : Processus qui a pour but : 1) de décrire de façon détaillée les caractéristiques du programme et ses réalisations ; 2) de comparer, sur le plan des caractéristiques et des réalisations, ce programme à un ou plusieurs autres programmes.

CLIENT : Individu, groupe ou organisation qui engage un évaluateur.

COGNITIF : Relié à l'activité intellectuelle, aux processus mentaux.

CONGRUENCE : La qualité d'être en accord, en conformité, en harmonie ou encore en correspondance.

CONSENSUS : Procédure de prise de décision dans laquelle tous les membres d'un groupe comprennent et partagent une décision, et la supportent ou y consentent.

CONTEXTE (d'une évaluation) : Ensemble des facteurs contextuels qui peuvent avoir un effet sur les résultats d'une étude, tels le lieu géographique, le temps, le climat socio-politique de la région, les activités professionnelles qui y prennent place, les conditions économiques, etc.

CONTRAINTE : Tout facteur qui entrave ou rend impossible l'atteinte des objectifs.

CRITÈRE : 1) Mesure éprouvée, reconnue et valide d'une variable. 2) Norme dont on se sert pour juger une chose.

CYBERNÉTIQUE : Étude de la communication, du contrôle et de l'autorégulation des systèmes.

DÉCISION (Processus) : Le processus de prise de décision suppose : 1) la prise de conscience ; 2) la détermination du plan de la situation ; 3) le choix ; 4) l'action.

DÉCISION (Règle dè) : Règle sur laquelle se base le choix entre des interprétations ou des actions possibles.

DONNÉE : Élément d'information prêt pour le traitement et l'analyse.

ÉCHANTILLON : 1) Sous-ensemble d'une population. 2) Unité prédéterminée d'une population ou d'un univers donné, qui peut être considérée comme représentative de cette population ou de cet univers.

EFFICACITÉ DES COÛTS : 1) Étendue avec laquelle un programme, un projet ou un matériel pédagogique produit des résultats égaux ou supérieurs à un autre, et qui demande en termes de coûts, le même temps, le même effort et les mêmes ressources. 2) Étendue avec laquelle un objet produit des résultats similaires à un autre, mais à un coût moindre.

ETHNOGRAPHIE : Collecte descriptive de données d'observations et d'entrevues.

ÉTUDE DE CAS : Description et analyse intensives et détaillées d'un projet, d'un programme ou d'un matériel unique, considéré dans son environnement.

ÉVALUATEUR : Personne qui accepte la responsabilité de planifier, de conduire et de rapporter une évaluation. On distingue l'évaluateur interne et l'évaluateur externe, l'évaluateur amateur et l'évaluateur professionnel.

ÉVALUATEUR EXTERNE : L'évaluateur externe est habituellement un consultant auprès d'un organisme ou d'une institution. En principe, il aurait : 1) une plus grande objectivité ; 2) l'aptitude à inclure des critères évaluatifs qui concernent les prémisses organisationnelles de base ; 3) la possibilité d'agir comme agent médiateur s'il existe des conflits internes ; 4) un statut mieux protégé que celui de l'évaluateur interne ; 5) une plus grande facilité à éviter des tâches indésirables et qui ne font pas partie de l'évaluation.

ÉVALUATEUR INTERNE : L'évaluateur interne est habituellement un membre d'une organisation ou d'une institution. En principe, il aurait : 1) plus d'aptitudes à développer une connaissance détaillée de l'organisation et de ses programmes ; 2) une meilleure position pour faire de l'évaluation continue au niveau du programme.

ÉVALUATION : 1) Détermination, de façon formelle, de la valeur d'un phénomène. 2) Jugement basé sur la comparaison de résultats de mesure à des critères. 3) Jugement de valeur porté à partir d'informations en vue d'une prise de décision. 4) Détermination systématique de la valeur ou du mérite d'un programme, d'un projet ou d'un matériel.

ÉVALUATION CONTINUE (Apprentissage) : Système qui englobe des évaluations de l'apprentissage réalisées sur une période donnée.

ÉVALUATION CRITÉRIÉE (Apprentissage) : Toute évaluation qui consiste à juger le rendement d'un individu par rapport à un critère de performance, et ce, indépendamment du rendement des autres individus.

ÉVALUATION DIAGNOSTIQUE (Apprentissage): 1) Évaluation qui consiste à déterminer les causes à l'origine d'un apprentissage déficient de telle sorte qu'une action corrective puisse être entreprise. 2) Évaluation qui consiste à déterminer le point de départ pour un enseignement donné: a) pour déterminer la présence ou l'absence d'habiletés jugées nécessaires (préalables) pour aborder l'apprentissage d'une nouvelle unité; b) pour déterminer le niveau de maîtrise des objectifs d'un cours en vue de situer l'étudiant au point de départ le plus approprié; c) pour classer les étudiants dans des groupes distincts selon certaines caractéristiques telles que l'intérêt, la motivation ou toute autre variable reconnue comme étant reliée à une stratégie particulière d'enseignement, ou encore à un type d'apprentissage donné.

ÉVALUATION EXTERNE: Évaluation conduite par un évaluateur qui provient de l'extérieur de l'organisation où prend place l'étude.

ÉVALUATION FORMATIVE (Apprentissage): Système qui consiste à recueillir, à plusieurs occasions pendant le déroulement d'un cours ou d'une séquence de cours, des informations utiles quant à la qualité de l'apprentissage réalisé par un étudiant, afin de déterminer si celui-ci doit le reprendre ou s'il peut poursuivre.

ÉVALUATION FORMATIVE (Programme): Évaluation qui s'applique à un programme d'études en voie de développement et qui consiste à déterminer l'efficacité et la valeur des méthodes, des moyens et des procédures mis en œuvre pour atteindre un ensemble d'objectifs dans le but de les améliorer.

ÉVALUATION FORMELLE: Évaluation basée sur des informations précises recueillies à l'aide d'instruments de mesure valides et fidèles.

ÉVALUATION INFORMELLE: Évaluation basée sur des impressions et sur des normes intuitives.

ÉVALUATION INTERNE: Évaluation conduite par un membre de l'organisation où l'étude prend place.

ÉVALUATION DE L'APPRENTISSAGE: Jugement de valeur porté sur la qualité des apprentissages réalisés par un étudiant à partir d'informations recueillies sous la forme de résultats à des épreuves de rendement scolaire, en vue de prendre des décisions de nature pédagogique et (ou) administrative.

ÉVALUATION DE L'ENSEIGNEMENT: Activité qui consiste à déterminer la qualité de l'enseignement donné.

ÉVALUATION NORMATIVE (Apprentissage): Toute évaluation qui consiste à comparer la performance d'un étudiant à celle d'autres étudiants.

ÉVALUATION SOMMATIVE (Apprentissage): Système qui consiste à recueillir, à la fin d'étapes importantes dans la scolarité de l'étudiant comme à la fin d'un cours, d'un programme d'études ou d'un cycle, des informations utiles quant à la qualité de l'apprentissage réalisé par un étudiant, pour des fins de promotion ou d'accréditation pour les cours suivis, ou encore pour la certification.

ÉVALUATION SOMMATIVE (Programme): Évaluation qui s'applique à un programme dont la réalisation est complétée et qui consiste à déterminer la valeur et l'efficacité de ce programme pris comme un tout.

ÉVALUER: Porter des jugements de valeur ou associer des valeurs à des objets ou à des personnes selon un critère ou un ensemble de critères.

EXTRANTS: Les sorties, les résultats, les produits d'un système.

FAISABILITÉ: Jugement quant à l'opportunité d'implanter une évaluation dans un contexte donné.

FINALITÉ D'UN SYSTÈME: Énoncé très vague dans sa formulation et qui concerne tous les individus d'une collectivité donnée. Par exemple: « Le système d'éducation du... vise à développer la personne dans toutes ses dimensions. »

FIDÉLITÉ: Qualité d'un instrument de mesure qui fait que les résultats obtenus sont fiables.

FORMALISTE (Approche): Approche structurale qui: 1) considère un programme d'études comme un système cybernétique composé de trois éléments, intrant, processus et extrant; 2) détermine au point de départ l'orientation de l'évaluation, l'information à recueillir et les techniques de cueillette de données; 3) fait appel à des méthodes quantitatives et à des instruments standardisés; 4) véhicule l'information sous la forme d'un rapport écrit formel.

HASARD: Concept qui veut que chaque répondant, pour un échantillon donné, n'ait ni plus ni moins de chance d'être inclus dans celui-ci que n'importe quel autre répondant.

HISTOIRE DE VIE: Récit autobiographique stimulé par un chercheur de façon que le contenu exprime le point de vue de l'auteur qui se remémore les différentes situations qu'il a vécues.

IMPLANTATION (Programme) : Processus qui a pour but : 1) de vérifier si les divers éléments définissant un programme sont mis en application selon le devis du programme préparé à l'étape de planification ; 2) d'apporter les correctifs jugés nécessaires.

INFORMATIONS : Données descriptives ou interprétatives des phénomènes évalués (tangibles ou non), ainsi que leurs interrelations, obtenus par l'intermédiaire d'instruments de mesure et sur lesquelles se base l'évaluation.

INTRANTS : Les entrées d'un système.

INSTRUMENT : Toute procédure ou tout moyen adapté, adopté ou construit pour des fins de mesure et d'évaluation.

JUGER : Déterminer la valeur d'une chose, d'un phénomène.

MÉRITE : Excellence d'un objet démontrée par ses qualités intrinsèques ou par sa performance.

MESURE NON RÉACTIVE : Méthode pour étudier le comportement typique ou volontaire en observant les actions de gens qui ne se savent pas observés.

MESURER : Associer des symboles à des objets, à des événements ou à des personnes selon des règles précises.

MÉTA-ÉVALUATION : Évaluation d'une évaluation.

MODÈLE : Représentation symbolique ou analytique utilisée pour aider à la visualisation : 1) de la structure d'une entité complexe ; 2) des interrelations entre ses parties ; 3) des relations de ces dernières avec le tout.

NATURALISTE (Approche) : Approche qui : 1) est axée sur les activités d'un programme ; 2) se caractérise par une structure en émergence ; 3) fait usage de techniques subjectives pour la cueillette d'informations ; 4) s'intéresse aux différentes valeurs des personnes concernées ; 5) utilise ces valeurs comme critères pour porter un jugement ; 6) se préoccupe du jugement porté par les personnes touchées.

NORME : Valeur singulière ou distribution de valeurs représentant la performance typique d'un groupe.

OBJET D'ÉVALUATION : Ce qui est soumis à une évaluation : programme, projet ou matériel.

OBJECTIF GÉNÉRAL : Énoncé qui traduit les buts déjà formulés en habiletés intellectuelles, en attitudes ou en habiletés motrices. Par exemple : « Connaître les caractéristiques d'une phrase complète. »

OBJECTIF GLOBAL D'UN PROGRAMME : Énoncé qui, dans sa formulation, précise d'une façon englobante la fin dernière visée par un programme particulier. Par exemple : « Le programme de français, langue maternelle, vise l'acquisition et le développement de stratégies et d'habiletés langagières, de telle sorte que l'étudiant soit capable de communiquer avec ses concitoyens. »

OBJECTIF SPÉCIFIQUE : Énoncé qui décrit ce que l'étudiant doit être capable de faire à la fin d'un cours ou d'un programme, en termes de comportement observable. Par exemple : « Identifier le sujet, le verbe et le complément dans des phrases complètes. »

OBSERVATION DIRECTE : Technique de mesure permettant la description exhaustive des composantes factuelles d'une situation.

OBSERVATION PARTICIPANTE : Méthode visant à repérer le sens, l'orientation et la dynamique d'une situation, par la collecte de faits, d'échanges, d'entrevues et autres, permettant de révéler le sens d'une situation.

PERT : Technique permettant de planifier les diverses étapes de réalisation d'une activité et d'estimer les temps et les coûts de réalisation.

PLAN : Projection de ce que l'on doit faire pour atteindre des buts valides et importants.

PLANIFICATION (Programme) : Processus qui a pour but : 1) de déterminer la nature, l'étendue et l'organisation des interventions et des activités à mettre en place pour combler les besoins (exprimés sous la forme d'objectifs) identifiés à la phase analyse de besoins ; 2) de déterminer les moyens à mettre en œuvre pour savoir si ceux-ci ont été comblés ou non.

PLANIFIER : Réaliser un processus qui consiste à imaginer, à sélectionner et à organiser les éléments, les techniques et les procédures qui définissent un objet, un événement ou un phénomène.

PRÉCISION : Mesure avec laquelle une évaluation est dite vraie ou valide eu égard à ce qu'elle révèle d'un programme, d'un projet ou d'un matériel.

PROCESSUS : Activité particulière, continue et cyclique, regroupant plusieurs méthodes et moyens, impliquant un certain nombre d'étapes et d'opérations nécessaires à l'atteinte de résultats anticipés ou attendus.

PRODUIT : Résultat, fin ou objectif de toute action.

PROGRAMME : Ensemble d'activités qui regroupent, pour leur réalisation, des ressources humaines, matérielles et financières, en vue de produire des services particuliers à une population dans le but d'en changer l'état.

PROGRAMME (Aspect administratif) : Agencement d'objectifs qu'un étudiant doit réussir pour obtenir une certification.

PROGRAMME (Aspect structural) : Ensemble d'instruments et de moyens mis en œuvre pour atteindre un ensemble d'objectifs.

PROGRAMME (Aspect opérationnel) : Ensemble organisé de buts, d'objectifs spécifiques, de contenu organisé de façon séquentielle, de moyens didactiques, d'activités d'apprentissage et de procédés d'évaluation pour mesurer l'atteinte de ces objectifs.

PSYCHOMOTEUR : Relié aux mouvements chez l'être humain (réflexes, mouvements fondamentaux, capacités perceptives, habiletés motrices, communication gestuelle).

QUALITATIVES (Données) : Faits et revendications présentés d'une façon narrative.

QUANTITATIVES (Données) : Faits et revendications représentés par des nombres.

RATIONNEL (Un) : Argumentation qui consiste à fournir les raisons de la poursuite d'un but, en vue de justifier l'investissement des ressources pour l'atteindre.

SCHÉMA D'ÉVALUATION : Plan qui dit quand et auprès de qui les informations vont être recueillies par l'intermédiaire d'instruments et de techniques de mesure. Le schéma peut être déterminé à l'avance (formaliste) ou il peut émerger d'une situation (naturaliste).

STANDARD : Principe accepté et reconnu par des experts pour déterminer la valeur ou la qualité d'une évaluation et de l'usage de ses résultats.

SYSTÈME : Ensemble total des éléments qui, indépendamment et (ou) conjointement, travaillent à l'atteinte d'objectifs prévus, lesquels sont basés sur des besoins.

TECHNIQUE DELPHI : Technique utile pour des fins de projection dans le futur à partir des données obtenues auprès de répondants anonymes, lesquels reçoivent les réponses des autres répondants à des questions préalables. Peut être utilisée pour des fins autres que projectives.

TEST DE RENDEMENT : Instrument de mesure qui doit permettre à celui qui l'emploie de déterminer globalement et analytiquement jusqu'à quel point les sujets qui y sont soumis ont atteint les objectifs de l'enseignement auxquels on voulait les élever par l'intermédiaire du programme qui déterminait ces objectifs.

VALEUR : 1) Prédisposition d'un individu à agir d'une certaine façon dans une situation donnée. 2) Qualité d'un objet considéré en relation avec son but.

VALIDITÉ : Qualité d'un instrument de mesure qui fait que celui-ci mesure bien ce qu'il est censé mesurer.

INDEX

Accréditation (modèle), 25, 44, 56, 84-85, 107, 401

Administrateur (voir Responsable)

Administration de l'évaluation
    problèmes, 53-54
    stratégies, 54-56

AERA (American Educational Research Association), 22

Allocation budgétaire (méthode), 317

Alkin, M.C., 46, 209
    modèle, 94-97, 106, 171

Amélioration (d'un programme), 79, 97, 171, 221, 231-234, 240

Analyse de besoins (d'un programme), 24, 96, 171, 175-201, 209, 210, 212, 240, 269, 315, 320, 404
    application d'un modèle, 190-201
    avantages, 184
    besoin, 37, 46, 50, 80, 96, 98, 100, 101, 145, 175-201, 210, 269, 403-405
    choix d'un modèle, 186-190
    définition, 181-182
    mise en priorité (techniques), 200, 315-320
    modèles, 175, 186-190
    postulats, 183-184
    problématique, 185-186

rapport, 200-201
    stratégie, 186-187
    techniques, 192-195

Analyse de contenu (technique), 123, 185, 346-348

Analyse de système, 213, 355, 359

Analyse statistique (voir Techniques statistiques)

APEX (modèle), 325-326

Appariement (test), 304

Apprentissage (évaluation de), 33-34, 289-291, 293-294, 303-306

Approche analytique (voir Techniques statistiques)

Approche CSE, 307

Approche formaliste, 25, 47, 52, 66-67, 77-111, 209, 213, 245, 337, 401-402, 410

Approches formelle et informelle d'évaluation, 11, 17-18

Approche Hershkowitz, 321-323

Approche Lane, Crofton, Hall, 328

Approche Nadeau, 323-325

Approche naturaliste, 25, 47, 52, 65-72, 115-135, 171, 337, 401, 410

Approche Neff, 328

Approche Opinion Research Corporation, 323

Approche PERT (voir PERT)

Approche synthétique (voir Techniques statistiques)

Approches systémiques, 355, 359

Approche Westinghouse Learning Corporation, 327

Aptitudes (test), 307

Arbre de décision (statistique), 372, 376, 378-393

Archives scolaires, 349, 355

Assignation au hasard, 41, 43, 215

Atteinte des objectifs (modèle), 44-45, 56 (voir aussi Tyler, Hammond, Metfessel et Michael)

Attitudes (échelle, test), 81, 306-307, 309-310

Audibilité, 130, 134

Auditoires cibles (voir Bénéficiaires de service)

Auto-évaluation, 25, 44, 81, 84-85, 188-189, 196

Banque d'objectifs, 21, 191

Bénéficiaires de services, 48-49, 68, 72, 104, 116, 119-120, 122-123, 127-128, 131, 144, 145-147, 150, 161, 245, 337, 404, 407-408

Besoin, 37, 46, 50, 80, 96, 98, 100-101, 145, 175-201, 210, 269, 403-405
    catégories de, 180
    définition, 176-179
    identification, 95, 315
    moyen, 180
    mise en priorité, 315-329

Bloom, B. S., 261, 263
    taxonomie (cognitif), 18, 22, 184, 191, 254-256, 259, 261-263
    verbes d'action, 276-278

Burns, R. W., 258, 274
    verbes d'action, 278, 281-282

Buts, 17, 70, 78, 101, 188, 256-259, 267-272

Campbell, D. T. et Stanley, J. C., 215

Center for the Study of Evaluation (UCLA), 21, 22, 24, 189, 191

Certification (d'un programme), 97, 172, 210, 234, 239-242, 337

Choix de réponse (test), 304

Choix d'une technique statistique, 371-393
    approche analytique, 376-393
    approche synthétique, 372-376

CIPP (modèle) (voir Stufflebeam)

Classification des objectifs (voir Objectifs, niveaux, typologie)

Classification des variables, 365-366

Comité de planification (technique), 213, 355, 359

Communication (technique), 349-355

Comparaison des modèles d'évaluation (voir Modèles, comparaison)

Comparaison par paires (méthode), 317-318

Consultant, 213, 355-356

Contexte organisationnel, 51, 53-56, 152
    problèmes, 53-54
    stratégies, 54-56

Contrôle expérimental, 41, 43

Corrélation (voir Techniques statistiques)

Coûts, 87, 102, 110, 135, 144, 148-150, 156, 161, 200, 211

Crédibilité, 41, 43, 130, 133-134, 143, 145, 150, 214

Critères, 18, 38, 41, 49-50, 54-55, 70, 80, 84-85, 87-88, 91-92, 94, 98, 116-118, 130, 132, 134, 141-165, 180, 182, 196, 200, 288
    rigueur, 130-131

Cronbach, L. J., 20, 38, 46, 49, 51-52, 406, 411

CSE (Modèle) (voir Alkin)

Décision, 34, 38, 46, 56, 86, 95-99, 102, 104, 116, 145, 196, 213-215, 226, 240, 287-288, 295-296, 394, 404
    phases, 98-99
    preneur de, 24, 35, 38, 48, 53, 66, 85, 146, 156, 160-161, 184-185, 200-201, 210, 214-215, 222-223, 226, 231-234, 239-240, 245, 269, 287, 337, 404, 409, 411
    types, 95-103, 210-211

Décision (modèles de) (voir Alkin, Stufflebeam, Provus)

Dell, D. L., 194-195

De Landsheere G., 411

DELPHI (technique), 101, 143, 185, 192, 213, 349-352, 355, 359

Devis de programme, 211, 215-216, 221, 231-232, 234

Distribution des résultats, 370-371

Domaine affectif, 18, 22, 83, 191, 255, 259, 263-265, 270, 309
    verbes d'action, 280-281

Domaine cognitif, 18, 22, 83, 191, 255, 259, 261-263, 270
    verbes d'action, 276-279

Domaine psychomoteur, 83, 191, 255, 259, 265-267, 270
    verbes d'action, 282

Données (information)
    collecte, 133, 148, 158-159, 181-182, 188, 192, 195-197, 231, 233
    fidélité, 15, 70, 78, 90, 97, 153, 155, 158-159, 196, 214, 242, 289-293, 295, 297-298, 409
    interprétation, 130, 146, 159, 172, 181, 231, 233-234, 239, 241-242
    traitement, 231, 233-234, 239, 241-242
    validité, 15, 38, 42, 70, 78, 90, 97, 151, 153, 155, 158-159, 189, 195-196, 214, 242, 287, 289-291, 293-297, 302, 409

Dossier anecdotique (technique), 81, 214, 226, 306, 308-309, 349, 355

Dossier scolaire, 214

Écart absolu, 199, 320

Échelle de mesure, 15, 153, 198, 365-370, 373-374
    de rapport, 183, 320, 368
    d'intervalles, 183, 233, 368, 373-374
    nominale, 184, 233, 366-367, 373-374
    ordinale, 184, 193, 233, 317, 367, 373-374

Échelle d'appréciation, 103, 214, 306, 308, 340

Échelle d'opinions, 186, 192, 197, 214, 343-345

Eight Year Study, 45

Eisner, E. W., 14, 125

Elementary and Secondary Education Act, 20, 33, 53

Enquête (technique), 338-348

Enseignement (évaluation), 33, 44

Entrevue (technique d'), 16, 81, 101, 103, 122, 124, 128, 153, 186, 192, 197, 214, 226, 302, 306-307, 309, 342

Estimation de l'amplitude, 318-320

ETS (Educational Testing Service), 18

Étude de cas, 127, 133, 143

Évaluateur, 25, 34, 37, 49, 67-69, 77, 79, 88, 91-92, 94, 102-105, 116-117, 120, 122, 124-125, 127, 129, 130, 132-133, 142-147, 149-156, 158, 161-162, 171, 175, 185-186, 190-192, 197, 200-201, 209, 211-216, 221-223, 226, 231-234, 239-242, 245, 249, 253, 254, 256, 258, 267, 269-270, 273-274, 283, 288-289, 294-296, 299, 301-303, 309-310, 315, 337, 349, 359, 365-366, 369-370, 374, 376-377, 394, 399, 402-406, 408-411
    amateur/professionnel, 49, 50, 55
    formation, 49, 146, 152, 403-406, 410
    interne/externe, 49, 55, 149
    instrument, 118, 120, 126, 132, 133
    qualifications, 25, 49, 145-146
    rôle, 94, 106-107, 171-172, 185, 221, 231, 239

Évaluation en éducation
    concept, 16, 17, 18, 33-34
    types, 33, 106, 107, 160

Évaluation de l'apprentissage, 33-34, 92, 289-291, 293-294, 303-306
    critériée, 103, 182, 189, 196, 289, 293-294, 304
    normative, 20, 103, 289, 293-294, 304

Évaluation de programme
    besoins à combler, 403-405
    contexte organisationnel, 34, 51-57
    critères (voir Critères)
    définitions, 34, 35, 44-46, 106-107, 108, 117, 126, 127
    formaliste (voir Formaliste/naturaliste)
    formaliste/naturaliste, 65-72
    formative/sommative, 24, 45, 49, 51-52, 79, 121-122, 128, 132, 143, 146, 162, 172, 234, 239, 337
    formelle/informelle, 34-36, 52, 53, 56, 65, 88, 143
    futur, 405-411
    modèles, 24, 47-48, 65-72, 77-111, 115-135, 337
    naturaliste (voir Formaliste/naturaliste)

planification, 49, 65, 96-97, 99, 104, 171,
182, 184, 201, 209-216, 222-223,
231-232, 240-241, 337, 355-359, 404
proactive/rétroactive, 52
qualité de, 14, 25, 49, 50, 54-55, 70, 196
rapports (voir Rapport d'évaluation)
recherche, 36-37, 39-43
schémas d'évaluation, 47, 69, 78, 132,
134, 158-160, 171-172, 209, 212-216,
222, 231, 233, 239-242

Evaluation Research Society, 25, 51, 141,
156-162, 402

Extrants, 36, 92, 108-109

Fault tree analysis (technique) 186, 349,
354-355

Fidélité, 15, 70, 78, 90, 97, 153, 155,
158-159, 196, 214, 242, 289-293, 295,
297-298, 409

Finalités, 17, 182, 254, 256-259, 267-270

Formaliste (voir Modèles d'évaluation ;
Formaliste/naturaliste)

Formaliste/naturaliste, 25, 47, 52, 65-72,
171-172, 209, 213, 401
distinctions de base, 65-72
dimension temps, 70-72
formaliste, 25, 47, 52, 66-67, 77-111,
115, 171, 209, 213, 245, 337, 401-402,
410
naturaliste, 25, 47, 52, 65-72, 115-135,
171, 401, 410

Formation (évaluateur), 49, 146, 152, 403-406,
410

Formative (évaluation), 24, 45, 49, 51-52, 79,
121-122, 128, 132, 143, 146, 162, 172, 234,
239, 337

Formelle (évaluation), 34-36, 52-53, 56, 65, 88,
143

Formulation des objectifs, 78-79, 100, 188,
212, 253-254, 259-260, 267-274

Graphiques (technique), 200, 321-327

Groupe contrôle, 214, 216, 241

Groupe de discussion (technique), 185, 349

Groupe d'experts (technique), 185

Groupe nominal (technique), 186, 192, 349,
352-354

Gronlund, N. E., 259-260, 274
verbes d'action, 278, 281-282

Guba, E. G., 44, 48-49, 52, 55, 115-118, 126,
129, 179, 406-408

Guide d'implantation, 223, 226

Hamilton, D., Parlett, M., 124

Hammond, R. L.
modèle, 81-84, 107

Harrow, A. J.
taxonomie (psychomoteur), 184, 191, 254,
259, 265-269
verbes d'action, 282

Hasard (voir Assignation au hasard)

House, E. R., 49, 117, 411

Hurteau, M., 44, 116, 134

Hershkowitz, M. (technique), 321-323

Implantation (d'un programme), 97, 100, 102,
123, 171, 209, 214, 216, 221-226, 231-234,
240, 404

Incident critique (technique), 186, 188, 192,
349, 354

Indices de priorité, 327-329

Information (voir Données), 70, 95, 97-98, 133,
146, 148, 151, 154-155, 158, 181-183, 188,
192, 195-196, 200, 213-214, 216, 221-223,
226, 231-234, 240-242, 249, 287-288, 291,
294-295, 302, 309, 337, 354, 365, 404

Informelle (évaluation), 34-36, 52-53, 56, 65,
88, 143

Intrants, 36, 85-86, 91, 97, 100-104, 108-109

Instruments de mesure, 71, 78-80, 90, 95,
118, 120, 126, 132-133, 153, 155, 158, 162,
195, 214-215, 232-233, 241-242, 253-254,
287-310
caractéristiques d'un bon instrument, 288,
294-303
classification des tests, 289-294
types, 303-310

Intérêts (test), 307

Interview (voir Entrevue), 16, 213, 310